SONDAGES

histoire, pratique et analyse

André Tremblay

SONDAGES

histoire, pratique et analyse

gaëtan morin
éditeur

Tableau de la couverture : *Éblouissement au sortir d'un confinement obscur*
Œuvre de **Marie-Jeanne Essertaize**

Marie-Jeanne Essertaize est née à Paris en 1942. Elle demeure au Québec depuis 1951.

Étudiante à l'École des Beaux-Arts de Québec de 1958 à 1962, elle a su tirer profit de l'enseignement d'artistes renommés tels que Jean-Paul Lemieux et Antoine Dumas.

Depuis 1963, elle expose ses œuvres dans différentes galeries du Québec ; on peut notamment admirer certaines d'entre elles à la Galerie Michel-Ange de Montréal.

Montréal, Gaëtan Morin Éditeur ltée
171, boul. de Mortagne, Boucherville (Québec), Canada J4B 6G4. Tél. : (450) 449-2369

Paris, Gaëtan Morin Éditeur, Europe
105, rue Jules-Guesde, 92300 Levallois-Perret, France. Tél. : 01.41.40.49.20

Casablanca, Gaëtan Morin Éditeur – Maghreb
6 bis, Rond-point des sports, 20000 Casablanca, Maroc. Tél. : 212 (2) 49.02.17

ISBN 2-89105-385-0

Révision linguistique : Gaétane Trempe

Imprimé au Canada 2 3 4 5 6 7 8 9 0 1   08 07 06 05 04 03 02 01 00 99

Dépôt légal 3e trimestre 1991 – Bibliothèque nationale du Québec – Bibliothèque nationale du Canada

À Rachel et Jean-Baptiste, mes parents.

Avertissement

Dans cet ouvrage, le masculin est utilisé comme représentant des deux sexes, sans discrimination à l'égard des hommes et des femmes et dans le seul but d'alléger le texte.

Remerciements

Je tiens d'abord à remercier les nombreuses générations d'étudiants tant en communication qu'en sociologie qui, par leurs questions et leurs commentaires, ont permis de mettre au point ce manuel.

Cet ouvrage n'aurait pu voir le jour sans les conseils et les encouragements de monsieur Michel De Sève, professeur au Département de sociologie de l'Université Laval. Je tiens également à remercier monsieur Vincent Lemieux, professeur au Département de sciences politiques de l'Université Laval, pour ses commentaires sur les deux premières parties du livre.

J'ai rencontré, chez Gaëtan Morin, une équipe compétente, consciencieuse et positive. Du service de l'édition, madame Lucie Robidas et, surtout, madame Hélène Laliberté m'ont apporté un soutien de tous les instants et leurs exigences ont permis de produire un manuel plus rigoureux et plus homogène. Madame Monique Boucher, du service de la production, a su travailler avec diligence sans jamais perdre sa gentillesse. Et que dire du travail de madame Gaétane Trempe dont la révision linguistique méticuleuse et intelligente a permis d'expurger le manuel des nombreux anglicismes qui ont cours dans le domaine des sondages.

Enfin, je tiens à souligner la compréhension dont ont fait preuve mes proches que le travail m'a parfois fait négliger, et plus particulièrement ma compagne, Estelle Verret.

Table des matières

Liste des encadrés

Introduction générale

Souligner l'importance des sondages dans la société et la science moderne est devenu un lieu commun. On utilise la méthode du sondage à diverses fins : les sondages d'opinion mesurent principalement les attitudes (politiques, psychologiques, etc.), mais également les variables sociodémographiques (âge, sexe, scolarité, profession, emploi, etc.) aussi bien que les faits les plus divers (posséder ou non une voiture), les comportements (faire soi-même sa déclaration de revenus) ou les connaissances. Certaines études de la personnalité menées par des psychologues utilisant des tests, d'autres études menées par des psychologues et des médecins épidémiologistes portant sur la santé mentale ou physique, le stress et bien d'autres aspects sont réalisées par sondage. La liste des usages du sondage et des spécialistes qui l'utilisent s'allonge constamment, qu'il s'agisse des économistes intéressés à la micro-économique, des gestionnaires à des fins de marketing ou d'analyse organisationnelle, des sociologues pour connaître les valeurs et mieux apprécier la culture d'un peuple, ou des sémiologues pour analyser des textes. Par ailleurs, l'échantillonnage et les sondages servent à bien d'autres fins que l'étude des personnes : ils sont utiles aux comptables pour effectuer leurs vérifications, aux géologues pour analyser les sols, aux biostatisticiens pour étudier les populations d'insectes et l'évolution des maladies, etc.

Les propriétés mathématiques des échantillons, notamment la possibilité qu'ils offrent de généraliser les résultats des mesures prises sur un nombre restreint de cas (échantillon) à une grande population, ont rencontré un écho favorable dans tous les champs de la connaissance humaine aux prises avec l'étude de vastes ensembles. On reconnaît aux sondages la précision des estimations et leurs faibles coûts, comparativement à ceux d'un recensement exhaustif de toute une population.

Dans toutes les situations, les modèles d'analyse statistique (compte tenu des mesures utilisées) et les méthodes d'échantillonnage sont les mêmes, chaque discipline se distinguant par des théories et des champs d'intérêt particuliers. Malgré la diversité des problématiques, toutes les applications du sondage se rapportant à des personnes soulèvent une difficulté commune : construire des outils qui permettront d'obtenir les informations le plus justes possible sur des populations humaines.

LA DIVISION DU TRAVAIL ET L'ANALYSE DES SONDAGES

Ce livre s'adresse à tous ceux qui auront à construire et à analyser des sondages portant sur les personnes ; on retrouve une gamme étendue de professions et de disciplines qui se caractérisent par divers points de vue de la réalité et par des théories distinctes. Il intéressera donc les étudiants de l'une ou l'autre des disciplines relatives au comportement humain, mais aussi ceux qui, déjà installés sur le marché du travail, sont confrontés à l'usage croissant du sondage sans toutefois posséder une formation adéquate. Cet ouvrage s'adresse aussi aux utilisateurs des données de sondage ; l'éventail des professions concernées est alors encore plus vaste. Mais ce qui distingue les utilisateurs des concepteurs est souvent moins la profession qu'ils exercent que la position qu'ils occupent dans la division administrative et technique du travail.

> **1   À qui s'adresse cet ouvrage ?**
>
> À ceux qui ont à construire et à analyser des sondages.
>
> À ceux qui doivent utiliser des données de sondage.
>
> À ceux qui doivent commander des sondages.
>
> À ceux qui doivent évaluer des sondages.

Les différentes étapes de l'industrie du sondage[1] sont de plus en plus soumises aux règles de la division du travail. Sociologues, politologues, communicateurs, psychométriciens ou administrateurs, tous les professionnels qui utilisent la méthode des sondages sont concernés de manière différente par la conception et l'analyse des données, selon la position qu'ils occupent dans la structure organisationnelle. Les firmes de communication publique, les agences de publicité, les médias ainsi que la plupart des entreprises et des agences gouvernementales, après avoir précisé leur problématique et leurs objectifs, confient à des experts la conception, l'application et l'analyse des sondages. Une des premières conséquences de la division du travail est donc de séparer les étapes de conceptualisation de celles de construction technique et d'analyse des données[2]. Dans certains milieux très bureaucratisés, au gouvernement provincial par exemple, il arrive que la préparation du questionnaire et son analyse relèvent de services distincts.

Cette division technique du travail entraîne des difficultés de communication entre les sondeurs et les porteurs de problématique auxquels il manque un langage commun : les premiers parlent d'indicateurs, de variables, d'échantillonnage, alors que les seconds s'expriment dans leur argot professionnel en fonction de leurs préoccupations.

Bien souvent, ceux qui commandent des sondages sont dépourvus de moyens pour analyser les propositions qui leur sont soumises et pour interpréter les résultats obtenus. En contrepartie, les sondeurs sont aux prises avec des attentes qu'ils ne peuvent satisfaire ; ils doivent bien souvent reformuler des problématiques insuffisamment précisées sans compter les difficultés qu'ils rencontrent pour communiquer des résultats relevant parfois d'une analyse mathématique sophistiquée.

Toutefois, cette répartition des responsabilités dans la réalisation des sondages n'est pas le seul problème auquel les analystes et les concepteurs des données de sondage sont confrontés dans leur pratique professionnelle. Le praticien des sciences sociales comme celui des communications ou l'administrateur, surtout à leurs débuts, doivent souvent assurer toutes les étapes de la conception et de l'analyse d'un sondage. En effet, les petites entreprises et les bureaux-conseils ont parfois à produire ou à interpréter une enquête sans pouvoir se payer les services d'une grande firme de sondage. Rappelons qu'un sondage moyen produit par une firme spécialisée coûtait facilement plus de 10 000 $ en 1988.

Bien que l'on confie généralement la réalisation d'un sondage à des spécialistes, plusieurs croient que tout le monde peut construire des questionnaires. Le praticien des sondages n'est alors sollicité qu'à la toute fin du processus, au moment où les concepteurs et les administrateurs du sondage maison se trouvent confrontés au seul domaine dont ils avouent la spécificité : les statistiques. Le rôle du sondeur se limite alors à légitimer mathématiquement les décisions prises antérieurement. Comme consultant, il devra donc analyser les données recueillies mais aussi réparer, si l'on peut dire, les conséquences d'une conception erronée puisque la problématique, le questionnaire et l'échantillonnage comporteront souvent de graves erreurs. Il peut même arriver qu'il ait à concevoir un outil d'analyse des questionnaires déjà recueillis afin de rendre l'information traitable par informatique, à défaut de lui assurer une meilleure validité ou plus de consistance.

Une dernière catégorie de personnes seront intéressées par cet ouvrage. Il s'agit de toutes celles qui sont confrontées à des données de sondage sans avoir été concernées directement par l'une ou l'autre des étapes. Les rapports de sondage s'avèrent le seul éclairage qu'elles ont sur ces dernières. Il leur manque essentiellement une grille d'analyse pour vérifier la validité des recherches, de même que les habiletés minimales pour interpréter les résultats. Ces personnes se trouvent souvent au sommet de la hiérarchie propre à la division du travail ; ce sont les cadres supérieurs.

La pratique de l'une ou l'autre des formes de la communication publique, des sciences sociales et des sciences administratives se fait donc dans des contextes polymorphes. De toute façon, les praticiens doivent savoir quelles questions poser et quelles sont les possibilités de manipulation des données. Si le sondeur n'a pas le temps de poser toutes les hypothèses, le praticien devra le faire. Mais tout a un coût, et des questions imprécises de la part du professionnel entraîneront des réponses du même acabit chez le sondeur.

La variété des situations de travail s'accompagne d'une aussi grande variété de l'état des données auquel le praticien est confronté : les données peuvent être produites sous forme de distribution de fréquences ou analysées dans des tableaux d'une plus ou moins grande sophistication mathématique ; elles peuvent être finement interprétées ou présentées à l'état brut. Généralement, les grandes firmes de sondage fournissent à leurs clients une interprétation écrite des résultats. Mais qu'en est-il des petites firmes et des sondeurs autonomes ? Bien souvent, même dans les plus grandes entreprises de sondage, les résultats des études que l'on aura commandées à grands frais seront tout simplement sous-exploités. Les sondeurs, pressés dans une structure contractuelle où le temps et l'argent sont rigoureusement comptabilisés, ne s'engagent généralement pas dans des analyses causales, l'analyse descriptive étant elle-même des plus sommaire.

En outre, les différents agents de recherche sociale font souvent face à des données éparses séparées de leur contexte, ou encore à des données déjà recueillies dans un contexte autre que celui de leur cueillette (analyse secondaire).

LE PLAN DU LIVRE

L'utilisation des sondages en sciences humaines soulève divers débats. Le plus fondamental met en doute le positivisme comme méthode de connaissance de la réalité sociale et dépasse la technique des sondages ; de ce fait, nous ne l'aborderons pas dans cet ouvrage. Un autre débat tout aussi important tient à la critique de la capacité d'une technique reposant sur la sommation des caractéristiques individuelles à connaître la réalité sociale et, notamment, l'opinion publique. Nous présenterons les termes de ce débat non parce que nous sommes intéressés à la seule application des sondages à l'analyse de l'opinion publique, mais parce que le débat autour de la notion d'opinion publique est le meilleur exemple de la contestation des sondages comme outil de connaissance sociale. Nous verrons comment le phénomène de l'opinion publique a évolué, comment ses définitions, sa mesure et son usage se sont modifiés.

La première partie de ce guide nous amènera à réfléchir sur la signification des données pour soi et pour les différents utilisateurs : l'État, les médias, les corps intermédiaires, les partis politiques, les entreprises et le public. Nous emploierons une méthode historique afin de parfaire notre connaissance des utilisateurs et de leurs intérêts. Nous tracerons également les grandes lignes de l'histoire de la quête des données, de la statistique et, plus particulièrement, des sondages politiques.

La deuxième partie permettra d'abord de mieux comprendre la démarche scientifique et de préciser le rôle du sondage dans cette démarche. Cela fait, nous aborderons les différentes étapes de la conception d'une enquête. L'élaboration d'une problématique, l'utilisation de théories et d'hypothèses de recherche et le passage des concepts aux indicateurs s'avèrent des étapes cruciales de la préparation d'un questionnaire de sondage. Elles sont souvent négligées au profit d'une approche uniquement technique ou totalement statistique. Or, une fausse note au début d'une recherche, une préenquête bâclée et la méconnaissance des théories appropriées ne peuvent que difficilement être corrigées ultérieurement ; les échelles et les typologies en dépendent, de même que le choix et la formulation des questions.

Le reste de la deuxième partie sera plus technique : on présentera les types de questions, leur formulation, leur ordre au sein du questionnaire, leur prétest et les techniques nécessaires à la préenquête. De plus, nous traiterons de certains éléments de base de la théorie des tests avec l'objectif de les utiliser dans les questionnaires de sondage.

Dans la troisième partie, nous présenterons certains éléments de base concernant le choix d'un échantillon approprié aux objectifs de recherche. Les études longitudinales représentent un cas particulier à l'intérieur de la théorie de l'échantillonnage. Nous en énoncerons les principes, les avantages et les inconvénients. De plus, nous fournirons une grille d'analyse pour les chercheurs intéressés à utiliser des données longitudinales provenant de différentes sources.

Dans cette dernière partie, nous traiterons aussi des propriétés mathématiques des échantillons et des analyses possibles : leur représentativité et les conclusions que l'on peut tirer de leurs résultats. Nous énoncerons certains principes de l'analyse bivariée, nous établirons ses limites et nous exposerons les fondements de l'analyse multivariée. Nous réviserons les différentes mesures d'association et de corrélation utilisées en insistant sur la pertinence de ces dernières selon le niveau de mesure des variables. Enfin, nous présenterons des éléments d'analyse causale multivariée.

En ce qui a trait aux aspects mathématiques de ce manuel, l'approche se limite à la présentation de techniques statistiques élémentaires. Chaque fois que les modèles mathématiques et les calculs seront trop complexes, nous renverrons le lecteur aux ouvrages les plus appropriés.

LES OBJECTIFS PÉDAGOGIQUES

Dans cet ouvrage, nous nous soucions du volet pédagogique. C'est pourquoi nous avons construit des exercices et des questions de contrôle des acquis se trouvant à la fin du livre. Les exercices de la première et de la troisième parties sont indépendants les uns des autres et portent sur la matière couverte dans chacun des chapitres. Ceux de la deuxième partie sont organisés autour d'un thème, soit les différences de comportement en conduite automobile selon le sexe du conducteur, et s'enchaînent d'un chapitre à l'autre. La plupart des exercices sont suivis d'un corrigé.

C'est pour atteindre des objectifs pédagogiques que l'approche est essentiellement pragmatique. La démarche demeure rigoureuse, mais nous ne sacrifions rien aux dieux du purisme méthodologique et statistique. Ces approches négligent le plus souvent les conditions réelles de la pratique des sondages et même la méprisent. La pratique des sondages est une affaire de compromis entre des exigences définies théoriquement et les conditions concrètes de la société. Nous en tenons compte. « La méthode sert à assurer des résultats moyens pour des individus médiocres » a déjà affirmé un méthodologue ; pour notre part, nous considérons intelligents les gens à qui nous nous adressons.

NOTES

(1)   Stoetzel insistait sur le caractère essentiellement industriel du processus du sondage qu'il opposait à l'artisanat de la recherche universitaire. Le sondage est le procédé industriel qui convient le mieux pour connaître la société industrielle. « La recherche en sciences sociales ne relève pas de méthodes artisanales. Elle exige et mérite une organisation de type industriel. » (Stoetzel cité dans Riffault, 1981, p. 233.)

(2)   Cette analyse sera rarement très approfondie et les techniques les plus sophistiquées ne sont utilisées qu'exceptionnellement dans un contexte commercial
(environ 2 % des 350 sondages réalisés annuellement par Sorecom par exemple).

Partie 1

La quête des données, les médias et le système politique

L'opinion publique existe-t-elle ? Les sondages peuvent-ils la mesurer ? Quelle est l'utilité des sondages menés auprès des individus pour mesurer les valeurs d'une société ? Pourquoi veut-on tellement connaître ce que pensent les gens ? D'où viennent les sondages ? Comment les sondages s'inscrivent-ils dans l'univers politico-médiatique moderne ? La démocratie ? Maudits sondages !

Des questions, des questions par dizaines entourent l'utilisation sociale des sondages, quand ce ne sont pas des imprécations. Les réponses, tout au moins un regard sur celles-ci, se trouvent rarement dans un livre de méthode. Nous tenterons ici non pas de justifier la méthode des sondages, mais plutôt de comprendre leur présence parfois si criarde parmi nous. Les sondages ont une histoire qui va au-delà de quelques anecdotes tirées de la vie de H.G. Gallup.

Le contexte général fixé, nous retracerons les événements marquants de l'histoire de la quête des données, de la statistique et des sondages politiques.

Les relations entre les médias, le monde politique et l'industrie du sondage ont monopolisé l'attention des critiques politiques. Pour Vincent Lemieux, les sondages sont bons pour la démocratie s'ils sont bien faits, rigoureux et s'ils sont bien interprétés par les médias. Nous abondons dans cette direction. L'analyse que nous ferons du phénomène s'applique toutefois davantage aux conditions pratiques de l'utilisation des sondages. Nous présenterons aussi une typologie des usages des sondages en indiquant les lignes de force de leur utilisation dans différents domaines.

Chapitre 1

La quête des données et leurs usages

1.1 LES HÉRÉTIQUES, LES IMPÔTS, LES CONSCRITS ET LA PAUVRETÉ

1.1.1 LES BESOINS DES ÉTATS CENTRALISÉS

Aussi ancienne que les États centralisés ou que l'Église, la quête des données s'est perpétuée jusqu'à aujourd'hui avec les mêmes objectifs : percevoir les impôts, connaître et contrôler les conscrits et les hérétiques. En d'autres termes, l'État doit assurer son financement, régler ses problèmes organisationnels, de même que connaître et contrôler les attitudes et les valeurs de sa population. Tous les États occidentaux tiennent des recensements[1] afin de mieux connaître l'état de leur population. Les sondages politiques radiographient les opinions de la population vis-à-vis le pouvoir. Même dans un contexte commercial, on peut soutenir cette affirmation : les publics cibles que l'on veut convaincre, circonscrire, ou dont on veut modifier les valeurs et les besoins en faveur du produit que l'on offre ne sont pas tellement différents des conscrits et des hérétiques d'antan.

LA PETITE HISTOIRE DES RECENSEMENTS

Rappelons le recensement le plus célèbre mené par un État centralisé : sans le savoir, on en commémore la réalisation tous les 25 décembre. La nuit de Noël de l'an 0, Jules César et l'administration romaine tenaient un recensement, ce qui explique, selon la mythologie chrétienne, que les parents de Jésus n'aient trouvé qu'une étable pour sa naissance. Toujours selon la mythologie chrétienne, le recensement avait deux objectifs :

identifier et éliminer le Roi des Juifs et inventorier les peuples de l'Empire romain et leurs possessions. César n'innovait pas en la matière ; l'Empire sumérien, de 5000 ans à 2000 ans avant notre ère, a laissé, sous la forme de tablettes d'argile comptabilisant hommes et biens, la preuve d'une préoccupation précoce des empires centraux pour le contrôle des populations. En Mésopotamie, 3000 ans avant notre ère, on tenait régulièrement des recensements. L'Égypte des pharaons fut la première à systématiser le recensement démographique (2900 avant J.-C.) et celui des biens à des fins fiscales (2700 à 2500 avant J.-C.). En Orient, l'Empire chinois réalisa également des recensements ; en 2238 avant notre ère, l'empereur Yao ordonna le recensement de ses sujets et de toutes les productions agricoles (Droesbeke *et al.*, 1987).

En Occident, la décadence, puis la chute de l'Empire romain et l'absence d'États centralisés dotés d'une structure administrative développée mirent en veilleuse la quête des données pendant de nombreux siècles. On note toutefois certaines exceptions tout au long du Moyen Âge où certains seigneurs féodaux entreprirent des recensements de leurs possessions, mais la pratique n'avait rien d'institutionnel ni de régulier.

Guillaume (William) le Conquérant, après avoir unifié sous sa férule une grande partie de ce qui allait devenir l'Angleterre, mit en place une organisation de collecte de données cadastrales, financières et démographiques laissée, à l'échelle locale, sous la responsabilité de « sheriffs ». Le *Domesday Book* s'intéressait même au « rang social » des sujets de Guillaume (Young, 1956). Sous sa gouverne, on élabora un système de droit civil unifié et une organisation centralisée. Ces institutions se maintinrent tant bien que mal après la mort du Conquérant.

Dès le XIIIe siècle, en France, on vit réapparaître la collecte de certaines statistiques administratives à des fins fiscales. Au XVIe siècle, François Ier puis Henri III ordonnèrent respectivement la tenue d'un registre des naissances, puis des mariages et des décès. Notons que le premier formulaire créé par l'administration française remonte à 1635 (Lécuyer, 1981).

Ce n'est toutefois que sous Colbert (1619-1683), le même qui favorisa l'établissement des premières industries françaises et qui construisit les bases administratives de l'État français, que se développèrent la statistique administrative et la tenue d'enquêtes et d'« extrapolations ». En 1666, Colbert chargea Jean Talon, intendant de la Nouvelle-France, d'entreprendre le recensement de la colonie. C'est sous Colbert que le mot « statistique » devint un élément du vocabulaire administratif (Droesbeke *et al.*, 1987).

La statistique devint une des fonctions régulières de l'État, au même titre que l'armée ou la marine. Le marquis de Vauban, le même qui fortifia la France, publia une *Méthode géneralle et facille pour faire le dénombrement des peuples* en 1686.

C'est sous Louis XV, en 1745, qu'on tenta pour la première fois de mesurer l'opinion. Le contrôleur général Orry fit répandre de fausses rumeurs par des envoyés qui eurent pour mission de rapporter l'opinion que l'on en avait (Lécuyer, 1981). Le roi aurait pu ainsi identifier ses opposants et certains réseaux de communication de l'information ; mais cette enquête n'a jamais servi car Orry a été limogé avant. On ne l'a retrouvée dans les archives qu'au XXᵉ siècle. Il va sans dire que cette manière de faire, quoique politiquement fort habile, n'a rien à voir avec les méthodes d'enquête modernes.

LES PREMIERS EFFORTS SCIENTIFIQUES

Tant la quantification du social que le calcul des probabilités trouvèrent leurs racines scientifiques au XVIIᵉ siècle. Des scientifiques s'y intéressèrent et proposèrent une mathématique sociale, que ce soit « l'arithmétique politique et économique » (naissances, décès, commerce) de l'Anglais W. Petty (1623-1687) ou la statistique sociale (tous les aspects d'un État donné ainsi que leurs interdépendances) de l'Allemand Conring, un familier de Leibniz. Aux XVIIIᵉ et XIXᵉ siècles, les universités de Göttingen, où œuvrera Gauss (1777-1855), et de Berlin avaient des centres de statistique réputés.

L'influence des travaux de Petty fit du XVIIIᵉ siècle une époque où les enquêtes et les extrapolations dominèrent les statistiques (Droesbeke *et al.*, 1987). En 1783, Pierre Simon de Laplace (1749-1827) proposa des calculs pour mesurer l'incertitude de l'estimateur. Tous les grands noms de la mathématique, de la physique et de l'astronomie, tel Lavoisier, participèrent à l'élaboration de la statistique.

LES RECENSEMENTS DE L'ÈRE MODERNE

Le XIXᵉ siècle vit se développer la statistique, mais au profit des recensements plutôt qu'à celui des enquêtes sur des échantillons. En fait, l'intérêt des États pour les enquêtes dans les siècles précédents reposait davantage sur un manque de moyens, c'est-à-dire l'impossibilité de tenir des recensements exhaustifs. En 1800, sous le Directoire, Lucien Bonaparte fonda le premier Bureau de la statistique. En 1801, la France, la Norvège, l'Angleterre et le Danemark tinrent simultanément le premier recensement de l'ère moderne.

Quételet (1796-1874) énonça le premier les liens entre le calcul des probabilités et la statistique mais, à l'image de son siècle, il se méfia des enquêtes par sondage et préféra les recensements. Il organisa le Premier Congrès international de statistique à Bruxelles en 1853 (Droesbeke *et al.*, 1987). En concurrence avec Comte pour la définition de la « physique sociale », il s'intéressa tôt aux populations marginales et surtout criminelles, révélant le souci pour le contrôle social que l'on retrouve chez Max : « Par le calcul, maîtriser suffisamment les faits sociaux pour éviter de coûteuses révolutions » (Quételet dans Meynaud et Duclos, 1985). Ici, les hérétiques sont devenus des révolutionnaires.

LES THÉORIES DE L'ÉCHANTILLONNAGE

C'est à un mathématicien norvégien, Anders Nicolai Kiaer, directeur du Bureau central de statistiques du royaume de Norvège, que revient la paternité de la méthode des sondages ; la validité de ses travaux a été reconnue par l'Institut international de statistique (IIS) en 1903, mais non sans peine. Entre 1895 et 1903, les congrès annuels du nouvel institut, fondé à Londres en 1885, fournirent une scène à un débat acharné sur la validité de la méthode représentative. La polémique ne connut son point final qu'avec le rapport de la commission chargée de l'étude de l'applicabilité de la méthode représentative au congrès de Rome de l'IIS tenu en 1925. L'Anglais Sir Arthur Bowley et le Danois A. Jensen y jouèrent un rôle déterminant.

Par la suite, les débats des statisticiens ne remirent plus jamais en cause la validité de la méthode des sondages mais plutôt l'un ou l'autre aspect de l'analyse ou de la réalisation, notamment l'opposition entre l'échantillonnage par quota et l'échantillonnage probabiliste. Le débat autour des sondages ne s'arrêta pas pour autant ; il changea tout simplement d'arène : de la science statistique, il passa à la politique et à l'épistémologie. L'utilisation du sondage pour mesurer l'opinion publique donna une tournure politique au débat sur les sondages ; nous en parlerons ultérieurement. Au chapitre suivant, nous traiterons du débat épistémologique.

1.1.2   L'INTÉRÊT SCIENTIFIQUE ET LA RECHERCHE SOCIALE

HORS DE L'ÉTAT

Depuis déjà fort longtemps, des individus intéressés à la société en ont entrepris l'étude empirique. Les travaux du Grec Hérodote

(447-425 avant J.-C.), rapporte Pauline Young (1956), sont plus que « les simples chroniques d'un historien social ». Ce sont des comptes rendus détaillés des traditions, des croyances religieuses et des conditions de vie économiques de son époque.

Mis à part l'intérêt des États pour des données factuelles et administratives, on n'étudia guère la réalité sociale de manière empirique et systématique avant le XIXᵉ siècle. Un Anglais, John Howard (1726-1790), fut une des rares exceptions. Philanthrope et réformateur social, rapporte Young, il fit de multiples enquêtes sur le système carcéral de nombreux pays. Howard fut plus qu'un précurseur sur le plan des méthodes de recherche ; il représente l'archétype des premiers individus engagés dans l'enquête sociale.

Le Français Frédéric Le Play (1806-1882), un économiste de formation, introduisit la technique des monographies familiales avec l'objectif de connaître la société pour la changer. Le Play et son équipe multidisciplinaire établirent des procédures d'observation standardisées et rigoureuses. Après avoir défini la famille comme l'unité de base de ses recherches et identifié la famille ouvrière comme la plus représentative de l'état de la nation, il sélectionna des familles qu'il observa et les analysa en profondeur. Ensuite, il construisit des instruments plus systématiques comme une grille d'observation très détaillée et des questionnaires d'entrevue. Intéressé avant tout par la vie économique des familles, il créa des agendas, véritables livres comptables dans lesquels les ménagères inscrivaient le détail de leurs revenus et de leurs dépenses, ce qui permettait au chercheur une étude approfondie de leur budget. *Ouvriers européens*, son œuvre scientifique la plus importante, a été publiée pour la première fois en 1855.

Au Canada français, Léon Gérin a repris les techniques de Le Play. Parmi les auteurs célèbres qui réalisèrent des inventaires de biens, notons les travaux empiriques trop souvent oubliés de Karl Marx, lequel comptabilisa les avoirs de paysans anglais ; les résultats se trouvent dans *Le Capital*, tome I.

LES ÉTUDES DE COMMUNAUTÉS

La tradition anglaise

Charles Booth (1840-1916) et B.S. Rowntree succédèrent à Le Play sur le plan méthodologique et réalisèrent également les premières études de communautés. L'un comme l'autre s'intéressaient à la pauvreté urbaine, le premier à Londres, le second à York.

« Booth tenta de démontrer numériquement jusqu'à quel point la pauvreté, la misère et la dépravation tiennent à des revenus réguliers et à un confort relatif et de décrire les conditions générales de la vie de chaque classe. » (Young, 1956, p. 9-10. Traduction libre.)

Booth et son équipe de chercheurs réalisèrent des entrevues en profondeur et chargèrent des fonctionnaires de recueillir des informations sur près de la moitié de la population pauvre de Londres. Au moyen de questionnaires, ils répertoriaient les principales caractéristiques économiques et familiales des pauvres londoniens. Booth consigna ses résultats dans les 17 volumes de *Life and Labour of the People of London* parus entre 1892 et 1897.

Au début du XXe siècle, Rowntree reprit largement les travaux de Booth auprès de la population pauvre d'une plus petite ville anglaise, York. Il établit, le premier, la notion de « seuil de pauvreté » et distingua les concepts de pauvreté absolue et de pauvreté relative. Il publia le compte rendu de ses recherches dans *Poverty : a Study of Town Life* en 1908.

En 1936, Rowntree réalisa une deuxième étude sur York, laquelle lui permit d'analyser les effets des politiques sociales sur la pauvreté. Cette enquête fut, quant à la méthodologie, une confirmation des travaux théoriques du statisticien Kiaer. En effet, Rowntree inventoria les biens de toutes les familles ouvrières de la ville, soit 16 362 familles au total, puis produisit des analyses comparatives sur des échantillons représentant différentes fractions de sa population (1 sur 10, 1 sur 20, etc.). Ses travaux confirmèrent la validité de la méthode échantillonnale.

La tradition américaine

Dès le début du XIXe siècle, les médias rapportent les résultats d'enquêtes sur différentes caractéristiques sociales et sur les impressions subjectives des gens. Daniel Defoe, auteur de *Robinson Crusoé* mais aussi journaliste réputé en Angleterre, et le comte de La Fayette, en France, mirent en place un réseau de correspondants répartis sur tout le territoire (Droesbeke *et al.*, 1987). Aux États-Unis, les médias ne firent pas que rapporter les résultats des sondages : ils les provoquèrent. En effet, entre 1875 et 1910 environ, des journaux, dont le célèbre *New York Times*, et des journalistes new-yorkais firent une critique forcenée de la corruption politique et des conditions de vie et de logement de la population de New York. En 1900, Théodore Roosevelt, alors gouverneur de l'État de New York, entreprit une enquête sur la condition du logement, enquête qui eut comme conséquence la formation d'un service de contrôle du logement : le New York Tenement House Department.

En 1907, on fonda la Russel Sage Foundation[2] dédiée à la promotion sociale des Américains. En 1912, la fondation s'adjoint un Department of Surveys and Exhibits qui fournit des experts et des fonds à ceux qui veulent décrire les conditions de vie de la population. C'est sous ses auspices que fut entreprise, en 1909, la première grande enquête américaine d'une communauté : l'étude de Pittsburgh dirigée par Paul Kellogg. En 1928, rapporte Young, la *Bibliography of Social Surveys* dénombrait 2 775 titres de projets d'enquête. Tous ces projets constituèrent un mouvement que l'on appela le *Social Engineering* dont les deux éléments constitutifs étaient une connaissance exhaustive des conditions concrètes de la vie de la population et une planification efficace de l'action des gouvernants. C'est sous l'administration de Frank Delano Roosevelt que le *Social Engineering* connut la plus grande vogue. C'était un élément capital des mesures sociales et économiques connues sous le nom de *New Deal*.

Au Québec, la plus connue des monographies urbaines fut menée par l'Américain Everett C. Hugues et fut publiée en français sous le nom de *Rencontre de deux mondes*.

LES SONDAGES ET LES SCIENCES SOCIALES

Les études sur l'armée et la propagande de guerre

Outre Gallup dont nous reparlerons abondamment dans la section 1.2, la technique du sondage en sciences sociales, et plus particulièrement en sociologie, doit beaucoup à P.F. Lazarsfeld. Viennois émigré aux États-Unis dans les années 1920, formé en psychosociologie, Lazarsfeld fonda, à Columbia, le Bureau of Applied Social Research ; ce fut sans doute la première collaboration entre les sciences sociales, l'entreprise privée et l'État. Ce fut toutefois la Seconde Guerre mondiale qui fournit l'occasion de raffiner les théories et les méthodes d'étude sociologique et psychosociologique. Lazarsfeld participa aux études sur les soldats américains dirigées par Stouffer. Les résultats de cette gigantesque enquête sur le moral des troupes furent analysés et publiés, après la guerre, par de nombreux sociologues américains dont R.K. Merton. Pendant la même époque troublée, l'étude sur la propagande intitulée

Radio Research Program servit aussi à l'exploration de méthodes et de théories sociologiques.

R. Boudon introduisit les idées de Lazarsfeld en France. Les États-Unis ne furent pas les seuls à qui la guerre fut propice au développement des sciences sociales. En Angleterre, le Tavistok Institute, un des lieux de recherche sur les organisations parmi les plus connus au monde, fut également fondé pendant la guerre.

La critique de l'empirisme

L'usage des sondages en sciences sociales a fait l'objet de critiques qui n'ont d'égal que l'expansion de la méthode. P. Sorokin, le premier, a fustigé la « quantophrénie » (contraction de « quantitatif » et « schizophrénie ») de la sociologie américaine qu'incarnaient les travaux d'Ogburn et des autres chercheurs qui se contentaient de recueillir des informations sans théorie préalable. Mais la critique n'a pas été seulement celle de théoriciens. Lillian Symes, dans la revue *Harper's Monthly* de février 1932, signe un article dont le titre résume bien l'état d'esprit de nombreuses personnes : « The great american fact-finding farce ».

Mais c'est sans doute C.W. Mills qui, avec le plus d'acuité et de brio, a mis en lumière « l'inhibition méthodologique » de ce qu'il appelle les empiristes abstraits. La critique qu'il en fait dans *L'imagination sociologique* tourne autour de deux pôles principaux : l'« a-théorisme » et l'« a-historicité » des études empiriques fondées sur le sondage. De plus, il réclame une vision plus large de la notion d'empirisme que celle, étroitement statistique, des tenants des méthodes quantitatives. Aujourd'hui, ces critiques sont de moins en moins valides. La recherche sociale par sondage est de moins en moins isolée des autres méthodes d'enquête. Le débat entre les méthodes qualitatives et les méthodes quantitatives est en train de s'estomper.

La brève révision de la progression des méthodes de recherche que nous avons faite est loin d'être exhaustive. D'ailleurs, ce n'était pas notre objectif. Parmi les contributions que nous avons laissées dans l'ombre, notons la célèbre étude de Durkheim, *Le Suicide*, réalisée à partir des statistiques officielles de plusieurs pays et les travaux empiriques de Max Weber qui fit un sondage sur les systèmes de valeurs de différentes catégories socioprofessionnelles.

1.2 LE MONDE POLITIQUE ET LA GÉNÉRALISATION DU SONDAGE

1.2.1 L'HISTOIRE DU SONDAGE POLITIQUE

LES VOTES DE PAILLE ET LES PREMIERS SONDAGES

Les sondages politiques ont vu le jour aux États-Unis. Dès le début du XIXe siècle, on note l'apparition des « votes de paille » (*straw votes*) : sans méthode précise, ces votes consistaient à demander aux lecteurs d'un quotidien ou aux passants leur préférence pour tel ou tel homme politique. Ces « sondages » étaient de même nature et de même valeur que ceux réalisés par *Le Journal de Québec* ou *Le Journal de Montréal*, par exemple, lorsqu'ils demandent à leurs lecteurs ce qu'ils pensent de ceci ou de cela. Le premier vote de paille connu fut réalisé en juillet 1824 par un quotidien de Harrisburg, le *Pennsylvanian*, qui s'adressait aux passants en face du journal. Il fut imité par de nombreux journaux dont le *Raleigh Star* en 1824, le *New York Herald*, le *Chicago American*, le *Chicago Journal*, le *Columbus Dispatch* et le *Literary Digest* dont nous reparlerons.

À la fin du XIXe siècle commence la collaboration entre les scientifiques et les journaux pour connaître l'opinion des électeurs. En 1896, le journal de Chicago *The Record* réalisa un sondage sur les intentions de vote aux élections présidentielles en Illinois avec un échantillon de un électeur sur huit. Les résultats furent précis à 0,4 % près et on félicita les grands mathématiciens ayant collaboré à l'étude.

L'APPORT DE GALLUP

La technique des sondages fut mise définitivement au point par G.H. Gallup (1901-1984), journaliste et statisticien né à Jefferson en Iowa. Ce dernier présenta une thèse de doctorat sur les théories de l'échantillonnage.

Gallup commence sa carrière professionnelle dès son entrée à l'université ; à l'aide de sondages, il modifie le contenu du journal étudiant de son université afin de le diffuser hors campus. En 1932, il mène son premier sondage préélectoral pour sa belle-mère qui se présentait comme secrétaire d'État en Iowa. Ensuite, il réalise des enquêtes marketing pour ses propres affaires avant de fonder son institut.

En 1935, quand Gallup fonde l'American Institute of Public Opinion, il existe déjà deux autres maisons de sondage ; Elmo Roper dirige, chez Fortune, le Fortune Survey, et A. Crossley, la Crossley Pool Inc. Gallup, Roper et Crossley légitiment et font connaître la méthode des sondages à la population américaine par leur prévision de la victoire de F.D. Roosevelt sur A.M. Landon aux élections de 1936 avec un échantillon ne comportant que 1 500 répondants. Leurs résultats contredisent un vote de paille gigantesque (plus de 2 millions de répondants) organisé par le *Literary Digest*. Ce magazine échoue lamentablement après avoir mené des votes de paille exacts en 1916, 1920, 1924 et 1932 avec des échantillons de 20 000 personnes. En effet, la victoire de Roosevelt fut plus que convaincante : 61 % des suffrages, 27,8 millions de démocrates contre 16,7 millions de républicains, lesquels ne recouvrèrent le pouvoir qu'en 1953 avec Eisenhower. Roper, Crossley et Gallup[3] critiquèrent la formation du gigantesque échantillon : il avait été établi à partir des listes téléphoniques, et ce au lendemain de la plus grande crise économique contemporaine, un biais irréparable en faveur des républicains généralement plus riches.

En 1948, Gallup et Roper connurent un échec retentissant : Truman accéda à la présidence des États-Unis avec facilité alors que les deux sondeurs avaient prévu la victoire de Dewey. La méthode des sondages résista mieux que les votes de paille à ce revers de fortune. Il faut préciser que d'autres maisons de sondage prédirent correctement le vainqueur. En fait, ce fut surtout l'honneur des grands pontes qui perdit un peu d'éclat.

Gallup et Roper avaient effectué leur sondage tout au long de la campagne, chaque État étant sondé à un moment différent. De plus, sûrs de leurs résultats, ils n'avaient mené aucun sondage durant la période précédant immédiatement le vote. Gallup et Roper tirèrent parti de leurs erreurs : ils ne considérèrent plus le vote comme une réalité statique, imperméable aux événements de la campagne électorale, et ils formalisèrent davantage leurs procédures d'échantillonnage, abandonnant complètement la méthode des quotas.

L'EXPANSION DE L'INDUSTRIE DU SONDAGE

Dans le monde

Aujourd'hui, l'institut de Gallup est une entreprise multinationale qui compte des succursales et des associés dans plus de 20 pays ; son nom est synonyme de sondage (*Le Robert*). Certains pays, dont la Hollande, ont renoncé à tenir des recensements au profit de grands sondages. En fait, dès la fin de la Seconde Guerre mondiale, la plupart des États occidentaux comptaient au moins un institut de sondage et la plupart étaient associés à Gallup. Le Canadian Institute of Public Opinion, la filiale canadienne de Gallup, fut fondé en 1941. Outre Gallup et ses filiales ainsi que les précurseurs que furent Roper et Crossley, d'autres instituts, commandités par des universités, furent fondés à la même époque. Les plus importants sont le National Opinion Research Center (NORC) (1941) et l'Office of Public Opinion Research (1940) aux États-Unis ; l'Institut universitaire d'information sociale et économique (1946) en Belgique ; la Fondation néerlandaise pour la statistique (1945) en Hollande. Notons également que les gouvernements militaires américain et français ont tenu de nombreux sondages dans l'Allemagne occupée (Cantril, 1951).

2   Principales maisons de sondage
AU CANADA
Angus Reid and Associates
Goldfarb Consultants
Market Facts of Canada Ltd.
Decima Research Ltd.
Environics Research Group Ltd.
Gallup Canada Inc.
AU QUÉBEC
CROP
Sorecom
IQOP
Créatec Plus
Léger et Léger

Au Québec

Au Québec, la méthode des sondages ne se développa qu'à la fin des années 1950. Le Groupe de recherches sociales conduisit le premier sondage politique en 1959 pour formuler la campagne électorale du Parti libéral du Québec (Lemieux, 1988). Entre la fin des années 1960 et le début des années 1970, les principales maisons de sondage, dont CROP, Sorecom et IQOP qui existent toujours, furent fondées et sont aujourd'hui florissantes.

En France

J. Stoetzel introduisit le sondage en France dans le sillage de G.H. Gallup. Il fonda l'Institut français d'opinion publique (IFOP) en 1938 et s'associa à Gallup. Le Front populaire, alors au pouvoir, encouragea la réalisation de grandes enquêtes sociales. L'IFOP devait répondre à la conception industrialiste que Stoetzel avait des sciences sociales. « La recherche en sciences sociales ne relève pas de méthodes artisanales. Elle exige et mérite une organisation du type industriel. » (Stoetzel cité dans Riffault, 1981, p. 233.)

L'Administration française créa la Statistique générale de France, puis le Service national de statistique dans lequel René Carmille joua un rôle comme théoricien, administrateur et partisan. Après la guerre, cette agence devint l'INSEE (Institut national de la statistique et des études économiques). Un autre institut, l'Agence Dourdin, s'intéressa davantage à l'étude de marché. La guerre interrompit toute la recherche sociale. L'IFOP, dont les archives furent détruites pendant l'Occupation, fut recréé après la guerre et existe toujours. Il a conservé, depuis, toutes les données de toutes les enquêtes qu'il a réalisées. Depuis le début des années 1960, les instituts de sondage se sont multipliés en France comme dans la plupart des pays occidentaux.

Dans les pays de l'Est

Les sondages existent aussi dans les pays de l'Est. Dès la fin de la Seconde Guerre mondiale, le ministère de l'Information en Tchécoslovaquie et l'Université de Budapest en Hongrie ont créé des instituts d'opinion publique. L'institut tchécoslovaque fut même membre du réseau Gallup jusqu'à ce que les communistes prennent fermement le pouvoir en 1948. Les services des organisations de sondage, dans les pays de l'Est, sont surtout utilisés dans le cadre de la recherche organisationnelle et ne servent évidemment pas, comme ici, à des fins politiques avec la participation des médias. Szczepanski (1981) souligne l'apport de Jean Stoetzel qui, en 1957, prononça une série de conférences sur la méthode du sondage en Pologne.

Depuis peu, on note toutefois une timide utilisation des sondages par les médias dans les pays de l'Est. Dans le cadre des négociations sur le désarmement tenues à Washington en novembre 1987, un sondage sur la perception de la guerre et de la probabilité de victoire d'un camp fut mené sur deux échantillons nationaux, l'un russe, l'autre américain. La *Pravda* en publia certains résultats. L'évolution des politiques de Mikhail Gorbatchev risque cependant de démentir ce que nous avançons ici ; leur réussite amènera une augmentation de la fréquence d'utilisation des sondages publics, et leur échec, une diminution. Un sondage mené par l'Académie des sciences soviétique, à l'été 1989, révèle que les Soviétiques craignent moins de livrer leur opinion aux sondeurs.

En Afrique

La méthode des sondages est également appliquée en Afrique, et ce depuis une trentaine d'années (Hoffmann, 1981). Là non plus les sondages n'ont pas la saveur politique qu'on leur connaît ici. On les utilise surtout dans quatre domaines : le développement agricole, la formation d'indicateurs socio-économiques, comme préalable à des investissements industriels et comme mesure de la pénétration des médias. Notons qu'en Afrique on utilise surtout les méthodes d'échantillonnage par quotas et d'échantillonnage topographique, ou aréolaire.

LES REVUES CONSACRÉES AU SONDAGE

La croissance de la pratique du sondage a entraîné la création de nombreuses revues scientifiques. Certaines traitent spécifiquement de la méthode du sondage et de la mesure de l'opinion publique, alors que d'autres sont destinées à la publication de résultats de sondage. Dans la première catégorie de revues, mentionnons *Public Opinion Quarterly*, la plus importante, et *International Journal of Opinion and Attitude Research*, deux revues américaines, de même que *Sondage* publiée par l'IFOP. Dans la deuxième catégorie de revues, on retrouve *Public Opinion* fondée en 1978 par l'American Enterprise Institute for Public Policy Research, *Current Opinion* fondée par Roper Public Opinion Research Center et dont les archives sont les plus complètes, et *World Opinion Update* publiée par Hasting Publications, une division de Survey Research Consultants International Inc. Notons toutefois que *Sondage* publie également des résultats de sondages. Quoique les revues de la deuxième catégorie appartiennent généralement à des entreprises de sondage, leur contenu n'est pas limité aux résultats des sondages qu'elles ont menés. Par exemple, *World Opinion Update* regroupe les résultats de plus de 100 organisations réparties dans 63 pays.

1.2.2   UNE TYPOLOGIE DES USAGES DU SONDAGE

Le sondage politique n'est pas la seule utilisation des sondages ni même la plus courante. Lors d'une conférence prononcée à l'automne 1987, le président de Sorecom révélait que 95 % des sondages relevaient du domaine privé. Parmi ces derniers, il y a bien sûr des sondages politiques confidentiels commandés par des partis ou des hommes politiques à des fins purement stratégiques, mais on note que l'usage des sondages s'adressant à d'autres réalités sociales que le domaine politique est diversifié et croissant. Leur prolifération repose sur l'importance accordée aux chiffres dans la société comme argument d'autorité. Le sondage semble la seule réponse des sciences sociales à l'exigence que posent les administrateurs : « Mettez-moi un chiffre là-dessus ! »

On peut esquisser une typologie des sondages en fonction de leurs principaux usages : 1) le sondage spectacle, 2) le sondage politique, 3) le sondage administratif, 4) le sondage organisationnel, 5) le sondage commercial, 6) le sondage à des fins scientifiques et 7) le sondage pour constituer des données officielles.

LE SONDAGE SPECTACLE

Le sondage spectacle consiste en une mise en scène de la vie quotidienne par les médias. On demande aux gens leur opinion sur le bonheur, les relations de couple, l'éducation des enfants, etc. L'industrie médiatique, constamment à l'affût de nouvelles, a vite compris l'intérêt des gens pour les sondages ; en plus d'en commander pendant la période électorale ou lors de crises sociales et d'événements politiques, les médias sont souvent abonnés à des instituts de sondage (les résultats sont alors des produits *syndicate* comme les bandes dessinées) et sont prêts à publier tout sondage qui offre la possibilité d'un gros titre.

LE SONDAGE POLITIQUE

Le sondage politique est bien connu par ses questions sur les intentions de vote, la popularité des partis et des chefs politiques et les attitudes devant tel ou tel projet de loi. On doit cependant distinguer les sondages médiatiques des sondages privés. Dans le premier cas, le sondage politique n'est pas sans rappeler le sondage spectacle et dans l'autre, le sondage commercial.

LE SONDAGE ADMINISTRATIF

Le sondage administratif est mené par l'État sur les clientèles qui bénéficient des services gouvernementaux. Ce type de sondage est souvent utilisé pour évaluer ces services. Sous de nombreux aspects, il s'apparente au sondage commercial, mais il s'en distingue par l'absence de concurrence qui caractérise les services étatiques. Comme les entreprises commerciales, les officines gouvernementales utilisent de plus en plus le sondage commercial pour définir leurs clientèles et les services qu'elles offrent. Les sondages sont devenus un outil privilégié de gestion des risques pour le nouvel État providence.

LE SONDAGE ORGANISATIONNEL

Le sondage organisationnel s'adresse aux membres des organisations eux-mêmes ; on les interroge sur leur satisfaction, leur moral et les problèmes qu'ils rencontrent au sein de leur entreprise. Quoique ce type de sondage bénéficie déjà d'une longue tradition, c'est un secteur de la demande en croissance. Selon le président de Sorecom, les sondages organisationnels représentent entre 10 % et 15 % du chiffre d'affaires de son entreprise.

Les sondages organisationnels ont souvent des objectifs de communication interne. De plus, l'ensemble de leurs résultats sont généralement confidentiels.

LE SONDAGE COMMERCIAL

Le sondage commercial permet de connaître les besoins des clientèles des organisations afin de répondre aux attentes exprimées ou de modifier les perceptions du public. On pourrait aussi appeler ce type de sondage « marketing-communication ». Les enquêtes de marché s'avèrent une étape essentielle à la conception de campagnes publicitaires ; elles peuvent également servir à convaincre le client de changer de production plutôt que d'essayer de persuader le public. Le « ciblage » du public demeure l'objectif principal du sondage commercial puisqu'il s'agit de déterminer qui a besoin de quoi, et quand. Les enquêtes plus axées sur les relations publiques vérifieront l'image de marque de la firme ou des produits. Les sondages politiques privés pourraient être classés ici, puisqu'ils sont des éléments d'une stratégie de communication qui prend la forme d'un marketing électoral.

Le sondage commercial constitue 75 % à 95 % du chiffre d'affaires des grandes entreprises de sondage.

LE SONDAGE À DES FINS SCIENTIFIQUES

Les sondages menés à des fins scientifiques se distinguent plus par l'objectif poursuivi par leurs initiateurs que par leur sujet. En fait, tous les sujets que l'on peut analyser par sondage peuvent faire l'objet d'un sondage à des fins de connaissance scientifique. L'objectif de connaissance « pure » supplante alors celui d'une intervention visant à manipuler la population[4]. Notons toutefois qu'un sondage peut servir à plus d'une fin : par exemple, les médias peuvent rapporter les résultats d'une étude scientifique avec comme seul objectif une présentation sensationnaliste, tout comme une enquête administrative peut alimenter la réflexion plus fondamentale d'un chercheur appelé à collaborer comme expert dans un domaine particulier. Le sondage mené à des fins scientifiques est aussi un instrument de gestion des risques pour l'État : les organismes qui subventionnent la recherche universitaire orientent l'activité des chercheurs en proposant des thématiques particulières et stratégiques.

Ce type de sondage échappe généralement au secteur privé, lequel est cependant parfois sollicité pour son expertise technique et à cause de son infrastructure. Au Canada, le seul centre de sondage universitaire à l'échelle nationale est situé au Behavioral Research Centre de l'Université York à Toronto ; ses services se limitent à l'entrevue téléphonique. Des entreprises comme Canadian Facts, qui a collaboré à l'enquête *Canada Fitness*, peuvent réaliser des entrevues par rencontres personnelles d'un bout à l'autre du Canada en tout temps. Sorecom a participé à l'élaboration et à la réalisation de l'*Enquête santé Québec* menée en 1988.

LE SONDAGE POUR CONSTITUER DES DONNÉES OFFICIELLES

Statistique Canada, qui en plus d'effectuer le recensement canadien et de constituer le plus grand centre de recherche sociale au Canada, mène de nombreuses enquêtes par sondage. Ses activités se situent à la croisée du sondage commercial et du sondage à des fins scientifiques. Ce sont les chercheurs de Statistique Canada qui fournissent la plus grande partie des données requises par l'État pour sa gestion. Cependant, les données recueillies servent également à faire progresser la recherche fondamentale tant pour les méthodes de recherche et d'analyse des données que pour la recherche sociale, laquelle est réalisée en collaboration avec des universitaires et par les chercheurs de Statistique Canada.

Le recensement canadien n'en est pas toujours un. Cette affirmation peut sembler étrange. Le fait est que lors du recensement, Statistique Canada distribue plusieurs types de questionnaires de contenu différent à des sous-sections de la population sélectionnées aléatoirement. Seules les données sociodémographiques majeures se trouvent sur tous les questionnaires. Statistique Canada mène des études plus spécifiques sur des échantillons représentant 20 %, 5 % et 1 % de la population.

À l'annexe C, nous résumons les principales caractéristiques techniques de six enquêtes par sondage menées par Statistique Canada sur des problématiques socio-démo-économiques. Le recensement canadien fournit une documentation exemplaire ; vous pourrez consulter les guides et les références publiés par Statistique Canada dont les services et le vocabulaire spécifique sont présentés à l'annexe C. Notez que les bureaux de Statistique Canada au Québec sont situés à Montréal, au centre Guy-Favreau.

1.2.3 L'IMPLICATION ÉTHIQUE DES SONDAGES

Les sondages, quelle que soit la méthode de collecte des données, constituent toujours une intrusion dans la vie privée des gens. Cette intrusion peut devenir un véritable viol de la vie privée si certaines conditions ne sont pas respectées.

Les techniques de télé-marketing et l'utilisation de l'ordinateur pour mener des sondages posent avec acuité le problème du respect de la vie privée et du droit de refus des citoyens et rendent la situation particulièrement alarmante. Souvent, les promoteurs de ces méthodes n'hésitent pas à harceler les gens. Notons aussi que l'usage d'ordinateurs pour réaliser des entrevues ne donne guère de résultats valides.

> **3 Sondage et vie privée**
>
> Lors d'un sondage :
>
> 1) Les informations sur les répondants ne doivent en aucun cas être accessibles à chacun. La confidentialité la plus stricte doit être observée.
>
> 2) Aucune pression ne doit être exercée sur un individu qui refuse de répondre à un sondage, même lorsque le sondeur est l'État.
>
> 3) À sa demande, le répondant doit être informé de l'utilisation qui sera faite des résultats du sondage et de son commanditaire.
>
> 4) Les sondeurs doivent être clairement identifiés.
>
> 5) Les sondeurs doivent respecter les plus hauts standards méthodologiques.

NOTES

(1) La Hollande a depuis peu abandonné cette pratique. Le gouvernement hollandais procède plutôt à des sondages importants et plus fréquents.

(2) Les fondations sont des organisations privées de soutien à la recherche. Elles sont financées soit par des groupes d'individus, soit par de grandes entreprises comme la Fondation Ford. Ce type d'organisme est bien implanté dans les pays de tradition anglo-saxonne. En Angleterre, la famille Rowntree, à laquelle appartenait B.S. Rowntree, subventionne encore aujourd'hui des recherches sociales. Peter Townsend, pour ce qui est sans doute la reprise la plus récente de travaux directement dans la lignée de Booth, bénéficia du soutien de Rowntree pour la réalisation de l'enquête sur la pauvreté dont les

résultats furent publiés dans *Poverty in the United Kingdom*, Berkeley and Los Angeles, University of California Press, paru en 1979.

(3)   Une analyse plus récente, menée en 1989 par Squire, ajoute au biais échantillonal le faible taux de réponse et le fort pourcentage de non-réponses à la question sur le vote. L'auteur s'est servi d'un sondage que Gallup fit par la suite auprès du même échantillon. Précisons que le questionnaire du vote de paille avait été expédié en même temps qu'un envoi publicitaire et que bien des gens n'y avaient pas répondu ; en fait, « seulement » 2,3 millions de personnes sur 10 millions avaient retourné le questionnaire. Or, le sondage de Gallup, avec un meilleur taux de réponse, accorda une majorité à Roosevelt malgré le biais échantillonal, alors que Landon était majoritaire parmi ceux qui retournèrent le questionnaire au *Literary Digest* en répondant à la question sur le vote.

(4)   Il ne faut pas voir ici une apologie des chercheurs scientifiques au détriment des basses visées mercantiles du secteur commercial. S'il y a toujours eu une certaine controverse entre sondeurs universitaires et sondeurs commerciaux, les premiers ne sont pas l'incarnation du Bien et du Désintéressement sur terre. Les analystes de l'institution universitaire soulignent l'importance du prestige et de la carrière pour les universitaires, sans oublier le *publish or perish* auquel sont soumis les nouveaux professeurs pour obtenir leur agrégation, et cela sans parler de la collaboration des sondeurs universitaires au secteur commercial comme consultants rémunérés.

Chapitre 2

L'opinion publique, les sondages, le système politique et les médias

2.1 L'OPINION PUBLIQUE ET LES SONDAGES

2.1.1 LE DÉBAT

Les sondages d'opinion publique font l'objet d'un débat qui oppose, d'une part, les praticiens du sondage et, d'autre part, une fraction importante des sociologues contemporains, avec Pierre Bourdieu comme porte-étendard. On peut résumer le débat ainsi : pour les adversaires du sondage, le phénomène de l'opinion publique est un processus social qui ne peut, par conséquent, être compris par une méthode qui comptabilise des opinions individuelles ; pour les sondeurs, la résistance de leurs opposants repose sur un esprit antidémocratique et pervers qui nie le pouvoir de l'individu au profit du leur comme experts des phénomènes sociaux. En fait, pour les praticiens du sondage, le débat sur la mesure de l'opinion publique par le sondage se confond avec celui sur la démocratie. À cet égard, les deux courants de pensée peuvent être résumés en les rattachant à la pensée des deux grands philosophes grecs Aristote et Platon (Max, 1981).

4 Éléments du débat sur les sondages	
ARISTOTE	PLATON
Esprit démocratique	Élitisme
Sagesse collective	Opinion non crédible
Foi dans le jugement du commun des mortels	Connaissance des experts
Sagesse traditionnelle	Connaissance des intellectuels
Rationalité instinctive	Contrôle de l'action de l'opinion pour qu'elle n'interfère pas dans la bonne marche du gouvernement

Pour les opposants aux sondages, le principal problème que soulève l'usage du sondage d'opinion tient au fait que ce dernier n'est pas un instrument adéquat pour connaître l'opinion publique. Pour Pierre Bourdieu, l'opinion sondée n'est pas l'opinion publique. Dès lors, c'est la définition du phénomène de l'opinion publique qui pose un problème, et non sa légitimité : l'opinion que l'on émet en public est-elle ce que mesurent les sondages ou est-ce un autre phénomène ?

L'imposture des sondages d'opinion, pour Bourdieu, tient à trois éléments : tout le monde n'a pas d'opinion sur tout, toutes les opinions ne se valent pas et, enfin, les questions des sondages ne font pas consensus, ce ne sont pas nécessairement les questions que l'on doit poser.

Les deux premiers points ne sont pas sans rappeler l'élitisme que les sondeurs reprochent à leurs critiques. Pour les adeptes de l'école bourdieusienne, cette critique ne tient pas devant l'évidence : l'approche « populiste » des sondeurs n'est que démagogie, soit une manipulation sociale exercée par des experts au profit de ceux qui les emploient. De plus, les sondeurs négligent le processus de formation de l'opinion. Voyons les arguments qui soutiennent cette critique.

Premièrement, ce ne serait que démagogie, sentiment faussement démocratique, que d'admettre que chacun peut donner son avis sur n'importe quel sujet ; certaines personnes, tels des experts du domaine, des observateurs ou des intellectuels, sont mieux habilitées pour formuler une opinion. L'homme de la rue n'aurait qu'une idée fort grossière de la politique étrangère de son pays, par exemple. Bourdieu reproche aux sondeurs de forcer l'expression spontanée d'une opinion inexistante, pis encore, de négliger d'interpréter les non-réponses comme expression d'une opinion.

Deuxièmement, le processus de formation des opinions, processus psychosocial où l'influence est un facteur décisif, implique que l'opinion de certains compte davantage que celle des autres. L'opinion publique s'aligne sur les définitions de la situation qu'auront données les leaders d'opinion : des journalistes, des éditorialistes ou des commentateurs de la scène politique ou économique en qui nous plaçons notre confiance pour interpréter la réalité.

Enfin, et c'est peut-être le reproche le plus fondamental, les sondages donnent uniquement les réponses aux questions que les sondeurs et leurs clients posent. Ce sont les sondeurs qui définissent la situation. Cette objection de Bourdieu est à notre avis la plus fondamentale en ce qu'elle discrédite la position de défenseurs de la démocratie des sondeurs. En effet, la possibilité de définir la situation n'est-elle pas le signe le plus sûr du pouvoir d'un expert, de l'élite ? La vérité ne sort donc pas de la bouche des sondages du seul fait qu'ils empruntent à la logique scientifique la magie du chiffre.

Toutefois, ces critiques invalident davantage l'usage qui est fait des résultats de sondage que la méthode elle-même. Elles incitent par ailleurs à beaucoup de rigueur dans la réalisation des enquêtes par sondage et à la conscience des limites inhérentes à la méthode. La préparation des sondages est le seul garant d'une définition « objective » de la réalité, d'une définition qui corresponde à la manière dont les individus posent le problème. Avant de traiter de ces aspects, nous nous interrogerons sur la nature de l'opinion publique, sur les conditions essentielles à son apparition comme phénomène sociopolitique et à son histoire.

2.1.2 LES CONDITIONS DE L'OPINION PUBLIQUE

Pour bien comprendre les conditions essentielles à l'apparition du phénomène de l'opinion publique, il faut d'abord distinguer ce phénomène sociopolitique des autres phénomènes de communication publique qui lui sont apparentés. Le sens exact de l'opinion publique, ce qui la distingue d'autres phénomènes parents tels les rumeurs et le jugement public autour des mœurs et des coutumes, n'est pas évident. Le concept d'opinion publique est utilisé sans grand discernement. En fait, le meilleur moyen de définir l'opinion publique est de s'interroger sur les sociétés d'où elle est absente et de comprendre le processus de son apparition comme une constituante de la pensée occidentale moderne.

En effet, l'opinion publique comme soutien et chien de garde du pouvoir n'a pas toujours existé. Bien sûr, tous les dirigeants durent obtenir un certain soutien populaire afin de légitimer leur pouvoir. Toutefois, l'histoire fournit maints exemples de régimes haïs qui résistèrent à ce que l'on en pensait. Outre l'exercice de la force, ces régimes, légitimés par la tradition, la coutume ou quelque autorité transcendantale, prenaient leurs appuis au-dessus des hommes et des femmes de leur société. Dans ces cas, les valeurs, les institutions et les régimes politiques étaient immuables, écrits. La monarchie française, par exemple, relevait du droit divin.

Aujourd'hui, de tels phénomènes semblent plus exceptionnels et circonscrits à des cultures particulières. En Occident, pour le moins, il semble qu'il n'existe que très peu de valeurs et aucun régime politique qui soient immuables et au-dessus du jugement public. On notera toutefois que les notions de libelle diffamatoire, sur le plan personnel, et de subversion, sur le plan politique, sont inscrites dans tous les codes juridiques occidentaux comme limites à l'opinion qu'on peut exprimer en public.

L'opinion publique n'existe que lorsque diverses options sont ouvertes. La montée de l'opinion publique comme phénomène social repose donc sur la possibilité du doute et du scepticisme. Le choix entre une norme sociale ou une autre doit pouvoir s'actualiser pour que l'opinion publique existe. L'opinion publique prend forme quand il est possible de changer la société, ses mœurs, ses coutumes et ses institutions ; « elle est partie prenante du dialogue sur des éléments incertains »[1] (Qualter, 1985). L'opinion publique ne peut exister que lors de l'affaiblissement des dogmes qui définissent de manière autoritaire tous les aspects de la vie. En Occident, elle est donc liée avec :

1)   la montée de l'éthique protestante qui fut remise en cause de l'ordre social et politique établi, notamment la monarchie de droit divin, et qui fit de la recherche de son salut une entreprise individuelle ;

2)   l'invention de l'imprimerie qui permit l'essor technologique en facilitant la transmission des connaissances et servit d'appui au protestantisme, le premier événement médiatique ;

3)   le capitalisme et l'urbanisation qui prirent leur essor avec le protestantisme.

L'opinion publique trouve sa source là où puisent l'idéologie individualiste et le capitalisme industriel, comme l'ont démontré Louis Dumont et Max Weber, mais aussi la démocratie, la notion de droits de l'homme et la ville. En somme, le phénomène de l'opinion publique est vu comme le propre des sociétés et non des communautés.

5 Caractéristiques distinctives des sociétés et des communautés	
SOCIÉTÉS	COMMUNAUTÉS
Faible intégration culturelle	Forte intégration culturelle
Liens indirects	Liens directs
Individualisme	Holisme

En effet, les communautés, petites entités très homogènes, sont marquées par un holisme idéologique qui interdit le phénomène de l'opinion publique. Le holisme, un concept emprunté à Louis Dumont, désigne un état social où l'ensemble des normes et traditions subjugue l'individu et lui interdit toute prise de distance vis-à-vis le groupe auquel il appartient. Le système social est à ce point intégré qu'aucun de ses membres ne peut lui échapper. Les communautés primitives et les théocraties sont de bons exemples d'un holisme totalitaire. L'Église médiévale, par exemple, réglementait non seulement le salut des âmes et le comportement des hommes et des femmes comme époux, comme parents et comme citoyens, mais aussi le commerce (en interdisant le prêt), les sciences (les démêlés de Copernic et de Galilée sont exemplaires) et la politique (l'Église nommait les rois).

Le point étant fait sur le phénomène de l'opinion publique, on peut maintenant la distinguer d'autres phénomènes de communication publique ; ainsi, le jugement public est la comparaison des comportements individuels avec les normes sociales et la rumeur publique est la formulation d'opinions qui ne trouvent pas leur place au grand jour et demeurent souterraines.

2.1.3   LE JUGEMENT PUBLIC, LA RUMEUR PUBLIQUE ET L'ÉCONOMIE DE MARCHÉ

La distinction entre les phénomènes de rumeur publique, de jugement public et d'opinion publique permet de mettre en lumière les deux conditions de l'apparition de l'opinion publique : 1) une condition d'ordre culturel quand les individus ressentent un doute et un scepticisme légitimes vis-à-vis des institutions politiques, culturelles et sociales ; 2) une condition d'ordre politique quand l'exercice du doute peut se faire publiquement.

6   Conditions de l'opinion publique
CONDITION CULTURELLE
Les individus ressentent un doute et un scepticisme légitimes vis-à-vis des institutions politiques, culturelles et sociales.
CONDITION POLITIQUE
L'exercice du doute peut se faire publiquement.

LE JUGEMENT PUBLIC

Chaque société a ses mœurs et ses coutumes. Ce sont en fait les habitudes de pensée et de comportement qui paraissent subjectivement normales et naturelles. Mœurs et coutumes sont définies socialement et aucun individu n'échappe à la comparaison entre son comportement et la norme sociale adoptée par ses pairs. Les mœurs et les coutumes donnent lieu à un jugement public et non à une opinion. En effet, les normes et coutumes sont données comme immuables, naturelles, alors que l'opinion publique ne prend tout son sens que dans la critique et l'incertitude. On notera ici que si la comparaison à l'étalon des mœurs et des coutumes existe dans tous les types de sociétés, communautaires comme sociétales, leur remise en question, le fait qu'elles deviennent sujet d'opinion n'existe que dans les sociétés authentiques. Il s'agit bien de deux phénomènes différents.

Prenons le Québec[2] comme exemple. Qu'auraient pensé les catholiques du début du XXᵉ siècle d'un débat télévisé comme celui présenté à l'émission *Le Point*, où des professeurs de théologie, dont un était homosexuel, des prêtres et des femmes, dont l'animateur, contestaient les idées de l'évêque représentant la position officielle du Saint-Siège. Quel scandale ! Quelle ignominie ! En fait, les normes et les valeurs se seraient trouvées soumises à une attaque ressentie comme fondamentale. À l'époque, c'eut été une chose impossible ; l'Église d'alors tenait bien en main ses facultés de théologie, on ne parlait pas de « sciences » religieuses, au Québec du moins. Plus encore, pour la majorité de la population, on ne pouvait mettre en doute les dogmes de l'Église sans risquer de se voir condamné à la géhenne. Le phénomène de l'opinion ne pouvait se réaliser sur le plan religieux. À l'époque, son seul lieu de réalisation était le domaine politique, et encore : seuls les hommes votaient et avaient le droit d'exprimer une opinion. Cela ne veut surtout pas dire qu'il n'y avait aucun autre phénomène de communication publique ; les mœurs et les coutumes fondaient tout un système de jugement public sans laisser la possibilité, ou si peu, d'exprimer une opinion contraire.

Cet exemple choisi parmi tant d'autres permet de démontrer les graves dangers de confusion qui existent dans la définition de l'opinion publique. Il faut se garder d'inclure dans le vocable d'opinion publique les autres phénomènes de communication publique. La communication publique n'a pas débuté avec l'avènement de l'opinion publique ; d'autres phénomènes se sont créés au fil des changements sociaux.

LA RUMEUR PUBLIQUE

D'autres contextes que l'immuabilité des coutumes interdisent l'apparition du phénomène de l'opinion publique. On peut les résumer par l'usage de la force contre la remise en cause des institutions politiques. Ici, à la différence du jugement public, il y a formulation d'une opinion, d'un doute, mais, même partagée par toute une collectivité, elle demeure privée, souterraine ; il s'agit d'une rumeur plutôt que d'une opinion. Au mieux, dans un contexte oligarchique, elle n'est le fait que d'une élite participant au pouvoir. En somme, l'opinion publique se distingue de la rumeur publique par son côté officiel sur le plan politique.

Prenons les pays de l'Est comme exemple pour distinguer la rumeur de l'opinion publique. Culturellement, le phénomène d'opinion peut exister, mais pas politiquement. Différents observateurs, notamment les journalistes occidentaux en poste dans les pays de l'Est, rapportent que la rumeur publique est là-bas un phénomène important ; jusqu'à un certain point, elle supplante les organes officiels de presse. Ce phénomène est toutefois souterrain ; personne n'oserait faire état publiquement d'une rumeur qui contredirait la version officielle.

Dans ce contexte, il est intéressant de considérer une série de reportages que l'équipe du *Point* de la Société Radio-Canada a réalisés en URSS à l'hiver 1989 pour rendre compte de la *Glasnost* et de la *Perestroïka*, c'est-à-dire la politique d'accès à la connaissance publique et à la discussion et la politique de restructuration de Mikhail Gorbatchev. Rompue aux techniques journalistiques occidentales, l'équipe s'est engagée dans des entrevues avec « l'homme de la rue » (*vox pop*) dans le but de recueillir ses impressions sur la nouvelle politique et son appréciation du chef d'État, ce qui étonna fort les accompagnateurs officiels. Toutes les personnes interrogées, sauf une qui hésita longuement à répondre, se sont déclarées en accord avec le chef d'État et ses politiques. On pourrait interpréter cette unanimité comme un accueil délirant à la libéralisation et une foi aveugle dans sa mise en œuvre, ce qui serait une grave erreur. Non pas que les citoyens interrogés soient nécessairement opposés aux politiques de libéralisation mais, dans un pays où historiquement le délit d'opinion existe, qui donc voudrait s'exposer publiquement à contredire la version officielle, même si celle-ci se veut un message de transparence ? En fait, on ne peut rien conclure de l'opinion des personnes interrogées par l'équipe du *Point* car leur réponse aurait été la même, quelle que soit la question : un accord général avec la politique officielle[3].

Les réactions parfois violentes de la population des pays de l'Est, que l'on constate depuis que Mikhail Gorbatchev s'est engagé dans la voie de la libéralisation, révèlent la condition politique oppressive qui prévaut dans ces pays. Au fur et à mesure que se lève la chape de fer que les différents partis communistes faisaient porter à leur peuple, on voit apparaître, avec une rapidité étonnante, une contestation publique croissante des institutions communistes. Cette contestation trouve un terreau fertile dans toutes les couches de la société et non seulement chez les intellectuels et les étudiants, ce qui démontre que la condition culturelle était depuis longtemps remplie et que seule la condition politique interdisait l'apparition de l'expression publique du doute et du scepticisme.

L'ÉCONOMIE DE MARCHÉ

L'importance de la possibilité d'un choix ne se limite pas au domaine politique ou culturel ; il en va de même sur le plan économique. Les études de marché, qui constituent une des sources et une des applications majeures de la théorie des sondages, n'ont un sens que dans le contexte d'une économie de marché, comme leur nom l'indique. Les études de marché sont apparues au XIXe siècle mais n'ont encore aujourd'hui aucun sens dans les sociétés autarciques où chacun produit tout ce qu'il consomme, ou dans les économies de pénurie comme dans les pays de l'Est où l'on achète tout ce qui est offert, ce qui est encore insuffisant. Notons qu'avec la *Perestroïka*, Gorbatchev tente de créer une forme d'économie de marché, une économie où le choix est impératif.

2.2   LA MONTÉE DE L'INDIVIDUALISME

Les conditions de l'opinion publique, la possibilité de mettre en doute l'un ou l'autre élément de la vie sociale et politique et de pouvoir le faire publiquement, incitent à poser la question de l'origine et de l'ancienneté du phénomène de l'opinion publique dans la société occidentale. Elles obligent en effet à reconnaître que ce phénomène sociopolitique n'a pas existé partout ni de tout temps, comme un certain « égocentrisme historique »[4] le laisse croire.

Ces conditions amènent à définir l'individualisme, idéologie selon laquelle l'individu est le premier à décider de son rapport au monde qui l'entoure, comme un fait historique central de l'évolution du phénomène de l'opinion publique. Or, la plus grande partie de l'histoire du monde s'est construite sans la notion d'individualisme. Si l'individualité, fondée sur l'interaction d'un certain bagage génétique et d'un certain milieu social, semble accompagner l'homme dans toute son histoire, ce que l'on conçoit aujourd'hui comme le propre de l'individu est né du même mouvement que le capitalisme, l'industrialisation, l'urbanisation et le scientisme. L'opinion publique comme l'individualisme ne sont ni des phénomènes permanents de l'humanité ni des phénomènes de génération spontanée.

2.2.1   L'ANTIQUITÉ

Toutefois, bien qu'intrinsèquement nouveaux dans leur généralisation et dans leurs conséquences sociales, politiques et économiques, l'opinion publique et l'individualisme sont apparus tôt dans l'histoire pour ensuite disparaître et réapparaître plus forts et plus prégnants pour une plus grande partie de l'humanité. Parmi les temps forts de leur histoire, on note la Grèce athénienne antique et sa tentative de démocratie, et plus particulièrement une des institutions politiques athéniennes, la *boulê*, qui avait pour fonction de fixer l'ordre du jour de l'assemblée et qui était choisie au hasard. La Rome républicaine et la Rome impériale n'eurent pas d'institutions démocratiques au même titre qu'Athènes. La critique de la morale privée, l'effondrement de la religion antique et l'urbanité de Rome furent néanmoins des ferments d'un certain individualisme. C'est dans ce contexte que l'Église catholique devint religion d'État. À la suite de l'effondrement de l'Empire romain, celle-ci devint prépondérante tant sur le plan politique que privé. On dut attendre la Réforme et ses précurseurs pour voir réapparaître l'individualisme.

2.2.2   LA RÉFORME PROTESTANTE

Les réformés, contrairement aux catholiques, définissaient le rapport à Dieu d'une manière strictement individuelle, le prêtre n'étant plus un intermédiaire valable. Grâce à l'imprimerie, ce mouvement fut le premier à sortir des officines religieuses pour se répandre dans la population. Une des premières tâches qu'entreprirent les réformés, dont Luther, Calvin et Cromwell pour ne nommer que les plus importants, fut la traduction de la Bible. De plus, la fronde religieuse favorisa l'autonomie des États nationaux naissants face à une papauté attaquée dans ses fondements, et amena les chrétiens à redéfinir leurs rapports au monde politique qui n'était plus défini de droit divin. Le protestantisme se répandit rapidement dans les États allemands, en Hollande et en Angleterre qui, la première, se dota d'institutions parlementaires. Tous ces pays se caractérisaient par une structure marchande et artisanale développée.

2.2.3 LA RÉVOLUTION FRANÇAISE

L'individualisme triompha avec l'avènement de la Révolution française. Inspirés par les théories de Jean-Jacques Rousseau, les révolutionnaires adoptèrent une des premières chartes des droits de l'homme (l'Angleterre en possédait une depuis près de un siècle mais elle était moins radicale). Le XIXe siècle fut la scène de grandes tensions entre le droit individuel tel que défini par la charte et le droit collectif que de nombreux théoriciens socialistes élaborèrent, dont Marx[5].

2.2.4 L'AMÉRIQUE

Les États-Unis d'Amérique sont à la fois le symbole de la démocratie, de l'individualisme et du capitalisme. L'histoire de la colonisation de l'Amérique du Nord, en ce qui a trait à sa partie anglaise, repose largement sur le puritanisme comme force majeure de développement. La majorité des colonies de la Nouvelle-Angleterre et les États plus au sud furent colonisés par les puritains et d'autres sectes protestantes ; les Pèlerins de Plymouth font partie de la légende américaine, mais ils ne furent pas les seuls extrémistes religieux à s'installer au Nouveau Monde.

Si certaines colonies, principalement le Massachusetts, furent d'authentiques théocraties répressives, la plupart adoptèrent des lois souples tendant vers la liberté de conscience et de religion et vers la séparation de l'Église et de l'État. La Virginie fut le premier État à être dirigé par une assemblée élue par presque tous les hommes y habitant : dès 1619, bien avant le parlementarisme britannique, la Virginie élisait sa Chambre des bourgeois. La Pennsylvanie adoptait en 1682 la « Grande Loi » qui accordait la liberté de conscience pour tous les chrétiens qui habitaient cet État : des mennonites suisses et allemands, des sectateurs hollandais, des huguenots français, des presbytériens écossais, des baptistes gallois, des quakers anglais, des luthériens allemands mais aussi des Suédois et des Finlandais. La religion et le choix de certaines valeurs n'étaient plus une affaire d'État, ne concernaient plus la collectivité, mais plutôt chaque individu.

Les penseurs américains gardèrent constamment une vision plus individualiste de la société que la plupart des penseurs européens. À la fin du XIXe siècle, alors que l'hégélianisme dominait le monde des idées avec sa glorification de l'État et la soumission de l'individu à la société et à ses institutions, les penseurs américains reformulèrent l'idéalisme allemand en donnant à l'individu un rôle essentiel, particulier et volontaire dans la conception de la société. Au XXe siècle, la psychologie se développa avec force aux États-Unis. C'est là également que se tinrent le plus de consultations populaires et où, en tout premier lieu, se développa la théorie des sondages.

2.3   QUELQUES DÉFINITIONS DE L'OPINION PUBLIQUE

2.3.1   L'ÉVOLUTION D'UNE DÉFINITION

La notion d'opinion publique est vraiment apparue au début du XIXᵉ siècle. Au tout début de la démocratie, l'opinion publique était celle des intellectuels seuls. Ils l'exprimaient par le biais de différents médias, feuilles de choux, tracts, pamphlets, etc. Au XIXᵉ siècle, la définition de l'opinion publique était à l'image de la classe moyenne : stable, solide, rationnelle et responsable, vue à la fois comme un contrepoids à l'aristocratie et comme une protection contre l'irrationalité des classes populaires.

J. Bentham (1748-1832), philosophe anglais et disciple de Hobbes et d'Helvétius, définit le principe de l'utilitarisme moral : « principe du plus grand bonheur du plus grand nombre d'individus » par la recherche calculée (arithmétique des plaisirs). Pour lui, l'opinion publique est « une autorité morale et rationnelle qui sert de surveillant de la démocratie contre le despotisme » (cité dans Qualter, 1985). Pour McKinnon (1828), « on peut appeler opinion publique le sentiment que tout sujet donné se forme au contact des personnes les mieux informées, les plus intelligentes et les plus morales de la communauté, sentiment qui se répand graduellement et est adopté par presque tous les gens de toute éducation, ou sentiment correct pour un état civilisé » (cité dans Qualter, 1985, p. 8)[6]. Parmi ceux qui partagent l'idéal démocratique mais qui reconnaissent l'irrationalité des foules, tel Bryce et sa démocratie idéale, la formulation de l'opinion publique se révèle dans un processus à deux étapes : 1) les opinions apparaissent bonnes et mauvaises et 2) elles sont épurées par la conversation et le dialogue avec des personnalités éclairées. Tout au long du XIXᵉ siècle, la définition de l'opinion publique conserve son caractère moral et ses éléments transformistes et rationalistes ; elle reflète la foi dans la démocratie. Le rôle des élites, des leaders d'opinion, de la bourgeoisie et des processus sociaux est également primordial.

Au début du XXᵉ siècle, on insiste sur le processus de formation de l'opinion publique et sur la notoriété obligée des sujets de l'opinion publique. Young affirme : « L'opinion publique est le jugement social d'une communauté sur une question d'importance générale après une discussion publique rationnelle » (cité dans Oskamp, 1977, p. 17). Au fur et à mesure que l'éducation se répand, la définition de l'opinion publique prend un caractère de plus en plus individualiste : le processus obligé d'une discussion rationnelle demeure, mais les élites intellectuelles n'y jouent plus un rôle central. L'opinion publique est perçue comme une possibilité d'influencer le gouvernement de l'extérieur.

Pour les auteurs américains surtout, elle ne peut exister que dans un contexte rappelant vaguement les États-Unis qui sont considérés comme un idéal implicite de la démocratie. On trouve dans les définitions les plus idéalistes de l'opinion publique et de ses vertus un a priori selon lequel sa prise en considération dans la décision publique amènerait forcément à la patience, à la tolérance, voire à la paix. Pour Qualter, le danger qu'il y a à concevoir l'opinion publique en démocratie selon la pensée des rationalistes libéraux réside dans le contrecoup inévitable que la démocratie peut subir devant l'inexactitude de ces visions du monde.

On en vient peu à peu à définir l'opinion à l'extérieur de son caractère moral et transformiste pour prendre une tournure « scientifique objective ». Pour A.D. Monroe, cité par Qualter, « L'opinion publique est la distribution des préférences individuelles dans une population. En d'autres mots, l'opinion publique est simplement la somme ou l'agrégat d'opinions privées sur n'importe lequel sujet ou ensemble de sujets. » Gallup, le grand prêtre des sondages, est plus laconique : l'opinion publique est « ce que mesurent les sondages » (cité dans Meynaud et Duclos, 1985).

Comme le laissait entrevoir le débat présenté au début du chapitre, ces définitions individualistes ne sont pas les seules dont nous disposons aujourd'hui. Les sociologues de l'école bourdieusienne ont retenu, des premières définitions du concept d'opinion publique, l'insistance sur le processus psychosocial de formation de l'opinion : « L'opinion est un construit social (réfère au rôle social de l'individu) qui n'est pas immédiat (disponible constamment) mais se fait en interaction avec les autres. Elle est fluide, se modifiant constamment. » (Meynaud et Duclos, 1985.)

2.3.2   QUELQUES DÉFINITIONS OPÉRATOIRES ET UN RETOUR SUR LE DÉBAT

Plutôt que de choisir entre l'une ou l'autre définition, nous conclurons ce chapitre par deux questions, une remarque et quelques définitions opératoires de l'opinion publique.

D'une part, dans des sociétés individualistes, cosmopolites et, jusqu'à un certain point, disloquées culturellement, existe-t-il *une* opinion publique ? En quelque sorte, nous tournons la question de Pierre Bourdieu à l'envers. Est-ce que les définitions héritières de l'esprit du XIXe siècle sont encore valides pour ce type de société ? Comment croire que l'on puisse trouver un moyen de mesurer une opinion publique, produit de l'échange, lorsqu'il n'y a plus d'échange ? Comment compter sur le débat social pour nourrir l'opinion publique lorsque, comme l'affirme C. Julien, directeur du *Monde diplomatique*, il n'y a plus de débat ? Est-ce que l'opinion publique n'est pas un construit artificiel et factice dans l'unité qu'elle suppose ? Est-ce que l'opinion publique n'est pas un simple agrégat d'opinions privées que ne relie entre elles aucun sens unificateur ?

---

7   Définitions opératoires

OPINION EXTERNE
Opinion que l'on proclame à l'extérieur de son cercle intime.

OPINION INTERNE
Opinion que l'on garde pour soi ou pour son cercle intime.

COURANT D'OPINION
Tendance qui se cristallise chez une partie importante de la population.

OPINION IMMÉDIATE
Opinion qui s'exprime dans des circonstances déterminées par les événements.

OPINION LATENTE
Opinion plus profonde, plus puissante que l'opinion immédiate. Par exemple, lors de la crise économique, les Canadiens se sont révélés conservateurs et enclins au libéralisme économique alors qu'en temps normal, ils sont plus libéraux et socio-démocrates.

D'autre part, est-ce que la notion d'opinion publique véhiculée par les sondages ne devient pas de toute façon l'opinion publique, puisque c'est là la seule manifestation que nous en ayons « publiquement », à l'échelle de toute une société ? Le débat des experts sur la valeur des sondages ne concerne-t-il qu'eux-mêmes ? Est-ce que, pour la majorité de la population[7], les sondages sont la seule manifestation de l'opinion du public, de l'homme de la rue ? Nos définitions de l'opinion publique ont par ailleurs le tort de négliger l'influence des processus de communication médiatique en ne privilégiant que les processus psychosociaux basés sur l'interaction ; est-ce que le résultat final d'un tel processus, joignant communication médiatique et communication directe, n'est pas la production d'une préférence individuelle ?

Si l'opinion publique repose, selon certaines définitions, sur le postulat que le produit de la discussion est non seulement différent mais supérieur à la production individuelle, elle devient parfois, à tort, un être cohérent, organique. Cette perception repose sur la possibilité, ténue dans les sociétés complexes, d'un consensus qui intégrerait la société. Même dans une communauté restreinte, ce consensus ne donne pas à l'opinion publique un caractère autonome suprahumain. Elle demeure le produit d'individus. La Volonté Générale de Rousseau n'existe pas.

2.4 LES SONDAGES, LES MÉDIAS ET LE SYSTÈME POLITIQUE

Nous l'avons souligné d'emblée, l'utilisation des sondages en politique soulève des critiques importantes. Outre le problème fondamental de la validité des données de sondage pour représenter l'opinion publique, la critique porte sur l'usage médiatique des données de sondage et sur la contribution des sondages à la commercialisation du système politique. Pour traiter de ces sujets, nous définirons d'abord de manière générale et brièvement les rapports des médias avec le monde politique, puis nous examinerons de manière plus concrète la triade médias–sondages–systèmes politiques.

2.4.1 LES MÉDIAS

On peut distinguer trois grandes approches dans l'analyse du rôle des médias : l'approche française critique, l'approche américaine critique et l'approche classique. Notons qu'un des éléments de distinction entre l'approche française et l'approche américaine réside dans les traditions journalistiques de ces deux pays.

Pour Meynaud et Duclos que nous avons retenus comme représentants de l'approche française critique, les médias doivent d'abord être vus comme des participants engagés dans le débat politique de manière partisane. Cette perspective convient à merveille à la situation française où les médias sont clairement identifiés politiquement à une tendance ou à un parti politique. En Amérique du Nord, la situation est plus confuse, les médias étant par définition indépendants. Un point de vue que les analystes du monde des médias critiquent énormément par ailleurs.

Qualter voit les médias d'abord comme des entreprises commerciales déterminées par le profit, leur raison d'être étant la promotion du

« consumerism » (consommation–publicité) et le développement de la société de consommation. Dans ce contexte, le sondage n'est qu'un événement de plus qui échappe à l'analyse politique au profit d'un traitement essentiellement sensationnaliste.

Dans l'approche classique, les médias fournissent le plus objectivement possible des informations complètes, entre autres sur l'opinion publique. Ils jouent le rôle de contre-pouvoir et fournissent aux citoyens les informations nécessaires à l'activité démocratique.

À notre avis, la pertinence de chacune de ces approches médiatiques réside dans l'analyse d'organismes de presse particuliers ; aucune approche ne peut être généralisée à tous les médias. Certains sont mieux décrits que d'autres par une approche donnée. Au-delà de ces définitions générales, l'interface sondages–médias–systèmes politiques soulève des problèmes particuliers ; nous en traiterons dans la prochaine section.

2.4.2 LES MÉDIAS ET LES SONDAGES

Les médias « grand public » amplifient l'effet des sondages sur la population ; leur caractère populaire impose toutefois certaines limites quant à la présentation des résultats de sondage : seules les questions d'intérêt général sont présentées, toutes les subtilités de l'analyse statistique sont biffées ou réduites au minimum, y compris l'analyse de la représentativité. Cette dernière, dans les principaux quotidiens québécois, se résume bien souvent à un entrefilet qui relève davantage du ritualisme que d'une compréhension du phénomène : « Ce sondage comporte une marge d'erreur de 3 %, 19 fois sur 20 ». Cela n'empêche pas les journalistes d'interpréter longuement une différence de 1 % ou de 2 % dans la popularité des partis ou des hommes politiques. Le ton affirmatif que prennent les journalistes dans leurs comptes rendus des résultats de sondage étonne toujours ceux qui connaissent la marge d'erreur propre à la méthode échantillonnale.

8 Médias et éthique

1) La distinction doit être faite entre les refus de répondre et les sans opinion.
2) La méthode d'échantillonnage doit être révélée au public.
3) La date de la commande et celle de sa réalisation doivent être précisées.
4) Le libellé des questions doit être publié.
5) L'ordre des questions doit être public (publié ou disponible sur demande).
6) Le taux de réponse au sondage, les questions posées et la formule de calcul doivent être publiés.
7) Toute manipulation informatique de l'échantillon (pondération) doit être révélée.

Les médias ont également des limites d'espace et de temps. Au *Téléjournal*, par exemple, les résultats de sondage doivent être présentés en moins de deux minutes. Le temps joue un second rôle par contre pour plusieurs quotidiens et médias électroniques : ils collent à l'actualité. Il n'est plus rare, surtout avec la généralisation des systèmes CATI (*Computer Assisted Telephone Interviewing*), de voir publier les résultats d'un sondage un ou deux jours après un événement. Par conséquent, l'analyse ne peut être très approfondie et les répondants à de tels sondages ignorent souvent la nature des événements. Chose sûre, le processus de formation de l'opinion n'a pas eu le temps de se produire. Notons que lorsque beaucoup de gens déclarent ne pas avoir d'opinion, on choisit souvent de présenter les résultats positifs en éliminant les réponses manquantes[8], ce qui peut être totalement trompeur.

Il faut aussi souligner un aspect plus pernicieux de l'interface sondages–médias : beaucoup de sondages sont commandés par les médias eux-mêmes. Des ententes stables lient des médias et des maisons de sondage (voir l'encadré 9). De ce fait, les sondages, plutôt que d'être soumis à la critique et au processus d'objectivation, deviennent un des éléments de l'éditorial des journaux. En d'autres mots, les sondages commandés par un média donné ne sont pas plus soumis à la critique que les éditoriaux ou les articles d'analyse produits par ce même média. Or, le média commanditaire est le seul à accéder à toutes les informations concernant un sondage donné, donc le seul à pouvoir en critiquer tous les aspects : la représentativité, la formulation des questions, l'ordre des questions, le traitement des valeurs manquantes, etc. On note également l'absence quasi totale de commentaires critiques sur les sondages des journaux concurrents.

Par ailleurs, les journalistes, malgré une compétence certaine dans leur champ d'activité, ont rare-

9   Médias, partis politiques et firmes de sondage

CROP	La Presse
Sorecom	Le Soleil
IQOP	Journal de Montréal[a]
Créatec Plus	Le Devoir[a]

SCÈNE PROVINCIALE

IQOP	Union nationale[b]
IQOP	Parti libéral[c]
Créatec Plus	Parti libéral[d]
Interne	Parti québécois[e]

SCÈNE FÉDÉRALE

Decima Research	Parti conservateur
Goldfarb	Parti libéral
Angus Reid	Parti libéral
Firme américaine	Nouveau Parti démocratique

(a) Temporaire
(b) À ses débuts
(c) Dans les années 1970
(d) En 1988
(e) Le sondeur en chef est associé chez Léger et Léger

Source : Lemieux, 1988.

ment les habiletés nécessaires pour analyser des sondages : les chiffres tirés d'enquêtes sont souvent cités à l'extérieur de leur contexte ; on présentera souvent avec force des gros titres de résultats qui n'auront reçu qu'un traitement sommaire. L'essentiel est d'avoir une « nouvelle ».

Enfin, si l'on comprend que les journalistes ne peuvent être des experts en tout, la présentation de la méthodologie et des outils d'enquête n'est pas suffisamment élaborée pour permettre aux experts du domaine de poser un diagnostic : les questions, leur libellé, disparaissent souvent du compte rendu journalistique. On ne voit presque jamais l'ordre dans lequel les questions ont été posées ; la présentation de l'échantillon, du taux de réponse au sondage et de la proportion de répondants à une question est parfois si confuse qu'il est impossible de s'y retrouver. On utilise souvent des métriques inadéquates ou incomplètes ; par exemple, la plupart des journaux continuent de présenter des statistiques sur le revenu moyen d'une population sans mentionner la médiane.

Si les journaux et les journalistes ont des limites propres à leur industrie et à leur pratique, qu'en est-il des maisons de sondage dans cette dialectique ? Notons immédiatement que ces dernières comptent dans leurs rangs des professionnels très compétents et fort expérimentés. Il n'y a donc généralement pas de problèmes de compétence même si personne n'est à l'abri des erreurs. Deux éléments méritent un examen plus poussé : la relation contractuelle entre les médias et les sondeurs ainsi que la signification des sondages publics pour les maisons de sondage.

Concernant le premier point, les maisons de sondage sont des entreprises commerciales qui répondent à la commande qui leur est faite et mettent en œuvre leur savoir à la mesure du prix que les demandeurs sont prêts à payer. Ceci est vrai pour toute commande de sondage : les mandants en ont pour leur argent et pour le temps qu'ils laissent à la firme de sondage, ou à des consultants externes, pour réaliser des études préliminaires et des analyses sophistiquées.

Le deuxième point s'avère un incitatif à l'excellence : les sondages ont acquis la notoriété qu'on leur connaît aujourd'hui en grande partie à cause du traitement médiatique des sondages politiques. Ces derniers constituent en quelque sorte la vitrine des maisons de sondage, leur plus sûre publicité. Rappelons la notoriété qu'acquit Gallup grâce à l'exactitude de sa prédiction de la victoire démocrate en 1936. Toutefois, si aucune maison de sondage n'aimerait se voir fustigée sur la place publique, les plus grandes d'entre elles ont une réputation suffisamment bien établie pour supporter « une erreur »[9].

2.4.3   LES ACTEURS POLITIQUES ET LES SONDAGES

Les hommes et les femmes politiques ainsi que les partis politiques sont de grands utilisateurs de sondages. Comme les journaux, les partis entretiennent des liens privilégiés avec certaines entreprises (voir l'encadré 9). Le personnel politique est le premier concerné et le plus influencé par les sondages, selon Roll et Cantrill. Les sondages servent à évaluer l'accueil d'une candidature, à modifier l'image des candidats et des partis politiques, à construire le programme électoral d'un parti ou d'un individu, à évaluer l'accueil d'une politique ou d'un programme, à élaborer une stratégie, à déterminer les thèmes à aborder de même que le lieu et le moment pour les aborder. Examinons attentivement chacun de ces points.

Les hommes et les femmes qui veulent s'engager sur la scène politique tentent de plus en plus de prévoir leurs chances de remporter la victoire. À cette fin, ils commandent souvent des sondages ou achètent simplement quelques questions dans un sondage omnibus pour connaître leurs chances de succès. Les sondages peuvent entraîner le retrait d'une candidature valable mais peu « visible ». Par ailleurs, on doit s'interroger sur la validité des sondages qui portent sur une seule personne : le fait de poser maintes questions sur la personnalité, les compétences ou le charisme d'un candidat, par exemple, peut inciter les électeurs à déclarer leur intention de vote en sa faveur. Pis encore, ce candidat peut se servir des résultats gonflés par la nature même du procédé pour démontrer la légitimité de sa candidature. Malheureusement, ces sondages sont totalement privés et il est impossible d'en faire quelque critique méthodologique que ce soit. Ils ne sont rendus publics que lorsque les résultats sont favorables et servent d'argument publicitaire en faveur du candidat. On ne connaît donc rien de la méthodologie utilisée.

Les sondages permettent de modifier l'image des partis et des personnalités politiques. Ils sont alors l'outil de connaissance de l'environnement pour les acteurs politiques et les informations qu'ils donnent permettent de mieux définir (cibler) leur clientèle et de modifier les comportements de celle-ci. O'Neil, dans *Les Mandarins du pouvoir*, relate ce qu'on pourrait appeler le « folklore québécois de l'image politique ». Par exemple, on s'était aperçu que Jean Lesage projetait une image négative à la télévision. Tribun consommé, il avait fait son apprentissage de la communication publique en haranguant les foules, un style inadapté à la télévision. On l'entraîna donc à prononcer des discours face à un mur ; sa cote remonta. Daniel Johnson paraissait peu sûr de lui à cause d'un tic anodin : l'habitude d'enlever et de remettre ses lunettes en situation de stress ; on les attacha au moyen d'un élastique. Johnson était également perçu comme négligé à cause de son habitude de mettre ses mains dans ses poches de veston ; on les fit coudre.

Ces exemples montrent l'aspect le plus anodin de la recherche d'une image populaire ; la situation est plus grave quand c'est le discours politique lui-même qui devient une « image ». Dans ce cas, le problème en est essentiellement un d'éthique politique : quel lien y a-t-il entre, d'une part, l'image construite à partir des données de sondage et projetée par toute une mécanique médiatique et, d'autre part, les décisions politiques qui seront appliquées par ces mêmes acteurs politiques s'ils prennent le pouvoir ? Au mieux, les sondages auront servi à élaborer une politique mieux adaptée aux désirs immédiats de la population ; au pire, on aura tout simplement manipulé l'électorat.

Le comportement du deuxième gouvernement conservateur de Brian Mulroney soulève bien des questions : lors de la campagne électorale à l'automne 1988, Mulroney et son équipe ont promis à grand renfort de publicité la mise sur pied d'une politique de garderie, promesse sans doute fort populaire dans les sondages, surtout que le libre-échange se vendait mieux auprès des hommes que des femmes. Quelques mois après l'élection, cette promesse était abandonnée « par mesure d'économie ». Que penser du gouvernement libéral de Pierre Elliott Trudeau qui, après s'être opposé vivement au gel des prix et des salaires, une mesure économique qui s'était révélée fort impopulaire lors de la campagne électorale, l'impose à peine un an après avoir été élu. « C'est comme le nouveau pont de l'île d'Orléans » diraient les anciens.

Les aspects que nous avons abordés concernant les liens entre les sondages et la politique nous amènent très loin des éventuels gouvernements n'exerçant le pouvoir que par sondage, girouettes au gré des vents de la popularité.

Nous l'avons dit plus tôt, les médias amplifient l'effet des sondages dans la population, mais les sondages influent également sur les médias : qu'un homme politique ou un parti amorce une remontée dans la faveur populaire, pour utiliser un vocabulaire médiatique, aussitôt la couverture qui lui est accordée dans les médias s'accroît d'autant. Si le Parti vert enregistrait un score de 15 % dans un sondage national, les conséquences médiatiques immédiates seraient faciles à prévoir : gros titres, dossiers sur leur programme et sur l'environnement, etc. Ce phénomène peut être analysé comme une prophétie autocréatrice (*self fulfilling prophecy*) : la montée dans les sondages, en attirant l'attention des journalistes, mettra le candidat et son discours politique en vedette, ce qui entraînera un meilleur résultat au sondage suivant ; les bailleurs de fonds, préférant les gagnants aux perdants pour des raisons évidentes (favoritisme), rempliront davantage la cagnotte de l'éventuel gagnant, ce qui lui permettra d'augmenter son budget de publicité électorale, et ainsi de suite.

Certains hommes politiques ont bien compris le phénomène. Ils tentent d'influencer les résultats des sondages en augmentant la pression publicitaire ou en créant un événement au moment où se déroule un sondage national. L'affaire *Checkers*, du nom du chien du président Nixon, rapportent Roll et Cantrill, est l'exemple le plus retentissant des effets d'un « coup » publicitaire sur les sondages[10]. La technique des fuites calculées de résultats partiels de sondages privés peut également donner de fausses impressions et servir à manipuler tout le monde.

Dans tout ce que nous avons dit jusqu'à maintenant sur les rapports entre les sondages et les hommes politiques, l'initiative d'éventuelles malversations ou d'une utilisation critiquable des sondages reposait entre les mains du monde politique. La valeur des méthodes de sondage et la compétence des maisons de sondage n'étaient pas mises en jeu ; elles sont habituellement intègres. Il ne faut toutefois pas oublier que le sondage est une industrie et que, comme pour tous les secteurs industriels, l'ampleur des enjeux tant politiques que financiers lors d'une campagne électorale majeure est telle que l'on peut s'attendre au pire. Et puis, les présidents de firmes de sondage votent eux aussi...

Il n'existe malheureusement aucun bureau d'éthique ou de commission de déontologie qui surveille les agissements des maisons de sondage. Tout au plus, sporadiquement, l'Association canadienne des sociologues et anthropologues de langue française (ACSALF), parfois en collaboration avec l'Association des politologues, met-elle sur pied un comité des sondages afin de surveiller les agissements des maisons de sondage et des hommes politiques. Ce comité n'a aucun pouvoir d'enquête et son autorité est plus symbolique qu'autre chose. Les normes que ce comité voulait établir lors de sa fondation en 1979 se résumaient à trois : 1) les sondages publiés « comportent obligatoirement certaines informations », notamment la méthodologie et le libellé des questions et des réponses, 2) « l'ensemble des documents relatifs à une enquête par sondage sont déposés légalement » et 3) on ne peut publier de résultats pendant la semaine précédant le vote (Lemieux, 1988, p. 109).

2.4.4   LES CONSÉQUENCES SUR LE VOTE

Les conséquences directes des sondages sur le vote sont mal connues. On a fait relativement peu de recherches sur le sujet depuis les travaux de Lazarsfeld au milieu du siècle. Max dénombre sept effets principaux qui, à son avis, s'annulent les uns les autres (*zerosum game*) :

1)   confirmation de son choix antérieur (Lazarsfeld) ;

2)   ralliement au vainqueur (*bandwagon*) ;

3)   ralliement au perdant (*underdog*) ;

4)   abstention par certitude de gagner ;

5)   abstention par certitude de perdre ;

6)   mobilisation des troupes (démobilisation) ;

7)   faire mentir les sondages.

Seul le premier effet a pu être démontré d'une manière satisfaisante. Les gens qui ont une opinion politique déjà ferme ne modifient pas leur intention de vote à cause d'un sondage. Il reste la foule des indécis. Si les quatre effets qui suivent le premier s'annulent (c'est ce que démontrent les études postélectorales qu'a répertoriées V. Lemieux), il reste que les recherches sont insuffisantes pour démontrer pleinement les effets des sondages. En effet, à notre avis, ces effets, plutôt que de s'annuler mécaniquement, prédomineront tour à tour selon les circonstances de chaque campagne particulière. Le moment de la publication des résultats d'un sondage joue autant, sinon plus, que la connaissance de certains résultats.

De toute façon, ces effets ne sauraient être très importants. La décision du vote dépend d'une foule d'éléments qui se conjuguent pour expliquer le comportement de l'électeur : la performance du gouvernement pendant son mandat, celle de l'opposition, l'état de la société, ses valeurs et son économie, la campagne électorale, comment votent le beau-père ou monsieur le maire. De plus, bien souvent, la dyade sondages–médias ne fait que perpétuer des comportements déjà anciens. En d'autres mots, les sondages ne sont pas responsables intrinsèquement de leurs effets. Voyons cela avec plus de détails.

L'abstention par certitude de gagner ou de perdre est, par exemple, un phénomène bien connu des organisateurs d'élections qui, selon l'expression consacrée, doivent « faire sortir le vote » le jour du scrutin. Effectivement, le parti en avance ne doit pas demeurer trop confiant. Pour le parti d'opposition, ce n'est qu'une calamité de plus. C'est ce qu'on disait déjà sous Duplessis, bien avant les sondages. Dans un monde plus communautaire, le réseau informel des communications publiques donnait des informations aux citoyens sur la tendance générale. Qu'aujourd'hui les citoyens puisent ce type d'informations dans les résultats de sondage publiés par les médias n'est qu'un autre phénomène de la « technicisation-médiatisation » de la société. Peut-on en vouloir aux sondages d'être chiffrés, d'être plus précis que la commère du village ?

Que les gens aiment se vanter d'avoir gagné leurs élections demeure un phénomène courant. Les Nordiques et les Canadiens jouent le même rôle psychosocial et cela, que l'on s'intéresse vraiment ou non au hockey ou à la politique, que l'on ait écouté ou non le match, le débat des chefs ou simplement un compte rendu à la télévision le soir ou à la radio le matin. Il s'agit pour certains d'avoir quelque chose à dire si un compagnon ou une compagne de travail amène le sujet : « Pis, le combat des chefs, comment t'as trouvé ça ? Il paraît que Turner a été moins pourri que d'habitude ! De toute façon, moi, la politique ça m'intéresse pas, vote bleu, vote rouge, vote jaune, c'est toujours la même affaire ! Les pauvres restent pauvres et les riches deviennent encore plus riches ! » Il reste à savoir si ceux qui manifestent un intérêt aussi faible pour la politique voteront le jour du scrutin.

Les perdants attirent une certaine sympathie, il est vrai. Cette sympathie n'a probablement jamais transformé un vainqueur en perdant. Vouloir une opposition forte contre un gouvernement dont on approuve les politiques mais dont on craint les excès diminue les écarts entre vainqueur et vaincu. Les médias rapportent que dès le début de la campagne électorale québécoise de septembre 1989, même le Premier ministre sortant Robert Bourassa espérait une opposition plus forte. Effectivement, l'écart entre péquistes et libéraux s'était rétréci ; un sondage Sorecom, publié le 14 septembre par CKAC et *Le Soleil* et réalisé une semaine plus tôt, ne donnait plus que sept points d'avance aux libéraux qui en avaient généralement deux fois plus. Mais le taux de satisfaction a également plongé sous la barre des 50 % pour la première fois depuis les dernières élections. Il reste à savoir si ce sont les sondages qui mettent en branle cette dynamique, ou bien les conflits syndicaux, les accidents écologiques, les scandales dus au favoritisme ou le chômage chez les jeunes à Montréal. Toujours est-il que la victoire indéniable de Robert Bourassa et la légère hausse du nombre de sièges du Parti québécois se sont bel et bien produites. Quel rôle ont joué les sondages dans tout cela ? On réalise vite qu'ils y sont pour bien peu.

Les effets sur la mobilisation dépendent souvent de plusieurs sondages et non d'un seul. Ce sont alors la croissance ou la décroissance de la faveur populaire pour un parti ou un candidat qui peuvent mobiliser ou démobiliser les troupes d'un parti. L'effet sur le vote est alors plus indirect que direct. La machine électorale peut se décomposer devant la certitude d'une défaite. Cela révèle sûrement la qualité d'une organisation, sa capacité ou son incapacité à faire face à l'adversité ainsi que la conviction de ses animateurs et la force de leur leadership.

La maison Sorecom a mené une étude pour connaître l'effet des sondages sur les électeurs ; environ 5 % de la population avouait être influencée par les sondages. La méthode, un sondage ponctuel hors contexte, n'est pas la meilleure, mais elle pousse à s'interroger sur les effets d'un sondage publié très près du jour du vote dans le contexte d'une chaude lutte électorale et avec des objectifs de communication bien définis.

Certains États ont légiféré sur la publication des sondages en période électorale. En France, interdiction de publication dans la dernière semaine d'une campagne électorale ; au Québec, interdiction dans les deux derniers jours ; au Portugal et au Brésil, interdiction durant toute la durée de la campagne. Ailleurs, rien du tout. Notons toutefois que l'interdiction de publier des résultats de sondage en France est peu significative ; le morcellement politique et l'état des communications en Europe font qu'un sondage publié en Belgique peut être connu en France sans infraction à la loi.

2.4.5   LA RÉACTION AUX SONDAGES

L'image des sondages que nous avons présentée jusqu'à maintenant montre les sondeurs, les médias et les organisations politiques comme les seuls éléments actifs d'un système où les répondants, les lecteurs et les citoyens sont passifs. Les étudiants en sociologie des communications ont depuis longtemps reproché cette tare aux premières analyses des médias. Il n'est pas de notre propos d'élaborer longuement sur l'action des citoyens et des lecteurs, ces sujets étant amplement couverts ailleurs. Nous dirons toutefois quelques mots sur les répondants.

Les répondants, à la différence des citoyens et des lecteurs, ne peuvent se donner une structure politique, une organisation qui s'apparenterait à un parti politique ou à une association de consommateurs. Le caractère aléatoire et ponctuel de la participation des individus à la catégorie sociale des répondants leur interdit tout regroupement, tout comme il n'y a pas de club des futurs millionnaires de Loto-Québec. Toutefois, certains phénomènes portent à croire que les personnes sondées comprennent de plus en plus l'enjeu du sondage : « le sondage devient lui-même un enjeu de production d'opinions pour les enquêtés » (Meynaud et Duclos, 1985, p. 68).

La situation canadienne permet d'illustrer cet état de choses. Pendant la majeure partie du premier mandat de Brian Mulroney, le Parti conservateur s'est trouvé bon dernier dans les sondages alors que les libéraux et les néo-démocrates se disputaient la première place. Lorsqu'il fut temps de passer aux choses sérieuses, de voter, les Canadiens ont réélu le Parti conservateur haut la main. Nous ne croyons pas que les sondages se soient trompés et nous ne négligeons pas les effets de la campagne électorale dans cette dynamique. Mais nous ne croyons pas non plus que la campagne électorale puisse tout expliquer : en fait, il semble que les Canadiens se soient servis des sondages pour exercer une pression sur le gouvernement conservateur en faveur des programmes sociaux et qu'ils n'aient jamais voulu réellement élire un gouvernement néo-démocrate. Faute de pouvoir ressusciter la Volonté Générale de Rousseau, ce phénomène soulève une interrogation fondamentale : par quels mécanismes des individus isolés, à la participation imprévisible à une catégorie déterminée, peuvent-ils exercer une action d'ensemble ? Nous ne comptons pas répondre à cette question ici. Il n'en demeure pas moins que des individus dotés d'une histoire et de valeurs relativement semblables et obtenant leurs informations par un nombre relativement limité de canaux (quelques chaînes de télévision nationales et quelques grands journaux) peuvent avoir une réaction commune, une réaction sociale.

Enfin, un dernier phénomène mérite d'être souligné : la baisse constante des taux de réponse. En effet, depuis les débuts de la pratique des sondages, les taux de réponse baissent constamment. La chose est particulièrement marquée dans les grands centres urbains, comme Toronto et Montréal, où les taux de réponse plongent régulièrement sous la barre des 50 %. Cet état de choses s'explique de plusieurs manières. D'abord, un certain « ras-le-bol » des sondages, particulièrement nombreux en zone métropolitaine. Ensuite, divers phénomènes sociaux se conjuguent pour expliquer la difficulté qu'ont les maisons de sondage à joindre les répondants. Notons principalement la modification des modes de vie, le grand nombre de personnes vivant seules, le fait que les gens sortent et mangent davantage au restaurant et la hausse constante du nombre de femmes sur le marché du travail. Toutes ces caractéristiques sont plus répandues en milieu urbain qu'en milieu rural.

NOTES

(1)   Vincent Lemieux (1988) distingue les leaders démocratiques des autres leaders politiques par l'incertitude avec laquelle ils rendent leurs décisions. Le

fait de ne pas avoir une position rigide sur nombre de sujets les rend sensibles à l'opinion des autres et, par là, aux sondages.

(2) L'actualité internationale a fourni récemment, avec l'affaire Salmon Rushdie, un autre exemple de déni de l'opinion au profit du jugement à partir des mœurs et coutumes.

(3) Un sondage mené par l'Académie des sciences sociales de l'Union soviétique en mai 1989, et publié par les Izvestia, révélait une baisse importante du sentiment de peur chez les Soviétiques lorsqu'ils exprimaient leur opinion publiquement.

(4) Le lecteur excusera ce néologisme d'un goût douteux. Nous voulons désigner ainsi la tendance des contemporains à interpréter le passé comme s'il n'était qu'un calque de la réalité d'aujourd'hui.

(5) Cette tension subsiste toujours. Elle déborde le cadre de l'idéologie marxiste et du socialisme. Au Québec, le dossier de la langue exprime bien cette tension entre l'individu politique et l'être social. L'État du Québec, soutenu par une majorité importante de ses citoyens, s'est donné une loi protégeant les droits linguistiques de sa collectivité. La contestation de ces droits collectifs se fait en utilisant les droits inscrits dans la Charte des droits et libertés acceptée par le parlement de Québec.

(6) Notre traduction.

(7) Nous nous référons ici à certaines écoles de pensée étrangères au débat sur l'opinion publique mais intéressées au processus même de la connaissance. Ces écoles de pensée regroupent des chercheurs tant du domaine de la biologie que de la sociologie des organisations (Morgan, 1988). Pour ces derniers, il n'y a pas de distinction entre un organisme et son environnement, le premier créant l'autre en quelque sorte. La réalité perçue a alors plus d'importance que la réalité « objective », que la « vérité » pour comprendre le comportement de tout organisme. Illustrons par un exemple ce point de vue. Au cours de l'après-guerre jusqu'à la fin des années 1960, on ne trouve aucune allusion aux problèmes environnementaux. C'était pourtant une époque où nous en avions énormément : on utilisait et brûlait des BPC à profusion, les cours d'eau étaient utilisés comme dépotoirs, etc. Mais qui s'en souciait ? Au contraire, depuis une vingtaine d'années, la pollution est devenue une préoccupation majeure ; ce phénomène est né socialement. Le moindre incident devient une menace contre l'environnement. La question devient moins de savoir ce qu'est intrinsèquement l'opinion publique que de comprendre comment les sondages influent sur celle-ci.

(8) Le phénomène des non-réponses, que ce soit pour tout le questionnaire ou pour des questions particulières, donne lieu à une véritable gymnastique mathématique. Certains sondeurs, pour camoufler des taux de réponse qui plongent sous la barre des 50 %, calculent un « taux de collaboration », c'est-à-dire le taux de réponse pour ceux que l'on a effectivement rejoints. Les non-réponses aux questions sont parfois encore plus maltraitées. Trop pressé, on en fait rarement l'analyse ; le plus souvent, on les élimine sans rien dire des conséquences sur les marges d'erreur.

(9) Nous avons déjà mentionné l'erreur commise par Gallup lors de l'élection de 1948. La maison IQOP, depuis qu'elle s'est trompée en 1980 en prédisant la

victoire du « oui » au référendum, un sondage publié le jour même du vote, n'a pas retrouvé sa notoriété. Du moins, aucun grand média n'a utilisé ses services de façon régulière lors des élections provinciales ou fédérales entre 1980 et 1990.

(10) Le président Nixon se présenta à la télévision en compagnie de sa femme, de ses enfants et de son chien ; il voulait montrer comment il représentait bien la famille unie et idéalisée par la classe moyenne américaine. Cette émission fut diffusée au moment même où se déroulait un sondage Gallup : Nixon fit une remontée spectaculaire.

Partie 2

La conception d'une enquête et la construction d'un outil d'enquête

Chapitre 3

La conception d'une enquête

3.1 LA DÉMARCHE DE RECHERCHE

3.1.1 LA DÉMARCHE SCIENTIFIQUE

La démarche scientifique repose sur une hiérarchie cybernétique[1] des choix, c'est-à-dire que les éléments les plus riches en informations conditionnent ceux qui sont plus riches en énergie. Ce principe cybernétique s'applique à toutes les étapes de la recherche. À ce titre, la problématique et l'idée de la recherche, caractérisées par leur structure informationnelle, déterminent la méthode d'enquête, le choix des instruments d'enquête et leur contenu, la population visée, etc., et non pas l'inverse. En d'autres mots, le terrain, l'empirique ne doit pas être le principal moteur lorsqu'on veut en faire l'étude. L'idée que l'on se fait de la réalité nous oriente, consciemment ou non, au-delà de l'immanence de la « réalité sociale ». Ce principe s'applique aussi à l'analyse statistique puisque la modélisation et le plan de traitement précèdent la réalisation. C'est là une approche rationaliste de la recherche empirique : pour le rationaliste, la théorie fait naître les faits qui autrement n'existent pas ; pour l'empiriste, les théories naissent des faits.

Pour mieux illustrer ce principe de l'analyse des systèmes, reprenons brièvement la démonstration de Feyerabend (1979) concernant l'effet des découvertes de Copernic et de Galilée sur la science astronomique. Bien des années avant Copernic et Galilée (l'inventeur du télescope) et la naissance de leur théorie de l'héliocentrisme, les Grecs avaient réussi à mesurer et à dénombrer les principaux éléments du système solaire (sauf Pluton) et à dresser une carte du ciel. Au Moyen Âge, sous l'influence de l'Église, on avait formulé une théorie géocentrique du système planétaire qui trouvait son expression la plus achevée dans les sphères amarillaires, mécaniques complexes qui représentaient la Terre et ses ciels et prévoyaient avec une grande exactitude le mouvement des planètes et des « plus petits astres » comme les étoiles.

La cosmologie chrétienne renforçait l'idéologie chrétienne en situant le ciel au-delà des sphères terrestres. L'expression « être au septième ciel » est tout ce qui est resté de cette conception. En renversant le point de vue sur le système planétaire, Galilée ne modifia aucune des mesures antiques : le Soleil continua de se « lever » à l'est et la distance de la Terre à la Lune resta la même. Seule son explication du monde changea. Cette nouvelle théorie permit de découvrir d'autres faits qui autrement n'auraient pu exister : la présence de Pluton, par exemple, a été déduite avant d'être observée[2].

Un exemple tiré de la tradition sociologique démontre le même phénomène où l'armature conceptuelle organise la perception. Durkheim, un des premiers à s'intéresser à la sociologie du droit, a défini le crime comme un acte puni. Cette simple définition désigne les statistiques de la criminalité comme indicateurs d'un « esprit criminel » et leur étude amène à définir les classes inférieures et la pauvreté comme criminogènes. Sutherland (1939) a redéfini le crime comme étant tout acte punissable. Cette définition permet de découvrir les crimes des cols blancs. C'est là tout un pan de la criminalité qui commence à être mesuré et qui semble prendre des proportions gigantesques. Sutherland cite le cas de banquiers trichant sur les lois fédérales et souligne l'importance des pots-de-vin et des fraudes fiscales quasi généralisées.

10 Opérationnalisation d'un même concept selon deux théories				
AUTEUR	CONCEPT	DÉFINITION	INDICA-TEURS	DÉCOUVERTE
Durkheim	Le crime	Tout acte puni	Les statistiques de la criminalité	Les pauvres commettent plus de crimes que les biens nantis et la criminalité s'explique par la pauvreté
Sutherland	Le crime	Tout acte punissable	L'implication dans un acte illégitime	Les cols blancs et les professionnels commettent des crimes et nous ne pouvons expliquer pourquoi

Dans le même ordre d'idée, mentionnons le vol de crayons ou le « vol de livres » par photocopie auquel se livrent les étudiants. Mieux encore, pensons aux copies pirates de logiciels au sein même de grandes institutions. Et que dire des sacs à ordures bleus, normalement verts, commandés par le gouvernement du Québec afin d'en réduire le détournement, une mesure administrative qui a fait économiser des milliers de dollars à l'État malgré les pertes en économies d'échelle. Tous ces crimes représentent une somme bien plus élevée que tous les vols à main armée. On a d'ailleurs commencé à comprendre toute leur portée et, dans le contexte de restrictions budgétaires que l'on connaît, les contrôles administratifs se sont intensifiés. Par exemple, on a ajouté des compteurs et des clés (cartes magnétiques ou codes d'accès) aux photocopieurs. Outre la découverte de nouveaux faits que l'on pourrait multiplier à l'infini, cette simple définition nous amène à poser d'autres questions : pourquoi, parmi tous les actes punissables, seuls ceux commis par les classes défavorisées sont-ils punis ? Si la pauvreté, le manque de certains biens essentiels, n'explique pas la criminalité, qu'est-ce qui l'explique ?

Un dernier élément milite en faveur d'une recherche théorique et d'une stricte définition conceptuelle préalables à toute démarche empirique : en l'absence d'une théorie consciente et bien définie, nos perceptions sont quand même organisées en système, mais on parle alors d'idéologie, de préjugés, de sens commun, etc. En effet, comme la théorie, l'idéologie est un système (ensemble d'éléments en interdépendance) qui organise nos perceptions, une explication du monde qui oriente notre questionnement empirique.

3.1.2 LES ÉTAPES DE LA DÉMARCHE SCIENTIFIQUE DE RECHERCHE

Voilà qui amène à proposer un cheminement rigoureux pour la conception d'une recherche scientifique (voir encadré 11) et à soumettre une démarche stricte pour la formulation et l'analyse d'un sondage (voir encadré 12). Dans les deux cas, la rigueur est de mise puisqu'elle est le seul garant de la conformité scientifique. La démarche scientifique reste la même, quelle que soit la méthode de collecte des données choisie par le chercheur. À la lumière de ses principes, ce dernier doit faire l'analyse préliminaire de son sujet d'enquête avant de s'engager dans une voie méthodologique. Les premières étapes (rompre avec le sens commun, poser le problème théoriquement, en définir et en préciser les dimensions et formuler des hypothèses) lui permettront de cerner la nature des éléments d'information qui lui manquent. Alors, et non pas a priori, il choisira la meilleure méthode pour réunir les données nécessaires.

11   Démarche scientifique de recherche

1) Préalable :
   a) bien connaître le sujet d'étude ;
   b) chasser les idées préconçues, rompre avec le sens commun découlant de la culture.

2) Construction théorique :
   a) établir des définitions provisoires et opératoires des concepts mis en jeu ;
   b) construire l'objet d'étude au-delà de la perception première (sens commun) : faire un découpage particulier et abstrait de la réalité ;
   c) établir un système de relations entre les concepts, construire un modèle de la réalité au moyen de ces concepts et formuler des hypothèses.

3) Opérationnalisation :
   a) préciser les concepts, c'est-à-dire définir les dimensions des concepts et leurs indicateurs ;
   b) définir des hypothèses sur des relations particulières.

4) Vérification empirique :
   a) vérifier empiriquement les indicateurs par une méthode appropriée, soit construire un plan d'expérience, construire des appareils ou des outils et réaliser l'expérience ;
   b) analyser les résultats, soit choisir une méthode d'analyse appropriée et interpréter théoriquement des résultats.

3.1.3   CHOISIR LA MÉTHODE D'ENQUÊTE APPROPRIÉE

Le sondage n'est pas le seul moyen d'étude empirique des phénomènes sociaux ni le plus approprié pour l'étude des processus (Grawitz et Pinto, 1967). Les interactions au sein d'une famille ou d'autres groupes s'analysent mieux par l'observation ou l'observation-participation. De nombreux ouvrages classiques de la sociologie américaine, dont ceux inspirés par l'école de Chicago, comme *Dynamics of Bureaucracy* de P.M. Blau et *Street Corner Society* de W. F. Whyte pour ne nommer que les plus célèbres, ont été réalisés en utilisant ces méthodes.

On doit donc rester conscient de l'éventail des autres méthodes de recherche à la disposition du chercheur et des limites propres à la méthode des sondages. À la page 61, nous avons complété la figure proposée par M. Grawitz et R. Pinto ; on y trouvera un éventail des techniques de recherche. Notons, pour bien comprendre cette figure, que les techniques qui s'appliquent à un niveau de regroupement supérieur n'excluent pas celles d'un niveau inférieur, c'est-à-dire que l'étude des groupes n'exclut pas l'étude des individus ; de même, l'étude des groupements, peuplements ou organisations n'exclut pas l'étude des groupes primaires et des individus qui les composent. Le sondage et l'observation-participation peuvent donc servir à plus d'une fin. Nous y avons aussi introduit les méthodes d'intervention basées sur un processus de recherche.

FIGURE 3.1   **Éventail des techniques de recherche**

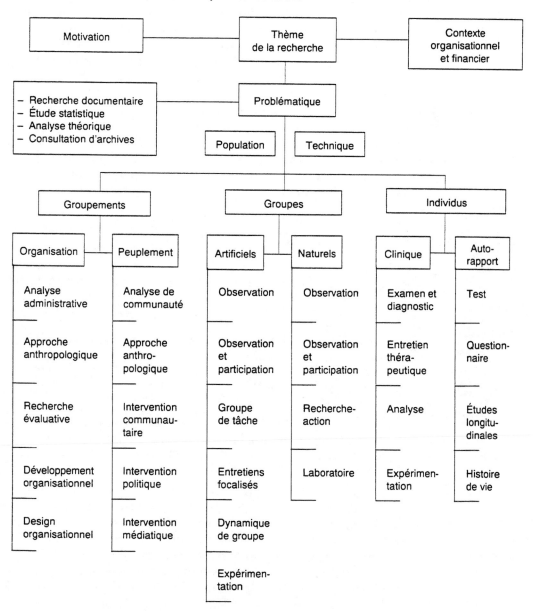

3.1.4   LA MÉTHODE DE L'INTELLIGENCE

Si la méthode des sondages ou même les analyses quantitatives en général ne sont pas toujours appropriées, il en va ainsi de la méthode scientifique elle-même. Dans un ouvrage consacré principalement à la méthodologie, cette affirmation peut sembler étrange ou en contradiction avec les propos tenus quelques pages plus tôt. Il n'en est rien. Dalton rapporte les propos de nombreux physiciens qui contestent le statut de la méthode scientifique comme seul outil de connaissance scientifique. P. W. Bridgman, prix Nobel de physique, déclare : « Ce qu'on appelle la méthode scientifique est simplement un cas spécial de la méthode de l'intelligence »[3]. Einstein lui-même souligne l'importance de l'imagination, de l'esprit d'à-propos, de la *serendipity*[4], un terme qu'on pourrait traduire par perspicacité, pour la découverte scientifique. Bien sûr, tout le monde n'est pas Einstein et la méthode reste le plus sûr moyen de produire des résultats scientifiques. Ces propos sont toutefois une mise en garde contre toute idolâtrie excessive face à une méthode qui a ses limites. Trop préciser ses concepts peut, par exemple, empêcher d'explorer des intuitions intéressantes.

On n'a qu'à consulter un ouvrage classique comme *Sociologist at Work* pour se rendre compte que, le plus souvent, la réalité diffère du modèle, même dans le milieu universitaire. Cet ouvrage qui réunit des comptes rendus de recherches entreprises par quelques-uns des plus grands sociologues « empiriques » américains montre comment la méthode se trouve confrontée à la réalité. Hammond, l'éditeur du livre, souligne dans son introduction générale l'ambiguïté de ce rapport :

> « Chacun sait, s'il y pense bien, que dans la recherche scientifique 1) la chance joue un rôle, 2) les hypothèses peuvent être trop restrictives, 3) l'imagination a une grande importance et 4) une lecture naïve des travaux antérieurs peut être désastreuse. Cependant, chacun sait aussi, qu'on le veuille ou non, 1) que personne ne doit prendre de risques, 2) que les hypothèses demeurent la technique intellectuelle la plus importante, 3) que le chercheur doit rester très critique face à ses propres images et conceptions quand elles surviennent et 4) que même lire des choses vraies dans une certaine mesure peut avoir un effet aussi désastreux. » (Hammond, 1964, p. 13. Traduction libre.)

En fait, le processus de recherche nécessite une dialectique constante entre le raisonnement théorique et les contraintes de la réalité empirique. Une idée de recherche et ses préconceptions théoriques face à l'état des connaissances sur le sujet, la clarification d'une problématique et la disponibilité de la population sur laquelle la recherche devra porter en font un processus constant de va-et-vient entre des considérations théoriques et des éléments pratiques. La méthode est présente à chaque moment de cette élaboration mais ne se trouve pas inscrite dès le début, toute élaborée comme un plan d'architecte.

3.1.5 LA MÉTHODE COMME OBJECTIF

La méthode scientifique doit servir d'objectif au chercheur comme le tableau de Mendeleïev a servi d'objectif aux physiciens pour la découverte des éléments atomiques. Les idées ne viennent pas nécessairement dans l'ordre, et une question peut surgir spontanément sans que l'on ait déduit auparavant de quel concept elle découle. En somme, on doit toujours construire le cadre d'analyse d'une recherche avant d'élaborer le questionnaire. Cependant, on pourra toujours l'enrichir et modifier nos outils aussi longtemps que l'on n'aura pas commencé à passer le questionnaire.

Meilleur sera le travail conceptuel de base, meilleur sera l'outil ; mais on peut s'apercevoir en cours de route, à l'étape du prétest ou lors d'une série d'entrevues préparatoires, qu'on a négligé une dimension importante du problème et la corriger. Reformuler des hypothèses de départ, abandonner et formuler des hypothèses nouvelles ne sont pas des événements rares de la recherche empirique. À vrai dire, c'est une fonction essentielle de la recherche empirique que de trouver des choses qu'on ignorait. En fait, la recherche appliquée est une méthode itérative : à chaque passage entre la théorie et l'empirique, le chercheur trouve de nouveaux faits, ce qui l'amène à ajuster des éléments de son cadre théorique ; conséquemment, il accumule de nouveaux faits et ainsi de suite. L'essentiel réside davantage dans la rigueur avec laquelle chacune des étapes sera franchie et dans le fait qu'elles soient toutes franchies, que dans leur strict ordonnancement.

Par ailleurs, mieux vaut avancer rapidement et revenir sur les étapes incomplètes que de bloquer sur une page blanche que l'on voudrait parfaite. De toute façon, aucune recherche n'est parfaite ; d'une part, on trouvera toujours matière à critique et, d'autre part, les erreurs de conception et de processus que le chercheur ne manquera pas de trouver au terme de sa recherche seront parfois aussi instructives que les résultats recherchés. De plus, les erreurs permettent de formuler des questions que pourront reprendre les autres chercheurs qui étudient le même phénomène.

3.1.6   ROMPRE AVEC LE SENS COMMUN

Le sens commun, que l'on appelle aussi le « gros bon sens », est à la fois un allié et un ennemi de ceux qui font de la recherche sociale. Comme allié, le sens commun nous évite les errements d'un académisme détaché de la réalité, celui des *armchair sociologists* que critiquait Malinowski, le célèbre anthropologue. Il nous indique aussi les plus grossières erreurs, tel, au Québec, le doublement de l'électorat péquiste ou libéral du jour au lendemain.

Comme ennemi, le sens commun conduit dans les ornières des idées préconçues et dans les errements idéologiques. Le gros bon sens peut en effet être servi à toutes les sauces : par exemple, le racisme relève du « gros bon sens » pour certains Blancs de Prétoria en Afrique du Sud. Le chercheur qui néglige de prendre ses distances vis-à-vis une idéologie la reproduit plutôt que d'expliquer le phénomène qu'il doit analyser.

3.2   LA DÉMARCHE DE CONSTRUCTION D'UNE ENQUÊTE PAR SONDAGE

L'encadré 12 dresse une liste des principales étapes de la formulation d'un sondage ; toutes ces phases seront abordées dans cette partie. Les sections qui suivent traitent des éléments plus théoriques de cette démarche alors que les chapitres suivants concernent les aspects plus techniques.

3.2.1   LA MOTIVATION ET LA DÉFINITION DU THÈME DE LA RECHERCHE

La motivation qui anime une démarche de recherche, que ce soit par la méthode des sondages ou par une autre méthode, est souvent négligée. Les ouvrages généraux définissent la motivation sous le vocable de connaissance scientifique, alors que les ouvrages traitant d'une application particulière se situent d'emblée dans les préoccupations de cette application. La noblesse de la première approche et l'utilité de la seconde font perdre de vue les implications méthodologiques des motivations d'une recherche donnée. Or, le pourquoi d'une recherche, son contexte organisationnel et la position particulière du chercheur dans celui-ci ne sont pas des circonstances négligeables. Le caractère industriel du sondage, le fait qu'il nécessite le déploiement de moyens importants et que la plupart d'entre eux soient réalisés dans un contexte commercial où un mandant commande une recherche sont des éléments déterminants de la réalisation d'enquêtes par sondage.

12   Démarche pour la formulation d'un sondage

1) Motivation :
   - intérêt pour la recherche ;
   - objectifs de la recherche ;
   - problématique générale.

2) Définition du thème de la recherche et de la question générale.

3) Connaissance de l'objet et construction de la problématique.
   Définition de la problématique spécifique (modélisation) :
   - identification des dimensions conceptuelles ;
   - mise en relation des éléments du problème ;
   - cadre théorique ;
   - recherche documentaire (faits, chiffres) ;
   - informateurs clés.
   Préalable : disponibilité de l'information sur le sujet.

4) Définition de la population à laquelle les résultats seront généralisés.

5) Démarche méthodologique.
   Des concepts aux indicateurs :
   - représentation imagée du concept ;
   - spécification des dimensions ;
   - choix des indicateurs observables ;
   - formation des indices.
   Les variables : définition et niveau, hypothèses sur leurs relations.

6) Choix d'un design :
   - design longitudinal (*panel studies*) ;
   - design synchronique (*cross sectional*).
   Préalable : identification et accès à la population cible.

7) Démarche technique :
   - « opérationnalité » des questions (intervention) ;
   - formulation des questions et instructions.

8) Choix du média d'enquête :
   - entrevue de personne à personne ;
   - entrevue téléphonique ;
   - questionnaire auto-administré (posté ou sur place) ;
   - observation directe (analyse de dossiers ou de comportements).

9) Échantillonnage :
   - possibilité d'atteindre la population ;
   - choix de la technique d'échantillonnage.

10) Démarche d'enquête :
   - prétest → reformulation → prétest → reformulation ;
   - réalisation de l'enquête ;
   - sélection d'une équipe, d'une firme, etc. ;
   - coûts et contrôle de la qualité ;
   - relance des refus.

La principale distinction entre la recherche universitaire, ou autonome, et la recherche en entreprise réside dans le fait qu'en entreprise,
les premières étapes de la recherche échappent au chercheur. La motivation de la recherche, la définition du problème et du thème de la
recherche appartiennent à une forme ou l'autre d'autorité socialement
constituée. Ce sont l'employeur ou le mandant qui fixent les balises à
l'intérieur desquelles la recherche se déroulera. Comme les premières
étapes sont déterminantes des suivantes, le chercheur, dans un tel
contexte de travail, doit faire face à ces contraintes sans pouvoir les
modifier, ou très peu, pour la connaissance scientifique. Le chercheur
devra s'armer de patience et de diplomatie pour négocier des changements même mineurs. Seules l'université et la recherche universitaire
peuvent se prévaloir pleinement du modèle de recherche élaboré théoriquement.

Il n'en va pas de même des aspects métriques du travail. Les
chercheurs étant consultés pour leur compétence à mesurer des phénomènes sociaux, ils peuvent et doivent demeurer exigeants quant au
déroulement méthodologique de l'enquête.

Que ce soit pour répondre à une commande ou pour poursuivre
des objectifs qui lui sont propres, le chercheur devra délimiter dès le
début de sa démarche les objectifs précis de son enquête, car une seule
enquête ne peut répondre à toutes les questions qu'on peut se poser sur
un sujet, de même qu'une seule méthode ne permet pas de le cerner
complètement.

Lorsque le chercheur est au service d'une organisation, sa tâche est
toutefois différente d'une démarche autonome. Il s'agit davantage d'aider le mandant à préciser ses objectifs afin de mieux répondre à la
demande. Le chercheur devra surtout éviter de s'engager dans une
direction à l'insu et à l'encontre du mandant. S'il n'est pas d'accord avec
l'objet de l'enquête, il est préférable de refuser le contrat.

En dépit de celui qui entreprend une recherche et de l'objet de
celle-ci, la définition du thème de la recherche comporte deux éléments :
la position précise du problème et la délimitation de la population sur
laquelle sera menée l'enquête qui permettra de résoudre ce problème.
La population est d'abord définie conceptuellement, puis plus systématiquement lors de la phase d'échantillonnage (voir le chapitre 7). La
position du problème, son explication et la définition de la population
soumise à l'enquête reposent entièrement sur la connaissance de l'objet
à analyser.

3.2.2   LES TYPES DE RECHERCHES

L'état des connaissances sur l'objet à l'étude, l'objectif de la recherche et la commande faite amèneront le chercheur à s'engager dans l'une ou l'autre forme de recherche. Celle-ci peut être descriptive, exploratoire, confirmative ou évaluative.

Les recherches descriptives et exploratoires sont proches parentes. Dans les deux cas, la tâche du chercheur est de décrire plus adéquatement un univers. Ce qui les distingue

13   Formes de recherches

EXPLORATOIRE
Étude descriptive d'une situation peu connue et étudiée au moyen de procédures ouvertes.

DESCRIPTIVE
Étude de l'état d'une situation à partir de paramètres connus mais en évolution.

CONFIRMATIVE
Vérification d'une théorie dont les concepts peuvent être opérationnalisés.

ÉVALUATIVE
Vérification des conséquences d'une activité organisée à partir d'objectifs précis et de comparaisons avec une situation antérieure.

repose largement sur l'état des connaissances sur le sujet. Les recherches descriptives peuvent habituellement compter sur une tradition qu'il s'agit de mettre à jour. Les recherches exploratoires sont généralement plus vagues et nécessitent souvent des procédures plus ouvertes : questions ouvertes, entretien non directif, entrevue de groupe, etc. Quant aux recherches confirmatives, elles sont plus courantes dans le milieu universitaire où la théorie a plus d'importance. Plutôt que de décrire simplement l'état des choses, on cherche à vérifier une théorie et c'est elle qui guide le chercheur dans le choix de ses indicateurs. Notons que le fait de s'engager dans une procédure non confirmative ne signifie pas qu'il faille s'abstenir de tout effort théorique. Finalement, la recherche évaluative est un champ de l'application des sondages qui s'est développé récemment avec la remise en question des programmes publics. Claude Angers, professeur à l'École nationale d'administration publique, souligne trois objectifs principaux pour ce type d'étude :

> « Une méthode rigoureuse d'évaluation de programme, à l'instar d'une bonne expérience, établit l'impact véritable d'un programme et montre jusqu'à quel point les buts visés par le programme ont été atteints. Elle démontre aussi le lien causal entre le programme et les effets observés. » (Angers, 1988, p. 62.)

L'auteur souligne aussi la difficulté de la tâche. L'environnement socio-économique ne pouvant être contrôlé, il est bien difficile de le distinguer de l'effet du programme. De plus, il manque bien souvent à l'analyste soit des études précises sur la situation qui prévalait avant l'implantation des programmes, soit des groupes témoins à qui ne s'appliquait pas le programme.

3.2.3   LA CONNAISSANCE DE L'OBJET

La connaissance de l'objet s'avère d'une importance capitale à toutes les étapes de la préparation d'une enquête. Outre les enjeux majeurs de la problématique, une bonne connaissance de l'objet procure le vocabulaire propre au champ à l'étude aussi bien que les statistiques de population qui serviront à valider les résultats. On doit donc identifier le plus rapidement possible les sources d'information pertinentes au sujet traité. Le chercheur doit recueillir des faits et des chiffres sur le problème à l'étude ainsi que les explications qui ont été retenues jusqu'à ce jour sur le phénomène, ou, en d'autres mots, leur théorie.

Tout processus de recherche débute par une revue le plus exhaustive possible de la documentation pertinente. Toutes les sources écrites devront être répertoriées et consultées : rapports de recherches, statistiques de toute provenance (Statistique Canada, Bureau de la statistique du Québec, les différents ministères, etc.), articles de toute origine sur le sujet, documents publicitaires et informatifs. Ceux qui s'intéressent à un sujet de longue date connaissent habituellement bien la bibliographie pertinente à leur sujet. À noter que les mandants peuvent fournir de nombreux éléments bibliographiques.

Le chercheur doit mettre en perspective la somme des documents recueillis. Certains apportent des informations directes sur le déroulement de certaines activités, tels les procès-verbaux des assemblées générales d'un syndicat ou les journaux d'entreprise, d'autres renseignent indirectement sur le sujet, tels certains articles de journaux portant sur ce même syndicat. Le chercheur doit également identifier les personnes-ressources et les informateurs clés et prendre contact avec eux. Encore ici, on doit distinguer les informateurs directs, soit ceux qui participent à l'activité qui est à l'étude tels les chefs syndicaux et les chefs d'entreprise, des informateurs indirects, des observateurs ou des experts du domaine. Il faut partout prévoir des refus et des délais. Il n'existe pas de réglementation précise et juridique pour l'utilisation des informations obtenues par entrevue. Toutefois, lorsqu'on n'a pas promis la confidentialité aux informateurs, il est éthiquement préférable de citer ses sources. Lorsque l'entrevue a été enregistrée ou qu'on a des notes précises, on peut utiliser les mêmes méthodes que pour la citation de textes. Sinon, on doit utiliser des formules du type « Selon les propos de monsieur Untel que nous avons rencontré » ou « En entrevue, monsieur Untel nous a affirmé que... ».

La connaissance de l'objet s'avère un préalable indispensable à la formulation d'une enquête ; elle prend place avant toute démarche méthodologique. Elle peut conduire à rejeter la méthode des sondages au profit d'une autre plus appropriée.

La connaissance de l'objet ne se limite pas à celle des faits bruts. L'explication d'un phénomène, sa théorie particulière, doit guider le chercheur dans ses choix de thèmes et de statistiques. L'usage que l'on peut faire des théories prend différentes formes que nous examinerons brièvement à la section 3.3. La connaissance de l'objet aide à mieux définir la problématique et la population soumise à l'enquête ainsi qu'à établir des stratégies pour l'échantillonnage.

3.2.4 LA PROBLÉMATIQUE

La définition d'une problématique est souvent perçue comme une opération nébuleuse et complexe. On confond souvent le problème et sa problématique. La problématique est un ensemble de situations exprimées par des faits et des chiffres et expliquées par des théories ; elle se manifeste dans la réalité sociale par un problème particulier. La définition qu'en donne Chevrier exprime bien le fait qu'une problématique est un ensemble : « Structure d'informations dont la mise en relation engendre chez le chercheur un écart se traduisant par un effet de surprise ou de questionnement assez stimulant pour le motiver à faire une recherche » (Chevrier, 1984, p. 56). Bien souvent, un mandant arrive auprès d'un chercheur avec un problème et c'est ce dernier qui doit en comprendre la problématique. Un exemple tiré de l'intervention psychosociale, malgré certaines distinctions avec les sciences sociales, illustrera la différence : une personne peut avoir un problème d'alcoolisme mais sa problématique est celle d'une personne bafouée, pauvre et en proie à des difficultés de communication au sein de sa famille.

Une problématique comprend donc différentes parties distinctes. On y trouve un énoncé clair du problème à l'étude. Ce problème peut être défini de manière plus générale, plus théorique, en introduction à la présentation des éléments (faits, chiffres et théorie) que nous aurons appris les recherches préparatoires lors de la phase de connaissance du sujet.

« Un problème de recherche est considéré comme étant un écart ou un manque à combler dans le domaine de nos connaissances entre ce que nous savons et ce que nous devrions ou désirons savoir sur le réel. » (Chevrier, p. 52.)

Il ne s'agit donc pas *nécessairement* d'un problème social, d'une situation dangereuse ou risquée. Toutefois, le mandant requerra habituellement une enquête lorsqu'il rencontrera un problème selon cette dernière acception plus limitative.

La problématique se conclura généralement par une position plus précise et opératoire du problème. Cette définition opératoire permettra de passer aux étapes plus techniques de la démarche, à la définition et à l'opérationnalisation des concepts, mais surtout à des hypothèses.

3.2.5   LA FORMULATION DES HYPOTHÈSES

La formulation des hypothèses est un processus crucial dans la construction d'une enquête. Toutefois, ce n'est pas une procédure univoque : on peut en effet poser des hypothèses à différentes étapes de la démarche d'enquête. Au niveau le plus élevé, les hypothèses sont posées au début de l'enquête et sont appuyées par une démonstration théorique ou par l'accumulation d'évidences empiriques ou, en d'autres termes, par la connaissance que l'on a du sujet à l'étude. La démarche en est alors une de confirmation d'un modèle, d'une théorie. C'est sans doute la formule qui correspond le mieux à la conception scientifique traditionnelle. Toutefois, de nombreuses recherches sont simplement descriptives ou se situent à un niveau exploratoire, ce qui n'est guère propice à la formulation d'hypothèses générales a priori.

Lorsque des hypothèses générales et explicatives ne peuvent être formulées, des hypothèses particulières doivent alors être émises pour le choix de chacune des questions. On doit en quelque sorte identifier le lien entre l'indicateur et la problématique générale. De plus, on peut utiliser des idées directrices, des pistes d'analyse ou des perspectives théoriques pour guider notre questionnement.

La formulation d'hypothèses au début d'une recherche permet d'orienter le questionnaire de façon précise, de se concentrer sur les éléments retenus. De cette manière, il y a une économie de moyens considérable puisque l'on sait ce que l'on veut connaître de la population à l'étude.

Cependant, la formulation d'hypothèses de recherche n'est pas sans poser de problèmes. Le premier, souligné par Caplow (1970) et Dalton (1964), en est un d'insignifiance des hypothèses : dans le contexte de l'exercice que nous présentons sur la façon de conduire selon le sexe de l'automobiliste (voir la section Exercices et corrigés), poser l'hypothèse qu'il y a ou qu'il n'y a pas de différences de conduite selon le sexe ne fait qu'accorder une saveur scientifique à une phrase bien insignifiante. Il faut se garder de toute pédanterie, d'accorder une tournure faussement scientifique à des évidences. Deuxièmement, les hypothèses formulées trop tôt dans une recherche peuvent empêcher de découvrir la réalité des phénomènes et même, lorsque les hypothèses sont publiques, amener à cacher des faits pour prouver ces hypothèses (Dalton, 1964).

3.2.6 LA DÉFINITION DE LA POPULATION

La définition de la population soumise à l'enquête est une opération parfois très simple et parfois très complexe. La nature du problème à l'étude est en effet déterminante. Lorsqu'on s'intéresse à des problèmes concernant la population générale, comme les enquêtes sur le vote, ou encore des populations encadrées par des organisations et des définitions juridiques ou strictement délimitées géographiquement, le problème est plus technique que théorique. Il s'agit de trouver des moyens qui permettent de joindre toute la population concernée sans biais aucun ; nous en traitons abondamment dans le chapitre 7 consacré à l'échantillonnage.

Mais aussitôt que le contexte n' impose pas une définition fixe de la population, le problème est plus théorique que technique. Considérons l'exemple suivant : qui, de la population autochtone ou migrante, doit-on interroger pour connaître le niveau d'intégration des derniers aux premiers ? Voilà une question dont la résolution n'a rien à voir avec le type d'échantillonnage prescrit. Il s'agit de savoir si la question « Connaissez-vous une personne d'une autre ethnie ? » sera posée à des immigrants ou aux citoyens du pays d'accueil. Veut-on généraliser la réponse à la population des immigrants ou à celle des citoyens ? Qui peut le mieux répondre aux questions qu'on se pose sur l'intégration des immigrants ? De quelle population tirerons-nous notre échantillon ?

3.2.7   LA MULTIPLICITÉ DES SOURCES D'ERREURS

Une enquête, comme toute activité humaine, est propice à l'apparition d'erreurs de toute nature. On distingue six types d'erreurs : les erreurs de conception, les erreurs de formulation technique, les erreurs d'échantillonnage, les erreurs d'observation, les erreurs liées au processus d'analyse informatisée et les erreurs d'interprétation des résultats.

14   Types d'erreurs

Erreurs de conception

Erreurs dans la construction des outils d'observation

Erreurs d'échantillonnage

Erreurs d'observation

Erreurs liées au processus d'analyse informatisée

Erreurs d'interprétation des résultats

Les erreurs de conception se produisent aux étapes préliminaires de la formulation d'une enquête : des concepts et des notions peuvent être mal compris, des dimensions négligées, etc. La qualité théorique du chercheur et celle des études préliminaires sont les seules parades qui préviennent ce type d'erreurs.

La deuxième catégorie d'erreurs est liée à la formulation des questionnaires, au style des questions et à leur ordre, au caractère équivoque de certains mots et à la clarté des instructions destinées aux interviewers. L'expérience et une solide procédure de prétest permettent d'éviter ces erreurs.

Certaines erreurs sont prévisibles et inhérentes à la méthode des sondages. Les échantillons probabilistes permettent de mesurer l'erreur d'échantillonnage qui est un phénomène connu dont nous reparlerons ultérieurement. Si ce type d'erreurs a sa place dans la théorie statistique du sondage et est toujours pris en considération, les erreurs d'observation appartiennent à la pratique du sondage et ne reçoivent pas toute l'attention voulue.

Les erreurs d'observation sont souvent mésestimées, particulièrement par les analystes qui tiennent souvent pour acquise la qualité des données. Les réponses dont l'analyste disposera peuvent être mal transcrites, mal codées, incomplètes ou erronées, quand elles ne sont pas tout simplement absentes. L'interviewé aussi bien que l'interviewer peuvent être à la source de ces erreurs. Pour parer aux erreurs introduites par l'interviewé, nous n'avons que peu de moyens. Les différentes questions indirectes, les questions pièges que l'on peut construire pour contourner une supposée mauvaise volonté de la part du répondant laissent souvent perplexes.

On peut contrôler un peu mieux les erreurs introduites par l'interviewer, que celui-ci soit incompétent, qu'il ait pu influencer le répondant, etc. Seul le contrôle de la qualité permet de diminuer ces erreurs. Ce contrôle ne se limite pas à une procédure de vérification du travail des enquêteurs a posteriori. La sélection et la formation des enquêteurs, ou la sélection d'une firme qui le fera pour vous, s'avèrent aussi essentielles. Pour des enquêtes complexes, exigez de la firme de donner vous-même la formation aux surveillants.

L'écoute des entrevues menées par des téléphonistes reste le moyen le plus sûr de vérifier le respect des instructions. Le sondage de personne à personne ne permet pas de procédures équivalentes. Le surveillant ne peut que vérifier la réalisation effective d'une entrevue et non son déroulement. Notez que le fait de payer les interviewers à l'heure plutôt qu'au nombre de questionnaires complétés diminue le risque de fraude. La stabilité des grandes firmes leur permet de mieux rémunérer leurs employés et de constituer une banque de personnel expérimenté. De plus, si la profession d'interviewer n'exige pas toujours une grande qualification, il est reconnu que les meilleurs sont des femmes d'âge moyen. Ces dernières, au téléphone surtout, sont perçues comme moins « menaçantes » que les hommes tout en ayant l'assurance et l'expérience des communications interpersonnelles que n'ont pas les plus jeunes.

Nous traiterons plus en profondeur des erreurs liées à la saisie et au traitement statistique dans la troisième partie de cet ouvrage. Il est néanmoins étonnant de voir de grandes maisons de sondage utiliser des coefficients mathématiques erronés ou certaines procédures mathématiques sans respecter les conditions qui sont à la base de leur usage.

Comme les erreurs de conception, les erreurs d'interprétation reposent entièrement sur la qualité et l'expérience du chercheur. Paraphrasons Bridgman en affirmant que la méthode scientifique ne vaut rien sans intelligence.

3.3   LES TYPES DE THÉORIES EN SCIENCES SOCIALES

La théorisation en sciences sociales est un domaine complexe de l'épistémologie. Il n'est pas de notre propos de décider ici ce qu'est une théorie scientifique, ni de la pertinence ou des applications particulières de la théorisation en sciences sociales. Notre objectif se limite à permettre, par de brèves définitions, de faire le lien entre l'univers théorique et son application dans des enquêtes par sondage.

Pour les besoins de ce manuel, nous avons retenu certains éléments de la typologie des théories sociales élaborée par le sociologue R. K. Merton (1965) et des travaux de Hanushek *et al.* (1977). On distingue quatre manières de théoriser en sciences sociales. Ces types de théories sont les théories systématiques ou déductives, les généralisations empiriques ou théories inductives, les idées directrices et l'analyse conceptuelle. Mais avant de définir chacun de ces types de théories, nous démontrerons comment chaque discipline oriente le questionnement des chercheurs.

3.3.1   LE POINT DE VUE DISCIPLINAIRE

D'abord, chacune des disciplines des sciences sociales aborde le monde selon un point de vue particulier : la science politique étudie les rapports de pouvoir ; l'économique voit le monde comme des individus mûs par la rationalité économique ; la sociologie analyse les valeurs, les normes, les rôles et la culture des sociétés. Ces grandes divisions ne sont pas hermétiques et engendrent de nombreux hybrides (sociologie économique, économie politique, etc.) mais, pour grossières qu'elles soient, elles permettent de distinguer les grands champs de la connaissance.

Ensuite, au sein de chacune des disciplines, on trouve des écoles de pensée animées par des idées directrices divergentes. Chacune de ces écoles de pensée privilégie des variables spécifiques et des relations particulières, alors que certaines nient la pertinence de toute étude empirique.

Enfin, chaque champ d'application recèle des théories particulières qui s'appliquent aux phénomènes spécifiques. Ces théories allient souvent les perspectives de plusieurs disciplines et de nombreuses écoles de pensée. Le champ des communications, le service social et l'étude des organisations, par exemple, recoupent des perspectives sociologiques, économiques et politiques en plus de celles qui leur sont propres.

3.3.2   LES THÉORIES SYSTÉMATIQUES

La définition que donne Merton des théories systématiques est la suivante : « Affirmation d'invariance qui découle d'une théorie » ou loi scientifique. C'est un schéma propositionnel de liens entre des concepts.

Quelques énoncés axiomatiques permettent de déduire et de prédire une grande variété de comportements, et ce dans des contextes sociaux fort différents.

> « Par exemple, la théorie économique élémentaire pose le postulat de base que les gens préfèrent avoir plus de biens que moins et que la valeur des unités additionnelles de tout bien diminue au fur et à mesure que le nombre consommé augmente. Combiner ces affirmations avec une contrainte budgétaire et la maximisation de la satisfaction individuelle, ou utilité, nous donne la courbe décroissante de la demande. Cette courbe de la demande où l'on s'attend à une relation négative entre la demande et le prix sert à faire une large gamme de prédictions sur les comportements observés des consommateurs. » (Hanushek *et al.*, 1977, p. 1. Traduction libre.)

Les théories systématiques sont, comme leur nom l'indique, des systèmes de propositions liées entre elles et non pas uniquement un ensemble de variables reliées individuellement les unes aux autres. Pour être opérationnalisées dans une enquête par sondage, les théories doivent être précises, sans équivoque et se rapporter à des comportements individuels.

Il y a peu de théories systématiques en sciences sociales. Hanushek et ses collaborateurs nomment ces théories, ces modèles explicatifs, des modèles construits par déduction. Comme Merton, ils admettent l'avantage de ces théories mais reconnaissent également l'apport et la valeur des théories fondées sur des généralisations empiriques. Ces modèles théoriques construits à partir de l'induction faite de généralisations empiriques fournissent également des guides théoriques pour la réalisation d'enquêtes. Nous en traiterons plus abondamment au point suivant.

Merton donne la théorie du suicide de Durkheim comme exemple d'une théorie sociologique systématique. C'est d'ailleurs, pour le sociologue américain, la seule théorie systématique qu'il reconnaisse à la sociologie. Merton résume la théorie durkheimienne en quatre propositions. Les deux premières constituent la systématique de la théorie alors que les deux dernières visent à démontrer comment une généralisation empirique (le fait que les protestants aient un taux de suicide plus élevé que les catholiques) permet de vérifier la théorie :

a)   la cohésion sociale fournit un soutien psychique aux membres du groupe sujets à des anxiétés ;

b)   le pourcentage de suicides est fonction des anxiétés et des tensions non soulagées auxquelles les personnes sont sujettes ;

c)   les catholiques ont une plus grande cohésion sociale que les protestants ;

d) on doit s'attendre à un pourcentage plus bas de suicides chez les catholiques que chez les protestants.

Durkheim a toutefois procédé à l'inverse, c'est-à-dire qu'à partir d'une généralisation empirique, il a constaté que l'augmentation de la proportion de catholiques allait de pair avec la diminution du taux de suicides ; à partir de cette constatation, il dégagea une théorie sociale selon laquelle le degré de cohésion sociale explique le taux de suicide.

La théorie de Durkheim permet de mieux comprendre les fluctuations des taux de suicide à l'extérieur de la problématique religieuse. Le taux d'urbanisation d'une région est relié au taux de suicide, la ville étant moins cohésive socialement que la campagne. Les périodes de crise économique, alors que les solidarités du monde du travail se disloquent, sont plus propices au suicide que les périodes de stabilité économique.

Une autre manière d'utiliser ces théories consiste à expliquer pourquoi elles ne sont pas des lois scientifiques. En d'autres termes, elles permettent de mieux analyser certains phénomènes qui, manifestement, ne se passent pas comme la théorie le prévoyait. Ce que l'histoire a appelé « la loi d'airain de l'oligarchie » de Roberto Michels, loi voulant que les partis politiques et les syndicats développent toujours une oligarchie (une caste régnante niant toute démocratie malgré les valeurs du mouvement qu'elle domine), en fournit une bonne illustration. Martin Seymour Lipset, un sociologue américain, s'est servi des éléments de cette théorie pour faire l'analyse de l'International Typographic Union, syndicat américain où s'était développé, contrairement à la loi de Michels, un système de gouvernement bipartite. Sa question de départ se résumait à : « Qu'est-ce qui distingue ce syndicat des autres pour que ne se développe pas une oligarchie régnante ? » (Lipset, 1964).

3.3.3 LES THÉORIES FONDÉES SUR DES GÉNÉRALISATIONS EMPIRIQUES

Ces théories, plutôt que d'être déduites d'une formalisation théorique fondée sur un schéma propositionnel, reposent sur des relations constantes entre un certain nombre de variables observées dans la réalité empirique et étayées par un réseau d'hypothèses et d'intuitions. Bien souvent, c'est tout ce dont on dispose pour étudier un phénomène donné.

De nombreuses théories particulières ne sont que des généralisations empiriques. Malgré leurs limites épistémologiques, ces théories fournissent des variables clés et des hypothèses qu'on ne peut négliger. Ces variables récurrentes sur lesquelles les théories sont fondées ne peuvent être mises de côté lorsqu'on construit un outil d'étude. On sait par exemple que la fréquence des voyages de vacances est liée au revenu. Ceci n'explique pas pourquoi les Québécois se sont mis, depuis quelques années, à voyager davantage, ni pourquoi, dans les années 1950, les Québécois riches voyageaient peu ou constamment vers la même destination, soit la Floride.

La relation entre l'âge et le vote telle que posée par la théorie du vote permet d'illustrer tant les limites que l'utilité des théories basées sur des généralisations empiriques. On sait par expérience que les personnes âgées votent de manière plus conservatrice que les jeunes. S'il s'agissait d'une authentique théorie, la Suède, depuis longtemps socialiste et avec une structure de population très âgée, serait plus conservatrice politiquement que les États-Unis dont la population est plus jeune, ce qui, de toute évidence, est faux. Bien des théories fondées sur des généralisations empiriques ne résistent pas à l'analyse comparative et à l'épreuve du temps. Cela dit, cette théorie amène à s'interroger sur la vague de conservatisme qu'on observe dans les sociétés vieillissantes. Est-ce que les « baby-boomers », après avoir été hippies et socialistes, ne sont pas devenus yuppies et néo-libéraux en prenant de l'âge ? Est-ce qu'ils auront la cinquantaine fasciste ?

3.3.4   LES THÉORIES FONDÉES SUR DES IDÉES DIRECTRICES

Si les théories systématiques et les théories fondées sur des généralisations empiriques fournissent des variables à inclure aux questionnaires de sondage, d'autres formes de pensée théorique peuvent également être utiles. Les idées directrices sont de cet ordre. Elles postulent un ordre de fait qui ne peut être négligé sans risques, mais ne disent rien des relations spécifiques entre les faits. Elles fournissent un contexte général pour l'enquête, quelques variables conceptuelles et elles facilitent la formulation d'hypothèses générales.

> « Cette orientation suppose de larges postulats définissant des types de variables plus ou moins valables, plutôt que des relations particulières entre certaines d'entre elles. » (Merton, 1965, p. 30.)

Voici trois idées directrices suggérées par R.K. Merton, idées directrices qui comptent parmi les fondements de la sociologie.

1) « La cause déterminante d'un fait social doit être cherchée parmi les faits sociaux qui le précèdent. » (Durkheim cité dans Merton, p. 31.)

2) « La société est un système intégré de parties reliées entre elles et fonctionnellement interdépendantes. » (Arensberg *et al.* cité dans Merton, p. 31.)

3) « L'existence sociale des hommes détermine leur conscience. » (Karl Marx cité dans Merton, p. 50.)

Ces idées directrices peuvent servir de point de départ. Par exemple, lorsqu'on applique le principe d'analyse sociologique de Durkheim à l'étude de la performance pédagogique des professeurs, un domaine qui n'a aucun lien direct identifiable, on évitera de mesurer la taille des locaux ou leur éclairage pour se concentrer davantage sur les habiletés pédagogiques des professeurs, leur motivation, la dynamique interne du groupe ou la pertinence des programmes.

3.3.5 L'ANALYSE CONCEPTUELLE

L'analyse conceptuelle n'est pas une théorie à proprement parler, mais plutôt une activité théorique. Elle consiste en la définition et la clarification des concepts clés. Elle sert à opérationnaliser les concepts.

---

15 Concepts, indicateurs, questions et variables

Il existe une tendance à confondre les termes concept, indicateur, question et variable. Entre le premier terme et les suivants, la principale distinction réside dans le niveau d'abstraction. Les deux derniers sont marqués par des techniques étrangères à la conception d'une problématique : « question » s'applique à la rédaction des questionnaires et « variable » s'applique à l'informatique et à la statistique.

Le *concept* désigne les choses abstraitement ; il détermine de grandes catégories sémantiques et est souvent complexe et multidimensionnel. Le courage, la productivité, le respect sont des concepts. Un même concept peut avoir de multiples dimensions conceptuelles.

L'*indicateur* est souvent défini comme un comportement observable. En fait, c'est la réponse à l'une ou l'autre des questions suivantes que l'on peut poser à un individu pour savoir s'il est caractérisé par un concept donné : qu'est-ce qu'il fait ? qu'est-ce qu'il en pense ? et qu'est-ce qu'il en sait ? Quelques exemples : une personne courageuse ne se sauve pas devant ce qui l'effraie et pense que ce qui doit être fait le sera malgré les risques qu'elle encourt. Une personne productive abat beaucoup de travail, trouve important que sa production soit élevée et de bonne qualité et connaît bien son travail. Notez qu'il peut y avoir plus d'une réponse à chacune des questions pour un concept donné et que l'exemple cité n'est pas exhaustif.

La *question* n'est que l'indicateur reformulé dans la forme interrogative et en suivant certaines règles de la langue écrite ou de la langue parlée. Plusieurs formulations peuvent rendre compte d'un indicateur donné.

La *variable* appartient à l'univers du traitement info-statistique. Toutes les questions d'un sondage sont des variables, mais toutes les variables ne sont pas des questions. En effet, les variables peuvent être la résultante de la combinaison de différentes questions, comme pour les indices et les typologies, aussi bien que le produit de différents calculs portant sur des questions. On peut par exemple calculer la variable « salaire annuel » en multipliant les réponses aux questions concernant le salaire hebdomadaire et le nombre de semaines travaillées. Notons que l'on emploie couramment le mot « variable » pour désigner des concepts et que dans le langage du statisticien, une variable peut désigner un concept.

En effet, en sciences humaines, les concepts sont souvent polysémiques, c'est-à-dire qu'ils peuvent prendre plusieurs sens selon les contextes et les traditions. De plus, les concepts théoriques ne sont pas de simples catégorisations générales comme « table », « chien », « chaise », etc. ; ils sont complexes et multidimensionnels. Or, les concepts, leur définition, orientent la perception que l'on a des phénomènes. Nous avons présenté, à la sous-section 3.1.1, comment une définition légèrement différente du crime amène à considérer des faits fort différents. L'énigme de Whorf, présentée par Merton, est encore plus simple. L'auteur pose la question suivante : « Lesquels des bidons d'essence vides et des bidons d'essence pleins sont les plus dangereux ? » La réponse à cette question orientera notre comportement vers une plus ou moins grande prudence. Bien des gens se méfieront davantage des bidons pleins que des bidons vides, alors que ce sont les vides les plus dangereux puisqu'ils sont pleins de vapeur d'essence, ce qui est infiniment plus explosif que l'essence à l'état liquide.

L'analyse conceptuelle est une étape privilégiée et obligatoire de la recherche empirique. La clarification des concepts et leur stricte définition théorique permettent de les opérationnaliser dans un outil d'enquête. C'est l'analyse conceptuelle qui permet en effet de passer des concepts aux indicateurs. Cette démarche intellectuelle comprend, pour Lazarsfeld, quatre étapes : la représentation imagée du concept, la spécification des dimensions, le choix des indicateurs observables et la construction d'indices. Les trois premières étapes sont définitionnelles et permettent de décomposer un concept abstrait en composantes observables. La quatrième étape en est une de recomposition du concept[5] à la suite de la vérification empirique des indicateurs déduits. L'analyse dimensionnelle doit être faite au moyen des théories sur le sujet, de la connaissance empirique et des pistes indiquées par la phase de représentation imagée.

Pour nous, la phase de représentation imagée du concept en est une d'intense créativité, d'exploration et d'ouverture. Le chercheur doit identifier toutes les dénotations et les connotations[6] des concepts compris dans sa recherche. C'est une étape de remue-méninges (*brainstorming*) et de rigueur au cours de laquelle le chercheur ne doit pas hésiter à outrepasser les « bonnes manières » du langage pour emprunter le parler populaire. Il lui faudra toutefois revenir aux bonnes manières pour la suite du travail (voir le corrigé de l'exercice du chapitre 3).

La deuxième étape est particulièrement difficile. Il s'agit pour le chercheur de rompre avec l'univers conceptuel pour identifier des comportements et des attitudes spécifiques, les indicateurs appartenant à l'univers concret et non au monde des idées. Le concept de sexisme, par exemple, dans ses dimensions domestiques et de milieu de travail, amène à définir des indicateurs 1) quant à la répartition des tâches domestiques (Qui fait la vaisselle ? Qui donne le bain au bébé ?) et 2) quant à la présence des femmes sur le marché du travail (Accepteriez-vous une femme comme patron ? Entre un homme et une femme, qui embaucheriez-vous pour conduire un camion ?). Notez que les indicateurs, quoiqu'ils s'apparentent aux questions, n'en sont pas nécessairement.

La troisième étape, la phase de formulation des questions, sera décrite au chapitre suivant. Surtout technique, la formulation des questions permet parfois d'identifier un indicateur ou une dimension négligée, mais on ne doit pas l'aborder avant d'avoir réalisé l'analyse dimensionnelle des concepts mis en jeu.

L'exemple de la bonne conduite automobile que nous développons en exercice est une analyse conceptuelle (voir la section Exercices et corrigés).

NOTES

(1)   La cybernétique, étymologiquement la science des gouvernails, est une théorie de l'information qui propose un schéma général décrivant les processus de décision. Ce schéma inclut quatre types de mécanismes : des mécanismes de décision, des mécanismes de perception, des mécanismes de transport de l'information et des mécanismes effecteurs. Dans ce schéma, les mécanismes effecteurs, les seuls qui comportent l'usage d'énergie, sont dépendants des trois autres types de mécanismes entièrement destinés à l'information.

(2)   Il s'agit bien sûr de l'existence « subjective » des phénomènes et non de l'existence « objective ». Pluton a toujours été située au même endroit, mais la vision théorique du monde, à l'époque, ne permettait pas de la découvrir.

(3)   Bridgman cité dans Dalton, 1964, p. 52. Traduction libre.

(4)   La *serendipity*, un intraduisible, signifie la faculté qu'ont certaines personnes de tirer parti d'événements fortuits ou d'erreurs pour approfondir leur compréhension de certains phénomènes. L'anecdote de la découverte de la *beer stone*, rapportée par Merton (1965), permet d'illustrer le phénomène. Un ingénieur, donc un scientifique, écoutait un match sportif à la télévision en prenant une bière et en préparant du plâtre de Paris. Par mégarde, tout à son match, il versa de la bière au lieu de verser de l'eau dans son mélange. Aussitôt, le mélange durcit comme une pierre. Bien d'autres auraient jeté le tout en maudissant leur étourderie ; lui venait de créer la *beer stone*.

(5)   Nous consacrons un chapitre à la construction d'échelles et d'indices, construction qui, à proprement parler, prend place à un moment ultérieur de la démarche de recherche, lors du traitement des données. Nous n'insisterons toutefois jamais assez sur le fait que **les indices et échelles que nous construirons doivent être planifiés dès la formulation du questionnaire.**

(6)   Ce que dénote un concept est sa définition catégorielle : ce que l'on désigne avec un concept donné. Sa connotation est ce que le concept implique. Les concepts de classe et de strate ont des dénotations qui, *stricto sensu*, sont très proches puisqu'ils désignent des groupements d'individus ayant des caractéristiques de revenu, d'éducation et de pouvoir spécifiques. Le fait d'avoir été utilisés respectivement par des théoriciens marxistes et des théoriciens fonctionnalistes leur donne toutefois une connotation fort différente.

Chapitre 4

La préenquête

INTRODUCTION

Ce chapitre couvre deux grands thèmes partiellement indépendants l'un de l'autre. Le premier traite de ce qu'on appelle les méthodes qualitatives de recherche sociale : l'entrevue individuelle, la technique d'entretien de groupe intitulée l'entretien focalisé et les méthodes d'observation. Le deuxième thème passe en revue les principaux instruments de recherche documentaire. Nous considérerons principalement deux techniques d'entrevue individuelle : l'entretien non structuré et l'entretien semi-structuré. Nous présenterons également certains éléments sur les techniques d'entretien focalisé, appelées aussi *focus group*. Les autres méthodes d'observation que nous aborderons concernent l'observation avec ou sans participation du chercheur à l'activité ; nous traiterons dans cette section de certains problèmes déontologiques que posent les méthodes d'observation.

Notre perspective, qui est de présenter la méthode des sondages, oriente notre point de vue sur toutes ces techniques : ce sont des activités préliminaires à la formulation d'un sondage. Le lecteur devra donc prendre en considération que chacune de ces techniques peut être utilisée indépendamment de la méthode des sondages et constituer la seule méthode de toute une recherche en toute légitimité, aussi bien que s'inscrire dans une démarche de recherche intégrée où chacune des méthodes contribue à la compréhension du problème. Notons que les recherches les plus récentes tendent à être « multiméthodes ».

La recherche documentaire prend également place dans la phase de préparation de l'enquête. Une bonne recherche documentaire se traduit par une revue exhaustive et significative de la documentation. C'est elle qui permet d'identifier les principaux courants théoriques aussi bien que les enquêtes qui fourniront les faits et les chiffres qui orienteront la problématique. La section 4.2 est construite pour répondre à la question « Où aller chercher l'information ? » plutôt que pour expliquer la manière de la traiter. Sans dresser une liste exhaustive des sources d'information, nous présentons les principales catégories d'outils que l'on trouve en bibliothèque. Nous introduisons également le lecteur à la recherche documentaire au moyen des banques de données informatisées.

4.1 L'ENTREVUE

L'entrevue peut être employée à différentes étapes d'une enquête sociale. Les techniques d'entrevue peuvent être utiles au début de l'élaboration d'un sondage, alors qu'on en est à une phase d'exploration qui interdit de formuler des questions claires et pertinentes. Elles sont aussi utiles après avoir construit le questionnaire d'enquête lorsqu'on utilise l'entrevue de personne à personne et à une des étapes du prétest pour les autres médias.

Selon les circonstances, l'entretien[1] prendra différentes formes et nécessitera l'usage de divers outils. Premièrement, l'entretien semistructuré (avec guide d'enquête) est un excellent moyen d'obtenir des informations sur un champ que l'on connaît mal, dans un cadre exploratoire. Deuxièmement, l'entretien structuré (avec questionnaire) constitue le meilleur prétest que l'on puisse appliquer à un questionnaire. Enfin, l'entretien non structuré s'avère utile avec des informateurs privilégiés pour construire les outils d'enquête et la problématique et nous guider dans nos interprétations ultérieures.

4.1.1 L'ENTRETIEN INDIVIDUEL NON STRUCTURÉ

Par l'entretien non structuré, on peut obtenir les informations les plus riches de sens. L'absence de tout outil d'enquête (questionnaire, guide d'entrevue) permet en effet à la conversation de prendre des tournures plus naturelles. La personne, bien souvent sans s'en rendre compte, livrera des informations capitales et confidentielles. De plus, l'entretien non structuré, affirment Selltiz *et al.*, « ... contribue ... à faire ressortir les aspects affectifs des réponses des sujets et les principes auxquels ils sont attachés et à préciser la signification personnelle de leurs attitudes » (Selltiz *et al.*, 1977, p. 313).

L'entretien non structuré ne peut être utilisé que par des personnes maîtrisant déjà leur sujet, ou par des chercheurs rompus à la pratique de la recherche. Le chercheur néophyte ou celui qui ne connaît pas son sujet ne saura pas distinguer, dans la masse des informations, celles qui seront le plus pertinentes ; il ne saura pas non plus quand poser les bonnes questions et quand se taire. Un autre inconvénient majeur réside dans le manque d'uniformité des sujets traités avec chacun des répondants, ce qui en fait un mauvais instrument de mesure. Ici, deux phénomènes interviennent : premièrement, le caractère naturel de la conversation empêche l'interviewer, surtout s'il est néophyte, d'imposer ses thèmes et, deuxièmement, l'idée que l'interviewer avait du problème au début ne sera plus la même à la fin de la série d'entretiens ; donc ses préoccupations et son questionnement seront foncièrement différents entre la première entrevue et la dernière (Caplow, 1970). Cela peut laisser à l'interviewer l'impression que les répondants soutiennent des propos différents alors que c'est une modification dans sa manière de penser qui crée la différence.

Voilà qui amène à suggérer l'utilisation de techniques non directives lorsqu'on est assuré d'avoir plus d'un contact avec l'informateur, cela afin de pouvoir vérifier auprès des premiers informateurs les impressions dégagées des rencontres avec les derniers. De plus, l'entretien parfaitement non structuré ou naturel ne peut s'utiliser que dans des contextes d'enquête qui le permettent. Solliciter un rendez-vous avec un chef d'entreprise ou de syndicat « juste pour jaser » risque de se terminer avant même de commencer. La situation n'est pas la même si la recherche s'inscrit dans un contexte multiméthodes utilisant des techniques d'observation ou d'observation-participation. Les techniques d'entretien non structuré sont par ailleurs un excellent complément aux techniques d'entretien semi-structuré. Le chercheur expérimenté saura sortir de son cadre pour capitaliser des informations inattendues, comme il saura tirer profit des contextes moins formels (dîner après l'entrevue ou rencontre fortuite au bar ou à l'hôtel) pour obtenir des informations plus spontanées.

Outre l'expérience et l'état des connaissances du chercheur, la personnalité joue un rôle déterminant dans sa décision d'utiliser ou non l'entretien non structuré. Une personne timorée, introvertie ou peu habile dans ses rapports humains rencontrera de nombreuses difficultés avec ce type de procédure. Chacun devra développer des attitudes qui favorisent la révélation d'informations impossibles à obtenir autrement. Ces attitudes sont, en gros, les mêmes que pour l'entretien semi-structuré dont nous traiterons au point suivant.

4.1.2   L'ENTRETIEN INDIVIDUEL SEMI-STRUCTURÉ

L'entretien semi-structuré oblige à construire un guide d'entretien plus ou moins élaboré. Nous traiterons d'abord des attitudes à adopter en entrevue, puis du guide d'entrevue comme outil d'enquête.

QUELQUES RÈGLES SOMMAIRES

Les attitudes de l'interviewer

- L'interviewer ne bouscule pas le sujet. L'entretien comme technique d'enquête sociale ne doit pas être confondu avec l'entretien journalistique où l'opposition et la confrontation sont de mise. En fait, l'entrevue dans l'enquête sociale est plus proche de la relation d'aide, du moins à ses premières étapes, que de l'entretien journalistique.
- L'interviewer prête attention à tous les propos de l'informateur, même à ceux qui semblent insignifiants à première vue. Cela permet de bâtir la relation de confiance. De plus, certains détails prendront leur sens au fur et à mesure du déroulement de l'enquête.
- L'interviewer ne conteste pas la validité des informations et ne contredit pas son informateur. Il doit toutefois amener le répondant à préciser le sens des réponses trop ambiguës.
- L'interviewer doit manifester de la curiosité à l'égard des propos du répondant et témoigner une certaine approbation (Caplow, 1970).
- Les techniques d'empathie sont essentielles. La reformulation des propos de l'informateur dénote la compréhension et démontre l'absence de jugement critique à son égard, ce qui permet de faire progresser l'enquête.
- L'enquêteur ne doit pas hésiter à revenir sur un sujet (prévu au guide d'enquête) même s'il peut déduire la réponse du répondant.
- Dans le même esprit, l'interviewer ne doit jamais suggérer de réponses, ni donner de conseils, ni rapporter au répondant les propos ou réponses d'un autre répondant, ni donner son opinion sur le sujet.

Si le sujet répond mal ou de façon incomplète et démontre une mauvaise volonté manifeste, essayez de comprendre son attitude et, au pire, demandez-lui s'il veut mettre fin à l'entrevue et n'hésitez pas à le faire ; ainsi, vous et lui ne perdrez pas de temps. Tentez de prendre un autre rendez-vous ultérieurement. Restez affable.

Le compte rendu de l'entrevue

Les réponses doivent être transcrites mot à mot (ou presque). Si l'interviewer n'a pas le temps de tout inscrire pendant l'entretien et ne peut enregistrer la conversation, il faut prévoir en faire le compte rendu immédiatement après l'entrevue. Il faut se garder d'inscrire des commentaires ou des opinions à la place des réponses. Cela n'interdit pas de noter des impressions en marge ou dans une section séparée.

Cependant, l'enregistrement empêche le répondant de livrer certaines informations : renseignements intimes ou illégaux, pratiques informelles, etc. Souvent, les informations les plus intéressantes sont livrées après la fermeture de l'appareil. L'interviewer peut exploiter ce phénomène, c'est-à-dire qu'il tentera d'obtenir des informations complémentaires après avoir fermé le magnétophone pour marquer symboliquement le passage du formel vers l'informel.

Les caractéristiques socioculturelles de l'enquêteur

Il est préférable que l'interviewer, par sa culture, sa langue, son sexe et son origine ethnique, s'apparente le plus possible aux personnes auxquelles il s'adresse. Le but étant une conversation le plus naturelle possible (surtout lors d'un entretien non structuré), un écart trop considérable nuirait à l'établissement du climat de confiance nécessaire à ce type d'enquête. Un trop grand éloignement culturel donne en effet à l'entrevue un caractère formel ; or, ce sont précisément les informations informelles qui constituent la richesse et la différence essentielle entre les entretiens peu structurés et ceux plus structurés, et entre l'entrevue de personne à personne et un autre média d'enquête.

L'anonymat et la confidentialité

L'interviewer garantit à son informateur l'anonymat et l'impunité. Le chercheur, dans un contexte organisationnel par exemple, doit s'assurer que les informations qu'il recueille n'auront pas de conséquences négatives pour le répondant. Tant pour l'efficacité de son travail que pour des raisons éthiques, le chercheur devra fournir toutes les garanties possibles de la plus grande confidentialité. Si les résultats de sa recherche sont publiés, il devra éviter toute description permettant d'identifier ses informateurs, que ce soient des personnes, des entreprises ou des institutions, ou alors il devra demander leur autorisation.

Cela vaut également pour toute information obtenue à micro fermé ou lors de rencontres où le rôle de l'enquêteur n'est pas explicite.

LE GUIDE D'ENQUÊTE : UN OUTIL

Le guide d'enquête est une simple liste des thèmes que l'on veut aborder au cours de l'entrevue ; il permet à l'interviewer de structurer l'entretien sans pour autant s'engager dans un protocole formel. Le guide d'enquête permet d'engager des interviewers qui, bien que maîtrisant les techniques d'entrevue, ne sont pas nécessairement aussi informés que le chercheur principal sur les enjeux du problème à l'étude. Le caractère naturel du déroulement de l'entretien est, jusqu'à un certain point, sauvegardé.

Le guide d'enquête assure aussi de couvrir les mêmes thèmes avec toutes les personnes rencontrées. Si le chercheur s'éloigne de ses idées de départ, cela ne modifiera pas autant le déroulement de l'entrevue que s'il n'y avait pas de guide d'enquête. Le chercheur vivra cette distance comme une inadéquation de son outil d'enquête et non comme des informations nouvelles.

16 Exemple de guide d'enquête

GUIDE D'ENQUÊTE AUPRÈS DES MEMBRES DES COMITÉS TECHNIQUES

1) Le rapport au marché :
   - information
   - publicité
   - contact avec le milieu socio-économique
   - comité « aviseur »
   - contact avec les associations d'entrepreneurs
   - concertation élargie
   - impacts et retombées
   - historique du programme de formation sur mesure pour la petite et la moyenne entreprise (FMPME).

2) Le processus administratif :
   - exigences administratives
   - identification des besoins de formation
   - traitement des demandes
   - structure de fonctionnement
   - identification du lieu de formation
   - critères d'acceptation des demandes (refus et orientation vers d'autres programmes ou aboutissement d'une réorientation d'un autre programme)
   - délais
   - distribution de la demande entre les intervenants (concertation interne)
   - qui, comment, quoi ?
   - sélection des ressources financières
   - processus de négociation ou réglementaire
   - sélection des ressources matérielles.

3) La formation :
   - analyse des besoins
   - objectifs d'intervention
   - qualité des interventions
   - formation et consultation
   - élaboration des programmes
   - procédures de supervision, d'encadrement et d'évaluation
   - suivi et évaluation du réinvestissement
   - planification des activités et des instruments de formation (voir les critères)
   - impacts et retombées.

4) La contractualisation :
   - sélection des formateurs
   - encadrement et évaluation des formateurs
   - rémunération
   - conventions collectives.

5) L'évaluation administrative :
   - utilisation des fonds
   - contribution de l'employeur
   - est-ce un service vendable ?
   - voir les opinions sur l'administration des budgets dans le cas
     du prolongement du projet.

Le guide d'enquête doit être mémorisé et compris par l'interviewer ; il s'agit en fait d'un aide-mémoire. Contrairement au questionnaire, le guide d'enquête ne doit pas nécessairement être administré selon un ordre ou avec une formulation rigoureuse.

Le guide d'enquête peut rester très près des préoccupations théoriques de l'enquêteur, mais la formulation doit respecter les habitudes langagières de l'interlocuteur. Son caractère exploratoire favorise toutefois des échanges qui permettent de préciser le sens des questions, certains éléments lexicaux, etc.

Autant que possible, le guide d'enquête doit pouvoir tenir sur une seule page ; la présentation sera claire, lisible et sans fautes. L'enquêteur pourra, à l'occasion, réviser avec le répondant les thèmes de la liste pour vérifier si tous ont été abordés. On peut utiliser le guide d'enquête conjointement avec l'enregistrement des propos du répondant ou en prenant des notes manuscrites.

4.1.3   LES MÉTHODES D'OBSERVATION

Les méthodes d'observation et d'observation-participation sont rarement utilisées pour la préparation d'enquêtes par sondage. D'une part, elles exigent généralement trop de temps et d'énergie et, d'autre part, elles sont souvent montrées comme une solution de rechange aux méthodes de sondage dans un débat stérile et en voie d'être oublié entre les « quantitatifs » et les « qualitatifs ».

L'observation du comportement en milieu naturel a deux objectifs principaux : restreindre au minimum l'influence du chercheur sur le phénomène qu'il étudie et éviter les distorsions entre le récit du répondant et le comportement réel. Le premier objectif correspond aux critiques de la méthode des sondages que nous recensions au chapitre 2. L'interviewer et les outils qu'il emploie, tant par leurs qualités que par leurs défauts, ne distinguent la réalité que par leurs seules lunettes. De plus, toute la situation d'enquête est artificielle, soumise à ses propres règles sociales. Le second objectif est moins souvent abordé. La bonne volonté de chaque répondant est partout postulée. On oublie volontiers que chaque personne a un point de vue, une position légitime et une image de la situation qui lui est particulière. Pour Morgan, la méthode comporte trois principaux avantages : 1) « obtenir des données sur un éventail plus grand de comportements » et non seulement sur ceux que le chercheur a déterminés comme importants ; 2) « pouvoir observer une grande variété d'interactions » entre les membres des groupes à l'étude ; 3) « avoir des discussions plus ouvertes sur le thème de la recherche » que lorsqu'on utilise n'importe laquelle des autres méthodes d'enquête (Morgan, 1988, p. 16, traduction libre).

L'observation d'un comportement ou d'une activité particulière peut se faire avec ou sans participation, de manière ouverte ou dissimulée et avec des techniques plus ou moins structurées (Selltiz *et al.*, 1977).

L'observation-participation couvre tout un éventail de techniques et de procédés pouvant s'étendre jusqu'à l'animation sociale ou l'organisation communautaire mieux connues en service social. Dans la tradition sociologique, la nature de la participation est généralement moins interventionniste : le chercheur étudie un phénomène donné en vivant les mêmes événements que la population à l'étude. La participation a été beaucoup utilisée pour l'étude des organisations, des mouvements sociaux et des groupements sociaux. Le proverbe devient : « C'est en forgeant que l'on comprend le forgeron ». Le chercheur ajoute alors une perception subjective à sa vision des choses.

L'observation-participation se fait souvent en dissimulant la fonction du chercheur. Robert Linhart, par exemple, a étudié les chaînes de montage dans l'industrie automobile à titre d'ouvrier engagé selon les procédures normales. W.F. Whyte s'est introduit au sein du monde des gangs sans divulguer sa fonction, sans quoi il n'aurait pu écrire *Street Corner Society*. Mais certains chercheurs sont allés jusqu'à usurper une identité ou à construire des pièges dont la Gendarmerie royale et la CIA n'auraient pas à rougir. De telles procédures posent des problèmes éthiques importants qui limitent l'imagination technique du chercheur.

Souvent, la participation à un univers est plus apparente que réelle. Soit que le groupement offre des positions et des rôles sociaux qui s'apparentent à celui d'observateur, soit que le chercheur est introduit dans une organisation ou un groupement avec la complicité de l'un des membres. La deuxième possibilité pose toutefois des problèmes déontologiques importants qui ne peuvent être que faiblement compensés par des garanties d'anonymat et de confidentialité. Lorsque le chercheur n'a plus de rôle direct ou apparent dans une situation, qu'il soit ou non dissimulé aux protagonistes, il se trouve dans une situation d'observation.

L'observation en milieu naturel a souvent été utilisée comme substitut aux expériences en laboratoire pour l'étude des relations familiales. Un observateur vient alors s'installer au sein d'une famille pour une période de temps donnée. Il participe aux activités familiales les plus courantes (repas, écoute de télévision) mais joue un rôle le plus effacé possible.

Les instruments d'observation utilisés dans ces techniques permettent rarement de réaliser des études statistiques. Lorsque la participation à l'activité est directe et totale, on comprendra aussi que tout effort métrique devient un surplus de travail éreintant ou impossible. Le chercheur qui veut retirer tout le profit de sa démarche devra s'astreindre à tenir un journal ou à rédiger des notes d'observation à chaque soir ou presque. Une autre technique non statistique peut être fort utile ; elle consiste à établir le sociogramme du groupe ou de l'organisation. Il s'agit alors d'identifier les lignes de communication entre les individus et d'en qualifier la nature.

Lorsque c'est possible, les techniques permettant l'analyse statistique le plus couramment employées comprennent l'usage de grilles d'observation ou de feuilles de pointage. Blau, dans *Dynamics of Bureaucracy*, a comptabilisé les allées et venues du personnel de l'organisation qu'il observait selon un modèle origine–destination afin de connaître les lignes de communication d'un univers bureaucratique. De telles mesures ne peuvent se faire que lorsque la présence du chercheur est connue de tous ou dissimulée avec la complicité d'un membre, comme pour la recherche organisationnelle. Notons que l'usage de grilles d'observation, lorsqu'il est fait publiquement, supprime un des avantages de l'observation : les acteurs ne sont plus spontanés.

4.1.4   LES ENTRETIENS FOCALISÉS

Les entretiens focalisés sont couramment utilisés pour la préparation d'enquêtes par sondage. Ils sont connus dans la littérature américaine sous le nom de *focus group* ; en français, on utilise également *focus group* (Simard, 1989) mais on traduit aussi bien par « entretien focalisé » que par la périphrase « entrevue centrée sur un thème » (traduction de Selltiz *et al.* par D. Bélanger). Lorsqu'on utilise les entretiens focalisés pour mesurer le changement d'attitude, on parle de « panel » ou de jury. Cette technique a été créée pendant la guerre par une équipe de chercheurs dirigée par le sociologue Robert K. Merton pour ses études dans le cadre du *Radio Research Program*. Ce type d'entrevue a été développé pour évaluer l'accueil et l'effet des messages de propagande. Il n'est donc pas étonnant qu'au cours des années qui suivirent, on en fit une application importante en marketing pour l'évaluation de différents concepts publicitaires ou de l'image d'une entreprise. Cette méthode utilise à la fois les techniques développées dans le cadre de l'analyse de la dynamique des groupes et celles développées par les tenants de l'analyse qualitative en sciences sociales et en marketing.

La situation est la suivante : des individus sans lien entre eux, à moins que la problématique ne l'oblige, sont recrutés au jugé par une organisation de recherche au moyen d'un sondage-filtre ou selon des méthodes moins structurées, afin de participer à un ou des groupes de discussion. Ces individus, en groupes de 6 à 12 personnes, sont amenés à discuter entre eux de thèmes prédéterminés[2] sous la conduite plus ou moins structurée d'un modérateur, appelé aussi animateur, pendant une période de temps variant entre une et deux heures. Ces entretiens se déroulent la plupart du temps dans des lieux où l'on dispose d'un miroir sans tain permettant d'observer le déroulement de l'entrevue sans être vu par les membres du groupe et d'équipements audio dotés d'une bonne qualité d'enregistrement pour ne rien perdre de la discussion de groupes parfois indisciplinés. Une même thématique s'applique généralement à plusieurs groupes. À la suite de la collecte des données qui consiste essentiellement en la transcription des entrevues, on analyse le contenu des discussions soit en en faisant un compte rendu général étayé d'exemples, soit en utilisant des techniques d'analyse de contenu avec ou sans l'usage de techniques statistiques sophistiquées.

LES USAGES, LES AVANTAGES ET LES INCONVÉNIENTS

L'entretien focalisé est un moyen rapide d'obtenir beaucoup d'informations d'un grand nombre de personnes. Mais le principal avantage de cette technique d'entrevue, selon Morgan (1988), est :

« La marque des entretiens focalisés réside dans l'usage explicite des interactions du groupe pour produire des données et des intuitions qui seraient moins accessibles sans les interactions propres à la situation de groupe. » (Morgan, 1988, p. 12. Traduction libre.)

Une entrevue rondement menée permet aux participants un grand engagement personnel et des réactions plus spontanées ; ils auront donc tendance à utiliser un vocabulaire et un niveau de langage plus « naturels » que lorsqu'ils sont interviewés individuellement. La dynamique de groupe permet de mieux évaluer les processus de groupe dont, notamment, le processus de formation des opinions (Morgan, 1988 ; Mucchielli, 1969). De plus, chacun des participants peut livrer son propre point de vue, sa perspective particulière sur la situation et faire part de son expérience.

Toutefois, l'entretien focalisé demeure une situation artificielle où les participants manifestent leurs comportements verbalement. Comme les autres techniques d'auto-rapport, il ne permet de connaître que les comportements dont le participant est conscient et qu'il veut bien avouer au groupe. Notons cependant que les interactions du groupe permettent parfois des prises de conscience ; il suffit qu'un membre influent du groupe ait réalisé un phénomène donné pour que les autres puissent l'admettre. C'est là un effet de la dynamique des groupes restreints remarqué en psychologie sociale et en thérapie de groupe qui, même si nous ne poursuivons pas ce type d'objectifs, peut se produire quand même. Morgan (1988) identifie cinq situations où cette technique est particulièrement utile :

• pour introduire le chercheur à un nouveau champ de connaissance ;

• pour formuler des hypothèses à partir des perceptions des participants ;

• pour évaluer différents lieux d'enquête ou choisir la population qui répondra le mieux aux objectifs théoriques ;

• pour développer des outils de cueillette, que ce soient des guides d'entrevue individuelle ou des questionnaires respectant le vocabulaire des répondants ;

• pour évaluer les résultats d'une enquête afin d'en faciliter l'interprétation, surtout lorsque ceux-ci n'étaient pas prévus par le chercheur.

Trois points techniques sont particulièrement importants pour l'utilisation des entretiens focalisés : l'emploi d'outils assez structurés, la compétence des modérateurs ainsi que la composition et le nombre de groupes nécessaires.

LA STRUCTURATION DE L'ENTRETIEN

Par tradition, la procédure d'entretien focalisé exige toujours une certaine structuration. On ne peut préconiser de rapports complètement non directifs entre le modérateur et les participants. L'engagement du modérateur et la directivité de l'entretien dépendront des objectifs poursuivis.

Lorsque l'entretien focalisé a un caractère exploratoire, le chercheur utilisera des techniques plus ouvertes que fermées. Il pourra se limiter à fixer un ou deux thèmes généraux au début de la réunion et se contenter d'animer la discussion de façon à éviter trois écueils principaux : que se déclarent des conflits ouverts, qu'il n'y ait pas de discussion ou que ce soient toujours les mêmes qui prennent la parole.

Lorsque le chercheur doit démontrer des hypothèses ou que son ordre du jour est très chargé (quatre ou cinq thèmes), le modérateur devra imposer un rythme à l'entretien et utiliser un guide d'entrevue.

LES MODÉRATEURS

De préférence, les modérateurs doivent connaître les rudiments de la dynamique des groupes, c'est-à-dire qu'ils doivent pouvoir identifier les principales positions que l'on trouve dans tout groupe restreint (voir encadré 17) et être capable d'orienter le groupe sans que les membres se sentent limités dans leur liberté de parole ou exclus du groupe.

Simard (1989) dénombre quatre rôles principaux pour le modérateur à l'intérieur d'une entrevue de groupe centrée sur un thème. Premièrement, c'est le modérateur qui doit, dès le début de l'entretien, engager la dynamique du groupe. Deuxièmement, c'est la seule personne qui est responsable du respect du ou des thèmes de la discussion ; elle doit donc ramener le groupe sur ces thèmes au moment opportun. Troisièmement, le modérateur doit éviter la « contamination du groupe », c'est-à-dire empêcher que le groupe se polarise autour des positions du leader et du contre-leader en utilisant le modérateur pour chercher le consensus et cela, tout en évitant que le consensus se fasse sans que les passifs aient pu y contribuer. Ce dernier point est un écueil courant sur lequel Morgan insiste beaucoup. L'animateur doit avoir une personnalité assez forte pour pouvoir interrompre une dynamique où les émotions négatives emporteraient le groupe vers une voie sans issue. Enfin, la personne qui a la charge du groupe doit être assez habile pour amener tous les membres à livrer leur expérience personnelle sans se sentir menacés par les révélations faites à un groupe d'inconnus.

---

17 Positions dans un groupe

LEADER

Personne qui lance la conversation, défend une position ferme et cherche à influencer les autres.

CONTRE-LEADER

Personne qui défend une position opposée à celle du leader et cherche à influencer les autres.

LEADER ASSOCIÉ

Personne qui appuie le discours du leader et recherche la reconnaissance de celui-ci.

CONTRE-LEADER ASSOCIÉ

Personne qui appuie le discours du contre-leader et recherche la reconnaissance de celui-ci.

MARGINAL

Personne qui dévie la conversation, ne respecte pas les règles implicites du groupe, cherche à attirer l'attention mais est souvent remise à sa place par le groupe.

TEMPORISATEUR

Personne qui recherche le consensus, est nuancée, tient un discours de négociation entre les positions extrêmes du leader et du contre-leader, fait réfléchir le groupe et l'amène à un certain niveau de profondeur.

PASSIF OU TIMIDE

Personne qui reste passive, soit qu'elle manque de confiance en elle-même, soit qu'elle a peur d'être rabrouée par le groupe, soit qu'elle décide de ne pas s'impliquer en restant observatrice.

SOURCE : Simard, 1989, p. 31.

Comme l'interviewer lors de l'entrevue individuelle, le modérateur doit posséder des qualités personnelles de sociabilité et d'empathie[3].

LA COMPOSITION ET LE NOMBRE DE GROUPES

La composition des groupes

Simard comme Morgan préconisent de constituer les groupes avec des personnes ne se connaissant pas entre elles à moins, bien sûr, que la problématique exige que les participants se connaissent ou que le contexte soit limitatif (lorsqu'on étudie des communautés, par exemple). Le fait qu'ils ne se connaissent pas au préalable permet aux participants d'exprimer leur vécu de façon spontanée et de sortir des ornières de l'habitude. Cela évite surtout la formation de sous-groupes qui pourrait nuire au déroulement de l'entretien. Notez qu'un ordre du jour chargé et des méthodes très structurées sur des sujets peu personnels permettent de faire des entretiens focalisés avec des gens qui se connaissent sans poser trop de difficultés.

Un autre point important réside dans le choix à faire entre des groupes socialement homogènes ou hétérogènes. La formation de groupes dont les membres sont du même sexe ou de la même classe sociale favorise l'expression spontanée des perspectives, alors que des groupes dont les membres sont disparates peuvent connaître des conflits irrémédiables et stéréotypés qui informent très peu l'équipe de recherche. De plus, affirme Simard, les groupes hétérogènes socialement entraînent souvent des conduites stéréotypées de déférence envers l'autorité ou, à l'inverse, de condescendance envers les « inférieurs » ; le cadre supérieur ou le médecin peut refuser d'engager le dialogue avec le balayeur de rue qui, à l'inverse, sera intimidé par ces personnages. Le vocabulaire sera très peu naturel, ce qui posera un problème pour la formulation des questionnaires de sondage. Morgan (1988) note toutefois que le rang social perçu est plus important dans cette dynamique que le rang social réel. Ce que confirme, dans le champ de la théorie des organisations, l'utilisation de groupes de travail où cadres et ouvriers se rencontrent en bras de chemise pour discuter des problèmes de l'usine. Cette technique a été popularisée par les industriels japonais et est connue sous le vocable général de « théorie Z de l'organisation ».

La taille des groupes variera entre 6 et 12 personnes. On peut édicter comme règle générale que plus les entretiens sont structurés, plus le groupe peut être nombreux et, à l'inverse, que des entrevues exploratoires avec peu de thèmes et une organisation relâchée exigent des groupes plus restreints.

La composition des groupes soulève le problème de la sélection des participants : de quelle manière rassembler des volontaires pour une expérience commune. Lorsque les participants ne sont soumis à aucune caractéristique précise, on peut faire une sélection aléatoire simple de numéros de téléphone et chercher des volontaires.

Lorsque certaines caractéristiques sont essentielles (être divorcé, avoir immigré récemment, bénéficier de l'aide sociale, etc.) et que l'on veut construire des groupes homogènes, un sondage-filtre reste le seul moyen efficace de sélectionner les éventuels participants aux entretiens. Notez que l'entretien focalisé n'a pas comme objectif d'étendre les résultats à la population dont les participants sont issus.

L'entretien focalisé peut être un moyen fort efficace de consulter des experts d'un domaine particulier. La technique peut alors être nommée remue-méninges (*brainstorming*). Une table ronde formée d'experts est en effet un moyen très stimulant de mieux connaître un champ d'étude. Par contre, ce type d'entrevue peut entraîner des débours importants car certains experts exigent le versement d'honoraires et de frais de déplacement.

Le nombre de groupes

Le nombre de groupes est très variable. Il dépend des objectifs poursuivis, de la formation de groupes homogènes ou hétérogènes et du nombre de lieux significatifs. À cela on peut ajouter une règle générale que Morgan (1988) emprunte à la tradition en marketing : on multiplie les groupes jusqu'à ce que ceux-ci ne fournissent plus de nouveaux éléments significatifs.

Cela dit, on ne devrait jamais former moins de deux groupes pour toute étude menée par entretien focalisé. Lorsqu'on constitue des groupes homogènes, on doit tenir un minimum de quatre groupes par catégorie. La règle est la même quand, dans une perspective d'analyse comparative, on organise des entretiens focalisés dans des lieux différents (plusieurs usines ou plusieurs villes retenues pour leurs caractéristiques particulières). On peut aussi tenir des sessions avec des groupes homogènes et d'autres avec des groupes hétérogènes.

4.2 LA RECHERCHE DOCUMENTAIRE

La recherche documentaire est une des parties essentielles de toute recherche. Une recherche commence par une revue de la documentation, laquelle est constituée d'ouvrages généraux à caractère théorique, d'articles et de livres qui fournissent les résultats d'enquêtes et d'études sur le sujet de la recherche et de données statistiques officielles. Les chercheurs doivent identifier les sources de documentation, les consulter, les dépouiller et en rendre compte dans la problématique de leur projet de recherche aussi bien que dans les rapports qu'ils en feront. De plus, cette documentation pourra fournir des exemples de questions et ouvrir la voie à l'opérationnalisation des concepts qu'ils veulent mesurer.

Comme nous le soulignions au chapitre précédent, le mandant, que ce soit une entreprise ou un professeur d'université, peut fournir

une recherche bibliographique préliminaire. Cela ne suffit généralement pas. Ceux qui abordent un objet pour la première fois aussi bien
que ceux qui le connaissent bien peuvent utiliser toute une panoplie
d'outils bibliographiques publiés plus ou moins régulièrement et les
services de recherche informatisés offerts par les grandes bibliothèques
universitaires. La multiplicité de ces outils et leur caractère parfois
disciplinaire empêchent d'en dresser une liste exhaustive et utile. Nous
présenterons toutefois quelques-unes des catégories d'outils de recherche bibliographique les plus utiles en mentionnant à l'occasion les
titres qui sont le plus utilisés.

Pour construire cette section, nous nous sommes servis des publications de la bibliothèque de l'Université Laval intitulées *Biblioguides*.
Ces publications se présentent en feuillets de une ou deux pages consacrés à une discipline (sociologie, économique, sciences politiques, etc.)
ou à un champ de recherche particulier (classes sociales, femmes et
développement, communication) ; elles dressent la liste des outils de
recherche bibliographique disponibles à la bibliothèque de l'Université
Laval. Les outils propres au Québec et au Canada sont regroupés au
point 4.2.7.

Les références complètes des outils bibliographiques ne sont présentées ni dans cette section, ni dans la bibliographie. Leur titre permet
de les repérer facilement dans le fichier. De plus, ces outils de recherche
sont généralement regroupés en un seul lieu consacré aux ouvrages de
référence et classés sous la cote Z. Consultez votre bibliothécaire pour
connaître l'emplacement de ces ouvrages.

Avant de nous engager dans la présentation de ces outils, quelques
mots sur le tout premier document à consulter : le catalogue de la
bibliothèque. Ce catalogue répertorie de trois façons l'ensemble des
ouvrages que contient la bibliothèque : par nom d'auteur, par titre
d'ouvrage et par vedettes-matière. Certaines bibliothèques regroupent
ensemble auteurs et titres d'ouvrages. La plupart de ces catalogues sont
présentés sous forme de micro-fiches mais le réseau de l'Université du
Québec offre également un service de consultation informatisé de l'ensemble de sa collection répartie entre ses différentes composantes.
Chacune des entrées du catalogue donne tous les éléments d'identification bibliographique des ouvrages ainsi que certains mots clés identifiant le contenu général de l'ouvrage. Notez que les revues sont parfois
incluses au catalogue sur micro-fiches mais que le contenu de chaque
numéro n'est jamais analysé.

18 Citations, références et bibliographies

L'utilisation de textes écrits par d'autres auteurs, que ce soient des articles de revues scientifiques, de journaux ou de livres, doit se faire en respectant les droits des auteurs utilisés. La manière de faire varie légèrement d'une discipline à l'autre et d'une publication à l'autre, mais aussi et surtout selon l'usage de la production des autres.

A– Les citations sont placées entre guillemets et les références indiquées de manière précise et complète. Pour ce faire, on dispose de différentes techniques :

1) Au moyen de notes en bas de page : la première fois que l'on cite un auteur donné, on doit trouver une référence complète indiquant le nom de l'auteur, le titre du livre ou de l'article ainsi que la maison d'édition ou le nom de la revue, l'année de publication de l'ouvrage et le numéro de la page ou des pages d'où provient la citation. Lorsqu'on cite plusieurs passages d'un même ouvrage, les autres références peuvent se limiter, par convention, à *op. cit., page 23*. Cette dernière manière de faire n'est toutefois pas toujours claire.

2) Au moyen de notes en fin de chapitre selon les mêmes conventions qu'au point 1.

3) In texte, sous forme abrégée : on indique entre parenthèses le nom de l'auteur, l'année de publication et la page du texte cité. Lorsqu'un même auteur a publié plus d'un ouvrage dans une même année, on ajoute à l'année une lettre à l'année permettant de distinguer les ouvrages les uns des autres. Par exemple : (Grosbras, 1987a, p. 3) et (Grosbras, 1987b, p. 23). La référence complète devra se trouver dans la bibliographie.

B– Les citations courtes peuvent être incluses au texte sans discontinuité ; si elles excèdent cinq lignes, elles doivent faire l'objet d'un paragraphe distinct légèrement en retrait de l'ensemble du texte et, très souvent, d'un caractère typographique différent.

Pour tout emprunt important (plus de 5 000 mots au total de l'ouvrage) ou pour l'utilisation de tableaux ou de schémas, il faut faire une demande écrite auprès de la maison d'édition ou de l'auteur, selon le cas, pour utiliser le texte.

C– Lorsqu'on résume la pensée d'un auteur sans citer son texte, on doit aussi indiquer la référence de l'ouvrage dont on s'est inspiré selon l'une ou l'autre des méthodes vues précédemment. Il n'est toutefois pas nécessaire de préciser la page. De plus, toujours lorsqu'on résume un auteur, on doit utiliser des formules telles que « Selon Untel … », « Pour l'auteur … », chaque fois que l'on s'inspire de la pensée originale de l'auteur.

D– Lorsqu'on se réfère à des enquêtes ou à des sondages réalisés par d'autres, on doit toujours indiquer, en plus d'appliquer les règles vues précédemment, l'année de réalisation de l'enquête, la population cible, la taille de l'échantillon et la méthode d'enquête (sondage, entrevue, etc.). Ces précisions peuvent être faites in texte ou au moyen de notes en bas de page ou en fin de chapitre.

E– Bien que certaines maisons d'édition ne le fassent pas toujours, il est préférable d'inclure au travail une bibliographie **distincte et complète** soit à la fin de l'ouvrage, soit à la fin de chaque chapitre. Les règles de présentation des bibliographies varient selon les disciplines et les maisons d'édition. La manière le plus couramment utilisée en sciences sociales est présentée au point F.

→

F— Les bibliographies sont toujours présentées par ordre alphabétique des noms d'auteurs et par année de publication lorsqu'un même auteur a produit plusieurs ouvrages. On souligne le titre des livres. Toutefois, lorsqu'il s'agit d'articles de revues, on souligne le nom des revues et on place le titre de l'article entre guillemets. Pour les livres, on doit aussi trouver dans la bibliographie le nom de la maison d'édition et la ville où se situe son bureau principal, l'année de publication et le nombre de pages de l'ouvrage (optionnel). Pour les revues, on inscrit les pages de début et de fin de l'article, le volume et le numéro de la revue. On inscrit toujours l'année d'édition de l'ouvrage ou de la revue. L'utilisation de quotidiens ou d'hebdomadaires exige l'inscription de la date complète : jour, mois, année.

Le fichier le plus utile pour la recherche documentaire est le fichier des vedettes-matière. Les ouvrages y sont regroupés selon leur contenu, lequel est identifié au catalogue au moyen de mots clés. Vous devrez donc identifier les mots clés propres à votre sujet d'étude. Ce fichier est très bien construit ; on y retrouve un système de référence identifiant les mots clés associés. Par exemple, « Sondage » renverra à « Questionnaire » et à « Échantillonnage ».

4.2.1 LES DICTIONNAIRES ET LES ENCYCLOPÉDIES

Les grands dictionnaires, le *Grand Robert* par exemple, et les grandes encyclopédies telle *Encyclopædia Universalis* permettent une bonne introduction au vocabulaire, aux concepts et aux grands auteurs de toutes les disciplines. Mais il existe aussi un grand nombre de dictionnaires et d'encyclopédies spécialisés. Les dictionnaires permettent de comprendre la terminologie scientifique et certaines acceptions de mots du langage courant propres à un champ particulier. Toutefois, dictionnaires et encyclopédies, tant par l'ampleur de la tâche (constituer un dictionnaire prend du temps) que par leur caractère éclectique, négligent souvent les derniers développements de la connaissance scientifique ou n'abordent que peu ou pas les champs très spécialisés.

4.2.2 LES BIBLIOGRAPHIES

Les bibliographies répertorient les documents écrits sur un sujet donné. Au point zéro de la recherche bibliographique, on peut même utiliser des bibliographies de bibliographies. Il existe également des bibliographies d'index (voir plus bas). Les bibliographies sont généralement spécialisées, consacrées à un thème ou à un nombre limité de thèmes, ce qui représente un avantage majeur. Certaines sont appelées « bibliographies commentées » ; elles contiennent alors des appréciations et de courts résumés des ouvrages indexés. Toutefois, elles sont rarement tenues à jour.

4.2.3 LES REVUES D'ANALYSE OU INDEX

Les revues d'analyse, ou index, appelées couramment « abstracts » sont des publications périodiques dans lesquelles les articles de revues scientifiques et les livres sont recensés, dépouillés et classés par thème et par année ou selon d'autres critères de classement. En sciences sociales, les principaux index sont le *Psychological Abstracts*, édité depuis 1927, et le *Sociological Abstracts*, édité depuis 1952. Notons aussi l'existence du *Political Science Abstracts*, du *Abstracts in Anthropology*, du *Social Sciences Index*, du *Canadian Business Index*, du *Economic Titles/Abstracts*, du *Social Work Research and Abstracts* et, en français, du *Bulletin signalétique* et de *Pascal explore*. Il existe également des répertoires de thèses qui se présentent comme des index tel le *Dissertation Abstracts International*.

De plus, la plupart des grandes revues publient des index annuels inclus au dernier numéro de l'année en cours. On peut parfois trouver ces index compilés par les bibliothèques pour couvrir des périodes plus longues.

4.2.4 LES RECENSIONS

Les recensions, souvent méconnues, sont des outils d'introduction théorique et bibliographique à un champ de connaissance particulier. Publiées dans de nombreuses disciplines, elles s'intitulent *Contemporary...*, *Current...* ou *Annual Review of...* suivi du nom de la discipline. Ces recensions font le point sur un ensemble de sujets d'actualité dans une discipline donnée. Elles donnent accès à une analyse fouillée du sujet et sont habituellement écrites par des spécialistes de la discipline. Elles sont généralement publiées annuellement.

Notez aussi que les revues scientifiques font très souvent la recension des dernières parutions dans leur domaine.

4.2.5 LES INDEX DE JOURNAUX ÉTRANGERS

De nombreux journaux locaux et étrangers sont dépouillés et répertoriés dans un index. Le *Wall Street Journal*, le *Washington Post* et le *New York Times* aussi bien que le *Times* de Londres ou *Le Monde diplomatique* et *Le Monde* de Paris font l'objet d'index parfois fort anciens (le *New York Times* depuis 1851 ; le *Palmer's Index* recense le *Times* depuis 1790).

Notons l'existence du *CARD* (*Canadian Advertising Rates and Data*), un index du tirage des journaux canadiens et de leurs tarifs publicitaires détaillés. Le *CARD* donne également des informations sur les tarifs des autres médias publicitaires (télévision, radio, véhicules de transport en commun, etc.).

4.2.6   LES STATISTIQUES

La recherche de données chiffrées constitue une des tâches importantes de la préparation d'enquêtes par sondage. Ces données permettent de valider les résultats, de les pondérer et d'établir des comparaisons avec d'autres pays. Les données statistiques sont bien sûr d'un usage courant, quelle que soit la méthode d'enquête choisie.

Il existe de nombreux outils de recherche de statistiques. Des guides bibliographiques présentent les principales sources d'informations statistiques : *Fundamental Reference Source* de F.N. Cheney et W.J. Williams est l'un des plus récents (1980).

Les index répertorient les données publiées dans un grand nombre de revues et de publications gouvernementales et privées de façon analogue aux index d'articles et de livres : on y retrouve le type de statistiques et la référence complète sans que les statistiques elles-mêmes soient présentées. Notons particulièrement l'existence de *Surveys, polls, censuses, and forecasts directory. A guide to sources of statistical studies in the areas of business, social science, education, science, and technology*.

On trouve aussi des bibliographies de publications statistiques éditées par les agences gouvernementales et dédiées à la statistique comme Statistique Canada, le U.S. Bureau of the Census et l'INSEE français. Certaines publications non gouvernementales recensent les publications européennes et africaines.

Une quatrième source de données statistiques s'avère le résumé de statistiques. Plutôt que de simples références bibliographiques ou la description du contenu des publications, on y trouve des statistiques générales sur des régions données. Ces statistiques sont habituellement peu détaillées et d'un intérêt général plutôt que spécialisées, mais elles peuvent être très utiles. Cette catégorie de publications comprend le *Europa Year Book*.

Les organismes internationaux sont de grands fournisseurs de statistiques. La Banque mondiale, le Bureau international du travail, le Fonds monétaire international, l'Organisation des Nations Unies, l'Organisation de coopération et de développement économique (OCDE) et l'Unesco publient des annuaires statistiques (*Year Book*), démographiques et des statistiques financières sur la plupart des pays du monde.

Les pays occidentaux et un grand nombre d'autres pays publient des statistiques provenant du recensement ou de grandes enquêtes gouvernementales. L'accès à ces données et le niveau de détail des informations sont très inégaux et dépendent de la collection détenue par la bibliothèque dont vous êtes client. On trouvera assez facilement des annuaires nationaux et parfois des statistiques historiques. Les collections sur la situation des États-Unis, de la France et de la Grande-Bretagne sont généralement bien garnies. Les atlas fournissent des données sociales et économiques générales.

4.2.7 LE QUÉBEC ET LE CANADA

LES INDEX QUÉBÉCOIS ET CANADIENS

Point de repère reste aujourd'hui le seul index multidisciplinaire des périodiques québécois et étrangers de langue française. Il résulte de la fusion, en 1984, des index *Périodex* et *Radar* qui couvrirent les publications québécoises de 1972 à 1983. L'*Index des périodiques canadiens* couvre davantage les publications canadiennes anglaises.

LES INDEX DE JOURNAUX QUÉBÉCOIS ET CANADIENS

Au Québec, *Le Devoir* a eu son propre index de 1966 à 1971 sous deux noms différents, alors que l'*Index de l'actualité vue à travers la presse écrite* a ajouté, à la recension du *Devoir*, la page éditoriale de *La Presse* et du *Soleil* de même que leurs cahiers thématiques de fin de semaine et leurs dossiers. Le *Canadian News Index* répertorie les sept plus importants journaux canadiens-anglais y compris les journaux anglo-québécois.

LES STATISTIQUES QUÉBÉCOISES ET CANADIENNES

La situation québécoise et canadienne est bien couverte par deux organismes gouvernementaux : le Bureau de la statistique du Québec (BSQ) et Statistique Canada. Outre les données du recensement canadien, le gouvernement du Canada publie l'*Annuaire du Canada* depuis 1905, la *Revue statistique du Canada* et la *Revue de la Banque du Canada*. Nous présentons avec plus de détails les produits et services de Statistique Canada à l'annexe C. Notons l'existence d'une *Bibliographie des sources fédérales de données à l'exception de Statistique Canada*.

Un des principaux mandats du Bureau de la statistique du Québec s'avère la conversion des unités géo-statistiques fédérales de manière à respecter les divisions administratives du Québec. Mais le BSQ publie également des données d'origine québécoise, celles provenant du *Registre des naissances* notamment, et mène différentes études telles que la compilation de tables de survie et des projections démographiques. Le BSQ ne publie pas tous ses travaux ; il est parfois possible de se les procurer en les commandant au Bureau moyennant certains frais. Le BSQ offre également des services de consultation et de repérage des données. Il peut servir d'intermédiaire auprès de Statistique Canada pour les données québécoises. Le BSQ, situé à Québec au 117, rue Saint-André, permet de compenser l'absence de bureaux de Statistique Canada hors de Montréal en plus d'offrir des services particuliers.

Le BSQ publie *Le Québec statistique* (annuaire du Québec), la revue *Statistique* et le bulletin annuel *L'immigration au Québec*.

4.2.8 LES RÉPERTOIRES BIOGRAPHIQUES

Les répertoires biographiques présentent des données sommaires sur des personnalités vivantes d'un pays ou d'une discipline. Ils sont généralement mis à jour annuellement et sont souvent désignés par l'expression anglaise consacrée *Who's who*. Il en existe des versions canadienne, américaine et étrangères, mais aussi selon les domaines tels que l'économique, le service social ou les relations industrielles. La consultation des *Who's who* des années antérieures permet de mieux connaître des personnalités qui ne seront jamais dans le dictionnaire.

4.2.9 LES MOYENS ÉLECTRONIQUES

LES BANQUES DE DONNÉES INFORMATISÉES

Depuis quelques années, les éditeurs d'index et autres nouveaux venus sur cette scène ont complété leurs publications en constituant des banques de données informatisées. Dans certains cas, le service n'est offert que par réseau de communication et les index informatisés sont beaucoup plus complets que leur contrepartie publiée. Les grandes bibliothèques sont abonnées à la plupart de ces services. Leur consultation est tarifée[4].

De manière générale, le chercheur n'a pas accès directement au système informatique. Il n'a donc pas à se soucier des opérations permettant d'accéder à ces bases de données. Il devra toutefois faire l'effort d'identifier des mots clés qui guident l'ordinateur pour la sélection de références pertinentes. Ces mots clés doivent être suffisamment précis pour éviter d'obtenir un trop grand nombre de références et on doit prévoir leurs synonymes. De plus, la langue anglaise est assurément la plus usitée dans ces banques de données. Par exemple, si vous donnez « enquête » comme seul mot clé, l'ordinateur fournira une liste de plusieurs dizaines de milliers d'articles. Vous devrez donc donner à l'ordinateur les mots « sondage » et « focus group » et les mots « questionnaire » et « focus group » pour être sûr de faire le tour du sujet. Les mots clés que vous aurez identifiés lors des autres étapes de votre recherche documentaire seront utiles, mais vous devrez être encore plus précis si vous ne voulez pas vous retrouver avec des centaines d'ouvrages et d'articles de revues à consulter. Le prix que vous paierez sera fonction du nombre de titres sélectionnés, du tarif fixé par la bibliothèque et de votre situation universitaire ; ce prix peut être assez élevé.

LE COURRIER ÉLECTRONIQUE

L'expansion de l'informatique et la constitution de grands réseaux reliant l'ensemble des universités canadiennes, américaines et européennes ont permis le développement de réseaux de chercheurs regroupant des individus selon leur discipline. Les références bibliographiques et nombre d'autres informations sont disponibles par ces réseaux. On peut même faire le traitement de données à partir de bases de données situées en Europe. Il existe des réseaux canadiens de chercheurs en sociologie, en anthropologie, en sciences politiques, en psychologie de l'éducation et dans bien d'autres domaines.

Au Québec, le Regroupement québécois des sciences sociales a constitué dix réseaux de messagerie électronique qui se rattachent soit à des associations disciplinaires existantes, soit à des champs d'intérêt pour la recherche sociale. Voici leur nom et les personnes qu'ils regroupent : le réseau RQSS, répertoire général du Regroupement québécois des sciences sociales ; le réseau ACSALF, relié à l'Association canadienne des sociologues et des anthropologues de langue française ; le réseau CAACSALF relié au conseil d'administration de l'ACSALF ; le réseau EDUC1 regroupant les sociologues et anthropologues chercheurs en éducation ; METHO, le réseau « méthodologie quantitative » de l'ACSALF ; le réseau ADQ de l'Association des démographes du Québec ; le réseau EDUC2 regroupant les chercheurs en éducation de l'ensemble des sciences sociales ; le réseau SCSE de la Société canadienne de science économique ; le réseau SQSP de la Société québécoise de science politique ; enfin, le réseau COMMUNIK pour tous ceux que les communications intéressent.

4.2.10 LA COLLECTE DES DONNÉES

La collecte des informations nécessaires à votre recherche documentaire exige la mise au point d'outils systématiques et fonctionnels. Il existe deux familles d'outils : d'une part les fiches documentaires et bibliographiques, et d'autre part les bases de données informatisées. Les fiches sont évidemment le moyen le plus connu, le plus simple et le plus répandu pour recueillir des informations documentaires.

Les fiches bibliographiques doivent contenir toutes les informations nécessaires pour retrouver l'article ou le livre consulté, c'est-à-dire tous les éléments décrits au point F de l'encadré 18, la bibliothèque et la cote de l'ouvrage. Lorsque vous extrayez une référence d'un index, inscrivez sur votre fiche le résumé du contenu et les mots clés de l'ouvrage ; pensez aussi à utiliser un code de couleur.

Les fiches documentaires sont d'un autre ordre. En plus de la source bibliographique, on y inscrira des citations et des résumés de documents avec leurs numéros de page.

Les bases de données informatisées comportent des avantages certains quant au repérage des sources bibliographiques. Elles sont toutefois lourdes à constituer puisqu'il faut transcrire toutes les fiches documentaires. En effet, la majorité des outils de référence bibliographique ne sont disponibles que pour la consultation sur place ; alors, à moins d'avoir un ordinateur portatif... Les bases de données informatisées exigent aussi de savoir taper à la machine ou du moins d'avoir deux ou trois doigts assez rapides. La maîtrise des programmes est plus ou moins facile. Il existe des bases de données conçues exprès pour les données textuelles, lesquelles permettent de faire des recherches sur tout le texte saisi et non seulement sur des champs prédéterminés. On y trouvera les mêmes informations que sur les fiches.

NOTES

(1)   Nous ne traiterons pas ici de l'entretien en profondeur, davantage utilisé en psychologie, pour la technique des histoires de vie que pour la formulation d'un sondage, et dont les principes sont très élaborés et trop complexes pour être résumés en quelques mots. Notons simplement qu'un climat de confiance mutuelle et la pratique des techniques d'empathie sont les éléments essentiels à tous les types d'entrevue, mais que leur parfaite maîtrise s'avère indispensable lorsqu'on veut aller en profondeur.

(2)   À l'origine, ainsi que dans de nombreuses applications actuelles en marketing, la méthode consistait en la présentation de stimuli (film, publicité, logo) préalablement analysés afin de recueillir les commentaires des participants. Aujourd'hui, on l'utilise aussi bien avec de simples thèmes de discussion.

(3)   L'empathie est un concept qui a été développé dans le giron des techniques rogériennes de psychothérapie. Elle est faite de compréhension manifestée par les techniques de reflet et d'un détachement personnel face à la situation des participants. Pour mieux la comprendre, on doit la distinguer de la sympathie. Cette dernière est faite de compréhension mais également d'un engagement envers l'autre. Dit autrement, la sympathie implique d'épouser la cause d'une personne, de se mettre à sa place. Or, la sympathie est élective, c'est-à-dire que l'on éprouve de la sympathie pour une ou des personnes mais rarement pour tous. L'empathie, elle, est volontaire : tous les participants doivent se sentir compris comme si l'animateur éprouvait de la sympathie envers chacun d'eux, mais celui-ci ne doit pas se laisser aller à une sympathie spontanée envers l'une ou l'autre des personnes participantes.

(4)   Pour réduire les coûts de consultation, notamment les frais d'interurbains, certaines bibliothèques se procurent les bases de données bibliographiques sur vidéodisque. Remis à jour tous les trois mois, ces vidéodisques peuvent être lus au moyen d'un logiciel de base de données et les résultats peuvent être copiés sur disquettes ou imprimés.

Chapitre 5

Le questionnaire :
les types de questions
et leur formulation

INTRODUCTION

Ce chapitre et le suivant seront consacrés à la formulation des questionnaires de sondage. Nous traiterons d'abord du choix du média pour l'administration du questionnaire. En effet, les questionnaires de sondage seront très différents selon qu'on les administre par téléphone, par la poste ou de personne à personne. Nous présenterons donc les avantages et les inconvénients de chacun de ces médias, puis les éléments qu'il faut en tirer pour la formulation du questionnaire. Nous énoncerons ensuite certains principes généraux s'appliquant à la formulation des questions et nous donnerons des exemples illustrant les principaux types de questions que l'on peut retrouver dans un sondage. Finalement, nous avons regroupé, sous quatre grands thèmes se rapportant au type d'information désiré, différents conseils techniques utiles à la formulation des questions. Notez que, malgré tous ces conseils, seule la pratique permet de peaufiner les capacités d'expression des concepteurs de sondage, que l'écriture des sondages, comme les autres genres d'écriture, s'apprend par l'exercice et que l'imagination est un ingrédient indispensable à la formulation des questions de sondage.

5.1   LE CHOIX D'UN MÉDIA DE SONDAGE

Trois types de contraintes dictent le choix d'un média de sondage : ce que l'on veut savoir, le temps disponible pour réaliser l'enquête et l'argent que l'on possède. L'éventail des médias se limite à quatre : le téléphone, l'écrit, nommé aussi formulaire auto-administré, le personne à personne et l'observation directe.

5.1.1   LES SONDAGES TÉLÉPHONIQUES

Les sondages téléphoniques sont devenus les plus courants en Amérique du Nord. Le fait que presque tous les foyers soient abonnés au téléphone permet de profiter des avantages des sondages téléphoniques : la rapidité de la collecte des données, encore augmentée par les nouvelles techniques assistées par ordinateur désignées par l'acronyme CATI (*Computer Assisted Telephone Interviewing*), la facilité de l'échantillonnage à partir des annuaires téléphoniques de chacune des municipalités ou au moyen de programmes informatisés, l'emploi de personnel peu qualifié et facile à surveiller (centrale téléphonique avec écoute directe) et, bien sûr, le faible coût d'utilisation (gratuité du service local).

Par contre, le sondage téléphonique comporte également des inconvénients : certains biais dans l'échantillonnage causés par l'absence de téléphone ou par la non-inscription d'un abonné dans l'annuaire téléphonique, les réticences des gens à livrer certaines informations privées à une voix anonyme, des réponses peu élaborées aux questions ouvertes, des taux de réponse plus faibles que par la méthode de personne à personne et l'impossibilité de vérifier des renseignements tel le revenu ou le niveau de vie (les gens mentent souvent sur leur revenu : les moins fortunés le gonflent, les autres le diminuent).

Le problème de la non-représentativité des annuaires téléphoniques est souvent négligé. Les non-inscrits sont pourtant fort nombreux : à Philadelphie, 42 % des numéros de téléphone sont confidentiels (Roll et Cantrill) ; à Montréal, une enquête menée par le Centre de sondage de l'Université de Montréal, avant sa disparition, révélait que 19 % des numéros de téléphone n'étaient pas inscrits et qu'ils se concentraient aux deux extrémités de la palette de revenu.

La seule méthode pour contourner cet inconvénient s'avère la sélection aléatoire de numéros de téléphone. Le chercheur demande à la compagnie de téléphone locale de lui indiquer les préfixes téléphoniques (soit les trois premiers chiffres des numéros) en usage dans sa région, et leur ordre d'importance ; ensuite, au moyen d'un programme informatisé, il obtient des combinaisons de quatre autres chiffres pour former un numéro de téléphone. La méthode est décrite plus en détail dans le chapitre sur l'échantillonnage. Cette méthode, pour efficace qu'elle soit pour contrer le problème des non-inscrits, présente certaines lacunes dont il faudra tenir compte lors de la sélection de l'échantillon : une proportion variable mais souvent importante des numéros obtenus seront sans service et les limites territoriales des préfixes téléphoniques ne correspondent pas toujours à celles pertinentes à l'étude.

Les gens sont généralement plus réticents à donner de l'information confidentielle par téléphone. Cette assertion est classique de la technique des sondages. Nombre de questions intimes provenant d'un inconnu semblent en effet déplacées au téléphone. Certains chercheurs (Groves *et al.*, 1979) ont cependant observé des taux de réponse et des profils de réponse comparables pour des sondages identiques administrés tantôt par téléphone, tantôt de personne à personne. L'habileté de l'interviewer et la conception de l'outil de cueillette alliées au sérieux des motifs de l'enquête, du commanditaire et de la maison de sondage favorisent un taux de réponse élevé aux questions intimes.

5.1.2 LES SONDAGES AUTO-ADMINISTRÉS

Les sondages auto-administrés peuvent être distribués par la poste ou remis personnellement. Ce dernier mode de distribution est particulièrement bien adapté à des échantillonnages sur place, lors d'études de clientèles comme celles des transports en commun ou des salles de spectacle. On peut également laisser un formulaire à compléter après l'entrevue de personne à personne. Certains des avantages et des inconvénients du sondage écrit dépendent du type de transmission du formulaire, d'autres s'appliquent à toutes les situations. Parmi les inconvénients qui s'appliquent à tous les modes de transmission, on remarque la nécessité de *savoir lire*. L'analphabétisme est plus répandu qu'on ne le croit. Les personnes âgées, celles qui n'ont pu poursuivre leurs études pour diverses raisons et celles à qui le système d'éducation n'a pas réussi représentent aujourd'hui au-delà de 20 % de la population canadienne.

Les avantages des sondages auto-administrés sont nombreux. Les répondants peuvent remplir le questionnaire à leur rythme et réfléchir, surtout lorsqu'on pose des questions faisant appel à la mémoire ; de plus, le taux de réponse aux questions portant sur des sujets confidentiels est plus élevé. Finalement, les répondants ne sont pas influencés par la personnalité du sondeur ou par qui que ce soit. Cependant, les sujets difficiles (médecine, psychologie, condition physique) ou les longs questionnaires obligent l'utilisation d'interviewers chevronnés et compétents.

LES QUESTIONNAIRES DISTRIBUÉS PAR LA POSTE

Les sondages expédiés par la poste présentent de grands avantages ; ils se rendent là où les interviewers ne peuvent se rendre ou hésitent à le faire, comme les endroits mal famés, les quartiers très riches et les immeubles à accès contrôlé (sollicitation interdite) ; ils permettent de rejoindre les personnes absentes pour un moment et ils évitent la surreprésentation des ménagères (biais engendré par l'heure à laquelle on téléphone lors des sondages téléphoniques). De plus, les envois postaux coûtent beaucoup moins cher que les interurbains, ce qui permet de tirer un échantillon aléatoire sans se soucier des distances. Enfin les envois par la poste épargnent du temps comparés aux entrevues de personne à personne et on n'a pas besoin de former ni de contrôler le personnel (interviewers ou téléphonistes).

Par contre, une des difficultés majeures réside dans l'absence partielle ou totale de listes d'adresses. L'usage de la poste s'applique donc particulièrement bien à l'étude des associations volontaires ou professionnelles et à celle des organisations plutôt qu'à la population générale. De plus, les taux de réponse sont généralement bas, particulièrement pour les sondages envoyés à l'occupant. De toute façon, il faut prévoir différents mécanismes de motivation et de relance des non-répondants : lettres d'introduction, lettres de rappel et même téléphones de rappel. On peut alors leur offrir de répondre au sondage par téléphone.

Une étude récente, menée par Fox et ses collaborateurs en 1988, identifie sept facteurs qui favorisent une augmentation des taux de réponse. Ce sont, par ordre d'importance, la commandite d'une université, l'envoi d'une lettre d'introduction préalable, une enveloppe-réponse affranchie, l'envoi d'une carte postale de relance, l'envoi du sondage par courrier de première classe plutôt qu'en nombre ou à l'occupant et un questionnaire imprimé sur du papier de couleur. L'envoi d'une récompense monétaire incite le répondant à retourner le questionnaire, mais la somme doit rester minime, symbolique, un dollar constituant un maximum.

Le chercheur doit bien sûr défrayer le retour du questionnaire en incluant une enveloppe-réponse suffisamment affranchie. Un questionnaire un peu long, et par le fait même lourd, peut augmenter les frais de poste. Au Canada, les sondages réalisés à l'intérieur d'une zone téléphonique (sans frais d'interurbain) coûtent moins cher que les sondages postaux, alors qu'un sondage national est plus économique par la poste. Par ailleurs, les sondages par la poste laissent toujours un doute sur l'identité de la personne qui a réellement répondu au questionnaire.

LES QUESTIONNAIRES DISTRIBUÉS SUR PLACE

Ce mode de distribution laisse moins de doutes sur l'identité du répondant ainsi que sur sa participation à une activité donnée. Ce dernier point est particulièrement important pour l'évaluation 1) des activités valorisées comme la pratique de loisirs culturels ou l'usage des transports en commun, ou 2) des attitudes et comportements à la mode comme la préservation de l'environnement ou encore 3) des activités pratiquées par une infime partie de la population comme l'utilisation de la liaison aérienne Montréal–Toronto. Sous certains aspects, le questionnaire distribué sur place se rapproche de l'échantillonnage de volontaires, la réponse au questionnaire demeurant libre malgré que l'échantillon soit captif (surtout pour les voyages en avion). On doit donc utiliser quand même un mode de sélection probabiliste de l'échantillon que nous expliquerons dans le chapitre consacré à l'échantillonnage. Si la distribution individuelle des questionnaires rassure davantage que le sondage postal sur l'identité du répondant, elle laisse tout de même certains doutes. Les membres d'un couple auront tendance à répondre ensemble au questionnaire ou à assurer une certaine cohérence entre leurs réponses, par exemple.

Un questionnaire peut également être laissé au répondant à la suite d'une entrevue de personne à personne qui serait trop longue autrement. Cette méthode assure généralement de bons taux de réponse mais elle s'insère dans une démarche coûteuse que seul l'État ou les grandes fondations peuvent se permettre.

5.1.3 LES SONDAGES DE PERSONNE À PERSONNE

On considère ce média de sondage comme la « Rolls-Royce » des méthodes de sondage. Son principal inconvénient est d'ailleurs le même que celui de la célèbre marque de voiture : son prix. Ses avantages sont uniques. Le contact direct permet l'utilisation de questionnaires longs et complexes avec un fardeau de réponse pouvant aller jusqu'à l'évaluation de la condition physique ou le comptage et l'identification des médicaments ingérés par les personnes âgées. Il permet aussi des procédures plus ouvertes, comme un guide d'enquête et des questions à développement. La présence de l'enquêteur sur les lieux où habitent ou travaillent les membres de l'échantillon fournit des informations directes à l'interviewer et permet de contrôler certaines réponses (revenu, etc.). On doit compter parmi les inconvénients de la méthode la réaction des répondants à la présence d'autrui. Cela induit certaines distorsions conformistes dans le schéma des réponses. Mais certaines procédures permettent d'obtenir des informations confidentielles, telle cette trouvaille de Gallup qui consiste à utiliser une urne où les sondés déposent leur réponse, ainsi ignorée de l'interviewer, et qui donne d'excellents résultats.

Tout comme le prix qui va croissant avec l'ampleur géographique, les inconvénients de la méthode peuvent être supprimés si on en a les moyens. Les interviewers devront être d'autant plus compétents que les procédures seront complexes. L'étude de la condition physique des Canadiens (*Canada Fitness*), par exemple, a exigé l'embauche d'infirmières comme interviewers. La probité des interviewers autonomes dans leur démarche ne peut être assurée que par l'intérêt porté à la recherche ou par le salaire reçu. La méthode de personne à personne exige, pour pénétrer certains quartiers et rester représentative, des interviewers de sexe, d'âge, d'origine ethnique et de langue particuliers. Le soir, les femmes interviewers doivent travailler deux par deux pour éviter certains risques. De plus, pour accéder à certains immeubles, on doit soit envoyer une lettre d'introduction, soit téléphoner et prendre un rendez-vous ferme.

5.1.4   L'OBSERVATION DIRECTE

L'enquête par observation directe évite d'avoir à convaincre chacun de participer à un sondage. Cette méthode est fort différente des techniques d'observation en milieu naturel traitées au chapitre précédent. Elle s'applique à l'étude de comportements publics, répétitifs et faciles à identifier d'une part, et à l'analyse de dossiers administratifs d'autre part.

L'ÉTUDE DU COMPORTEMENT

Ici, la première difficulté réside dans l'identification des lieux d'observation et leur accès. Les comportements entièrement publics et observables dans des lieux faciles d'accès et dignes d'intérêt ne sont pas si nombreux que cela. Prosaïquement, cette méthode a servi à évaluer le marché des pneus d'automobiles. Les enquêteurs comptaient les pneus par marque sur une sélection aléatoire de voitures stationnées sur le terrain des centres commerciaux. On l'a employée aussi pour dénombrer les personnes qui portaient leur ceinture de sécurité.

L'ANALYSE DES DOSSIERS ADMINISTRATIFS

Les dossiers administratifs peuvent être utilisés selon deux grands types d'objectifs : soit pour analyser le travail de ceux qui constituent ces dossiers, soit pour analyser les populations auxquelles se rapportent lesdits dossiers. Dans les deux cas, l'analyse des dossiers s'apparente à l'analyse de contenu plutôt qu'au questionnaire de sondage. Comme ces techniques d'analyse sont très complexes et très différentes du questionnaire de sondage, nous ne les aborderons pas ici. Cela dit, notons que l'analyse des dossiers doit, malgré ses particularités, respecter les règles générales quant à la sélection de l'échantillon pour assurer une représentativité statistique. Cette méthode exige des enquêteurs qualifiés et les mêmes règles méthodologiques que pour les questions ouvertes, principalement la construction d'accords inter-juges afin de vérifier la validité de l'analyse de chacun des membres de l'équipe.

L'analyse des dossiers administratifs comporte cependant quelques limites pour l'étude des populations puisque ces dossiers sont constitués à des fins administratives, pour assurer le suivi de la clientèle, et non à des fins de recherche scientifique. On n'y retrouve donc jamais toutes les catégories conceptuelles que le chercheur désire mesurer. De plus, les dossiers sont souvent incomplets ou inconsistants. En somme, nous dépendons de la compétence et de l'intérêt de ceux qui tiennent ces dossiers.

5.2 LA FORMULATION DES QUESTIONS ET LES MÉDIAS DE SONDAGE

La formulation des questions n'est pas étrangère au média qui servira à les transmettre. La principale distinction réside entre les questionnaires auto-administrés et les autres médias. Les questionnaires écrits permettent au répondant de lire la question et les réponses qui s'y rapportent avant de faire son choix, contrairement aux autres médias. La perception visuelle embrasse toute la Gestalt de la question d'un seul coup d'œil, alors que la dictée d'une question est séquentielle. Un sondage téléphonique oblige donc le rédacteur de sondages à inclure les choix de réponses dans la question ou à les présenter de manière explicite. De plus, pour les sondages par téléphone, une foule de détails doivent être expliqués dans le questionnaire afin que les téléphonistes n'aient pas à improviser des instructions. On doit prévoir des réponses à d'éventuelles questions de la part du répondant, surtout lorsque certaines notions[1] portent à confusion.

Par écrit, les instructions s'adressent directement au répondant ; par conséquent, toutes les définitions des notions qui risquent de poser des problèmes doivent être incluses dans le questionnaire. Les deux exemples suivants illustrent les différences de formulation des questions et des instructions entre un sondage écrit et un sondage téléphonique.

SONDAGE ÉCRIT

À votre avis, la formation pratique offerte aux étudiants en communications par l'Université Laval est-elle adéquate ?

(ENCERCLER LE CHIFFRE CORRESPONDANT À VOTRE RÉPONSE)

1– Tout à fait adéquate

2– Adéquate

3– Inadéquate

4– Tout à fait inadéquate

8– Ne sais pas

9– Ne réponds pas

SONDAGE TÉLÉPHONIQUE

À votre avis, la formation pratique offerte aux étudiants en communications par l'Université Laval est-elle tout à fait adéquate, adéquate, inadéquate ou tout à fait inadéquate ?

(RÉPÉTER LE CHOIX DE RÉPONSES SI NÉCESSAIRE)

1– Tout à fait adéquate

2– Adéquate

3– Inadéquate

4– Tout à fait inadéquate

(NE PAS LIRE CES CHOIX)

8– Ne sait pas

9– Ne répond pas

Pour le sondage téléphonique, les instructions pour la codification font partie des instructions générales données aux interviewers. On leur aura fourni une feuille-réponse du genre de celle que nous présentons au chapitre suivant (section 6.5) ou encore des instructions pour l'opération d'un système CATI.

Le style des questions sera lui aussi différent. Même si, en toutes circonstances, l'expression doit rester simple, concise et univoque, la langue parlée n'a pas les mêmes règles que la langue écrite. Le rédacteur de sondages téléphoniques doit composer ses questions et ses instructions comme les éléments d'un dialogue. Son écriture s'approche davantage de l'expression théâtrale que du romanesque, plus de la radiophonie que de la télévision.

---

19 Distinctions entre le langage écrit et le langage parlé

Beaucoup d'effets de style, notamment l'inversion du complément pour le mettre en relief, sont interdits en langue parlée.

En langue parlée, on évitera les mots trop longs malgré certaines pertes en ce qui a trait à la précision : on peut écrire « La Cour suprême s'est prononcée en faveur de l'inconstitutionnalité de la clause de la loi 101 concernant la langue d'affichage », mais on dira « La Cour suprême a rejeté la partie de la loi 101 sur la langue d'affichage ».

En langue parlée, on peut utiliser certains raccourcis usuels tels une auto ou une photo, mais on écrira une automobile, une photographie.

Les abréviations doivent être utilisées et présentées de manière différente. L'écrit permet de répéter les titres d'organismes ou autres sans avoir besoin de les abréger ; dans ce cas, le rédacteur est plus embêté que le lecteur par la répétition de longs titres. Les abréviations sont toutefois fort utiles lorsqu'on parle et qu'on écoute.

À l'écrit, on peut présenter les abréviations selon la manière habituelle « La Commission d'enquête sur le crime organisé (CECO)... », alors qu'au téléphone, on doit dire « La Commission d'enquête sur le crime organisé que nous appellerons CECO pour le reste du questionnaire... ».

Les abréviations les plus usuelles s'utilisent telles quelles : CSN, FTQ, URSS. Certaines choses ne sont d'ailleurs connues que par leurs initiales : les BPC, le SIDA, etc. Mais on expliquera les autres abréviations même si l'actualité les a mises sur la sellette : la FIIQ (Fédération des infirmiers et infirmières du Québec). Parfois, révéler le sens des initiales ne suffit pas : la FAS (Fédération des affaires sociales) devrait être présentée comme le principal syndicat du secteur de la santé et des services sociaux affilié à la CSN.

On évitera, surtout lors d'un entretien téléphonique, d'utiliser des abréviations qui pourraient porter à confusion : on dira « Allemagne de l'Est » plutôt que RDA (République démocratique allemande) et « Allemagne de l'Ouest » plutôt que RFA (République fédérale d'Allemagne).

Si les principales distinctions que nous avons établies jusqu'à maintenant soulignent les différences entre la langue parlée et la langue écrite, la présence d'un interviewer sur place entraîne aussi des distinctions importantes dans le style des questions. Comme nous le mentionnions dans la section précédente, les sondages sur place permettent l'utilisation de différents appareils : l'urne de Gallup bien sûr, mais aussi l'utilisation de cartes, de techniques projectives, de techniques graphiques ou la manipulation de différents objets.

Par ailleurs, les sondages de personne à personne et par écrit permettent de soumettre au répondant de longues listes de choix de réponses. Par exemple, on peut faire la liste de tous les magazines vendus au Québec et demander au répondant d'identifier ceux qu'il lit, ou encore faire la liste de toutes les origines ethniques.

5.3   LES PRINCIPES GÉNÉRAUX POUR LA FORMULATION DES QUESTIONS

Même si la formulation d'une question donnée n'est définitive qu'après le prétest, il reste que certains principes doivent être observés et certains trucs techniques maîtrisés.

5.3.1   LES PRINCIPES « LITTÉRAIRES »

1)   De manière générale, un style direct, près du langage parlé et concis est recommandé. On préférera la plupart du temps une langue correcte, mais on devra prévoir l'utilisation d'un certain argot lorsque cela s'avérera nécessaire.

2)   Les questions doivent se suffire à elles-mêmes, c'est-à-dire que l'interviewer ne doit pas avoir à les expliquer ou à les traduire dans un niveau de langage plus approprié. Sinon, on ne sait pas si on étudie la variation des réponses ou celle des questions.

3)   Le choix et la formulation des questions dépendent de l'objectif de l'enquête. Le degré de précision des questions repose entièrement sur l'étape précédente, soit l'analyse théorique du problème étudié. Par exemple, la précision quant au niveau de scolarité peut varier selon l'importance théorique accordée à l'instruction dans la problématique étudiée.

Si ces principes généraux s'appliquent à tous les sujets de sondage, on ne s'adresse toutefois pas aux gens de la même manière lorsqu'on leur demande de fournir des renseignements factuels, de révéler des attitudes ou des comportements indésirables socialement, d'afficher leur revenu ou l'étendue de leurs connaissances politiques. De plus, l'évaluation de la durée et de la fréquence des comportements de tous les types posent des problèmes de mesure. Ces deux questions sont discutées dans la section 5.5.

5.3.2   LES PRINCIPES MATHÉMATIQUES

On doit considérer le traitement mathématique des réponses dans la formulation des questions. Les techniques plus sophistiquées exigent généralement des variables ayant des propriétés métriques spécifiques. Le niveau de mesure d'une variable influe sur le type d'analyse mathématique que l'on peut faire. Il existe trois[2] grands niveaux de mesure :

1)   Les variables *nominales* : elles servent à nommer une catégorie sociale. Exemple : la religion : catholique, protestant, juif, etc. Il n'existe aucun ordre croissant ou décroissant entre ces catégories.

2)   Les variables *ordinales* : il existe un ordre croissant ou décroissant entre les réponses, mais on ne peut déterminer la force de cet ordre. Exemple : très satisfait, satisfait, peu satisfait, etc. On ne peut affirmer que quelqu'un de très satisfait est deux ou trois fois plus satisfait que celui qui est satisfait.

3)   Les variables *métriques* ou *quantitatives* : ce sont toutes les variables numériques qui permettent de déterminer l'écart entre chacune des réponses. Exemple : l'âge, le revenu non regroupé, le nombre d'années de scolarité, le temps, etc. On emploie aussi le terme « variable par intervalles » pour les désigner.

N.B. : Lorsqu'on n'est pas sûr qu'on ait répondu correctement à une question d'un niveau de mesure par intervalles (les questions sur le temps par exemple), on doit la considérer comme une question à variable ordinale. Les variables par intervalles regroupées en catégories sont considérées comme des variables ordinales lorsque : 1) les catégories sont inégales, 2) elles comportent une catégorie ouverte (50 000 $ et plus par exemple).

Seules les variables par intervalles permettent d'utiliser pleinement les techniques statistiques les plus sophistiquées, telles l'analyse factorielle ou la régression multiple et toutes les techniques utilisant la moyenne. Il existe, bien sûr, certaines procédures autorisant l'usage des techniques avancées pour les variables nominales, telle la construction de variables dichotomiques (*dummy variables*), mais pourquoi se contenter d'informations pauvres quand on peut en obtenir de plus riches. Par exemple, on peut demander aux gens s'ils consomment de la bière, du vin ou des spiritueux (une variable nominale), ou bien leur demander s'ils consomment beaucoup, modérément, un peu ou pas du tout de bière, de vin, de spiritueux (trois variables ordinales), ou, mieux encore, combien de bières, de verres de vin ou de verres de spiritueux ils ont pris dans la semaine (trois variables par intervalles).

5.3.3 LES SOURCES D'ERREURS

Le chercheur qui construit des questions de sondage doit tenir compte de quatre sources d'erreurs principales : la mémoire, la motivation, la communication et la connaissance (Sudman et Bradburn, 1982). Chacune de ces sources d'erreurs doit être maîtrisée pour toutes les questions que l'on pose.

20 Principales sources d'erreurs

LA MÉMOIRE
Le répondant peut ne pas se souvenir d'une information qu'on lui demande.

LA MOTIVATION
Le répondant peut ne pas vouloir livrer une information.

LA COMMUNICATION
Le répondant peut ne pas comprendre la question posée.

LA CONNAISSANCE
Le répondant peut ignorer l'information demandée.

Nous verrons dans les sections suivantes les principales manières d'éviter ces écueils. De tous les problèmes que rencontre le chercheur, c'est sans doute celui de la motivation qui est le plus difficile à résoudre. Les problèmes de communication peuvent être résolus par l'étude de différentes formulations au moyen de prétests. Ceux de mémoire sont assez bien connus et on sait aujourd'hui évaluer jusqu'à quel point un répondant peut se remémorer un élément donné. On sait aussi qu'on ne se remémore pas une attitude. Les problèmes de connaissance peuvent être évités par des questions-filtres et en s'abstenant de demander au répondant des informations sur une personne autre qu'elle-même.

Le problème de la motivation se pose à deux niveaux : premièrement, la motivation à répondre aux sondages en général et deuxièmement, la motivation à aborder des sujets particuliers. Grosbras (1987) a bien étudié le premier aspect et seule une haine profonde des sondages et des statistiques constitue un obstacle incontournable. Le second est plus délicat à évaluer. C'est tout le jeu des menaces ressenties par les sondés lorsqu'ils sont interrogés. La difficulté tient ici à la nature sociale de la menace perçue, à ce qui fait que certains sujets peuvent être menaçants à une époque donnée et non menaçants à un autre moment. Plus difficile encore, un sujet peut être menaçant pour certaines catégories sociales et pas pour d'autres.

5.4   LES FORMULATIONS TYPES DES QUESTIONS DE SONDAGE

Les questions des sondages prennent différentes formulations, indépendamment du type de données qu'elles mesurent ou du média de sondage utilisé, du moins en partie. Les auteurs s'entendent sur quatre formulations principales : les questions ouvertes d'abord et l'une ou l'autre des versions de questions à choix forcé, soient les questions dichotomiques, les questions à choix multiples, ou polytomiques, et les questions cafétéria ou fourre-tout. À cette typologie, nous avons ajouté d'autres types de questions moins souvent mentionnées, dont les questions portant sur le temps.

5.4.1   LES QUESTIONS OUVERTES OU FERMÉES

Un débat méthodologique oppose depuis longtemps les tenants des questions ouvertes et ceux des questions fermées. Pour les premiers, les questions fermées sont sèches et ne permettent pas de savoir ce que les gens pensent vraiment. Pour les seconds, les questions ouvertes sont difficiles à codifier et très coûteuses en temps et en travail professionnel ; de plus, elles laissent trop de place à l'interprétation. Ce débat a été en quelque sorte résolu par Lazarsfeld qui préconise l'emploi de questions ouvertes dans les phases exploratoire et préliminaire de l'enquête par sondage et l'emploi des questions fermées lors de la construction de l'outil définitif.

L'usage de questions ouvertes nécessite la maîtrise des techniques d'analyse de contenu ainsi que l'utilisation de mesures d'accords inter-juges, c'est-à-dire que lorsque la codification des questions ouvertes est faite par plus d'une personne (juge), les choix (jugements) doivent être comparés afin de vérifier l'homogénéité de la codification et sa validité.

5.4.2   LES QUESTIONS OUVERTES

Ces questions laissent au répondant le soin de formuler lui-même tous les aspects de sa réponse. Par exemple :

Que pensez-vous du non-respect des droits d'auteur ?

Les techniques projectives utilisées en psychométrie s'apparentent aux questions ouvertes. La procédure repose toutefois davantage sur des stimuli visuels, images ou taches d'encre, que sur l'utilisation du langage. On peut par exemple soumettre une série d'images que le répondant devra ordonner afin de construire une histoire cohérente.

Toutes les techniques laissant au répondant le choix d'inscrire ou de dire sa réponse posent des problèmes de codification. Toutefois, les questions ouvertes ayant comme réponse des nombres (nombre d'années de scolarité, nombre de bières consommées par semaine) sont évidemment faciles à coder et très prisées pour leurs qualités métriques.

5.4.3   LES QUESTIONS DICHOTOMIQUES

Le choix laissé aux répondants d'une question dichotomique à choix forcé peut se résumer à une alternative qui, malgré la diversité des formulations (d'accord / pas d'accord, souvent / jamais, etc.), revient toujours à oui ou non. Par exemple :

> Acceptez-vous que le gouvernement du Québec s'engage dans un processus de négociation ayant comme objectif l'indépendance du Québec ?
>
> 1– Oui
>
> 2– Non

Les questions dichotomiques permettent rarement d'effectuer une analyse statistique sophistiquée, même lorsqu'on les transforme en variables dichotomiques (0,1) ; ces questions n'ont guère de variabilité et posent des problèmes mathématiques. De plus, elles ne permettent pas de distinguer le degré d'approbation ou de désapprobation du répondant. Enfin, les questions de type oui–non provoquent des modèles de réponses en faveur du oui, révélant une tendance à l'acquiescement (Mucchielli, 1969, p. 39).

Les questions dichotomiques s'appliquent donc très bien aux informations factuelles (Avez-vous un téléviseur ?) et très mal aux questions d'opinion (Êtes-vous satisfait du gouvernement ?). Notez que même pour l'exemple du téléviseur, il serait plus intéressant de connaître le nombre de téléviseurs par foyer plutôt que de savoir si le répondant en a au moins un.

5.4.4   LES CHOIX MULTIPLES

Les choix multiples se présentent comme des échelles de satisfaction ou d'approbation de comportements ou d'affirmations. Ce type de questions est sans doute le plus usité. Par exemple :

> Pouvez-vous me dire jusqu'à quel point vous êtes en accord avec la politique de développement urbain de monsieur le maire ?
>
> 1– Tout à fait d'accord
>
> 2– Plutôt d'accord
>
> 3– Plus ou moins d'accord
>
> 4– Plutôt en désaccord
>
> 5– Tout à fait en désaccord

Il n'est pas rare d'utiliser des chiffres ou des dispositifs graphiques pour évaluer le degré d'approbation au texte de la question. On demande alors aux gens de donner une note sur 5, sur 10 ou sur 100, ou on leur fournit la représentation imagée d'une échelle ou d'un thermomètre pour qu'ils inscrivent eux-mêmes leur évaluation. Cependant, les dispositifs graphiques posent parfois des problèmes de codification.

Une variation de cette technique consiste à soumettre à l'approbation du répondant des propositions par lesquelles il n'est pas concerné directement. Ces propositions peuvent être accompagnées d'une instruction générale coiffant plusieurs questions. On peut utiliser des expressions plus fortes pour ce type de questions que pour celles qui concernent personnellement le répondant. Par exemple :

> Je vais vous lire une série d'affirmations. Pouvez-vous me dire jusqu'à quel point vous êtes en accord avec celles-ci ?
>
> 1– Tout à fait d'accord
>
> 2– Plutôt d'accord
>
> 3– Plus ou moins d'accord
>
> 4– Plutôt en désaccord
>
> 5– Tout à fait en désaccord
>
> A) Les sondages ne valent rien du tout.
>
> B) Pour se lancer en politique, il faut surtout être bon comédien.

Lors des entrevues de personne à personne, on peut utiliser des cartes afin de faciliter l'aveu de comportements indésirables. On écrit le texte des questions sur les cartes, et les répondants les classent en cinq paquets qui correspondent à autant de catégories de réponses.

5.4.5 LES QUESTIONS CAFÉTÉRIA OU FOURRE-TOUT

Ces questions sont souvent confondues avec celles à choix multiples mais s'en distinguent par le fait que les réponses qu'elles suggèrent constituent des listes de choix mutuellement exclusifs et englobant tout l'univers des comportements couverts par la question. Cette dernière condition s'avère la plus difficile à remplir. Les listes suggérées peuvent difficilement compter plus de sept éléments sans risquer de biaiser les réponses. Des manquements à l'exhaustivité des choix peuvent être compensés par un choix de réponses ouvert du type « Autre, précisez ». Par exemple :

> À votre avis, quel est le problème le plus important au Québec actuellement ?
>
> 1– La pollution
>
> 2– La langue
>
> 3– Autre, précisez

5.4.6   LES QUESTIONS HIÉRARCHIQUES

Les questions hiérarchiques s'apparentent aux questions fourre-tout. Toutefois, plutôt que de choisir une réponse, le répondant doit classer tous les choix de réponses ou en sélectionner quelques-uns (trois ou quatre) selon un ordre décroissant. Ainsi, on peut mesurer des opinions en demandant au répondant de donner un ordre de préférence à une série de qualificatifs ou d'actions, ce qui évite certains problèmes de désirabilité lorsque tous les choix soumis à la personne sont positifs. Par exemple :

> Parmi les caractéristiques suivantes, quelles sont les trois plus importantes dont une voiture devrait être pourvue ?
>
> 1– Un moteur puissant
>
> 2– Une excellente tenue de route
>
> 3– D'excellents freins
>
> 4– Une bonne visibilité
>
> 5– Une belle apparence
>
> 6– Un prix abordable
>
> 7– Beaucoup d'espace
>
> 8– Un intérieur confortable

Le média de sondage limitera le choix de réponses offert au répondant. Au téléphone, il est préférable de scinder la question en plusieurs sous-questions. De plus, l'ordre dans lequel les choix de réponses sont présentés est très important.

Une autre technique consiste à demander d'accorder une note révélant l'importance de chacun des choix. Ainsi, on pourrait reformuler la question précédente de la manière suivante :

> Je vais vous lire une liste de différentes caractéristiques dont une voiture devrait être pourvue. Pouvez-vous me dire un chiffre entre 1 et 10 indiquant pour vous l'importance de ces qualités ? Dix indique une importance maximale.

On peut choisir n'importe quelle étendue pour les chiffres servant à évaluer. Toutefois, les échelles décimales sont les plus faciles à utiliser (10, 20, 50, 100).

5.4.7   LES QUESTIONS BIPOLAIRES

Parfois, lorsque les questions se rapportent à des attitudes, il est préférable de mentionner les attitudes opposées. Ainsi, les répondants savent mieux de quoi il s'agit et ce qu'ils rejettent. L'interprétation est plus claire. Par exemple :

> Voici une série de qualificatifs. Pouvez-vous me dire lesquels s'appliquent le mieux à votre style de conduite automobile ?
>
> Agressif   --1--------2--------3--------4--------5--   Doux
> Nerveux   --1--------2--------3--------4--------5--   Calme
> Rapide   --1--------2--------3--------4--------5--   Lent

Il est possible de combiner les questions bipolaires à des questions hiérarchiques. Par exemple, on peut demander au répondant d'évaluer un parti politique en fonction de différents qualificatifs pour ensuite lui demander l'ordre d'importance de ces qualités. Il est alors possible de combiner les deux échelles pour établir la préférence partisane du répondant. On pourrait aussi demander de qualifier la conduite automobile des femmes, puis celle des hommes en utilisant une question offrant le même choix de réponses que l'exemple ci-dessus, puis demander au répondant de classer ces différents qualificatifs (Agressif, Doux, Nerveux, etc.) selon l'importance qu'il leur accorde.

5.4.8   LES QUESTIONS À CARACTÈRE TEMPOREL

Vouloir connaître, au moyen de sondages, le déroulement des événements dans le temps oblige à les dater. Selon l'existence de documents concernant l'événement, son importance ainsi que son éloignement, il est possible d'obtenir différents degrés de précision. Leur formulation peut être par intervalles lorsqu'on peut certifier la date exacte ou au mois près. Lorsque les formulations sont du type : « L'année dernière, votre vie amoureuse a été : Très satisfaisante, Satisfaisante, ..., Très insatisfaisante », le niveau de mesure est ordinal. Enfin, lorsque l'on demande si un événement est arrivé ou non au cours de la période de référence, le niveau est nominal.

5.5   LES QUESTIONS SUR LE COMPORTEMENT

Sudman et Bradburn distinguent quatre grands types de questions : les questions sur le comportement, celles sur les attitudes, celles sur les connaissances et, enfin, les questions composant le signalétique du répondant. Pour les questions comportementales, la principale difficulté réside dans l'évaluation de la motivation du sondé à répondre à certaines questions, ce qui amène à distinguer deux sous-catégories entre les questions perçues comme menaçantes et non menaçantes, appelées aussi questions sensibles et non sensibles.

5.5.1   LES QUESTIONS NON MENAÇANTES SUR LE COMPORTEMENT

Ce sont la plupart du temps des questions factuelles sur des sujets anodins. Par exemple : possession d'un téléviseur, participation à des activités sportives ou culturelles, etc. Par conséquent, les types d'erreurs le plus souvent rencontrés sont ceux liés à la mémoire et à la connaissance.

LA SPÉCIFICITÉ DES QUESTIONS

Afin de mesurer un comportement adéquatement, les questions doivent être précises et la terminologie bien expliquée.
- Délimiter une période de temps plutôt que de tenter de connaître un comportement « habituel, coutumier ou usuel ». Cette dernière formulation convient mieux lorsqu'on veut établir des catégories conceptuelles plutôt que mesurer des comportements (Sudman et Bradburn, 1982).
- Lorsqu'on utilise le pronom « vous », il faut préciser s'il s'agit du répondant lui-même, de sa famille, de son entreprise, etc. pour éviter la confusion.
- Certains mots au sens apparemment évident portent parfois à confusion : les jeunes, les enfants, généralement, jour de la semaine, avoir.

LA TEMPORALITÉ DES QUESTIONS

Les comportements dont on veut connaître l'intensité exigent d'en mesurer la répétition dans le temps. On a également à dater des comportements significatifs. Dans les deux cas, la période de temps sur laquelle on interroge le répondant dépend de l'importance du sujet (Sudman et Bradburn, 1982). Un autre critère s'avère la tradition de mesures de comportements semblables qui permettent d'établir des comparaisons.

- Les indicateurs de l'importance d'un événement sont : son importance sociale et économique, son caractère exceptionnel et ses conséquences à long terme. Les grands événements de la vie sociale (mariage, naissance, etc.) sont généralement bien datés quoique les hommes soient habituellement moins précis que les femmes. Des études récentes concluent à un rapport très fidèle des événements reliés au travail et à l'emploi pour une période de un an (Duncan et Hill, 1985). Pour les achats et les autres activités de consommation, Sudman et Bradburn suggèrent les balises suivantes : très important : jusqu'à deux ans ; moyennement important : 2 à 3 mois ; peu important : entre 2 semaines et 1 mois.

- On peut être plus généreux lorsqu'il existe des dossiers sur le sujet (dans une entreprise, l'évolution du chiffre d'affaires dans les dix dernières années par exemple). Plutôt que la mémoire, c'est la motivation qui devient alors source d'erreurs.

- Pour les entrevues téléphoniques, lorsqu'on prévoit l'utilisation de dossiers, on peut faire parvenir un questionnaire par la poste avant de téléphoner au répondant afin qu'il puisse rassembler l'information requise.

- Une autre technique est celle de l'agenda utilisée par BBM. Le répondant doit inscrire ses comportements au fur et à mesure qu'ils se déroulent. Les agendas doivent être relativement courts, entre 10 et 20 pages, et divisés par rubrique ou thème et par jour, plutôt que par jour uniquement.

- Pour la mesure de l'écoute de la télévision, la tendance est à l'observation directe des comportements par des moyens électroniques (audiomètre) parce que, d'une part, les téléspectateurs votent pour certaines émissions qu'ils n'écoutent pas et que, d'autre part, ils font du saute-bouton (*zapping*), c'est-à-dire qu'ils changent souvent de canal à l'aide de la télécommande.

- Les études rétrospectives ont permis le développement de techniques de collecte de données pour des périodes très longues. On construit d'abord une histoire de vie axée sur les événements les plus importants (mariage, naissance, divorce, déménagement, etc.), on tente ensuite de situer les événements moins faciles à dater (durée d'emploi, durée de chômage, etc.) sur le calendrier élaboré dans un premier temps (Freeman *et al.*, 1988).

Nous traiterons d'autres éléments sur la mesure du temps au chapitre portant sur les analyses longitudinales.

LA LONGUEUR DES QUESTIONS

On peut ajouter des aide-mémoire au texte des questions, inclure des exemples ou suggérer des listes très exhaustives.

- Pour les questions comportementales, il n'est pas toujours vrai que le plus court est le meilleur (Sudman et Bradburn, 1982). Le média de l'enquête entre en considération pour déterminer la longueur des questions, mais toute formulation doit rester claire et sans équivoque.

- Une préenquête, en l'absence d'études pertinentes, peut être nécessaire ; l'expérience personnelle n'est jamais suffisante et donnera des résultats biaisés. Lorsque la liste des réponses risque d'être trop longue, on peut se limiter à l'énumération des choix les plus fréquents. Lorsqu'on tient à avoir toutes les possibilités et que le média ne s'y prête pas, on doit laisser la question ouverte.

- Si la problématique le permet, on peut également nommer les choix par catégorie. Par exemple, plutôt que de donner une liste de publications, de journaux et de revues, on peut parler de journaux sportifs, de revues du type *L'Actualité*, de revues scientifiques, etc.

- Pour la confection de listes, on doit se garder d'une excessive longueur. On peut alors formuler une question pour chacun des éléments de la liste (surtout pour les entrevues téléphoniques). Dans les longues listes, les choix intermédiaires sont souvent négligés au profit des premiers et des derniers (Grosbras, 1987).

QUI DOIT RÉPONDRE ?

Les gens donneront généralement de meilleures informations sur leur propre comportement que sur celui des autres. Lorsque les coûts l'exigent et que les problématiques s'y prêtent, on peut toutefois compter sur un assez bon degré de fiabilité lorsqu'on interroge des époux sur leur conjoint et des parents sur leurs enfants. Les enfants majeurs sont reconnus par les autorités du Survey on Income Program Participation (voir le chapitre 8 sur les analyses longitudinales) comme des informateurs valables. Le tout est de déterminer le niveau de précision recherché.

Par exemple, une étude récente menée au Québec auprès des deux membres du couple sur l'évaluation de la participation aux tâches domestiques donnait les résultats suivants : les femmes évaluaient y consacrer en moyenne 37,8 heures par semaine et estimaient la participation de leur conjoint à 10,3 heures par semaine ; les conjoints évaluaient la part de travail de leur conjointe à 35,4 heures et la leur à 12,1 heures (Le Bourdais *et al.*, 1987). La situation est cependant fort différente pour les questions menaçantes, les questions d'opinion et certaines questions sociodémographiques comme le revenu.

5.5.2 LES QUESTIONS MENAÇANTES SUR LE COMPORTEMENT

Reconnaître l'aspect indésirable d'un comportement n'est pas facile. Même l'infraction aux lois, le plus sûr indicateur, peut induire en erreur, certaines lois n'étant respectées par personne. La tâche est rendue particulièrement difficile par l'écart entre la « culture » du sondeur et celle de segments particuliers de la population. Par exemple, les personnes âgées et les femmes hésitent à dire qu'elles vivent seules, les gens peu instruits qu'ils ne savent pas lire ou ne lisent pas, etc. Les gens politisés livreront leur opinion plus facilement que ceux qui ne le sont pas.

Différentes techniques ont été élaborées pour faciliter l'aveu de comportements non désirables et diminuer les tendances des répondants à ne déclarer que des comportements désirables. Certaines techniques relèvent du type de questions, d'autres de la formulation des questions et de leur position dans le questionnaire. Toutes ces techniques présentent des lacunes et il est bien malaisé d'évaluer leur rendement avec précision. Tous les résultats de sondage portant sur des comportements indésirables devront donc être comparés à ceux d'enquêtes portant sur le même sujet et menées au moyen d'autres méthodes que le sondage. De plus, on tentera de valider les résultats auprès de personnes qui connaissent bien la population à l'étude.

On notera par ailleurs que, pour les comportements non désirables socialement, les parents sont de mauvais informateurs sur le comportement de leurs enfants, tout comme les époux sur le comportement de leur conjoint.

LES TYPES DE QUESTIONS

1)   « Les questions ouvertes sont préférables aux questions fermées pour connaître la fréquence des comportements indésirables socialement. » (Sudman et Bradburn, 1982, p. 55.)

2)   « Les questions longues sont préférables aux courtes pour con-
     naître la fréquence des comportements indésirables socialement.
     C'est l'inverse pour les comportements désirables. » (Sudman et
     Bradburn, 1982, p. 55.)

3)   Gallup a utilisé des urnes dès le début de ses enquêtes sur le vote.
     Nous avons déjà décrit la technique. Elle peut être généralisée à
     d'autres sujets que le domaine politique. Parmi les autres mé-
     thodes développées, notons l'utilisation de cartes à classer par
     piles selon les réponses, méthode que nous avons décrite plus tôt
     dans ce chapitre.

LA FORMULATION DES QUESTIONS

1)   L'utilisation d'un niveau de langue familier, et même de l'argot ou
     du parler populaire (joual), est préférable pour connaître la fré-
     quence des comportements indésirables socialement.

     • Une technique utilisée consiste à demander au répondant de
       nommer lui-même le mot argotique et d'utiliser ce mot pour la
       suite du questionnaire. Cela exige toutefois des interviewers
       expérimentés et habiles.

     • Dans le cas où la population étudiée serait composée de délin-
       quants par exemple, il est conseillé de faire une préenquête
       auprès d'informateurs afin de connaître l'argot du milieu.

     • Les questions doivent prévoir une formulation de rechange
       utilisant des mots corrects au cas où l'argot serait peu ou mal
       connu par le répondant. Ne jamais exagérer.

2)   On peut, de manière délibérée, « charger » la question de manière
     à amoindrir son caractère négatif ou positif. Sudman et Bradburn
     ont répertorié les principales techniques utilisées, dont certaines
     le sont depuis les années 1950.

     • Tout le monde le fait. Exemple : « La consommation de vin et
       de bière est largement répandue au Québec ; est-ce que vous
       consommez de la bière ou du vin ? »

     • On peut demander la fréquence d'un comportement sans même
       chercher à savoir s'il appartient au répondant. Exemple : « Com-
       bien de bières consommez-vous dans une semaine ? » Cette
       technique peut toutefois entraîner des résistances ou du désin-
       térêt chez ceux qui répondent « Aucune ».

     • Pour les comportements désirables socialement, on peut fournir
       dans le libellé de la question des justifications de ne pas les faire.
       Exemple : « La diversité des occupations, les obligations fami-

liales font que l'on a peu souvent le temps de lire ; avez-vous lu un livre au cours du mois dernier ? »

- On peut utiliser un argument d'autorité. Exemple : « Plusieurs médecins croient que la consommation de vin diminue le risque d'attaque cardiaque et améliore la digestion ; consommez-vous du vin ? »

- Quand le sujet s'y prête, on peut utiliser la périphrase « Est-ce qu'il vous arrive de ». Exemple : « Est-ce qu'il vous arrive de boire du vin ? »

À cela, il faut ajouter ce que Javeau appelle les questions pièges. La formulation de ces questions rappelle certaines techniques utilisées par les parents pour donner à leurs enfants l'impression qu'ils exercent un choix : on leur demande s'ils veulent se coucher à 7h30 ou à 8h, et non à quelle heure ils veulent se coucher ou s'ils veulent se coucher. Le principe est le même : offrir des choix qui n'incluent pas un choix qu'on ne veut pas avoir, un choix que l'on sait être une porte de sortie.

On doit toutefois s'abstenir d'utiliser ces techniques si elles peuvent biaiser les réponses, particulièrement pour les questions d'attitudes politiques, de vote, etc. De plus, il faut être conscient du fait que le sondage n'est pas le meilleur moyen de connaître certains comportements particulièrement indésirables.

5.6 LE SIGNALÉTIQUE : QUESTIONS SOCIODÉMOGRAPHIQUES

Le choix des questions incluses dans le signalétique est primordial. On y trouve les variables démographiques et celles décrivant le résultat de comportements passés comme la scolarité. Ces questions fournissent la plupart des variables explicatives, et l'absence de l'une ou l'autre peut conduire à de graves erreurs d'interprétation. Ici plus que jamais, la sensibilité théorique du sondeur est primordiale.

Il est conseillé d'utiliser des formulations et des catégories de réponses qui sont courantes dans les statistiques officielles afin de pouvoir comparer les résultats obtenus aux statistiques générales et de faciliter l'utilisation secondaire des résultats (utilisation secondaire : utilisation des résultats par un autre chercheur que celui qui a conçu l'enquête, souvent dans un autre but). Généralement, on utilise les mêmes découpages que Statistique Canada pour les choix de réponses. Toutefois, certaines problématiques sont influencées par des conditions organisationnelles particulières. Ainsi, dans le secteur de l'éducation, le découpage des catégories d'âge est tributaire du passage entre les niveaux de scolarité (6 ans, début du primaire ; 13 ans, passage obligé au secondaire ; 16 ans, fin de la scolarité obligatoire). On évite alors d'utiliser les catégories d'âge quinquennales (0-4 ans, 5-9 ans, etc.) qu'on trouve chez Statistique Canada. Si l'on veut profiter à la fois des études de Statistique Canada et des études propres au secteur d'analyse, il faut poser des questions ouvertes.

Le degré de précision, les échelles de réponses utilisées, varient selon leur utilité dans le cadre théorique. Par exemple, le niveau de scolarité et le type de formation sont cruciaux pour une enquête sur le niveau de culture d'une population ; par contre, on peut n'utiliser que quatre catégories, soit les niveaux primaire, secondaire, collégial et universitaire, pour une enquête sur le vote.

Pour diverses raisons, les questions démographiques sont souvent perçues comme menaçantes et relevant de la vie privée. Par exemple, Statistique Canada, pour le recensement canadien, a dû faire face à des poursuites en vertu de la Charte des droits de la personne concernant la situation de famille ; quant aux questions sur le revenu, elles demeurent souvent sans réponse.

À moins que ces questions soient utiles pour déterminer les blocs de questions auxquels les sondés doivent répondre, on conseille donc de les mettre à la fin du questionnaire. Sinon, on doit les faire précéder par quelques questions plus anodines. *Un sondage ne se construit pas comme un formulaire où l'identification du répondant se fait d'emblée.* La seule autre technique connue consiste à prévenir les répondants que ces questions sont posées à des fins statistiques seulement ou pour comparer des groupes.

Pour le revenu, il est conseillé de demander dans quelle catégorie de revenu (par tranche de 5 000 $ ou de 10 000 $) se situe le répondant. Cette manière de faire est imprécise et nuit au traitement mathématique, mais elle réduit le taux de non-réponse. Si l'objectif est de déterminer la classe sociale des individus, des questions détaillées sur la profession ou du genre de celles développées par E.O. Wright pour son opérationnalisation des classes néo-marxistes sont souvent plus efficaces.

Notons aussi que les réponses concernant le revenu et l'activité professionnelle exacte des conjoints sont souvent ignorées par les enfants du ménage et parfois même par les conjoints (Boruch, 1988).

5.7   L'ATTITUDE, l'OPINION ET LE COMPORTEMENT

5.7.1   LES DÉFINITIONS DE BASE

La définition de l'attitude n'est pas univoque. Elle varie selon les disciplines et les auteurs et reçoit un éclairage différent dans la littérature scientifique et les médias. Chez certains auteurs, « attitude » et « opinion » se confondent ; chez d'autres, ce sont des phénomènes distincts. On s'aperçoit toutefois que des appellations distinctes recouvrent une même réalité. Mucchielli (1969), par exemple, ajoute la notion d'attitude latente et ne fait pas de distinctions entre « attitude » et « opinion ». Les attitudes et les attitudes latentes, dans le vocabulaire de Mucchielli, peuvent être définies comme des prédispositions à agir. Les opinions sont alors l'expression verbale de ces attitudes et le comportement est leur mise en œuvre. Mais les perceptions se trouvant modifiées par les attitudes, en ce sens que la perception de la réalité est dépendante de l'attitude que l'on a envers elle, on pourra également se servir de mesures de la perception pour comprendre les attitudes.

Les attitudes, attitudes tout court pour Mucchielli, sont également définies comme la disposition à l'égard de quelqu'un ou de quelque chose ; c'est là le sens le plus courant. En somme, les attitudes ont des dimensions cognitives, conatives (prédisposition à l'action) et affectives.

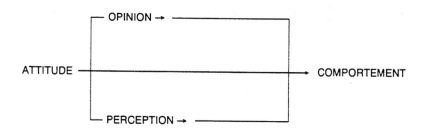

Dans le champ politique, on demande souvent aux répondants leur opinion sur un projet de loi ou un parti politique, mais on peut vouloir déterminer si le répondant a une attitude progressiste ou conservatrice. Dans les deux premiers cas, on mesure l'opinion du sujet et cela peut être fait directement au moyen d'une seule question par thème. Dans le dernier cas, l'attitude latente est beaucoup plus difficile à mesurer. D'une part, la définition théorique d'une attitude conservatrice ou d'une attitude progressiste n'est pas évidente. Elle peut varier d'un auteur à l'autre tout autant que les variables construites à partir de l'analyse conceptuelle de ces définitions.

La mesure des attitudes latentes exige l'emploi de nombreuses questions sur les opinions, mais aussi sur les comportements ou les perceptions. On peut inférer les attitudes profondes d'un sujet à partir de questions sur ses opinions aussi bien qu'à partir de ses comportements ou de ses perceptions. Les questions que l'on peut poser directement sur les attitudes sont en fait des questions sur l'opinion du sujet puisque les opinions sont les manifestations conscientes des attitudes qui, elles, sont inscrites dans la personnalité des sujets et ne sont pas accessibles directement. Ainsi, une attitude raciste se manifeste par des opinions sur les autres races et la sienne. C'est une certaine structure d'opinions qui révèle l'attitude du sujet. L'attitude elle-même reste la plupart du temps inconsciente, car elle est un construit.

Les attitudes au sens le plus général sont sans objet particulier alors que les opinions s'expriment envers un objet précis. Une personnalité autoritaire exprime des opinions rigides sur différents sujets.

Cela dit, il reste que la confusion entre « opinion » et « attitude » dans le langage courant aussi bien que dans la littérature scientifique est solidement ancrée. Pour la suite du texte, nous utiliserons indifféremment « opinion » et « attitude » lorsqu'il s'agira d'opinion, mais nous préciserons notre pensée à chaque fois qu'il s'agira de mesurer des attitudes latentes.

5.7.2   LES QUESTIONS SUR LES OPINIONS

La mesure des attitudes, et plus particulièrement celle des attitudes psychologiques, est complexe. Toute question d'attitude doit être validée et longuement prétestée. Avant de s'engager dans la construction d'échelles psychométriques, on doit savoir qu'il existe des publications évaluant de nombreuses échelles portant sur des sujets diversifiés. Il est souvent préférable d'utiliser ces échelles que de s'engager dans un processus long et coûteux. Nous traiterons plus en profondeur des échelles psychométriques au chapitre 9.

LA FORMULATION DES QUESTIONS

La formulation d'une question doit permettre au répondant de bien comprendre l'objet de l'opinion. Cet objet doit donc être défini sans équivoque et de façon très précise. Gray (1985) a démontré comment les attitudes générales étaient inutiles pour comprendre l'attitude des gens envers l'écologie.

Lorsque plus d'une formulation de l'objet existe, la recherche préalable fournira un guide pour choisir entre l'une ou l'autre formulation. Si on ne parvient pas à décider de la formulation, le prétest permettra de choisir entre des formulations équivalentes. Une fois le choix fait, la même formulation doit être utilisée dans toutes les questions pour désigner cet objet. Par exemple, la politique économique du gouvernement conservateur et le libre-échange sont deux éléments différents. Aller de l'un vers l'autre doit être fait de manière que le répondant sente que la question concerne un autre objet. Ce dernier doit être et rester spécifique.

Les questions auxquelles il est le plus difficile de répondre sans équivoque sont celles qui concernent plus d'un objet à la fois. L'introduction d'un deuxième, voire d'un troisième ou d'un quatrième concept dans le choix de réponses entraîne les erreurs les plus flagrantes. Voici un exemple de formulation confuse :

> Est-ce que vous croyez que les hommes et les femmes conduisent de la même façon ?
>
> 1– Oui, car les hommes et les femmes sont égaux
>
> 2– Non, car les hommes sont plus combatifs

En fait, on se trouve en face de trois questions : une sur la ressemblance entre la conduite automobile des hommes et celle des femmes, une autre portant sur l'égalité des hommes et des femmes et une dernière sur le caractère agressif des hommes. Mais le répondant, lui, se retrouve face à une seule question incluant trois concepts, ce qui lui pose un problème. L'unidimensionnalité des questions doit toujours être conservée.

Rendre les questions univoques et unidimensionnelles signifie, pour l'interprète des données de sondage, que le fait d'être en désaccord avec un énoncé n'entraîne pas nécessairement l'accord avec l'énoncé contraire. Par exemple, on peut être en désaccord avec la diffusion de matériel pornographique, mais être aussi en désaccord avec l'interdiction de sa diffusion.

L'objet que l'on demande au répondant d'approuver ou de désapprouver, dont il sera satisfait ou insatisfait, doit également être unidimensionnel. Les réponses peuvent varier selon que l'on demande aux gens s'ils aiment une chose, s'ils pensent qu'il s'agit d'une bonne idée ou s'ils voudraient qu'elle se produise. Par exemple, on peut apprécier le changement d'heure (heure normale ou heure avancée) mais être contre sa mise en œuvre ; dans le premier cas, seul le répondant est concerné alors que dans le second, c'est toute la société. Dans la même veine, on peut penser que ce serait une bonne idée de modifier les heures d'ouverture des magasins d'alimentation, mais ne pas vouloir son application pour des raisons sociales.

LES TYPES DE QUESTIONS

Les questions dichotomiques sont rarement adéquates pour les questions d'opinion. Elles donnent l'impression que la vie est toute noire ou toute blanche, sans nuance. On peut mesurer la force, l'intensité d'une attitude en incluant une échelle, une graduation dans le choix de réponses.

- On doit s'assurer qu'échelles et questions correspondent. Lorsqu'on demande au répondant s'il aime une chose, l'échelle doit être une échelle d'amour et non une échelle d'accord.
- Lorsque l'échelle est verbale (Très satisfait, etc.), ne pas utiliser plus de quatre ou cinq niveaux ; si l'on veut une échelle plus précise, il faut utiliser un référent numérique (Veuillez accorder une note de 1 à 10).
- Lorsque c'est possible, on peut utiliser des référents graphiques (échelles, thermomètres, etc.) ; toutefois, l'absence d'une graduation préétablie peut poser des problèmes de codification.

La mesure des attitudes latentes exige toujours plusieurs questions, chacune d'entre elles pouvant comporter des échelles. Par addition ou à l'aide de différentes procédures de classement automatique, le chercheur construira un indice de cette attitude. On notera ici la polysémie du terme « échelle ». Le mot désigne à la fois les choix de réponses et une opération informatico-mathématique que l'on peut réaliser sur un ensemble de questions. Nous traiterons de la construction d'échelles et de typologies au chapitre 9.

5.8   LES QUESTIONS POUR MESURER LA CONNAISSANCE

Les questions de connaissance doivent avoir un but précis et être absolument nécessaires à la compréhension de la problématique du sondage. On peut distinguer trois grands types de questions de connaissance : 1) les questions qui mesurent les capacités intellectuelles des répondants ; 2) les questions qui mesurent les connaissances détenues par les individus sur un sujet précis ; 3) les questions qui permettent de décider si la personne connaît assez bien le sujet pour donner son opinion. Cette dernière application des questions de connaissance permet de filtrer les répondants et d'éviter les attitudes artificielles et forcées, un reproche maintes fois adressé aux sondages.

La mesure des capacités intellectuelles est un domaine complexe pour lequel les psychologues ont développé des instruments élaborés et très bien validés. Il est donc préférable d'utiliser des échelles déjà construites que de tenter d'en construire une. Toutefois, il ne faut pas confondre sondage et test d'intelligence ; il faut donc choisir des échelles courtes et, autant que possible, disperser les questions dans le questionnaire. Rappelez-vous que le contexte d'application des tests psychologiques est foncièrement différent de celui du sondage. De manière générale, ceux qui passent des tests psychologiques sont des volontaires ; par conséquent, on peut leur imposer un fardeau de réponse plus lourd qu'en situation de sondage. Les conseils techniques suivants s'appliquent surtout à la deuxième situation :

- il faut éviter de poser des questions trop difficiles, ce qui peut nuire quant au nombre de questionnaires complétés, et trop faciles, ce qui enlèverait tout caractère discriminant aux questions. Il faut doser les questions tout au long du questionnaire afin de ne pas créer une impression d'examen scolaire et éviter les questions trop directes ;

- quand il s'agit d'identifier des personnes ou des organisations, on peut mesurer la validité des réponses soit en posant des questions détaillées, soit en introduisant des noms fictifs (Sudman et Bradburn, 1982) ;

- il faut éviter autant que possible les questions dichotomiques.

NOTES

(1)　La notion de « chef de famille », un terme désignant sans équivoque le mari jusqu'aux années 1970, a été révisée dernièrement par Statistique Canada. L'organisme laisse maintenant au répondant le choix de décider quel adulte de la famille recevra ce titre. Lorsqu'on demande au répondant le revenu du chef de famille et que celui-ci répond immédiatement, on n'explique pas le sens du concept. Si le répondant demande qui on entend par « chef de famille », l'interviewer doit avoir en main une définition précise.

(2)　On reconnaît en statistique deux types de variables métriques : les variables par intervalles et les variables de rapport. Nous en reparlerons davantage dans la partie consacrée à l'analyse mathématique.

Chapitre 6

Le questionnaire : l'ordre des questions

6.1 LA PRÉSENTATION ET LES QUESTIONS D'ÉLIGIBILITÉ

D'emblée, tout questionnaire doit inclure des questions établissant l'éligibilité du répondant pour les buts de l'enquête. Ces questions ne sont pas nécessairement traitées, mais doivent toujours être posées après la présentation de l'interviewer, de l'enquête (objectifs, contenu général des questions), des commanditaires (sur demande) et des garanties de confidentialité (si le répondant hésite ou refuse). La plupart du temps, le refus de participer à l'enquête ou le consentement se décide dans les premiers instants de la présentation ; il est donc important d'être clair, bref, explicite et de faire sentir au répondant l'importance de sa contribution. On inclura également, dans la première page du questionnaire, les règles de sélection du répondant lorsque c'est nécessaire (voir la section 7.4) ainsi que le calendrier de relance si on n'utilise pas de feuille-réponse (voir l'exemple de feuille-réponse à la section 6.5).

21 Exemple d'introduction de l'interviewer

QUESTIONNAIRE SUR LES ÉLECTIONS MUNICIPALES

Sainte-Foy

(LIRE À CHAQUE FOIS)

Mon nom est _____ du Département de sociologie de l'Université Laval. Nous faisons présentement un sondage sur la politique municipale en collaboration avec CJRP, Télé-4 et Le Journal de Québec. Acceptez-vous de répondre à quelques questions ?

(LIRE SEULEMENT SI LE RÉPONDANT HÉSITE)

Votre numéro de téléphone a été choisi au hasard par ordinateur ; nous ne connaissons pas votre nom et nous vous garantissons que toutes les réponses que vous donnerez demeureront strictement confidentielles. Merci.

→

Avez-vous 18 ans ou plus ?

1– Oui

2– Non

(SI NON) Y a-t-il quelqu'un âgé de 18 ans ou plus qui accepterait de répondre au questionnaire ?

1– Oui (RÉPÉTER L'INTRODUCTION)

2– Non (TERMINER ICI)

Demeurez-vous sur le territoire de Sainte-Foy depuis au moins 1 an ?

1– Oui (CONTINUER)

2– Non (TERMINER ICI)

6.2 L'ORDRE DES QUESTIONS

6.2.1 LES EFFETS CONTEXTUELS

Contrairement à la formulation des questions, l'ordre des questions n'a pas reçu tout l'intérêt qu'il mérite de la part des analystes de la scène politique. En effet, si aujourd'hui les questions de sondage sont publiées, les questionnaires, eux, demeurent secrets. Or, les effets de halo, ou effets contextuels, peuvent modifier les réponses à des questions cruciales. Prenons comme exemple la campagne électorale provinciale de septembre 1989 opposant Robert Bourassa à Jacques Parizeau. D'emblée, les péquistes ont attaqué le gouvernement sur le dossier environnemental, exploitant l'incendie de l'entrepôt de BPC de Saint-Basile-le-Grand et un cas de pollution par le plomb à Saint-Jean-sur-Richelieu. Les libéraux ripostent sur le plan économique, insistant sur la création d'emplois, la baisse du déficit et la croissance économique. Imaginons maintenant deux questionnaires de sondage, un premier axé sur la dimension environnementale et un second sur la dimension économique, quoique chacun comporte à la fin une question rigoureusement semblable sur les intentions de vote. On comprend facilement que le premier sondage favorisera davantage le Parti québécois et le second, le Parti libéral.

Afin d'éviter tout effet de halo et devant l'impossibilité de poser toutes les questions possibles sur un sujet, on devra poser d'abord les questions les plus générales, puis celles plus particulières. Outre l'évitement des effets contextuels, la structuration des questionnaires permet d'assurer un meilleur taux de réponse, d'éviter de forcer des réponses d'opinion sur des sujets méconnus et de s'assurer que les questions seront appropriées aux répondants.

6.2.2   L'ORDRE DES QUESTIONS

La toute première distinction que devra faire le praticien du sondage est celle entre un formulaire administratif et un questionnaire de sondage. Le plus souvent, les formulaires commencent par une identification complète du répondant et se terminent par des questions sur le sujet à l'étude. C'est strictement l'inverse pour les sondages. On commence par des questions portant directement sur le sujet d'enquête et on termine par les questions d'identification. Un des avantages que le sondage offre au sondé est de pouvoir répondre anonymement. C'est à cette seule condition que nombre d'entre eux participent. Le fait de commencer par des questions sur l'âge, la scolarité, la situation de famille, pis encore le revenu, peut effrayer plus d'une personne déjà méfiante simplement parce que son numéro de téléphone ou son adresse se trouve « dans un ordinateur ».

Le sondage n'est pas qu'un questionnaire : c'est un processus où deux personnes communiquent entre elles. Un climat de confiance doit s'établir entre l'interviewer et le répondant avant d'aborder des sujets plus intimes qui pourraient choquer ce dernier. En fait, toutes les questions qui pourraient indisposer le répondant doivent être posées le plus tard possible dans le déroulement de l'entrevue. Les questions de connaissance doivent être ordonnées selon ce principe : les plus faciles au début et les plus difficiles à la fin ; les sujets les plus familiers au début et les moins familiers à la fin.

Les questions dangereuses peuvent être incluses au sein de questions anodines. Comme le note Lemieux (1988), les écoles de pensée diffèrent au sujet de la question sur l'intention de vote. Certains vont même jusqu'à inclure une question sur le vote au sein d'études de marché sur les savons ou d'autres produits sans rapport avec la problématique politique.

Pour les comportements indésirables, il est préférable de poser les questions concernant les comportements passés avant celles portant sur les comportements actuels. Pour les comportements désirables, c'est l'inverse qui prévaut (Sudman et Bradburn, 1982). En effet, il est plus facile de dire qu'on n'a pas lu de livres au cours du mois précédant l'enquête qu'au cours de l'année. Et il est plus facile de dire que l'on a un jour possédé un revolver que de dire que l'on en a présentement.

6.2.3   L'ORGANISATION DU QUESTIONNAIRE

Le questionnaire de sondage n'est pas une simple suite de questions. Ces dernières doivent être ordonnées par thèmes. Chacun des thèmes sera présenté par des phrases d'introduction qui permettront aux répondants de se faire une idée sur le genre de questions qui leur seront posées. On peut introduire les questions sociodémographiques, par exemple, par une phrase du type : « Je vais maintenant vous poser quelques questions qui nous permettront de comparer vos réponses à celles des autres répondants. Ces renseignements sont parfaitement confidentiels. »

Lorsque les questionnaires sont longs, le constructeur du questionnaire devra songer à l'effet d'ennui causé par une longue entrevue. Les questions plus actives, celles qui demandent la manipulation d'objets par exemple, peuvent servir à divertir le répondant. Si on ne peut utiliser les méthodes actives, une grande variété de questions ranimera l'intérêt du répondant (Sudman et Bradburn, 1982).

La structure du questionnaire repose souvent sur de nombreuses questions-filtres ou questions d'orientation qui sont utiles lorsqu'on veut amener les répondants vers des questions qui les concernent plus particulièrement. Noirs et Blancs, hommes et femmes, adultes et enfants, prestataires de l'assurance-chômage et bénéficiaires de l'aide sociale peuvent répondre à des questions différentes et plus appropriées à leur situation personnelle. Les questions-filtres déterminent des blocs de questions qui ne seront posées qu'à une partie des répondants. Une difficulté particulière apparaît lorsque certaines questions soumises à un ordre rigoureux s'adressent parfois à toute la population à l'étude, parfois à des sous-catégories de celle-ci. Il est préférable alors de répéter les questions au sein de chacun des blocs plutôt que de s'astreindre à une gymnastique trop périlleuse. Lorsqu'il y a de nombreuses questions-filtres, une méthode graphique permet de visualiser l'ensemble des possibilités et de vérifier si elles sont toutes couvertes par le questionnaire.

- Lorsqu'on construit des questions d'orientation, on doit inscrire, dans le libellé des questions, les numéros auxquels la personne doit répondre. On suivra soit le modèle de la question 8, soit celui de la question 9 de l'exemple de questionnaire placé à la fin du chapitre (section 6.5).
- Il faut éviter de faire feuilleter tout le questionnaire par le répondant ou l'interviewer pour répondre au filtre. On devra à tout prix écarter des imbécillités du genre : Question 200 : Si vous avez répondu « oui » à la question 28 et « 1920 » à la question 35, répondez à la question 200...

6.2.4   LA LONGUEUR DU QUESTIONNAIRE

Le questionnaire doit être le plus court possible. Vous devez considérer l'espace au sein du questionnaire comme une ressource rare et concevoir les questions comme des compétiteurs qui veulent occuper cet espace.

La notoriété du sujet à l'étude s'avère le plus sûr critère pour déterminer la longueur du sondage. Les questions de grande notoriété permettent des questionnaires plus longs (Sudman et Bradburn, 1982).

Le média d'enquête joue également un rôle : les questionnaires par téléphone sont généralement limités à 30 minutes et moins, 15 minutes constituant un idéal ; les questionnaires de personne à personne permettent des entrevues de une heure jusqu'à une heure et quart. Toutefois, si vous pouvez accepter un taux de refus important (les répondants demandent souvent la durée du sondage avant de s'engager) et investir dans une structure très lourde de vérification du travail des interviewers, vous pouvez augmenter la durée du questionnaire. On évalue la durée d'un questionnaire au prétest.

6.3   LA CONSTRUCTION DU QUESTIONNAIRE

6.3.1   L'APPARENCE DU QUESTIONNAIRE

Il existe une différence essentielle entre les questionnaires auto-administrés et ceux qui sont manipulés par des membres de l'équipe de recherche ou des employés. L'apparence des questionnaires de sondage entraîne pour les premiers des différences importantes sur le taux de réponse, mais aussi sur la qualité des réponses. Les questionnaires auto-administrés exigent des instructions particulièrement claires puisqu'on ne peut, comme lorsqu'il y a un intermédiaire entre le sondé et l'outil, donner des instructions complémentaires aux interviewers lors de la séance de formation ni répondre à des questions.

- Pour les questionnaires auto-administrés, utiliser de préférence un livret et une impression professionnelle ; on doit trouver sur la page couverture l'identification de l'organisation, l'objectif du questionnaire et son titre.

- Le questionnaire ne doit jamais être surchargé, au risque d'augmenter les frais de photocopie. Lorsque le questionnaire est auto-administré, une présentation claire donne l'impression d'un questionnaire facile. Éviter l'impression du type « déclaration de revenus ».

- On doit prévoir suffisamment d'espace pour les questions ouvertes afin que le répondant et l'interviewer ne se sentent pas limités.

- Les caractères d'imprimerie doivent être suffisamment gros pour éviter au répondant de s'arracher les yeux. Si vous utilisez des techniques de réduction (photocopie), employez des majuscules.

- Les instructions doivent être claires et distinctes des questions. Le soulignement ou l'utilisation de caractères spéciaux (caractère gras, italiques) est conseillé. Les instructions doivent se trouver au début du questionnaire et à tous les endroits où la réponse aux questions renvoie à une technique précise.

- Lorsque le questionnaire est long et que des filtres renvoient à des sections distinctes, l'utilisation de papier de différentes couleurs (vérifier si les caractères restent lisibles) ou l'emploi de pages de différentes longueurs peuvent faciliter la tâche de tout le monde.

- Les questions, les sections et les pages doivent être numérotées.

- **Ne jamais disposer une même question et ses choix de réponses sur deux pages.**

- Les choix de réponses doivent, de manière générale, être présentés en colonne. On peut toutefois les mettre en rangée en utilisant des chiffres (questions bipolaires). Autant que possible, tout le questionnaire ainsi que toutes les catégories de réponses doivent être écrits dans le même sens (de gauche à droite).

- Le travail du répondant (encercler une réponse, cocher ou inscrire un chiffre) doit être clairement dicté.

- Précoder toutes les questions fermées.

6.3.2   LA CODIFICATION INFORMATIQUE

La dimension informatique doit être réglée avant la distribution du questionnaire, sinon vous risquez de vous retrouver avec un questionnaire impossible à traiter ou qui obligera ceux qui sont chargés du traitement à construire un questionnaire pour analyser le questionnaire initial, ce qui représentera une grande perte d'argent et de temps. Si vos connaissances en informatique et en traitement statistique sont confuses, consultez un spécialiste !

- Ne demandez pas au répondant de coder le questionnaire ; toutefois, l'aménagement d'une colonne « À l'usage du bureau » où la codification sera inscrite facilitera le travail de codification et de saisie. De plus, semblable procédure confère une allure professionnelle au questionnaire. Par exemple :

Ne rien inscrire

Quel est votre âge ? |_____|_____| |_____|_____|

Quel est votre sexe ?
1– Femme
2– Homme |_____|_____| |_____|_____|

- La codification se fait toujours en colonne. La saisie informatique est un travail répétitif qui s'effectue à grande vitesse ; les préposés n'ont pas à « comprendre » votre démarche.

- Les questionnaires par téléphone permettent l'utilisation de feuilles-réponses (voir l'exemple à la fin du chapitre). Ces feuilles-réponses facilitent le travail des téléphonistes, la saisie des données et font économiser les frais d'impression.

- La codification des questions ouvertes est parfois difficile. On doit d'abord extraire des questionnaires ou des feuilles-réponses tous les « verbatim » et les classer afin de construire des catégories homogènes. La contribution des interviewers est parfois nécessaire. Si c'est possible, les réponses doivent être analysées par plusieurs « juges ». Les objectifs de la recherche déterminent la finesse des catégories utilisées et, par conséquent, l'espace à prévoir pour la codification informatique.

- Pour toute question comportant moins de 10 choix de réponses, y compris les « Ne répond pas » (NRP) ou les « Ne sait pas » (NSP), on doit prévoir une case (un champ) pour la codification informatique. Pour toute question comportant moins de 100 choix de réponses, on prévoit deux cases et ainsi de suite.

- Traditionnellement, on accorde les valeurs 7, 97, 997, etc. aux réponses qui excèdent le nombre de cases disponibles. Par exemple, on code 97 une réponse de 103 ans lorsqu'on a prévu deux cases pour l'âge, ce qui est amplement suffisant dans la plupart des cas. On donne la valeur 8, 98, 998, etc. aux « Ne répond pas » et 9, 99, 999, etc. à la catégorie « Ne sait pas ». Cette coutume est bien utile quand il s'agit d'éliminer les valeurs manquantes des fichiers informatisés. Il est parfois utile de distinguer les « Ne répond pas » (NRP) des « Ne sait pas » (NSP), parfois non. Cependant, lors d'un sondage politique, les indécis doivent recevoir une cote de plein droit.

- La codification du questionnaire peut être faite par un préposé sans qualification si toutes les questions sont fermées. Toutefois, les questionnaires auto-administrés gagnent à être codés par des chercheurs. Les gens écrivent parfois des remarques et des commentaires fort pertinents.

- Les systèmes CATI sont en voie de se généraliser dans les grandes firmes de sondage. Il s'agit d'un système informatisé où l'ordinateur administre la passation du questionnaire et qui permet la saisie directe des informations sur support magnétique. Un bon système CATI sélectionne les numéros de téléphone et les compose automatiquement. De plus, il doit permettre de prendre des notes en direct (*on line*) comme sur un questionnaire et de revenir sur une question dont le répondant voudrait changer la réponse.

Personne ne peut construire un instrument parfait, encore moins du premier coup. La consultation d'autres professionnels, d'informateurs clés et l'utilisation de prétests permettront de construire l'instrument le plus adéquat possible.

6.4   LE PRÉTEST

Le prétest est une étape cruciale de la formulation d'un sondage. Il représente la dernière étape de la phase préparatoire de l'enquête, un moment important de la dialectique entre le monde des idées et celui de l'empirie, dialectique que nous avons décrite comme l'essence même du processus de recherche. C'est en effet la première fois que l'outil d'enquête est soumis à des personnes qui font partie de la population sondée. L'objectif premier du prétest est de vérifier si le questionnaire est bien adapté à cette population. Le niveau de langage est-il correct ? Les questions couvrent-elles bien le sujet ? A-t-on oublié des choix de réponses ? Seule l'expérimentation du questionnaire auprès d'un échantillon restreint de personnes dotées des mêmes caractéristiques que la population sondée fournit des réponses à ces questions. Pour atteindre cet objectif, l'entretien de personne à personne s'avère l'outil le plus approprié. Il permet de mieux mesurer l'accueil du questionnaire par les informations directes qu'il fournit sur les répondants. On ne pourra toutefois s'y limiter lorsque l'instrument final sera administré par d'autres canaux de communication que l'entretien de personne à personne. Le prétest constitue la dernière chance de revenir sur certains éléments de la problématique et a également d'autres fonctions dont nous faisons la liste plus bas.

6.4.1   LES PRINCIPES

Le prétest est à la fois une étape et un processus continu. Plus le chercheur aura la liberté de dépenser du temps et de l'argent pour la réalisation de l'enquête, plus le prétest sera un processus. Au contraire, si le temps et le budget sont fixés à l'avance et restreints, le prétest sera une étape. Dans les entreprises de sondage, l'utilisation de questions standard et éprouvées de longue date permet à l'occasion de sauter l'étape du prétest ou de la ramener à sa plus simple expression, souvent à tort. En effet, des organismes aussi expérimentés que Statistique Canada élaborent non seulement des procédures d'essai, mais aussi des évaluations a posteriori afin de détecter les erreurs introduites par le questionnaire.

Dans le contexte de la recherche scientifique, on peut « essayer » différents médias, soit des versions

> **22   Objectifs du prétest**
>
> 1) Est-ce que les questions correspondent à la problématique et aux besoins du mandant ?
> 2) Est-ce que certaines questions ou certains mots induisent en erreur les répondants ?
> 3) Est-ce que la formulation des questions est appropriée aux répondants de l'enquête ? (Niveau de langue, complexité, etc.)
> 4) La présentation du questionnaire et des feuilles-réponses permet-elle aux interviewers de recueillir et de coder les réponses ?
> 5) Les instructions sont-elles suffisamment standardisées et précises, et les questions d'orientation discriminantes et hermétiques pour que les interviewers recueillent l'information de la même manière ?
> 6) Quelle est la validité de l'instrument d'enquête ?
> 7) Quelle est la fidélité de l'instrument d'enquête ?
>
> SOURCES : Platek *et al.*, 1985 et Fink et Kosecoff, 1985.

concurrentes du questionnaire (formulation et ordre des questions, choix de réponses) afin d'établir la meilleure combinaison. Toutefois, le coût et la durée de ce processus en limitent l'application, la plupart du temps, à des travaux dont les objectifs sont avant tout méthodologiques.

6.4.2   LES OBJECTIFS ET LE PROCESSUS

Le processus de prétest comprend quatre étapes principales : la consultation d'experts, la consultation des utilisateurs, des entrevues de personne à personne auprès d'un échantillon restreint et l'essai proprement dit du questionnaire dans des conditions simulant le plus parfaitement possible l'enquête réelle. On pourrait doubler le nombre de ces étapes en ajoutant à chacune sa répétition avec le questionnaire corrigé.

LA CONSULTATION D'EXPERTS DU DOMAINE À L'ÉTUDE

Lors de l'étape du prétest, on peut consulter différents experts de diverses manières et pour de nombreuses raisons.

Les experts du domaine, que l'on aurait dû consulter lors des étapes de la préenquête, pourront aider à corriger le questionnaire. Leur apport peut être particulièrement significatif pour évaluer la terminologie et le niveau de langue utilisés. Parfois, ils peuvent éviter des faux pas de nature politique. Nombre de questions, dans un contexte organisationnel particulier, peuvent soulever des débats. L'expert peut fournir des indications au sondeur externe dans ces situations.

Les experts peuvent aussi fournir des informations sur la validité de construit des questions. Les journalistes, par exemple, sont des informateurs précieux sur les enjeux politiques d'une élection. On peut aussi tenter de valider le questionnaire ou certaines échelles lorsqu'on peut identifier des groupes restreints de personnes opposées sur des sujets que l'on veut discriminer. De faire passer le questionnaire à des gens concernés par le débat, des deux tendances bien sûr, permet de mettre en lumière des formulations involontairement biaisées ou des choix de réponses incomplets.

Si vous n'êtes pas des experts du traitement informatique et de la construction d'outils de sondage, c'est à ce moment que vous devez consulter des experts du domaine. Après, il sera souvent trop tard et les données ne pourront que difficilement être traitées.

LA CONSULTATION AUPRÈS DU MANDANT

Le prétest est la dernière étape avant le lancement du sondage où les chercheurs consultants peuvent s'assurer d'avoir bien respecté la commande de données qui leur a été faite et vérifier si la problématique soumise par les mandants est bien couverte par le questionnaire. Chaque question sera scrutée par le mandant et le consultant afin de vérifier si les tableaux de données espérés seront bien servis par les questions. Comme lors des réunions avec les experts, on vérifiera également la formulation des questions et des réponses et le respect des coutumes et des exigences du secteur pour le choix des classes d'âge, de revenu et de toute unité de mesure propre à l'enquête.

Les utilisateurs du sondage peuvent aussi vous informer sur la nature politique des questions de sondage. Le sondeur devra toutefois être conscient que le mandant a lui aussi une opinion politique. On ne devra pas sacrifier l'éthique professionnelle pour adopter le point de vue du mandant ou d'une partie en particulier, ni négliger la possibilité que certaines questions puissent soulever des vagues dans lesquelles les résultats du sondage et le sondeur pourraient sombrer.

LES ENTREVUES DE PERSONNE À PERSONNE

Une série d'entrevues de personne à personne peut être réalisée avec une population semblable à celle de l'enquête (voir la section 6.4.3). Afin que le prétest reflète la réalité, il est essentiel de choisir des répondants qui ont les mêmes caractéristiques que la population étudiée et qui sont très différents des enquêteurs. Les sondeurs proviennent de la classe moyenne et sont généralement très scolarisés. Leur langage peut donc s'avérer trop sophistiqué pour des personnes de niveau scolaire primaire.

Les entrevues de personne à personne permettent au chercheur de percevoir les expressions non verbales des répondants. De plus, comme l'étape suivante, ce type d'entretien permet d'évaluer la fidélité du questionnaire et l'efficacité des instructions et des consignes.

La fidélité de l'instrument est douteuse quand :

- les répondants sont incapables de répondre à des questions, hésitent beaucoup et posent des questions ;
- les répondants manifestent de l'incompréhension lorsque la question est posée (les questions ne sont pas claires, univoques et unidimensionnelles) ;
- les réponses aux questions ouvertes sont très différentes les unes des autres (la question n'est pas unidimensionnelle et spécifique) ;
- lors d'un sondage écrit, il y a de nombreux commentaires en marge ;
- il y a beaucoup de réponses dans la catégorie « Autre » (le concepteur devra alors en faire l'analyse et revoir ses choix) ;
- plus de 90 % de la population sondée répond la même chose, ce qui indique des questions non discriminantes (le prétest permet d'éliminer ce type de questions).

LE PRÉTEST DE L'INSTRUMENT FINAL

Le prétest de l'instrument final sur un échantillon restreint de la population sondée et construit selon le média choisi pour l'enquête (de personne à personne, par téléphone ou auto-administré) est une étape essentielle.

Il faut essayer de mettre en place tous les éléments du contexte de passation du questionnaire final : média, instructions, séance de formation, interviewer, impression (questionnaire postal), etc. Lors de la séance de formation (*briefing*), les responsables de la recherche distribuent et expliquent aux interviewers embauchés le questionnaire et tout le matériel complémentaire. En plus des points abordés précédemment, le prétest de la version finale permet d'assurer l'adéquation médiatique du sondage.

La limite au nombre de personnes échantillonnées pour le prétest est fixée par le budget et le temps disponibles. Entre 10 et 50 personnes, voire davantage selon la complexité du questionnaire et la précision des questions, devraient être interrogées pour un questionnaire d'envergure. Comme le nombre restreint de répondants ne permet pas d'atteindre la représentativité statistique (ce qui n'est d'ailleurs pas l'objectif du prétest), il est préférable d'emprunter la méthode des quotas, c'est-à-dire de sélectionner les répondants du prétest à partir de caractéristiques sociodémographiques précises plutôt que de laisser le hasard faire les choses. Pour une enquête sur la population générale, le chercheur doit s'assurer qu'un écart culturel important le sépare d'une partie des répondants au prétest.

Lorsque le questionnaire s'adresse à plusieurs communautés linguistiques, chaque version doit être testée auprès de répondants appartenant à chacune de ces communautés, comme s'il s'agissait de questionnaires indépendants.

6.4.3   L'ENTRETIEN STRUCTURÉ

L'entretien structuré est en fait synonyme d'entretien de personne à personne. Il peut représenter l'aboutissement de la démarche d'enquête ou encore constituer une étape préparatoire majeure de la formulation définitive d'un questionnaire. Ici, nous nous intéressons à la deuxième acception. L'entrevue fournit en effet un outil supplémentaire pour l'évaluation des qualités du questionnaire en ce qui concerne les expressions non verbales et les réactions spontanées.

Du fait que l'ordre et la formulation des questions sont préétablis, les conseils qui s'appliquent ici sont les mêmes que pour les entretiens non structurés dont nous avons traité au chapitre 4, si ce n'est que les « verbatim » seront beaucoup plus rares.

L'interviewer ne devra pas hésiter à inscrire des informations à « Autre (préciser) » plutôt que de forcer le sens des réponses à l'intérieur du choix proposé.

Les questions doivent être lues lentement, avec assurance, à voix haute et distincte. Si le répondant ne semble pas comprendre, mieux vaut répéter la question plutôt que l'expliquer. Cette manière de faire s'applique également aux entretiens téléphoniques.

À la fin de l'entrevue, l'interviewer devra noter :

- toute question face à laquelle les répondants ont hésité, demandé des répétitions ou des explications ;
- les questions où les répondants ont semblé embarrassés ou irrités ;
- les questions où les répondants ont dû réfléchir longuement ou consulter des documents ;
- les questions où les répondants ont semblé répondre au hasard ;
- tous les commentaires des répondants sur les questions qui leur ont été posées.

6.4.4   LE PRÉTEST ET LE MÉDIA D'ENQUÊTE

Lorsqu'on a procédé à des entretiens structurés à titre de prétest et que le sondage utilise un média d'enquête différent, on doit mener une procédure de prétest avec l'outil final. Dans les cas où le média final sera l'entretien de personne à personne, compte tenu des modifications apportées lors du prétest, on répétera l'étape précédente. Le but poursuivi est principalement d'évaluer l'adéquation du questionnaire et des instructions pour le média choisi.

Le questionnaire postal pose un problème particulier : les chercheurs ne peuvent obtenir de rétroaction immédiate de la part des répondants. On doit donc se fier au taux de retour des questionnaires pour évaluer l'accueil qui lui est fait et aux commentaires que les répondants auront inscrits en marge. Par conséquent, cette étape s'avère fort longue et fort coûteuse. De plus, un faible taux de réponse et quelques commentaires sommaires, s'il y en a, sont bien peu utiles à qui veut corriger des erreurs. D'une part, les étapes précédentes deviennent encore plus cruciales pour ce type de médias que pour les autres et d'autre part, une méthode de prétest consiste à prévenir les répondants que le questionnaire est au banc d'essai et à leur demander des commentaires ou, mieux encore, à les avertir que vous allez les appeler pour recueillir leurs observations. Cependant, il faut toujours se souvenir que les sondés nous font une faveur en répondant à nos questions, encore plus en corrigeant nos erreurs.

Les enquêtes par téléphone conviennent parfaitement à cette étape de la construction du questionnaire. On vérifie alors le temps moyen de passation du sondage et l'adéquation des questions au média. Les instructions y trouvent aussi un excellent banc d'essai.

Notez qu'en tout temps, la consultation d'amis ou de connaissances, fussent-ils membres de la population étudiée, ne constitue pas un prétest valable.

6.5 UN EXEMPLE DE QUESTIONNAIRE ET DE FEUILLE-RÉPONSE

Le questionnaire que nous avons reproduit en partie à la section 6.5.1 s'adressait à la clientèle d'un programme de formation sur mesure offert par les commissions de formation professionnelle. La feuille-réponse qui suit concerne ce questionnaire. Notez que la feuille-réponse tenait à l'origine sur une seule page de 21,5 sur 35,5 cm, mais que par manque d'espace, nous avons dû la reproduire sur deux pages.

6.5.1 UN EXEMPLE DE QUESTIONNAIRE AVEC QUESTIONS-FILTRES

QUESTIONNAIRE POUR LES EMPLOYEURS ET LES EMPLOYÉS(ES)

BLOC IDENTITÉ DE L'ENTREPRISE :

1– Quel est le champ d'activité ou de spécialisation de votre entreprise ?

2– Depuis combien d'années l'entreprise existe-t-elle ?
  1– moins de un an
  2– entre un et trois ans
  3– entre quatre et cinq ans
  4– entre six et dix ans
  5– entre onze et vingt ans
  6– plus de vingt ans
  9– ne sais pas

3– Combien d'employés(es) votre entreprise compte-t-elle ?

4– Y a-t-il un syndicat au sein de votre entreprise ?
  1– oui
  2– non

5– Y a-t-il un comité de formation (patrons-employés(es)) au sein de l'entreprise ?
  1– oui
  2– non

6– Au cours de la dernière année, votre entreprise a-t-elle :
  6.a– acquis de nouvelles machines plus perfectionnées :
    1– oui
    2– non
  6.b– mis en marché de nouveaux produits ou services :
    1– oui
    2– non

BLOC DE RÉPARTITION DES RÉPONDANTS :

7– Quelle est votre occupation dans l'entreprise ?
    1– propriétaire
    2– gestionnaire
    3– cadre/professionnel(le)
    4– employé(e) de bureau
    5– contremaître
    6– travailleur(euse) spécialisé(e)
    7– travailleur(euse) non spécialisé(e)
    8– agent(e) de vente
    9– autre, précisez.

8– Avez-vous personnellement fait une demande de formation ?
    1– oui (remplir le bloc PROCÉDURES ADMINISTRATIVES à la page 2)
    2– non (remplir le bloc DESCRIPTION FORMATION à la page 4)

BLOC PROCÉDURES ADMINISTRATIVES :

9– Comment avez-vous été mis au courant de l'existence d'un programme de formation sur mesure ?
    1– j'ai rencontré un conseiller en main-d'œuvre qui m'a parlé de la formation
    2– par un représentant de FMPME qui est venu me solliciter
    3– j'en ai entendu parler par le biais de la chambre de commerce locale
    4– j'en ai entendu parler par mon association professionnelle
    5– par les médias (T.V., journal et radio)
    6– par différents moyens de publicité (dépliants, journaux)
    7– autre, précisez.

        → SI RÉPONDU PAR « 5 » OU « 6 » POSER LA QUESTION 10
           SINON, PASSER À LA QUESTION 11

10– Par quel média avez-vous été informé(e) ?
    1– T.V., radio
    2– journaux
    3– revues
    4– par bouche à oreille
    5– autre, précisez.

11– Étiez-vous satisfait de l'information reçue ?
    1– très satisfait
    2– satisfait
    3– plus ou moins satisfait
    4– pas satisfait

12– A– La durée des démarches pour obtenir cette formation a été...
        1– très longue
        2– plus ou moins longue
        3– très courte
    B– Au total, combien de semaines ?

13– Est-ce que les démarches que vous avez dû faire vous ont paru...
    1– très compliquées
    2– plus ou moins compliquées
    3– pas compliquées du tout

14– En comparant le programme de formation sur mesure à d'autres programmes gouvernementaux du même type, les démarches administratives vous ont-elles semblé...
    1– plus complexes
    2– équivalentes
    3– moins complexes

6.5.2   UN EXEMPLE DE FEUILLE-RÉPONSE
POUR LES SONDAGES TÉLÉPHONIQUES

BLOC IDENTITÉ DE L'ENTREPRISE	FEUILLE DE RÉPONSE POUR LE SONDAGE TÉLÉPHONIQUE AUPRÈS DES CLIENTS DE FMPME	
Q. 1 ACTIVITÉ	ÉTIQUETTE COMPORTANT L'IDENTIFICATION DU RÉPONDANT ET LES INSTRUCTIONS POUR LA SÉLECTION DANS LES MÉNAGES	
Q. 2 ANNÉES EXISTENCE 1– MOINS 1 AN 2– 1 À 3 3– 4 À 5 4– 6 À 10 5– 11 À 20 6– + DE 20 9– NSP	1– APPEL 2– APPEL 3– APPEL 4– APPEL OCCUPÉ OCCUPÉ OCCUPÉ OCCUPÉ REFUS REFUS REFUS REFUS ABSENT ABSENT ABSENT ABSENT RETOUR RETOUR RETOUR RETOUR HEURE HEURE HEURE HEURE JOUR JOUR JOUR JOUR	
Q. 3 NBRE EMPLOYÉS	**Q. 12A DURÉE DÉMARCHE**	**BLOC DESCRIPTION FORMATION**
Q. 4 SYNDICAT 1– OUI 2– NON	1– TRÈS LONGUE 2– + – LONGUE 3– TRÈS COURTE	**Q. 23 DURÉE FORMATION** 1– ½ JOUR 2– 1 À 5 J. 3– 6 À 15 J. 4– + DE 15 J. 9– NSP
Q. 5 COMITÉ 1– OUI 2– NON	**Q. 12B NBRE SEMAINES**	
	Q. 13 COMPLEXITÉ DÉMARCHES 1– TRÈS COMPLIQUÉES 2– + – COMPLIQUÉES 3– PAS COMPLIQUÉES DU TOUT	**Q. 24 ÉVALUE DURÉE** 1– TROP LONGUE 2– LONGUE 3– COURTE 4– TROP COURTE 9– NSP
Q. 6A MACHINES 1– OUI 2– NON		
Q. 6B PRODUITS 1– OUI 2– NON (suite page suivante)	**Q. 14 COMPARE DÉMARCHES** 1– + COMPLEXES 2– ÉQUIVALENTES 3– MOINS COMPLEXES	**Q. 25 LIEU DE FORMATION** 1– LIEU DE TRAVAIL 2– CEGEP 3– CSR 4– AUTRE: _____ 9– NSP (idem)
	Q. 15 NBRE PERSONNES (idem)	

BLOC RÉPARTITION DES RÉPONDANTS	Q. 16 ÉVALUE NBRE 1– TROP NOMBREUX 2– SUFFISANT 3– INSUFFISANT ⊔ 9– NSP	Q. 26 MOMENT DE FORMATION 1– HEURES DE TRAVAIL 2– HORS HEURES DE TRAVAIL
Q. 7 OCCUPATION 1– PROPRIÉTAIRE 2– GESTIONNAIRE 3– CADRE/PRO. 4– EMP. BUREAU ⊔_⊔ 5– CONTREMAÎTRE 6– TRAV. SPÉC. 7– TRAV. NON SPÉC. 8– VENDEUR 9– AUTRE: _____		3– LES DEUX ⊔ 9– NSP
	Q. 17 DÉBOURSE ⊔ ARGENT 1– OUI→ RÉP. À Q. 18 2– NON→ ⌐ PASSER 9– NSP→ ⌊ À Q. 21	Q. 27 TYPE DE FORMATION 1– THÉORIQUE
Q. 8 DEMANDEUR 1– OUI→ BLOC PROC. ADM. 2– NON→ BLOC DESCR. FORMA.	Q. 18 POURQUOI 9 NSP 1– FR. DÉPLAC. ⊔ 2– FR. SÉJOUR ⊔ 3– FR. INSCRIPTION 4– FR. MATÉRIEL 5– FR. SALARIAUX ⊔ 6– AUTRE: _____	2– PRATIQUE 3– LES DEUX ⊔ 9– NSP
		Q. 28 MATÉRIEL DISPONIBLE 1– OUI 2– PLUS OU MOINS 3– NON 9– NSP ⊔
BLOC PROC. ADM.	Q. 19 FRAIS DISPENDIEUX 1– DISPENDIEUX ⊔ 2– + – DISPENDIEUX 3– PEU DISPENDIEUX 9– NSP	Q. 29 NOMBRE DE PERSONNES ⊔_⊔
Q. 9 AU COURANT EXISTENCE 1– C.M.-D'O. 2– REP. FMPME ⊔_⊔ 3– CHAM. COMMERCE 4– ASS. PROF. 5– MÉDIA→ ⌐ RÉPONDRE À Q. 10 6– PUB.→ ⌊ SINON PASSER À Q. 11 7– AUTRE:_____		Q. 30 OCCUPATION DES PERSONNES 1– EMPLOYÉS ⊔ 2– GESTIONNAIRES 3– EMPLOYÉS ET GESTIONNAIRES 9– NSP
	Q. 20 FRAIS INCOMMODANT 1– INCOMMODANT ⊔ 2– + – INCOMMODANT 3– PEU INCOMMODANT	
Q. 10 MÉDIA 1– T.V., RADIO 2– JOURNAL ⊔ 3– REVUE 4– BOUCHE À OREILLE 5– AUTRE: _____ 8– NAP	Q. 21 SATIS. LONGUEUR DÉMARCHE 1– TRÈS SATIS. 2– SATIS. ⊔ 3– PEU SATIS. 4– PAS SATIS. 9– NSP	Q. 31 EMPLOYÉS AUTRES ENTREPRISES 1– OUI 2– NON ⊔ 9– NSP
		Q. 32 PROBLÈME ⊔

Q. 11
SATISFACTION-INFORMATION
 	
1– TRÈS SATIS. ⊔
2– SATIS.
3– PEU OU +–
4– PAS SATIS.
8– NAP
	Q. 22
	SUIVI PERSONNELLEMENT
	1– OUI→ BLOC DESCR.
	      FORMATION
	2– NON→ BLOC ÉVA-
	      LUATION
	      BESOINS
		_____
		
		_____

Chapitre 7

Le choix d'un échantillon et d'une méthode d'échantillonnage

INTRODUCTION

L'échantillonnage, dans son expression la plus simple, consiste en un tirage aléatoire d'unités données d'une base de sondage quelconque. En pratique, la construction et la réalisation d'un plan d'échantillonnage exigent beaucoup de rigueur et, souvent, une bonne dose d'imagination. En effet, si la procédure semble plutôt simple en théorie, trouver, en pratique, des bases de sondage qui correspondent à notre univers d'intérêt n'est pas toujours aisé. Pour tirer des échantillons, le chercheur devra souvent confectionner sa propre base de sondage à partir de listes complémentaires ou à partir de bases de données informatisées.

La tâche est particulièrement difficile lorsqu'on s'applique à connaître des sous-populations particulières que ne regroupe aucune organisation ou dont les listes sont confidentielles : les conducteurs et les conductrices de moins de 25 ans, les utilisateurs de couches lavables, les personnes qui ne déjeunent jamais, celles qui croient à la réincarnation, les jeunes délinquants, etc. La seule technique totalement probabiliste s'effectue en tirant au sort un très vaste échantillon puis en filtrant les répondants qui correspondent à la définition de la population cible. Le coût de cette procédure est souvent élevé. Il ne reste qu'à trouver des associations volontaires qui, malgré un biais d'autosélection, fournissent une liste de membres. Une autre technique consiste à sélectionner de petites aires géographiques, les aires de dénombrement du recensement canadien par exemple, reconnues pour contenir une forte proportion d'individus correspondant à la caractéristique recherchée. Cette technique n'est cependant pas dépourvue de biais : une recherche sur la pauvreté menée uniquement dans les quartiers très défavorisés des centres urbains donnerait une image univoque et parcellaire de la pauvreté.

23   Définitions de base de la théorie de l'échantillonnage

PLAN D'ÉCHANTILLONNAGE

« Ensemble de spécifications qui décrivent la population cible et la population observée, la base de sondage, les unités d'enquête, la taille de l'échantillon » et les méthodes de sélection de ce dernier. (Satin et Shastry, 1983, p. 7.)

POPULATION CIBLE

« Ensemble des unités auxquelles les résultats de l'enquête s'appliquent. » (Satin et Shastry, 1983, p. 7.) Donc toute unité de mesure pertinente, soit des personnes, des entreprises, des ménages, etc. C'est à la population cible que nous désirons généraliser les résultats de notre enquête.

POPULATION OBSERVÉE

Idéalement, il n'y a aucune distinction entre la population cible et la population soumise à l'analyse, mais en pratique, en fonction de limites financières, temporelles, techniques (absence de base de données) et géographiques (amplitude des déplacements), on observe des différences. La détermination de la population observée permet de mieux déterminer les unités d'enquête. Satin et Shastry donnent l'exemple d'une enquête portant sur les chances des diplômés de trouver un emploi dans leur domaine d'étude où l'on pourrait éliminer de l'échantillon tous les diplômés dont l'emploi est garanti, de même que les militaires et les prêtres. Les enquêtes nationales éliminent souvent la population des Territoires du Nord-Ouest.

DESCRIPTION DES UNITÉS

La description doit comprendre des caractéristiques précises (âge, taille, etc.), les limites géographiques du champ d'observation et la période de référence. Les unités sont les éléments que l'on tire de une ou de plusieurs bases de sondage. Ce peuvent être des aires géographiques, des ménages, des personnes, des numéros de téléphone, etc.

TYPES D'UNITÉS

Unité d'échantillonnage : unité échantillonnée. Pour les sondages hiérarchiques, on distingue des unités d'échantillonnage primaires, secondaires, tertiaires, etc., selon le niveau de tirage. De plus, certaines unités sont des groupes de personnes plutôt que des individus ; on parle alors d'unités groupales.

Unité d'analyse : unité d'individus ou de groupes sur laquelle on effectue l'analyse.

Unité déclarante : unité d'individus qui fournit les informations.

Unité de référence : unité sur laquelle on recueille des informations par les répondants. Il arrive souvent qu'on demande aux chefs d'entreprise des renseignements sur leur entreprise qui est l'unité de référence.

Si, à l'occasion, l'objet d'étude interdit l'emploi de méthodes probabilistes, l'expérience et l'imagination des chercheurs permettent généralement de contourner l'écueil. Les enquêtes sur la population étudiante donnent des résultats plus valides lorsqu'on sélectionne des salles de cours aléatoirement et qu'on interroge tous les étudiants s'y trouvant (échantillonnage par grappe) qu'en se postant à la cafétéria de l'établissement par exemple. Dans le même ordre d'idée, une sélection aléatoire de portes d'entrée et d'heures, et ce proportionnellement à l'achalandage, permettra de mieux connaître la clientèle d'un centre commercial qu'en s'installant à la porte principale pendant les heures d'affluence. Les études de l'utilisation du transport en commun peuvent se faire en sélectionnant au hasard des trajets et des heures et en interrogeant tous les passagers des autobus sélectionnés.

Les conditions concrètes de la situation à l'étude, mieux, la connaissance qu'en auront les enquêteurs déterminera la base de sondage disponible et, conséquemment, la méthode d'échantillonnage appropriée. Chose sûre, la rigueur et la spécification exacte du plan d'échantillonnage sont essentielles à la réalisation de toute enquête.

Dans les sections qui suivent, nous considérons les différents modèles d'échantillonnage qui s'offrent au praticien. Nous présentons aussi des méthodes de sélection des individus dans les ménages et nous nous interrogeons sur la taille des échantillons et sur les taux de réponse.

7.1 LE PLAN D'ÉCHANTILLONNAGE

Le plan d'échantillonnage comprend toutes les définitions et la description de chacune des étapes conduisant jusqu'aux répondants. On doit d'abord définir la population ciblée en précisant les unités qui la composent et les limites de notre observation ; ensuite, il faut identifier les sources qui nous permettent d'en connaître les caractéristiques ainsi que tous les moyens nécessaires pour constituer l'échantillon ; enfin, il faut entrer en contact avec les répondants.

On doit d'abord bien définir les caractéristiques des individus sur lesquels on veut avoir des informations : ce sont les unités d'analyse. Les répondants peuvent-ils être joints facilement par un sondage téléphonique auprès de la population générale ? On évalue donc en même temps les possibilités d'entrer en contact avec eux. Existe-t-il quelque part une liste qui fournit les informations suffisantes pour identifier directement chaque individu ? Sinon, peut-on constituer une liste de lieux ou d'organisations qui permette d'en joindre une partie significative ?

24 Types de bases de sondage

1) Base de sondage simple :

   a) liste matérielle, toute liste regroupant tous les membres de la population cible, que ce soit sur papier ou sur un support informatique ;

   b) liste conceptuelle, situation qui permet de rejoindre tous les membres de la population sans que les noms des membres soient consignés sur un support matériel quelconque, ou simplement connus. Par exemple : tous les véhicules garés dans les stationnements pour les visiteurs de l'Université Laval en décembre.

2) Base de sondage groupale :
   Base fondée sur des divisions géographiques (comtés, subdivisions de recensement) ou sur des subdivisions organisationnelles (classes dans une école, services dans une grande industrie) ou sociologiques (familles, ménages). Ces bases ont comme unités des groupes d'individus, indifféremment du critère de regroupement.

3) Hiérarchie de bases :
   Ensemble de bases de sondage où la base de premier niveau inclut celle de second niveau, ce qui constitue alors les unités de sondage. Par exemple, on peut faire un tirage de circonscriptions électorales à partir de la liste des circonscriptions, puis un tirage des subdivisions de recensement à l'intérieur des circonscriptions choisies. Cette technique est utilisée pour l'échantillonnage hiérarchique.

4) Bases multiples :
   Ensemble de bases de sondage distinctes, complémentaires et non hiérarchiques qui permettent de mieux couvrir la population cible. Certaines listes couvrent mieux certaines strates de l'enquête. Par exemple : comparer les ingénieurs et les avocats nécessite la consultation de deux listes indépendantes, l'une provenant du barreau, l'autre de l'Ordre des ingénieurs.

SOURCE : Satin et Shastry, 1987.

Dans le deuxième cas et lorsque l'on entre en contact avec des groupes d'individus, des familles ou des classes dans une école, on doit déterminer qui répondra aux questions (l'unité déclarante) et si ce répondant donnera des informations sur lui-même ou sur d'autres personnes (l'unité de référence). La plupart du temps, dans les enquêtes d'opinion publique, toutes les définitions des unités désignent la même personne : l'unité échantillonnée, l'unité de référence, l'unité d'analyse et l'unité déclarante sont une seule et même personne. En réalité, il n'en va pas de même : par exemple, dans les enquêtes sur les ménages, on échantillonne des logements (unités d'échantillonnage) pour connaître la situation des familles et c'est une personne particulière (unité déclarante) qui fournit des informations sur ces familles (unités d'analyse et de référence).

Après avoir constitué la liste, on procède au tirage. On peut parfois disposer d'un ensemble de listes, ce qui donnera lieu à une série de tirages inclusifs les uns des autres, ou concurrents (voir la section 7.2.1).

---

25 Qualités et défauts des bases de sondage

1) Qualités d'une base de données :
   a) des indications précises pour entrer en contact avec l'unité : adresse, numéro de téléphone ;
   b) de nombreuses informations connexes, dont les informations démographiques sur les unités individuelles, et des statistiques diverses sur les unités groupales afin de faciliter la stratification de l'échantillon et sa validation ;
   c) pour certaines bases groupales, des indications sur les informateurs clés, par exemple le nom des responsables du personnel d'entreprise dans une enquête sur les modes de gestion.

2) Problèmes des listes déjà existantes :
   a) le chercheur devra évaluer si la liste disponible couvre complètement la population cible ;
   b) lorsque la mise à jour n'est pas constante, la liste présentera des problèmes de sous-dénombrement, les nouveaux membres de droit n'étant pas inscrits, et de surdénombrement lorsque les membres qui n'ont plus le droit d'y être ne sont pas encore éliminés (mortalité, déménagement, changement de situation) ;
   c) lorsque la liste compte plusieurs rubriques ou sous-listes, certains membres peuvent être inscrits plus d'une fois ;
   d) pour les bases multiples, le nom d'un même individu peut se trouver sur plusieurs listes. Par exemple, certains médecins sont inscrits sur la liste de praticiens de plusieurs hôpitaux. Le chercheur devra donc connaître la périodicité de la mise à jour de la liste et évaluer la qualité de sa confection, l'étendue de sa couverture et les possibilités réelles, légales et illégales qu'un nom soit inscrit plusieurs fois.

3) Décisions quant aux listes déjà existantes :
   En fonction des problèmes rencontrés, des liens du chercheur avec le gestionnaire de la liste, des moyens financiers et du temps disponible, le chercheur devra prendre une des décisions suivantes :
   a) lorsque le problème est majeur : rejeter les listes existantes et en constituer de nouvelles ;
   b) lorsque le problème est mineur : utiliser les listes existantes en négligeant leurs faiblesses ;
   c) lorsque le chercheur a accès aux informations de base qui permettent de constituer les listes : mettre à jour les listes existantes ;
   d) lorsque le chercheur a suffisamment de temps : attendre que l'organisme responsable de la liste la mette à jour. Par exemple, Bell Canada publie ses annuaires à des périodes fixes.

Source : Satin et Shastry, 1987.

7.2 LES TYPES D'ÉCHANTILLONNAGES

On peut regrouper les modèles d'échantillonnage en deux grandes familles : les échantillons probabilistes et les échantillons non probabilistes. Seuls les échantillons probabilistes s'inscrivent de plein droit dans la statistique. On les préférera donc aux modèles non probabilistes. Les autres modèles d'échantillonnage demeurent toutefois fort utiles dans des circonstances où il est impossible de constituer un échantillon probabiliste. Dans la pratique, on procédera souvent aux mêmes analyses statistiques, quelles que soient les méthodes utilisées, et le néophyte n'y verra aucune différence, accordant la même crédibilité à l'une qu'à l'autre. Après avoir défini les deux familles d'échantillonnage, nous donnerons une brève description de chacun de leurs membres et nous insisterons sur leurs avantages et leurs inconvénients. Nous verrons un peu plus en détail la méthode des échantillons longitudinaux au chapitre suivant.

---

26 Échantillonnages probabiliste et non probabiliste

1) L'*échantillonnage probabiliste* consiste en une sélection des unités au moyen de méthodes aléatoires permettant de mesurer la probabilité qu'a chaque unité de la liste de faire partie de l'échantillon et d'assurer que toutes les unités ont une chance d'en faire partie.

2) L'*échantillonnage non probabiliste* est constitué selon une méthode ne permettant pas d'évaluer la probabilité pour chaque unité de la population d'être échantillonnée, ni d'assurer que toutes les unités de la population ont une chance d'être incluses à l'échantillon.

On privilégiera les échantillons probabilistes et, à l'intérieur des méthodes probabilistes, on préférera les échantillons aléatoires simples sans remise aux autres types d'échantillonnage. Toutes les statistiques construites pour l'analyse des échantillons exigent cette méthode d'échantillonnage. Notons que dans la pratique, on ajuste rarement les coefficients et leur significativité en fonction de la complexité de l'échantillonnage. En fait, l'attention des statisticiens s'est portée depuis peu sur le développement des coefficients d'ajustement qui permettent de tenir compte des écarts entre les résultats observés avec un plan d'échantillonnage donné et ceux provenant d'une sélection aléatoire simple des répondants. On appelle ces écarts « effets de plan » ou *design effects* (lire Deville, 1987a et 1987b et Efron *et al.*, 1986).

7.2.1 LES TYPES D'ÉCHANTILLONNAGES PROBABILISTES

L'échantillonnage aléatoire simple, avec ou sans remise, et l'échantillonnage aléatoire systématique s'appliquent à chaque fois que l'on dispose d'une liste physique ou informatisée d'individus ou d'une liste conceptuelle. Ces modèles d'échantillonnage se retrouvent aussi dans les différentes phases des sondages plus complexes que nous verrons plus loin. En fait, à chaque fois qu'on se trouve obligé de choisir des éléments faisant partie d'un groupe d'éléments, on doit faire un tirage aléatoire. Nous présentons aussi, dans ce groupe, l'échantillonnage sur place qui se rapporte aux listes conceptuelles que nous ne contrôlons pas. Ce type de sondage n'est pas probabiliste ; toutefois, à la différence de ceux que nous présentons sous la rubrique des échantillonnages non probabilistes, il nécessite un certain usage de méthodes probabilistes ou constitue la dernière étape d'un plan échantillonnal probabiliste.

L'ÉCHANTILLONNAGE ALÉATOIRE SIMPLE

On détermine la taille de l'échantillon en tenant compte des marges d'erreur souhaitées (voir section 7.3). Puis, on choisit des unités dans une population qu'on aura définie de manière préalable au moyen d'un algorithme de tirage donnant à toutes les unités une chance égale d'être choisies. Le tirage peut être fait avec ou sans remise, c'est-à-dire que les unités choisies peuvent être éliminées ou non de la base de données après avoir été sélectionnées. Pour les grandes populations, la méthode de tirage (avec ou sans remise) n'est pas importante puisque la chance qu'une unité soit tirée deux fois est insignifiante. Ne pas faire de remise donne des résultats légèrement plus précis et évite tout problème opérationnel, c'est-à-dire qu'il est impossible qu'un interviewer se rende ou téléphone deux fois au même endroit. Trois principaux modes de tirage s'offrent au chercheur.

1) Lorsque la liste est informatisée, ce qui est de plus en plus courant, on peut utiliser un progiciel pour faire le tirage (procédure *Sample* de SPSS). Les procédures et leurs modes d'opération varient selon les progiciels.

2) Pour les sondages téléphoniques, on peut générer des numéros de téléphone au moyen d'un ordinateur. En voici les étapes :

   • obtenir la liste des préfixes des numéros de téléphone en usage sur le territoire à l'étude (342-, 722-, 522-, 523-, 524-, ..., 842-,..., *nnn*) ;

   • tirer une série de suffixes, c'est-à-dire les quatre derniers chiffres des numéros de téléphone (de 0000 à 9999), au moyen d'un programme de génération de nombres au hasard ;

   • apparier suffixes et préfixes ;

   • prévoir un certain nombre d'interurbains (1-289-, 1-367-...) si la couverture géographique s'y prête.

Notez que cette méthode peut également être classée parmi les échantillons stratifiés puisque, souvent, on choisira le nombre de numéros de téléphone proportionnel à la saturation du préfixe dans la région afin d'éviter un trop grand nombre de numéros sans abonné. De plus, lorsque les préfixes sont très nombreux, on utilisera un échantillonnage à plusieurs degrés en tirant d'abord des préfixes, puis des suffixes.

3) Lorsque les listes ne sont ni trop longues ni informatisées, on peut utiliser une table de nombres aléatoires. La limite à la longueur des listes qu'on peut tirer au moyen des tables est pratique plutôt que théorique (voir annexe B, table de nombres aléatoires).

L'utilisation de la table de nombres aléatoires est relativement simple. Les tables se présentent comme des suites de nombres sans aucun lien entre eux et regroupés en colonnes. Les étapes de son utilisation sont les suivantes :

- on attribue un numéro séquentiel à tous les membres de la liste ;
- on sélectionne arbitrairement un nombre de la table assez grand pour contenir tous les membres de la base (si on compte 9 000 personnes dans la liste, on utilisera quatre chiffres dans la liste afin d'avoir les nombres allant de 0000 à 9000) ;
- on choisit les unités ayant un numéro qui correspond aux chiffres sélectionnés dans la table.

De plus, lorsque le nombre est restreint, il est possible de mettre tous les noms dans un « chapeau » et de procéder à un tirage au sort jusqu'à l'obtention d'un échantillon d'une taille convenable.

L'ÉCHANTILLONNAGE ALÉATOIRE SYSTÉMATIQUE

Malgré que certains statisticiens contestent le caractère probabiliste de ce modèle d'échantillonnage, c'est l'un des plus utilisés dans la pratique. Il s'emploie surtout lorsque les listes et les échantillons sont d'une taille importante. On utilise donc l'échantillonnage aléatoire systématique pour tirer des noms d'un annuaire téléphonique ; notez qu'ici, le problème est davantage relié à la qualité de la base de sondage qu'à celle de la méthode de tirage. Le qualificatif « systématique » vient du fait qu'après avoir choisi au hasard un intervalle, on sélectionne systématiquement tous les individus situés à ce même intervalle dans la liste (par exemple, un individu à tous les intervalles de 50). L'opérationnalisation de la méthode est simple.

1) On détermine la taille de l'échantillon dont on a besoin.

2)   On doit connaître le nombre total d'individus dans la liste. Cette tâche est parfois fastidieuse car, pour certaines listes, on ne connaît pas le nombre total d'entrées. Toutefois, lorsque la liste se présente toujours de la même manière (lorsque chaque page de la liste et chacune des colonnes comptent le même nombre d'entrées), on peut facilement en évaluer le nombre total en multipliant le nombre d'entrées d'une page par le nombre de pages. Lorsqu'on doit compter tous les éléments de la liste et qu'elle n'est pas trop longue, il est préférable de numéroter tous ces éléments et d'utiliser la méthode précédente.

3)   Après avoir déterminé la taille de l'échantillon (n) et connaissant le nombre d'entrées de la liste (N), on détermine le « pas de sondage » (K) en utilisant la formule $K = N/n$. Le pas de sondage est l'intervalle qui assure que le tirage couvre l'ensemble de la liste pour un échantillon d'une taille déterminée. Par exemple, pour une liste de la population comptant 100 000 entrées et un échantillon de 1 500 individus, le pas de sondage sera de 67 (100 000 / 1 500 = 66,666), ce qui signifie que l'on choisira un nom à tous les 67 noms dans la liste.

4)   Si la procédure s'arrêtait là, elle n'aurait rien de probabiliste. Pour lui donner ce caractère, on tire avec une méthode aléatoire simple un chiffre compris entre 1 et K, soit entre 1 et 67 dans notre exemple. Ce chiffre sera le « point de départ » auquel on ajoutera par la suite le pas de sondage. Pour notre exemple, un point de départ égal à 40 amènerait à choisir le 40e nom, puis le 107e (40 + 67), puis le 174e (107 + 67), etc.

Pour des listes très longues comme celles de l'annuaire téléphonique, on peut utiliser une unité de longueur (centimètres) pour déterminer les noms choisis. Une page comptant, par exemple, trois colonnes d'entrées mesurant chacune 25 cm, et notre liste comportant 1 000 pages, on calcule la longueur totale de la liste, soit 75 000 cm, et la place occupée par chacune des entrées, soit 1 cm, pour faciliter les calculs, afin d'évaluer le nombre d'entrées ; on détermine ensuite la taille de l'échantillon, le pas de sondage et le point de départ de la même manière que précédemment. On peut également exploiter les listes en tirant des pages au moyen de la méthode aléatoire simple, puis des colonnes dans ces pages, puis des noms dans ces colonnes, en tirant à chaque fois une distance en centimètres. Ces deux derniers tirages peuvent être faits avec des outils aussi simples que des dés (les amateurs du jeu *Donjons et Dragons* savent qu'il existe des dés qui n'ont pas six faces) ou avec une table de nombres aléatoires.

Selon Satin et Shastry, les avantages de l'échantillonnage aléatoire systématique par rapport à l'échantillonnage aléatoire simple sont les suivants :
- plus facile à constituer ;
- permet une meilleure distribution dans l'ensemble de la liste ;
- permet plus de précision quand l'ordre de la liste est relié à une caractéristique étudiée.

Par contre, son principal inconvénient est la périodicité lorsque cette dernière interfère avec la périodicité de la base de données. Par exemple, nous avions à construire un échantillon à partir de la liste des protégés du directeur de la Protection de la jeunesse de Québec ; nous ne disposions que d'une copie sur papier. Cette liste était répartie par points de service et par problématiques et comptait des milliers de noms, mais notre pas de sondage, calculé sur l'ensemble, nous faisait presque négliger des points de service ou des problématiques. Nous avons donc stratifié notre échantillon par points de service et réalisé un tirage aléatoire systématique avec un pas de sondage calculé pour chacune des sous-listes.

L'ÉCHANTILLONNAGE SUR PLACE

Les exigences concrètes du sondage nous privent souvent des listes nécessaires pour prendre contact avec les personnes sélectionnées et leur constitution est souvent trop coûteuse. On doit se rendre sur place, là où les personnes de la population cible se trouvent. Le plus souvent, dans ces situations, on ne peut contrôler la base de données, la notion de contrôle étant la possibilité réelle d'assurer à tous les membres d'une population d'être sélectionnés. En effet, dans un centre commercial, aux portes d'un aréna ou d'une grande salle de spectacle, il est impossible de donner à tous la chance d'être interrogés à moins d'avoir suffisamment d'interviewers sur place pour que tous les gens présents en même temps sur les lieux puissent être interrogés, ou bien en obligeant chaque personne à s'arrêter à un point donné comme à la douane ou à un bureau d'enregistrement quelconque. Sans cela, le risque est grand de revenir à la précision des votes de paille où seuls les volontaires se présentent. Si on laisse l'interviewer décider, on peut n'avoir dans l'échantillon que les « gueules sympathiques », les beaux gars et les belles filles. On a donc élaboré des techniques de sélection qui, à défaut de garantir que chacun sera interrogé, permettent d'éviter les autres biais systématiques.

Après avoir sélectionné les lieux de sondage avec une méthode probabiliste, le chercheur doit donner aux interviewers des instructions précises dont il devra par ailleurs contrôler l'application.

1)   L'interviewer devra choisir la première personne interrogée selon des critères précis, par exemple la première ou la septième personne passant par un point défini.

2)   Après avoir complété le questionnaire de sondage avec la première personne sélectionnée, l'interviewer devra interroger la nième personne passant par ce point précis. Le choix de la fréquence peut être fait de façon systématique ou par lancer de dés.

Par exemple, pour l'étude de la clientèle d'un centre commercial, on doit sélectionner des heures et des lieux d'entrevue (portes d'entrée) puis demander aux interviewers d'interroger une personne à toutes les cinq personnes pendant deux heures. L'échantillonnage des portes peut être stratifié en fonction de leur achalandage.

La méthode de l'échantillonnage sur place offre les avantages suivants :
- elle permet de rejoindre des populations minoritaires ou difficiles à rejoindre à partir de la population générale ;
- elle élimine certains biais causés par la « désirabilité » sociale, par exemple la consommation de loisirs culturels ;
- elle est très appropriée à l'étude des clientèles « libres », c'est-à-dire non inscrites sur une liste.

Par contre, cette méthode comporte également des inconvénients :
- elle doit absolument être combinée à une procédure probabiliste, sinon elle s'apparente aux votes de paille ;
- elle n'est pas un moyen valable de rejoindre la population générale ;
- la réponse au questionnaire se faisant en présence des autres, il y a un risque que certaines questions soient biaisées ou que l'on réponde en collaboration.

*   *   *

Les plans d'échantillonnage qui suivent sont plus complexes tant mathématiquement que pratiquement et sont utilisés pour les sondages d'une certaine envergure géographique.

L'ÉCHANTILLONNAGE STRATIFIÉ

L'échantillonnage stratifié comporte plusieurs étapes.

1)   On subdivise la population en strates exclusives les unes des autres à partir de un ou de plusieurs critères. Les membres de chacune des strates présentent tous la caractéristique qui a servi à les

subdiviser. Ce critère doit être connu, présent dans la ou les bases de sondage et déterminant pour la problématique.

2) On sélectionne les membres de l'échantillon en procédant à des tirages indépendants dans chacune des strates, selon l'une ou l'autre des méthodes probabilistes précédentes. L'échantillon peut être proportionnel ou non à la place qu'occupent les strates dans la population.

Satin et Shastry dénombrent quatre principaux avantages à l'utilisation de l'échantillonnage stratifié ; les deux premiers sont d'ordre théorique, et les deux derniers d'ordre pratique :

- il permet de faire des estimations distinctes sur différentes sous-populations ;
- il assure la juste présence de différentes catégories de la population ;
- il permet une meilleure coordination du travail sur le terrain (stratification géographique) ;
- il permet l'utilisation de méthodes d'échantillonnage différentes et mieux appropriées à la nature des sous-populations.

À des fins de comparaison, toutes les strates devront être soumises aux mêmes questions.

Selon ses objectifs théoriques, le chercheur devra choisir, pour les échantillons qu'il tirera de chaque strate, une taille proportionnelle ou non proportionnelle à l'importance de cette strate dans la population.

Par exemple, soit une population donnée de 100 000 individus répartie en trois strates en fonction de l'âge : 20 000 individus de 15 à 24 ans, 60 000 individus de 25 à 64 ans et 20 000 individus de 65 ans et plus, dont on veut tirer un échantillon ; on accorde une marge d'erreur de 3,1 % (voir la table de l'annexe B).

Tirage proportionnel

Pour atteindre cette précision et en négligeant la possibilité de non-réponses, on doit tirer au hasard 1 000 individus : 200 individus parmi les 20 000 de la première strate, 600 de la deuxième strate et 200 de la troisième strate.

Tirage non proportionnel

1) En fonction d'un objectif théorique d'estimations distinctes sur les sous-groupes : si on veut conserver la même marge d'erreur (3,1 %), on devra tirer trois échantillons de 1 000 individus, soit un par strate.

2)   En fonction de certaines caractéristiques des unités de sondage :
les personnes âgées peuvent présenter une caractéristique que l'on
veut étudier deux fois plus souvent que les autres. La taille des
unités de sondage aréolaires peut être très différente en nombre.

On peut varier le nombre d'unités de la strate et sa proportionna-
lité en fonction :

• de la variance de la caractéristique étudiée dans la strate lorsqu'elle
est connue ou estimée ; plus la variance est élevée, plus la strate sera
populeuse ;

• du coût de la réalisation des entrevues ; si joindre certaines sous-
populations est très difficile ou très long, on construit une strate d'une
taille optimale selon les critères suivants : avoir suffisamment de
personnes dans l'échantillon pour pouvoir réaliser des analyses intéressantes (50 est un minimum pour l'utilisation de nombreuses statistiques) et réduire le coût des entrevues ;

• de l'étude en détail des caractéristiques d'une sous-population mi-
noritaire, par exemple les conducteurs ayant passé leur permis de
conduire depuis moins de un an ;

• de la taille des unités de sondage primaires.

Notons un aspect particulier : lorsqu'il y a surreprésentation ou
sous-représentation d'une strate, son importance doit être pondérée
lorsqu'on veut dégager l'image de la population globale. Si on a multi-
plié par 10 l'importance des conducteurs ayant moins de un an d'expérience pour en faire une étude plus approfondie, on devra diviser leur
nombre par 10 pour avoir une plus juste idée du comportement de
l'ensemble des conducteurs.

L'ÉCHANTILLONNAGE HIÉRARCHIQUE

Ce type d'échantillonnage repose sur l'existence de bases de données
hiérarchiques qui constituent des regroupements géographiques, organisationnels, sociologiques ou physiques de la population à l'étude.
Chacune de ces bases de données doit contenir toute la population cible
sans être nécessairement constituée par les membres de la population
cible. Par exemple, une province comprend tous les individus de sa
population ; toutefois, une liste provinciale des villes et des villages
n'est pas composée par les individus qui les habitent, mais par les noms
de toutes ces villes et villages. L'opérationnalisation de la méthode
s'effectue de la manière suivante.

1)   Au moyen d'une méthode probabiliste, on sélectionne, au sein de
la liste dont les unités sont les plus grandes, un échantillon

composé par les unités primaires de sondage, unités qui sont toujours de nature groupale.

2) La deuxième étape n'est pas toujours la même ; cela dépend si, après la première sélection, nous sommes déjà arrivés à nos répondants ou bien si nous devons faire un tirage d'autres unités groupales. Le tirage des répondants peut prendre deux formes :

    - on peut sélectionner tous les individus des groupes choisis ; c'est alors un échantillonnage par grappe ;
    - on peut faire un tirage des individus selon l'une ou l'autre des formules vues précédemment ; on parle alors d'un sondage à plusieurs degrés.

    Le tirage d'autres unités de sondage groupales d'une base incluse dans la précédente ne fait que retarder l'étape de sélection des répondants.

L'échantillonnage hiérarchique est utilisé souvent avec des bases de sondage primaires composées d'unités géostatistiques ; on peut alors le nommer échantillonnage aréolaire ou topologique. Le terme ne s'applique toutefois pas pour d'autres types d'unités comme les entreprises ou les ménages qui sont aussi des unités groupales.

Une même procédure hiérarchique peut nécessiter plus de deux niveaux de tirage et être combinée avec un échantillonnage stratifié ; elle comporte aussi différents modes de tirage (aléatoire simple, systématique ou sur place). Une étude de la population des étudiants francophones de niveau secondaire du réseau public du Québec pourrait se faire en tirant, au moyen d'un tirage aléatoire simple, des commissions scolaires (sondage aréolaire puisque les commissions scolaires sont réparties par territoire) qu'on aura subdivisées en trois strates (urbaine, de banlieue, rurale). Ensuite, on tire au hasard des écoles à l'intérieur des commissions scolaires choisies, puis on tire, de nouveau au hasard, des classes (groupes, heures, lieux) à l'intérieur des écoles sélectionnées pour, en fin de compte, interroger soit tous les étudiants présents dans ces classes (échantillonnage par grappe), soit les étudiants qui occupent une rangée de pupitres sur trois (échantillonnage systématique). Un autre exemple : pour l'étude de la clientèle du transport en commun par autobus, on tire au hasard des trajets et des heures et on interroge tous les passagers présents dans les véhicules à ces moments et endroits précis.

Statistique Canada subdivise le Canada en unités géostatistiques très petites appelées secteurs de dénombrement (SD). On peut donc faire un tirage aléatoire simple de SD, puis interroger tous les habitants des SD choisis (voir l'annexe C sur les produits et services de Statistique Canada).

Lorsque le chercheur utilise un modèle de sélection des répondants par grappe, il doit trouver une base de données groupales dont la taille des unités est le plus petite possible afin d'éviter de construire un échantillon composé d'individus aux caractéristiques homogènes. Si l'on décidait par exemple d'étudier les individus qui voyagent en autobus en sélectionnant toutes les arrivées à une heure précise dans certaines gares, cela pourrait donner d'étranges résultats si, par hasard, le chercheur tombait sur les arrivées du congrès des amateurs de Star Trek...

L'ÉCHANTILLONNAGE À PLUSIEURS PHASES OU LA STRATIFICATION A POSTERIORI

Lorsqu'on ne dispose pas de bases de sondage suffisamment précises et qu'on veut atteindre une partie minime de la population, on peut réaliser l'échantillon en plusieurs phases. Les premiers sondages que l'on effectue permettent de filtrer les répondants en fonction de leurs caractéristiques. L'opérationnalisation se déroule de la façon suivante.

1)   On construit un échantillon préliminaire très grand selon l'une ou l'autre méthode vue précédemment.

2)   On prend contact avec les membres de cet échantillon et on leur administre un questionnaire plus ou moins élaboré afin d'identifier, dans cet échantillon, les personnes correspondant à certaines caractéristiques à l'étude.

3)   On considère les membres de cet échantillon, appelé échantillon maître, comme une base de sondage et on tire un ou plusieurs échantillons à partir de leur stratification.

De l'échantillon maître, on peut tirer soit des échantillons représentatifs de la population générale qu'on soumettra à un sondage plus élaboré aux seules fins d'économiser des frais et de s'assurer de bien représenter toutes les couches de la population, soit des échantillons spécialisés composés d'individus très minoritaires non répertoriés dans une liste et que l'on ne peut rejoindre sur place.

On peut également utiliser la même technique lorsqu'on a un échantillon de grande taille qui a des défauts importants (surreprésentation des femmes ou des personnes âgées). On constitue alors un échantillon mieux équilibré en faisant un tirage stratifié proportionnel.

Ce type d'utilisation de la stratification a posteriori est souvent négligé au profit de la pondération. Nous en parlerons plus loin.

7.2.2 LES TYPES D'ÉCHANTILLONNAGES NON PROBABILISTES

Ce type d'échantillonnage présente plusieurs lacunes, mais aussi des avantages. La méthode des quotas, par exemple, est beaucoup utilisée pour les études de marché en Europe, en Amérique du Nord et partout où le téléphone ne permet pas de joindre tous les ménages. Certaines disciplines où l'expérimentation est chose courante utilisent l'une ou l'autre des autres méthodes. Les statisticiens, affirment Satin et Shastry, évitent de les utiliser à moins qu'il ne soit impossible de faire autrement. La méthode des quotas est moins coûteuse, moins longue et plus pratique que la méthode probabiliste. La précision des échantillons repose entièrement sur la compétence et le professionnalisme des enquêteurs. Aujourd'hui, on a de plus en plus tendance à l'utiliser en la combinant à des méthodes probabilistes.

Si on réserve souvent l'épithète « scientifique » aux seuls sondages fondés sur un échantillon probabiliste, ce mode d'échantillonnage n'assure en rien la validité d'un sondage donné. Une enquête dont l'objet est bien cerné et qui utilise des méthodes non probabilistes peut être plus rigoureuse que sa contrepartie probabiliste à laquelle manquerait une définition correcte du problème.

Avant de passer à la description des deux modèles d'échantillonnages non probabilistes les plus répandus dans la recherche scientifique et dans l'industrie des sondages, soit l'échantillonnage de volontaires et l'échantillonnage par quotas, nous dissiperons certains malentendus sur la notion d'échantillon. Dans le langage courant, on utilise le mot « échantillon » dans les acceptions les plus diverses. Le journaliste qui interroge des passants dans la rue sur un sujet ou l'autre par la méthode du « vox pop » prétend avoir un échantillon. De même, le chef d'entreprise qui demande à quelques personnes leur opinion sur une mesure administrative affirme qu'il a sondé ou pris le pouls de ses employés sur le sujet. Il ne s'agit évidemment pas d'échantillons au sens statistique du terme, mais ce sont quand même des échantillons qui, selon Satin et Shastry (1983), peuvent être utiles à titre exploratoire et pour les populations très homogènes.

De plus, certaines enquêtes, en l'absence de listes, se font en identifiant les membres d'un réseau. Ce sont les répondants qui fournissent à l'enquêteur le nom d'autres personnes qu'il interrogera à leur tour. Cette méthode rappelle vaguement les techniques de vente pyramidale, les « chaînes de lettres » ; on l'appelle aussi échantillon en boule de neige. On doit reconnaître qu'il s'agit là d'un excellent moyen de mener une enquête, mais on ne peut que constater son absence de valeur statistique.

Les échantillons exemplaires ou intentionnels sont aussi utilisés dans la pratique de la recherche sociale. Le chercheur choisit alors un ensemble d'individus, de groupes ou de groupements qui sont représentatifs de la situation à l'étude. C'est ce qu'a fait, par exemple, Jacques Vachon (1984) en sélectionnant tous les dossiers d'un groupe d'enfants québécois entrés pour la première fois en famille d'accueil en 1974, sous la responsabilité du Centre des services sociaux du Montréal métropolitain. Il a ensuite examiné de façon longitudinale l'itinéraire de cette cohorte d'enfants. Ses résultats ne peuvent être généralisés à l'ensemble des enfants placés en famille d'accueil, mais ils fournissent de nouvelles connaissances sur un sujet peu exploré.

L'ÉCHANTILLONNAGE DE VOLONTAIRES

Ce type d'échantillonnage est beaucoup utilisé en psychologie ou en activité physique par exemple. On passe des annonces dans les médias ou en classe pour interviewer des gens ayant certaines caractéristiques précises (obèses, gens ayant la phobie des chats ou des foules, adultes sédentaires n'ayant pas fait d'activité physique depuis cinq ans, etc.). Les volontaires sont ensuite soumis à une série de tests et d'examens, souvent contre une rétribution symbolique.

Entre autres avantages, ce type d'échantillonnage permet de réaliser des études plus approfondies exigeant des fardeaux de réponse intenses : tests de perception, examens médicaux, participation à des expériences. D'autre part, il permet de joindre facilement des sous-populations minoritaires en économisant les frais d'un échantillonnage à plusieurs phases.

En ce qui a trait aux désavantages, il va sans dire que ce mode d'échantillonnage souffre d'un biais d'autosélection. Le volontaire, comme le soulignent Satin et Shastry, est souvent plus positif envers le sujet d'enquête que ne l'est la population générale. On peut aussi observer des biais importants dans les classes sociales ou les catégories socioprofessionnelles. On note généralement une surreprésentation soit des individus de la classe moyenne, soit des étudiants et des professionnels. Toutefois, l'usage de la répartition au hasard des groupes de volontaires entre des groupes d'expérimentation et un ou des groupes témoins donne d'excellents résultats dans les disciplines qui utilisent ce type de méthode pour constituer leurs échantillons. Il reste néanmoins qu'une méthode de sélection probabiliste alliée à la répartition au hasard des groupes donne des résultats plus valides.

L'échantillonnage stratifié non proportionnel peut être une excellente méthode probabiliste pour constituer des groupes expérimentaux. On doit alors disposer soit d'une base de sondage comportant les caractéristiques voulues, soit d'un échantillon maître. On tire alors des strates de taille égale afin de pouvoir appliquer les calculs d'analyse de variance.

L'ÉCHANTILLONNAGE PAR LA MÉTHODE DES QUOTAS

Il s'agit ici de tenter de construire un modèle réduit de la population parente, de la population générale ou d'une population définie en fonction de certaines caractéristiques connues comme le sexe, l'âge, la scolarité, la profession et la provenance géographique. La méthode des quotas s'apparente à l'échantillon probabiliste stratifié dans ses premières étapes ; il n'y a toutefois aucune base de sondage ni aucun tirage au sort. Une fois les strates constituées, ce sont les interviewers qui doivent veiller à leur « remplissage ». La méthode des quotas repose sur l'existence de statistiques précises sur la population étudiée ; on l'appelle aussi méthode des choix raisonnés. On peut toutefois utiliser la méthode des quotas avec un autre modèle que celui de la population générale. Lorsqu'on sélectionne des individus ayant certaines caractéristiques précises pour mener des entretiens focalisés, on détermine des quotas de personnes à rejoindre. Satin et Shastry préfèrent parler d'« échantillon au jugé ».

Les avantages de l'échantillonnage par la méthode des quotas sont la rapidité et le faible coût d'utilisation. De plus, il n'y a ni liste ni base de sondage à constituer. Le principal inconvénient réside dans l'impossibilité d'évaluer l'erreur d'échantillonnage. Les interviewers peuvent être incapables de constituer l'échantillon demandé. Le risque existe alors que les quotas soient « remplis » de manière biaisée. Par exemple, la catégorie des 18-24 ans pourrait être uniquement composée d'étudiants universitaires.

Pour pallier ces inconvénients, on utilise différentes techniques complémentaires.

1) Instructions sévères aux interviewers :
   - interdiction d'interroger des personnes se connaissant entre elles ou connues de l'interviewer ;
   - obligation d'une certaine dispersion géographique ;
   - interdiction d'interroger des passants.

2) Méthode des itinéraires : en milieu urbain uniquement, on donne à l'interviewer des instructions sur l'itinéraire à suivre, les maisons à visiter (toutes les cinq portes par exemple) et la désignation des personnes à interroger (Mucchielli, 1969).

3) Redressement des échantillons par pondération : technique souvent utilisée tant pour les échantillons probabilistes que pour les échantillons par quotas. Elle consiste à multiplier une strate de l'échantillon par un facteur qui lui donne un poids similaire à celui observé dans la population (voir section 7.3.4).

7.3 LA TAILLE DE L'ÉCHANTILLON

La taille de l'échantillon est un des aspects de la théorie statistique de l'échantillonnage qui laisse incrédules la plupart des gens. Premièrement, la précision d'un échantillon tient davantage à sa taille qu'à la fraction de la population qu'il représente et, deuxièmement, cette taille n'a pas à être très importante. Cela est démontrable mathématiquement pour toutes les grandes populations. Lorsque l'échantillon représente une partie trop importante de la population, il est préférable de procéder à un recensement. Les formules du calcul de la taille de l'échantillon des populations finies et infinies en fonction de la précision espérée se trouvent au chapitre portant sur l'inférence statistique (section 10.5.3).

7.3.1 LA FRACTION D'ÉCHANTILLONNAGE

L'exemple suivant illustre bien, de façon non mathématique, le premier principe voulant que, pour les populations infinies, la taille de l'échantillon soit insensible à la fraction de la population que l'échantillon représente :

Le tirage de 1 500 billes d'une population de 100 000 billes mélangées, réparties également en noires et en rouges, donnera-t-il des résultats différents d'un tirage de 1 500 billes provenant d'une population de 1 000 000 de billes réparties de la même manière ?

Mathématiquement, le rapport entre la taille de la population et celle de l'échantillon peut être évalué et l'erreur introduite par la fraction d'échantillonnage calculée. Alors, la formule de l'erreur standard de la moyenne $s/n^{1/2}$ devrait être multipliée par $(1 - f)^{1/2}$ où f représente la fraction d'échantillonnage.

Cette fraction est de 0,006 963 3 pour 215 000 habitants, de 0,000 717 2 pour 2 100 000 habitants et de 0,000 007 4 pour 203 184 772 habitants ; faites le calcul (Roll et Cantrill, 1972).

7.3.2   LA TAILLE ET LA PRÉCISION DES ESTIMATIONS

Plus la taille d'un échantillon est grande, plus sa précision l'est également : ce principe est toujours vrai. Toutefois, le gain de précision devient proportionnellement insignifiant après 1 500 personnes, c'est-à-dire qu'il faut accroître de beaucoup la taille de l'échantillon pour faire un gain très minime du taux de précision.

Après 1 500 personnes, l'augmentation de la taille de l'échantillon tient surtout aux partitions prévues à l'analyse. Ainsi, 1 500 personnes soigneusement dispersées sur l'ensemble du territoire canadien suffisent pour connaître l'intention de vote des Canadiens avec une marge d'erreur d'environ 2 %, mais les quelque 300 personnes qui représentent le Québec donnent une marge d'erreur d'environ 5 %, la cinquantaine de personnes provenant de la région de Québec une marge d'erreur de 13 %, etc. (voir la table de l'annexe B). C'est d'ailleurs l'obligation d'une représentativité provinciale et même infrarégionale qui oblige Statistique Canada à mener certaines enquêtes auprès de plus de 40 000 personnes.

Un autre facteur d'accroissement de la taille de l'échantillon tient à la complexité et à la rareté relative de certaines informations dans la population. Plus la variabilité des réponses est grande, plus l'échantillon doit être important. En effet, si un grand nombre de choix de réponses existe, il se peut que dans des tableaux croisés de nombreuses cellules soient vides, ce qui interdirait toute inférence statistique. Si on voulait, à partir d'une enquête sur la population active et sans faire de stratification basée sur la scolarité, distinguer le profil de carrière des détenteurs d'un doctorat en sciences humaines de celui des détenteurs d'un doctorat en sciences et génie, il faudrait un échantillon très grand pour obtenir des résultats significatifs pour une clientèle proportionnellement si peu importante. Une étude semblable serait mal servie par une enquête portant sur la population générale.

Le dernier point se rapporte au type d'analyse statistique que l'on veut mener sur les résultats. On sait que les moyennes sont très influencées par les valeurs extrêmes. Prenons un exemple facile : soit un groupe de 10 personnes dont 9 ont un revenu annuel de 1 000 $ et 1 gagne 1 000 000 $ par année ; leur moyenne de revenu sera de plus de 100 000 $ par année, ce qui représente très mal la majorité des répondants. Si l'on reprend l'exemple avec 1 000 personnes ayant chacune un revenu annuel de 1 000 $ et 1 personne touchant 1 000 000 $, la moyenne indiquerait encore un revenu moyen presque deux fois plus élevé que le revenu de la plupart d'entre elles ; finalement, si 10 000 personnes touchent chacune 1 000 $ par année et qu'une personne gagne 1 000 000 $, la moyenne annuelle sera de 1 100 $.

Comme on peut le voir, plus la taille de l'échantillon est grande, plus cela permet de « noyer » la valeur extrême et de donner à la moyenne un caractère plus représentatif de la « moyenne des gens ». Or, la plupart des calculs sophistiqués utilisent la moyenne d'une manière ou d'une autre. Heureusement, les écarts ne sont pas aussi grands dans la réalité que dans notre exemple. Il reste que des calculs très sophistiqués donnent des résultats plus sûrs avec de grands échantillons. Toutefois, l'analyste évitera de nombreuses erreurs d'interprétation en éliminant les valeurs extrêmes (*outliers*) d'un petit échantillon.

7.3.3 LE TAUX DE RÉPONSE ET SES CONSÉQUENCES

Les échantillons qu'on tire ne sont généralement pas ceux qu'on analyse. Une inconnue se glisse entre le tirage et l'analyse : c'est la collaboration de personnes qui n'ont généralement pas d'intérêt dans la démarche. Or, les tables et les calculs d'inférence s'appliquent uniquement aux échantillons effectifs et non aux échantillons théoriques. Doit-on suréchantillonner ? Quelle proportion de non-réponses peut-on accepter ? Y a-t-il une différence entre les répondants et les non-répondants ? Est-ce qu'on peut corriger un échantillon déséquilibré ?

On pose généralement l'hypothèse que ceux qui n'ont pas répondu sont similaires à ceux qui ont répondu. Lorsqu'on a utilisé toutes les techniques d'échantillonnage nécessaires, lorsqu'on a relancé efficacement les non-répondants et que le taux de réponse est élevé, cette hypothèse est sans doute vraie.

Mais quand peut-on dire qu'un taux de réponse est assez élevé ? Il n'existe pas de norme absolue, quoiqu'on n'accorde guère de crédit à un sondage enregistrant un taux de réponse inférieur à 50 %. On peut être très satisfait au-delà de 80 %, mais on se contente habituellement d'un taux de réponse de 65 %.

Certains médias de sondage sont meilleurs que d'autres. Sur ce chapitre, l'entrevue de personne à personne, le sondage par téléphone et enfin par la poste se suivent dans cet ordre. S'ils portent sur certains sujets seulement et s'ils s'adressent à la population générale, les sondages postaux atteignent rarement les 40 % de taux de réponse. Idéalement, on devrait utiliser le meilleur média et relancer les gens jusqu'à plus soif. Dans la pratique, on fera le mieux possible, compte tenu des objectifs de la recherche, de la précision que l'on veut obtenir, du temps et de l'argent disponibles.

L'échantillonnage doit donc tenir compte d'un inévitable taux de non-réponse. Le suréchantillonnage est de rigueur lorsqu'on a des objectifs déterminés de précision. Dans un premier temps, on calcule le nombre de répon-

27   Types de non-réponses

PAR TÉLÉPHONE

Répondant non éligible

Absence du répondant

Refus de répondre

Questionnaire incomplet

Téléphone constamment occupé

Non-maîtrise de la langue

DE PERSONNE À PERSONNE

Répondant non éligible

Refus de répondre

Absence répétée

Questionnaire incomplet

PAR LA POSTE

Questionnaire non retourné

Questionnaire mal rempli

Adresse inexistante

dants que l'on doit atteindre pour obtenir la précision requise. Puis, on évalue le nombre de non-réponses ainsi que tout défaut que pourrait comporter la liste. Enfin, on calcule par une simple règle de trois le nombre d'individus à tirer :

Taille de l'échantillon désirée :   1 000

Taille de l'échantillon nécessaire : x

Taux de réponse prévu :   65 %

$$x = \frac{100}{65} \times 1\ 000 = 1\ 538$$

On peut toutefois corriger certaines erreurs de représentativité sous certaines conditions. Nous verrons brièvement ces méthodes après avoir présenté les calculs du taux de réponse et les techniques de relance des répondants.

LE CALCUL DU TAUX DE RÉPONSE

En soi, l'opération est simple puisqu'il s'agit de calculer le rapport entre le nombre de questionnaires complétés dont on dispose à la fin de la collecte et la taille de l'échantillon tiré au départ.

On peut toutefois détailler les raisons des non-réponses selon le type d'événement survenu, par exemple un téléphone constamment en dérangement, un répondant parlant une langue étrangère, un refus sec et catégorique de répondre, pour ne nommer que celles-là (voir encadré 27).

La génération de numéros de téléphone au hasard engendre un grand nombre de numéros inexistants : d'une part, il faut produire davantage de numéros et d'autre part, on ne peut tenir compte des numéros sans service pour calculer le taux de réponse. Ces derniers seront donc éliminés du compte de l'échantillon initial avant de calculer le taux de réponse.

LA RELANCE DES RÉPONDANTS

Comme nous le soulignions dans la première partie de l'ouvrage, les taux de réponse baissent constamment, plus particulièrement dans les grands centres urbains comme Montréal et Toronto. Le chercheur doit donc trouver des moyens pour maintenir un niveau de réponse acceptable. Nous verrons les moyens disponibles pour chacun des trois médias de sondage. Toutefois, un préalable à toute relance s'applique pour les médias requérant l'intervention d'un interviewer : il faut inscrire sur chaque questionnaire un compte rendu des contacts ratés et prévoir un ensemble de questions permettant de classer les non-répondants dans l'une ou l'autre des catégories de non-réponses.

Les entrevues téléphoniques

Il faut prévoir, pour les numéros sans réponse et constamment occupés, quatre rappels et plus, les meilleures enquêtes comportant jusqu'à sept rappels.

Lorsque le taux de réponse est bas, le chercheur doit relancer les individus qui ont refusé de répondre. Au mieux, l'interviewer aura noté les raisons du refus (manque de temps, crainte de livrer des informations personnelles ou confidentielles, horreur des sondages ou de la statistique), ce qui indiquera un ordre de priorité des rappels. Il tentera également de compléter les questionnaires interrompus. Cette tâche devra être accomplie par les interviewers les plus habiles et les plus expérimentés.

Les entrevues de personne à personne

Comme pour le téléphone, on doit prévoir de nombreuses relances au domicile des absents. Les coûts de relance sont importants puisqu'ils nécessitent des déplacements et que, de ce fait, on doit les évaluer dès le départ de l'enquête.

D'excellents interviewers peuvent faire fléchir les récalcitrants. Parfois, il suffira d'envoyer un interviewer de sexe féminin. Les personnes âgées et les femmes vivant seules ou avec des enfants par exemple, peuvent craindre d'ouvrir leur porte à un homme, mais pas à une femme. Dans certaines circonstances, on peut offrir aux personnes de répondre au sondage par téléphone.

Les sondages par la poste

Les sondages par la poste causent des difficultés particulières puisqu'on ignore souvent complètement les raisons du refus de répondre. Le questionnaire peut être simplement égaré.

Au chapitre 5, nous avons fait l'inventaire des moyens pour éviter un faible taux de réponse. Parmi ceux-ci, des lettres de rappel dactylographiées offrant l'expédition d'un second questionnaire s'avèrent un moyen efficace pour relancer les membres de l'échantillon. Dans certaines circonstances, on peut offrir aux répondants de compléter le questionnaire par téléphone.

7.3.4   LA PONDÉRATION DES ÉCHANTILLONS

On observe presque toujours de légères différences entre les résultats de l'échantillon obtenu et les statistiques de la population mère. Les femmes sont souvent surreprésentées. La méthode la plus courante pour pondérer les échantillons consiste à corriger l'échantillon en tenant compte des statistiques sociodémographiques officielles. On ne doit évidemment pas utiliser ces variables si, au cœur de la problématique, ce sont elles que l'on étudie. L'étude des populations humaines indique l'âge et le sexe comme critères de pondération habituels. Or, une enquête sur la répartition des travailleurs selon leur sexe dans une occupation donnée dont on ajusterait l'échantillon en fonction du sexe tel que distribué dans la population générale ne signifierait plus rien.

La situation est moins évidente lorsque la population cible n'est pas composée d'humains, mais notamment d'entreprises et d'activités. Chaque champ de préoccupation a ses indicateurs officiels ; il faut avoir la sagesse de les identifier lors de l'étape de recherche préliminaire et d'inclure au questionnaire de sondage des questions permettant de faire le lien entre les statistiques officielles et les données de sondage.

28 Pondération des échantillons

La logique est celle d'une simple règle de trois. La pondération exige a priori d'obtenir des statistiques sûres concernant la population dont l'échantillon est issu. On choisit ensuite les variables qui serviront à la pondération, le plus souvent l'âge et le sexe. On construit deux tableaux croisés des variables choisies, un pour les données officielles et l'autre pour les données d'enquête, ayant exactement les mêmes catégories et exprimées en pourcentage calculé sur l'ensemble du tableau (voir le chapitre 12 sur les tableaux de contingence). On fait ensuite une règle de trois ayant pour objectif de modifier les données échantillonnales. Informatiquement, on peut aussi créer une nouvelle variable dont les catégories sont : 1) Femmes, 15-24 ans, 2) Hommes, 15-24 ans, 3) Femmes, 25-34 ans, ... 12) Hommes, 65 ans et plus.

Pour chacune des catégories de la variable, on calcule le coefficient de correction par simple règle de trois où :

$$\frac{\text{Statistiques officielles}}{\text{Résultats de l'enquête}} = \text{Coefficient}$$

Notez que le choix des classes d'âge est en partie arbitraire, en partie déterminé par les données officielles sur le sujet. On peut même ne pas regrouper l'âge ou construire une variable plus complexe en utilisant trois variables au départ. Une fois qu'on a calculé le rapport pour chacune des cellules, on construit une variable de pondération qui aura pour fonction de modifier l'ensemble de l'échantillon et on pondérera l'échantillon en utilisant les commandes informatiques nécessaires. Une pondération réussie aura comme résultat un tableau croisé des données échantillonnales de l'âge par le sexe identique à celui de la population ; il est donc facile de vérifier les résultats.

Avec moins de certitude, on peut utiliser une variable externe au cadre de référence et au questionnaire, mais dont on connaît les liens exacts avec une variable présente sur le formulaire.

La pondération des échantillons a comme objectif de modifier les proportions d'un échantillon donné sans modifier le nombre total de répondants afin de le rendre plus conforme à la population dont il est issu. Un tel procédé doit être utilisé avec circonspection et prudence. En effet, il n'existe pas de normes précises quant à la taille maximale des coefficients de pondération. Toutefois, multiplier par 3 ou 4 l'importance d'une strate pour la rendre proportionnelle s'approche de la fiction mathématique.

7.4 LA SÉLECTION DU RÉPONDANT

Beaucoup d'enquêtes utilisent le ménage comme unité d'échantillonnage, ce qui exige de choisir un répondant particulier à l'intérieur de celui-ci. La sélection du répondant dépend largement de la problématique ;

on peut s'intéresser au fils aîné des familles ou aux mères célibataires, ce qui dicte strictement le choix des répondants. Lorsqu'on veut des estimations précises sur des sujets personnels, on peut même interroger tous les membres du ménage. Les enquêtes qui visent la population générale, la plupart des enquêtes d'opinion par conséquent, doivent fournir à tous les membres éligibles du ménage une chance égale de faire partie de l'échantillon. Cependant, le fait que davantage de femmes ou de personnes âgées soient présentes à la maison pendant le jour, par exemple, introduit un biais échantillonnal. On peut toutefois contourner partiellement ce biais en effectuant la collecte des données en soirée, au moment où les gens ayant des activités extérieures et les jeunes adultes sont souvent présents. L'absence de sélection oblige le chercheur à pondérer son échantillon parfois à l'excès afin qu'il soit conforme à la population.

On a donc élaboré des techniques de choix probabilistes afin de s'assurer que chaque membre du ménage a la possibilité d'être interrogé. Nous présentons deux techniques de sélection des répondants. La première, appelée technique de l'anniversaire, est facile à administrer ; la deuxième, appelée technique de Kish, est quant à elle bien connue.

La technique de l'anniversaire

La technique de l'anniversaire est des plus simples. On informe la personne qui nous accueille du type de répondant que l'on veut joindre et on demande à parler à la dernière personne de la maison qui a célébré son anniversaire de naissance. En son absence, l'interviewer tentera de fixer avec son interlocuteur un moment où la personne sélectionnée sera au foyer. Cependant, ces rendez-vous sont souvent ratés et la procédure est alors longue et coûteuse. Par conséquent, de nombreuses entreprises et certains interviewers, de leur propre chef et en l'absence de contrôle de la qualité, interrogent alors une autre personne présente qui correspond à certains éléments de la définition, l'autre adulte présent par exemple. Or, la prise de rendez-vous reste la seule manière de s'assurer que les catégories sociales souvent absentes du foyer sont bien représentées. La prise de rendez-vous permet parfois de rappeler fort tard dans la soirée des personnes qui ne sont pas disponibles à d'autres moments.

La technique de Kish

La technique de Kish est plus complexe à administrer. Il s'agit de demander à la personne qui a répondu de lister les personnes éligibles à l'étude en les ordonnant en fonction de leur âge, de leur sexe et de leur lien avec la famille[1]. Par commodité, il suffit le plus souvent de tenir compte des adultes (18 ans ou plus) composant le foyer, indépendamment de leur sexe et des liens qui les unissent. L'interviewer accorde alors un rang séquentiel à chaque personne et en choisit une en se servant d'une table de sélection. Puis, il demande à parler à la personne la plus âgée ou la plus jeune, selon les indications de la table. Ici, comme pour la technique de l'anniversaire, l'interviewer doit prendre rendez-vous avec le répondant sélectionné si ce dernier est absent du foyer. La table de sélection peut être légèrement différente et choisir le répondant en fonction de son sexe plutôt que de son rang séquentiel.

Il est important que la table de sélection soit fournie à l'interviewer. L'étiquette de chaque ménage sélectionné doit porter l'inscription du mode de sélection, et des questions d'éligibilité doivent être ajoutées à la présentation du sondage. Sur le formulaire, ces questions apparaîtront entre la présentation de la recherche, des objectifs et de l'interviewer et les questions où l'on sollicite la participation du répondant. Par exemple :

> Q1 : Combien y a-t-il d'adultes de 18 ans ou plus dans votre foyer ?
>
> À LA SUITE DE LA RÉPONSE ET EN UTILISANT LA TABLE DE SÉLECTION :
>
> Q2 : Est-ce que je pourrais parler à la deuxième personne la plus âgée ?
>
> SI ELLE EST PRÉSENTE : PRÉSENTEZ-VOUS ET EXPLIQUEZ-LUI LE BUT DU SONDAGE, PUIS DEMANDEZ-LUI SI ELLE VEUT PARTICIPER AU SONDAGE.
>
> Q3 : Voulez-vous répondre à quelques questions pour un sondage sur ... ?
>
> SI ELLE EST ABSENTE : DEMANDEZ QUAND CETTE PERSONNE SERA PRÉSENTE AU FOYER POUR POUVOIR LA REJOINDRE.
>
> Q4 : Quand votre père (mère, sœur, frère) sera-t-il (elle) présent(e) au foyer (à quelle heure et quel jour) ?
>
> INSCRIVEZ LA DATE ET L'HEURE OÙ LA PERSONNE SERA PRÉSENTE À LA PLACE PRÉVUE SUR LA FEUILLE-RÉPONSE OU LE QUESTIONNAIRE.

29 Méthode de Kish

1) On dresse une liste des membres du ménage ordonnée selon des critères pertinents.

SEXE	LIEN	ÂGE	RANG SÉQUENTIEL
M	Grand-père du père	76	1
F	Grand-mère du père	77	2
F	Mère	51	3
M	Père	57	4
F	Fille du père	36	5
F	Fille de la fille	18	6

N.B. : Ici, nous avons voulu montrer une situation moins courante que la famille nucléaire simple.

2) On choisit un répondant au moyen de la table de sélection.

TABLE DE SÉLECTION

EFFECTIF DU MÉNAGE	RANG DE LA PERSONNE DÉSIGNÉE					
	A	B	C	D	E	F
1	1	1	1	1	1	1
2	1	2	1	2	1	2
3	3	1	2	3	1	2
4	2	3	4	1	1	4
5	5	4	1	2	3	3
6 et plus	1	2	3	4	5	6

SOURCE : Grosbras, 1987, p. 32.

3) Le ou la responsable de la recherche doit imposer à l'interviewer le mode de sélection (A, B, C, etc. dans la table de sélection) qu'il devra utiliser pour un ménage donné. Le mode de sélection doit être apparié au ménage de façon aléatoire.
Exemple : Ménages 1, 7, 14, 25, 39 = mode A
        Ménages 2, 5, 17, 18, 31 = mode B

NOTE

(1)   Grosbras (1987) ajoute à l'âge et au sexe le lien des individus entre eux. C'est, à notre avis, une matière différente d'une part et un élément qui pourrait faire baisser le taux de réponse d'autre part. En effet, la détermination des liens à l'intérieur des ménages cause des problèmes particuliers. Les familles reconstituées, les enfants du divorce en visite occasionnelle, ou encore les individus ou les groupes partageant un logement et, enfin, les situations où un enfant du ménage principal, lui-même pas toujours facile à évaluer, revient habiter sous le toit familial avec un enfant rendent la détermination des liens problématique. Le nombre de questions et d'instructions, sans compter les problèmes de codification, alourdirait l'entrée en matière et nuirait au premier contact si fragile. Les gens vivant des situations particulières peuvent également se sentir scrutés trop intimement.

Chapitre 8

L'échantillon constant et l'analyse longitudinale

8.1 QUELQUES DÉFINITIONS

La méthode de l'échantillon constant (*panel studies*) est utilisée principalement pour les études de changement dans le temps appelées études longitudinales. Cette méthode exige de sélectionner un échantillon probabiliste de personnes, de familles, de ménages et même d'entreprises que l'on soumettra au même questionnaire, période après période, afin de connaître l'évolution de certaines de leurs caractéristiques. Rappelons que la méthode n'a rien à voir avec l'utilisation d'un jury ou les entretiens focalisés que l'on nomme parfois aussi « panels ».

La méthode est intitulée aussi quasi expérimentale : le chercheur connaît mais ne contrôle pas ce qui se passe entre deux points de passage du questionnaire. C'est d'ailleurs un des avantages de pouvoir se servir d'informations non observées directement par l'enquête pour interpréter les données. Si on observe l'état de stress d'une population, par exemple, en établissant des liens avec la situation familiale et l'emploi, on peut constater l'effet d'une catastrophe écologique sur cette population lorsque le stress augmente chez presque tout le monde, indépendamment de leur vie familiale ou de leur travail.

Les échantillons constants ont été utilisés surtout par des économistes intéressés à la dynamique micro-économique. Ils peuvent aussi servir à l'évaluation de programmes ou de services à laquelle ils sont particulièrement bien appropriés. En effet, les modèles d'évaluation de programmes et de services exigent la prise de mesures avant et après l'application du programme (Herman *et al.*, 1987) et c'est précisément ce que l'on fait dans les études longitudinales. Cette méthode aide donc à mesurer les effets de toute intervention volontaire sur une population aussi bien que les effets de situations accidentelles (divorce, perte d'emploi, etc.), les effets des sondages, des campagnes électorales et des autres formes de campagnes de publicité. En fait, l'analyse longitudinale est la seule méthode quantitative qui permette de mesurer les effets de quelque intervention sociale donnée dans un contexte où l'expérimentation ne peut être parfaitement contrôlée. Pour l'essentiel, la méthode est caractérisée par la permanence des questions posées avant et après l'intervention, et ce aux mêmes personnes.

Les modèles d'analyse statistique développés pour l'étude des données longitudinales peuvent servir à analyser des données que les organisations tiennent sur leur clientèle ou sur leurs membres. Les données recueillies par la Régie de l'assurance-maladie du Québec ont d'ailleurs déjà été étudiées en utilisant ces modèles. Les bases de données constituées doivent alors remplir certaines conditions : que tous les changements d'état soient inscrits avec leur date, que tous les individus soient évalués selon les mêmes variables et que l'on puisse garder la trace des individus d'une période à l'autre, c'est-à-dire qu'ils aient un numéro d'identification unique. La lourdeur des fichiers informatisés contenant des données longitudinales nécessite le tirage d'échantillons malgré que les données des bases de sondage administratives soient disponibles pour les populations concernées.

8.1.1   LE CARACTÈRE TEMPOREL DES VARIABLES

L'APPROCHE PONCTUELLE

La plupart des sondages portent sur la situation actuelle des personnes. À chaque fois que l'on demande à la population quel est son degré de satisfaction envers le gouvernement, on obtient une mesure instantanée de l'état de pensée de la personne. Toutefois, les tendances profondes d'une société se comprennent mieux lorsqu'on connaît son évolution temporelle, son histoire.

Les premières analyses qui ont tenu compte des aspects historiques furent menées au moyen de séries temporelles constituées par les résultats de différents sondages et au moyen des données officielles du recensement. Un problème se posait du fait que les données du recensement ne sont pas toujours comparables, les questions variant d'un recensement à l'autre et se présentant à des niveaux d'agrégation différents et souvent élevés. Les sondages menés indépendamment les uns des autres et portant sur une même question avaient le désavantage de comporter des échantillons de personnes différentes : puisque les individus échantillonnés n'étaient pas les mêmes pour tous les sondages, prédire que la situation X d'un individu donné entraînait une situation Y chez un deuxième individu était bien hasardeux.

LES VARIABLES MESURANT LE TEMPS : RÉTROSPECTIVES ET LONGITUDINALES

Deux solutions sont possibles : demander aux répondants ce dont ils se souviennent (approche rétrospective) ou leur poser des questions au fur et à mesure que les événements surviennent (approche longitudinale). Les enquêtes rétrospectives posent de nombreux problèmes de fiabilité : comment s'assurer que les répondants se souviennent clairement d'événements lointains tel leur premier emploi il y a 25 ou 30 ans et la durée de celui-ci ? De plus, on ne peut guère se fier à quelqu'un qui dit avoir eu telle attitude à tel moment et en avoir changé à tel ou tel autre moment. Les études longitudinales permettent de pallier les problèmes de mémoire.

8.1.2   LA MÉTHODE

L'enquête longitudinale offre une grande diversité[1] de méthodes d'échantillonnage et s'applique à plusieurs définitions de population. Les uns utilisent des échantillons représentatifs de la population générale (le Panel Study on Income Dynamics (PSID)), d'autres des cohortes (la National Longitudinal Study (NLS), une enquête américaine), les cohortes étant un groupe de répondants caractérisés par leur sexe et leur catégorie d'âge (les femmes de 15 à 25 ans par exemple) ou par d'autres catégories socio-économiques : les pauvres, les finissants du collégial ou de l'université, etc. Certaines enquêtes suivent des personnes, d'autres des ménages ou des familles. Duncan et Hill rapportent qu'une étude britannique suit une cohorte de naissances depuis quelques années déjà. Ces ménages ou ces cohortes sont sélectionnés initialement au moyen d'une forme ou l'autre d'échantillonnage probabiliste.

La périodicité de la passation du questionnaire est très variable aussi, allant de tous les mois (*Enquête canadienne sur l'activité*) jusqu'à tous les 10 ans (Suède). Une périodicité de un an et moins permet de limiter les erreurs de mémoire et d'obtenir beaucoup de précision quant à l'activité professionnelle et le revenu. La durée de l'intervalle entre chacune des vagues de l'enquête modifie aussi le taux de réponse au sondage. L'attrition de l'échantillon est inévitable lorsqu'on étudie de vastes échantillons urbains, mais des contacts fréquents, par question-naire ou autrement, avec les membres de l'échantillon augmentent les taux de réponse. Il faut donc prévoir différents mécanismes de conser-vation de l'échantillon entre les vagues d'administration des question-naires. Nous en discuterons plus loin. Notons immédiatement que les enquêtes longitudinales qui ne contiennent que deux vagues, la pre-mière avant un événement et l'autre immédiatement après, ont générale-ment de forts taux de réponse.

Certaines études n'ont pas été conçues comme des enquêtes lon-gitudinales au départ, mais le sont devenues par la suite. Il s'agit davantage d'une relance (*follow up*) d'un échantillon initial qui avait été soumis à un premier questionnaire et dont on voulait connaître l'évo-lution. Les travaux de Kohn et Schooler (1982) sur les effets réciproques de la personnalité et de l'emploi sont de ce type. Cette démarche ne peut être fructueuse que lorsque l'échantillon initial provient d'une organi-sation ou d'une association qui garde un contact constant avec ses membres, ce qui permet de les retrouver. Relancer un échantillon pro-venant d'une sélection aléatoire de numéros de téléphone dix ans après le premier sondage serait tout à fait inutile.

8.2   LES ÉTUDES LONGITUDINALES DE MÉNAGES

8.2.1   LA PRÉSENTATION DE LA MÉTHODE

Les huit expériences d'enquêtes longitudinales nationales analysées par Duncan *et al.* (1987) ont des caractéristiques communes : 1) elles portent sur de grands échantillons représentatifs de ménages et de personnes, 2) « elles comportent des règles pour garder le caractère représentatif des échantillons au fil des ans (parfois à l'exclusion des immigrants) » (Duncan *et al.*, 1987, p.1, traduction libre) et 3) elles accordent un intérêt particulier au revenu, à l'emploi et à la démographie.

La plupart de ces enquêtes partent d'un échantillon de ménages et interrogent et suivent tous les individus membres du ménage au mo-ment de la sélection initiale. Notons par ailleurs que le PSID lui-même, conçu il y a plus de 25 ans, n'interroge que les chefs de ménage définis comme l'homme dans tous les cas, même lors du remariage d'une femme de l'échantillon initial avec un homme qui n'en faisait pas partie alors, sauf lorsque la femme vit seule ou avec des enfants seulement. Voilà qui n'est pas sans soulever une critique féministe justifiée. Cette erreur ne s'est pas reproduite dans les autres enquêtes.

La plupart de ces enquêtes comportent un bloc de questions posées à toutes les rondes (*core questions*) concernant les conditions familiales et démographiques (mariage, divorce, cohabitation, grossesse, etc.), l'emploi (type, durée, employeur, etc.) et le revenu (salaire et autres revenus). Voilà ce qui en fait, au premier chef, d'excellents outils d'analyse de la carrière des répondants et de leur évolution familiale. Certaines années, ces questions sont complétées ponctuellement par d'autres questions portant sur divers sujets, selon les sources de subvention et les intérêts manifestés par la communauté scientifique ou l'État : la santé, l'opinion politique, le stress, les attitudes, etc.

Le fait de cumuler des données structurelles concernant le travail et la famille des répondants donne un relief considérable aux questions plus ponctuelles. Cela permet de mieux analyser la genèse des attitudes et des opinions.

Ces enquêtes étant très longues (environ 600 questions sur une possibilité de 1 100 sont posées à tous par le PSID), les entrevues se font généralement de personne à personne. Le PSID, après de nombreuses années d'entrevues en personne où les enquêteurs ont pu établir des liens durables avec les sondés, utilise maintenant l'entrevue téléphonique.

8.2.2 LES AVANTAGES ANALYTIQUES

Une des qualités de l'analyse par échantillon constant est de pouvoir distinguer les relations causales entre les éléments de la dynamique du revenu et de l'emploi et ceux de la dynamique familiale. Par exemple, on peut déterminer si les problèmes de revenu suivent ou précèdent les problèmes familiaux, et ce pour les deux membres du couple. Or, si les grands moments de l'histoire conjugale et de fertilité peuvent, grâce à leur importance, être recueillis au moyen de méthodes rétrospectives sans trop d'erreurs de mesure, seule l'enquête longitudinale permet de comprendre les conditions socio-économiques accompagnant ces transitions (*gross change*).

Barbara A. Bailar (1986) du U.S. Bureau of the Census désigne la précision des informations temporelles comme la principale qualité des études longitudinales. Les problèmes de mémoire sont moins importants que lors des études synchroniques. Le télescopage temporel s'avère en effet une constante de toute étude rétrospective. On remarque de grandes distorsions dans les rapports rétrospectifs sur des sujets comme l'emploi occupé et le salaire gagné lors du divorce survenu dix ans plus tôt ou lors de la naissance du dernier enfant qui a déjà 15 ans. Le télescopage temporel qui s'ensuit ne permet pas d'analyses causales valides.

Les enquêtes longitudinales avec suivi intégral des partants[2] sont donc très appropriées pour l'étude du divorce et de ses conséquences, un phénomène dont l'importance ne cesse de croître : les études américaines (Hoffert, 1985, cité dans Duncan *et al.*, 1987) concluent que 70 % des enfants nés en 1980 auront à vivre dans une famille modifiée. L'échantillon constant permet d'établir les multiples changements des constellations familiales avant et après les transitions (mariage, divorce, remariage, « redivorce »), et ce pour les deux membres du couple. On peut alors faire une meilleure analyse du phénomène des familles reconstituées ou des arrangements familiaux postdivorce quant à la garde des enfants, au partage du logement, au rôle de la fratrie (frères et sœurs), des parents et des grands-parents. On peut aussi mieux évaluer les conséquences du remariage du père sur le versement des pensions alimentaires.

> « La plus importante question de politique sociale concerne la distribution des ressources à la suite du divorce : jusqu'à quel point y a-t-il eu une distribution équitable des ressources à la suite du divorce étant donné les conditions actuelles des deux ménages ? »
> (Duncan *et al.*, 1987, p. 10. Traduction libre.)

En suivant les individus de seconde génération (les enfants des ménages sélectionnés initialement) après qu'ils aient formé des ménages indépendants, on comprend nettement mieux les effets des transitions des constellations familiales de première génération sur la formation de constellations de seconde génération (abandon des études, formation hâtive de ménages familiaux et non familiaux) aussi bien que leurs conséquences économiques (héritage de la pauvreté). De plus, on peut mieux comprendre les transferts économiques entre les générations : dons, prêts, services, héritages, etc. Toutefois, les études intergénérationnelles exigent des enquêtes longitudinales qui se poursuivent sur de très longues périodes.

En somme, l'avantage premier du suivi de tous les membres des ménages et des partants serait donc de pouvoir associer les différentes étapes de la vie des familles, leurs transitions de revenu, d'emploi et d'état matrimonial, avec les mêmes éléments de la vie active de chaque individu qui les composent. Deuxièmement, les effets des événements de la vie des parents peuvent être utilisés sans avoir à poser une seule question aux enfants sur lesdits événements. Or, on sait que les gens sont de moins bons informateurs sur les autres que sur eux-mêmes, si proches soient-ils. Sans suivi intégral des partants, les informateurs répondraient à des questions sur des gens avec qui ils ne cohabitent plus.

« Le compte rendu que font les individus de leur revenu, de leur salaire horaire, des périodes de chômage, de leurs études, aussi bien que de leurs sentiments de bien-être sont des représentations imparfaites de la réalité. Utiliser des substituts pour rapporter ces représentations, lorsque les enfants rapportent le revenu des parents par exemple, exacerbe ces problèmes de mesure. » (Boruch et Pearson, 1988, p. 25. Traduction libre.)

Il n'est donc pas étonnant que l'aspect le plus important des études longitudinales des ménages s'avère le suivi des membres du ménage initial après qu'ils aient cessé d'en faire partie.

Les règles de suivi des partants s'articulent autour de trois exigences essentielles : 1) que tous les membres de l'unité familiale de départ soient suivis, 2) que l'on ait des informations de première main concernant l'histoire conjugale et la fécondité de ceux-ci et 3) que les constellations familiales soient identifiées au complet et non seulement en fonction du chef de ménage (Duncan *et al.*, 1987).

8.3 LA REPRÉSENTATIVITÉ DES ÉCHANTILLONS LONGITUDINAUX

8.3.1 L'ATTRITION

Comme pour les études synchroniques, on rencontre dans les échantillons constants le problème des non-répondants lors de l'entrevue initiale. De plus, les études longitudinales comportent un problème majeur, à savoir l'attrition de l'échantillon, c'est-à-dire le départ graduel des répondants de l'échantillon ou, autrement dit, le cumul annuel des non-répondants.

Un grave biais peut se développer au fil des ans : les membres de la classe moyenne et les personnes d'âge mûr sont surreprésentées au moment de la formation de l'échantillon. Les membres plus jeunes, donc plus mobiles, et les plus pauvres se trouvent vite absents ou très difficiles à suivre.

Les taux de réponse initiaux et les taux de conservation des grandes enquêtes sont généralement très bons.

« Une étude longitudinale démographique ... dans la région de Détroit a conservé un taux de réponse de 89 % des répondants de la vague initiale après cinq vagues d'entrevues réparties sur une période de 15 ans et les pertes du National Survey of Health and Development ne s'élèvent qu'à 12 % après 26 ans. » (Duncan et Kalton, 1987, p. 107. Traduction libre.)

On a d'ailleurs développé de nombreuses techniques de conservation des échantillons, lesquelles sont décrites plus bas. Toutefois, de manière générale, les pertes les plus importantes se produisent dans les premières années de l'enquête. Le PSID, un pionnier en la matière, n'a mis en place ses techniques de conservation qu'au cours de sa deuxième année d'existence et les a perfectionnées peu à peu, ce qui explique qu'il n'ait conservé que la moitié de son échantillon initial. Certaines pertes sont inévitables : au cours des 25 années d'existence du PSID, de nombreux répondants sont décédés.

8.3.2   LA « RÉPARATION » DES ÉCHANTILLONS

De manière générale, le remplacement des unités manquantes s'avère le plus sûr moyen de s'assurer de la représentativité de l'échantillon dans le temps. Mais devant les coûts élevés de « réparation » des échantillons partiellement désagrégés au moyen de méthodes probabilistes synchroniques et l'intérêt majeur que représente la présence de données antérieures de première main, la solution empruntée fut généralement l'inclusion des partants dans l'échantillon.

> « Les plans d'enquête des études longitudinales comme le PSID et le Panel socio-économique ouest-allemand (Hanefeld, 1984) contiennent un mécanisme pour ajouter à leurs échantillons les individus et les familles qui sont « nés » dans la population étudiée ; ainsi, ils peuvent conserver des échantillons représentatifs des individus et des familles non immigrantes pout toute leur durée. Ces études commencent avec un échantillon probabiliste de sous-unités comprises dans les logements : ménages, familles, sous-familles, des unités bénéficiaires de programmes de transfert et des individus. La probabilité d'inclusion de ces unités est égale à la probabilité d'inclusion du logement lui-même. Avec un système de règles d'inclusion spécifié adéquatement en ce qui a trait à la définition des unités, les sous-unités d'intérêt nouvellement formées (incluant les individus) sont incluses dans l'échantillon avec une probabilité d'inclusion connue et reflètent adéquatement les changements de la population générale (comme exemple, lire Survey Research Center, 1984). Parce qu'ils proviennent des ménages déjà membres de l'étude, les nouvelles familles et les nouveaux individus sont plus « groupés » (*clustered*) selon les lignées familiales que pour les échantillons synchroniques répétés ; toutefois, l'inefficacité statistique de ces groupements est largement contrebalancée par l'avantage que procure la possibilité de lier l'information sur ces unités nouvelles avec celle que l'on possède sur leurs familles d'origine. » (Duncan et Kalton, 1987, p. 105-106. Traduction libre.)

Il reste le problème de l'immigration survenue depuis le début de l'enquête. La situation est d'autant plus difficile lorsqu'il n'existe aucune liste complète des nouveaux venus, comme au Canada. Le problème de l'immigration est plus important pour les communautés urbaines cosmopolites que pour des études nationales ou celles concernant des communautés très stables.

Les enquêtes longitudinales ne présentent pas que des inconvénients concernant les non-réponses puisqu'elles offrent des manières supplémentaires de les traiter. Dans une étude synchronique, les non-répondants (ceux que l'on n'a pu joindre) sont compensés par la pondération des échantillons et les questions sans réponses sont compensées par imputation (de moyenne la plupart du temps). Dans une enquête longitudinale, on peut ajouter aux méthodes précédentes l'imputation de données antérieures.

8.3.3 LES ERREURS D'OBSERVATION

Le phénomène de l'attrition ne doit pas retenir toute l'attention des concepteurs au détriment des aspects habituels des enquêtes par sondage. Les erreurs d'échantillonnage peuvent être mesurées et compensées par pondération ou d'autres techniques, contrairement aux erreurs d'observation. Comme le notent Boruch et Pearson, les erreurs d'échantillonnage reçoivent parfois une attention démesurée, ce qui incite les initiateurs à y consacrer trop de ressources dans un contexte où, tout en demeurant importantes, elles restent limitées.

> « Plus de ressources devraient être consacrées à l'évaluation et à l'amélioration de la qualité des mesures plutôt qu'à la réduction des erreurs d'échantillonnage. Étant donné les ressources des enquêtes longitudinales, la tendance principale a été d'avoir "plus de questions" ou un "échantillon plus important". La stratégie est correcte si les mesures utilisées sont près de la perfection. Elle est mauvaise ou, à tout le moins, trop étroite si les mesures sont d'une qualité très variable. En pratique, elles le sont souvent. » (Boruch et Pearson, 1988, p. 25. Traduction libre.)

La préparation d'une enquête longitudinale est capitale. Les chercheurs doivent construire un questionnaire qui ne devra pas changer au cours de longues périodes. Sinon, pas de comparaison possible ! La période de conception et de mise à l'essai peut durer plus d'un an. Toutes les habiletés et les précautions méthodologiques doivent être poussées à leur maximum. Si le sondage synchronique est le domaine de la rigueur, l'étude longitudinale est le royaume de l'obsession. Le cadre théorique devient capital ; en choisir un trop restreint réduit l'espérance de vie utile de l'enquête. Que vaut une étude longitudinale d'une durée de 30 ans qui porte sur des questions auxquelles plus personne ne s'intéresse ? Conséquemment, les variables structurelles sont plus souvent adéquates pour la partie permanente de l'enquête alors que les questions d'attitude sont surtout pertinentes pour les parties ponctuelles.

8.4 LE SUIVI DES INDIVIDUS MOBILES

8.4.1 LES CARACTÉRISTIQUES DES INDIVIDUS MOBILES

Les partants ne résument pas tout le phénomène de mobilité géographique auquel font face les initiateurs d'une enquête longitudinale. Beaucoup d'individus et de familles changent de résidence sans vivre les phénomènes de dissolution des ménages que nous avons soulignés précédemment. À chaque année, 20 % des numéros de téléphone inscrits dans l'annuaire de Montréal changent, ce qui constitue une sous-estimation de la mobilité réelle des abonnés puisque nombreux sont ceux qui déménagent sans changer de numéro de téléphone. Cette situation menace la représentativité des échantillons bien plus que le phénomène du divorce ou de la partance des enfants.

Outre les problèmes de représentativité, les objectifs théoriques d'une démarche aussi coûteuse seraient compromis si on ne suivait pas tous les individus mobiles. Comme le soulignent les responsables du Survey on Income Program Participation (SIPP), la mobilité géographique est au cœur de leurs préoccupations.

30 Questions présentant une différence significative entre individus mobiles et non mobiles

La région habitée

La superficie du lieu de résidence

Le type de résidence (louée ou achetée)

La longueur de l'entrevue

Le nombre de personnes dans le ménage

L'âge

L'ethnie (mais non la race)

Le lien de parenté avec la personne de référence (les enfants de la personne de référence plus particulièrement)

L'état civil (célibataires et divorcés)

La scolarité (les plus scolarisés)

L'emploi

Le nombre d'heures travaillées (35 heures et plus par semaine)

Le revenu du ménage (les bas revenus)

Le revenu personnel (les bas revenus)

L'absence de compte d'épargne

Recevoir des paiements de transfert

Recevoir des transferts non monétaires

SOURCE : Jean et McArthur.

« Un des objectifs principaux du SIPP est de suivre les changements qui surviennent dans la vie des personnes et de déterminer les interrelations entre des événements qui apparaissent concurremment tels un changement d'emploi et un déménagement, et ainsi de suite. » (Jean et McArthur, n° 8701, p. 11. Traduction libre.)

La mobilité géographique est en effet reliée à de nombreux phénomènes : changement d'occupation ou d'emploi, changement de situation de famille, migration, déménagement (local ou éloigné, achat ou location de la résidence).

« En somme, nous croyons que la tâche énorme de suivre les individus que s'est imposée le SIPP ainsi que le décompte des activités de chaque personne d'une manière systématique et cohérente ont fourni aux utilisateurs des données du SIPP une base de données inestimable, contribuant à une meilleure compréhension de la manière dont les changements historiques influent sur notre bien-être économique. » (Jean et McArthur, n° 8701, p. 13. Traduction libre.)

Les auteurs ont dressé une liste des questions où la différence entre les individus mobiles (nous désignerons les individus mobiles géographiquement sous le vocable « mobiles » pour la suite du texte) et les individus non mobiles est significative. Notons que les calculs ont été effectués sur toutes les catégories de mobiles et non seulement sur les partants (voir encadré 30).

Dans leur analyse, Jean et McArthur insistent sur deux caractéristiques majeures des mobiles, caractéristiques qui sont partiellement indépendantes l'une de l'autre. Les mobiles sont essentiellement des gens à bas revenu et des jeunes. Les premiers vivent surtout une instabilité d'emploi et les autres entrent sur le marché du travail. Les divorces expliquent une grande partie des autres raisons de la mobilité. Le SIPP, qui suit les jeunes de 15 ans ou plus, songe à abaisser l'âge à 12 ans afin de faciliter leur suivi.

8.4.2 LES TECHNIQUES DE CONSERVATION DES ÉCHANTILLONS

La technique de conservation la plus courante s'avère l'attribution d'incitatifs monétaires aux répondants. C'est le premier type d'encouragement auquel les initiateurs du PSID ont songé et il a été repris par toutes les autres équipes de recherche. Le montant ne doit pas être très élevé (le PSID offre 10 $) et doit rester fixe. Le SIPP, mené par le Census Bureau, s'est engagé dans une surenchère qui s'avère très coûteuse et qui n'entraîne pas pour autant une plus grande efficacité ; ses enquêteurs offrent jusqu'à 50 $ aux répondants sélectionnés pour passer une entrevue. Dans un contexte où tous les individus des ménages sont interrogés, les coûts deviennent vite excessifs (le SIPP interroge les gens à tous les deux mois). On ne dispose d'ailleurs d'aucune étude permettant d'établir l'effet des incitatifs monétaires sur le taux de réponse d'une enquête longitudinale. On comprendra facilement qu'il est ici impossible d'utiliser la méthode expérimentale comme pour les études synchroniques. Des chercheurs de Statistique Canada ont souvent remarqué que certaines personnes financièrement à l'aise refusent la rétribution en invoquant le caractère public de l'organisme.

Les chercheurs du Survey Research Center de l'Université du Michigan ont ajouté aux incitatifs monétaires, lors de la passation des questionnaires, différents moyens organisationnels et psychosociaux de conservation des échantillons. D'abord, à chaque fois que le répondant complète un questionnaire, l'enquêteur lui remet une fiche-adresse qu'il devra compléter s'il déménage ; signaler sa nouvelle adresse lui rapporte 5 $. Ensuite, un responsable du centre est chargé d'envoyer des cartes de Noël, d'anniversaire, de condoléances, de félicitations pour un mariage ou une naissance. Ces menues attentions sont fort appréciées par les répondants. Ce sont les mêmes trucs qu'utilise votre dentiste pour s'assurer de votre clientèle. Enfin, certains résultats et des « nouvelles de l'enquête » sont expédiés sous forme de bulletin (*newsletter*). Les répondants aiment connaître ce qu'il advient de leur contribution à l'enquête et ont le sentiment d'avoir réalisé une « production ».

Lors de l'entrevue initiale, les enquêteurs doivent demander aux répondants les coordonnées de deux proches parents ou d'amis intimes qui permettraient de le joindre s'il déménageait. À chaque période (année ou mois selon le cas), l'interviewer devra vérifier si ces informations sont toujours valides.

Malgré ces précautions, il arrive parfois que la recherche des répondants relève davantage de l'enquête policière que de la recherche sociale : on interroge les voisins, l'épicier du coin, etc. Il arrive aussi que l'on puisse joindre le répondant mais que celui-ci, excédé, refuse de répondre. Une insistance polie est la seule solution. Une dame ayant atteint depuis longtemps l'âge de la retraite travaille encore pour le PSID à cause de sa facilité à convaincre les récalcitrants.

L'importance que prend la conservation de l'échantillon initial a toutefois un effet pervers : « Les interviewers tentent par tous les moyens de convaincre les non-répondants de continuer à collaborer, ce qui produit souvent des informations de moins bonne qualité. » (Bailar, 1986, p.12. Traduction libre.)

8.5 L'UTILISATION SECONDAIRE DES DONNÉES D'ENQUÊTES LONGITUDINALES

8.5.1 L'ÉVALUATION DES ENQUÊTES LONGITUDINALES

Si la constitution d'une enquête longitudinale s'avère une entreprise fort coûteuse, le chercheur intéressé à utiliser les données de telles enquêtes peut les acheter pour une fraction minime du prix. Pour que son travail soit fructueux, il doit s'assurer que les données qu'il acquiert sont très bien construites et bien documentées. L'achat d'une bande

---

31 Résumé synthèse des avantages et des inconvénients des enquêtes longitudinales

AVANTAGES

1) L'enquête longitudinale fournit une mesure fiable du changement individuel (Boruch *et al.*, 1988, p. 4).

2) L'enquête longitudinale permet de meilleures analyses causales.

3) La méthode permet de développer des concepts qui sont intrinsèquement dynamiques plutôt que statiques (Boruch *et al.*, 1988, p. 4).

4) La méthode permet de mesurer les taux de transition et la conservation des états.

5) L'enquête longitudinale permet « une analyse qui contrôle les caractéristiques non mesurées des individus et augmente la capacité de distinguer entre l'influence de différences individuelles durables (âge et sexe) et l'influence d'une expérience préalable du même type que celle à l'étude (une expérience de chômage conduisant au chômage actuellement, par exemple). » (Boruch *et al.*, 1988, p. 4. Traduction libre.)

6) L'enquête longitudinale fournit une mesure plus précise et immédiate des phénomènes subjectifs, telles les attitudes, plutôt que d'en fournir une image déformée par la mémoire.

INCONVÉNIENTS

1) L'enquête longitudinale ne tient pas compte de l'évolution de la taille et de la structure de la population à l'étude.

2) L'enquête longitudinale est limitée par la non-disponibilité de quelques individus après un certain temps.

3) L'enquête longitudinale a un effet de conditionnement sur les répondants. Après quelque temps, les répondants connaissent le questionnaire et donnent des réponses erronées pour éviter d'avoir à répondre à une section supplémentaire (Bernard *et al.*, 1988).

4) L'enquête longitudinale comporte toujours les mêmes questions, ce qui engendre un effet d'ennui.

5) Les erreurs de mesure simulent des changements réels, particulièrement quand certaines informations sont livrées par des proches.

6) L'enquête longitudinale de ménages comporte des problèmes de définitions : lorsque quelqu'un est marié puis divorcé et retourne chez ses parents, quelle est sa famille ? quelle est la famille de son enfant ? qui est le chef de famille ?

informatique et d'un cahier de codification ne suffit pas. Nous tirons de Boruch et Pearson (1988) les critères d'évaluation de la qualité des enquêtes longitudinales de Bailar et Lanphier (1978). Certains éléments de la grille concernent l'évaluation préalable du projet, d'autres intéressent les évaluateurs aussi bien que les utilisateurs. L'encadré 32 en donne une traduction libre.

---

32   Critères d'évaluation de la qualité des enquêtes longitudinales

Facilité à lier les résultats avec d'autres données ou des études auxiliaires

Accès simultané offert à plusieurs usagers des données

Facilité avec laquelle l'échantillon peut être modifié ou augmenté (en fonction d'études particulières)

Niveau de confidentialité envers les répondants

Lors de la reprise d'études anciennes, efforts fournis pour ajuster le langage et tenir compte des changements sociohistoriques

Justifications et explications données concernant les questions suivantes : a) Pourquoi le choix de ne pas reprendre les autres études ne retarde pas le développement de la science cumulative ? b) Est-ce que la reprise d'autres études n'est pas un investissement redondant des ressources de la recherche scientifique ?

Importance des ressources consacrées à la mesure des erreurs d'échantillonnage et de mesure ainsi qu'à leur compte rendu

Usage explicite de théories préalables à la collecte des données et utilité des données pour le développement des théories

Usage de mécanismes minimisant les non-réponses et l'attrition et, subséquemment, ajustement de l'échantillon en fonction des non-réponses et de l'inévitable attrition (par pondération ou imputation)

Source : Boruch et Pearson. Traduction libre.

Pour estimer la valeur d'une recherche, l'acquéreur de données doit donc pouvoir obtenir nombre d'informations sur l'enquête avant de s'engager dans le traitement. L'achat doit se faire directement auprès du fournisseur de l'enquête qui pourra également procurer les justifications, les évaluations et les principaux résultats de l'étude : une bibliographie des recherches ayant utilisé les données, des études évaluatives de la qualité des données et une procédure claire pour obtenir les données. On doit s'informer sur la politique d'accès aux données, notamment la confidentialité. Certaines enquêtes, pour protéger l'identité des collaborateurs membres de l'échantillon, limitent la précision géographique à de grandes régions. Statistique Canada utilise des techniques d'arrondissement aléatoire dans le même but (voir l'annexe C).

Afin de faciliter l'utilisation des données, la documentation fournie avec la base de données longitudinales devrait comprendre de nombreux renseignements énumérés dans l'encadré 33.

Enfin, nous attirons l'attention de ceux qui voudraient utiliser des bases de données déjà constituées, qu'elles aient été recueillies dans le cadre d'une enquête longitudinale ou non, et sur la préparation des données pour leur traitement. Les banques de données doivent être rectangulaires, c'est-à-dire que l'échantillon doit comprendre les mêmes informations et les mêmes personnes à toutes les vagues. Si un répondant meurt, on ne peut le remplacer par un autre comme s'il s'agissait de la même personne. De plus, un individu donné doit pouvoir être relié avec tous les individus qui lui sont apparentés ou avec qui il a d'autres formes de liens à long terme.

33 Renseignements devant accompagner les données
Un index des variables mis à jour, y compris les variables créées
Des mots clés et des abstracts indexés
Une description physique complète des données
Une documentation complète de tous les codes (profession, origine géographique, etc.)
Toutes les informations sur les faiblesses de l'enquête et les inconsistances entre les vagues
La description des méthodes d'imputation
Les méthodes pour développer des poids synchroniquement et longitudinalement
La description des erreurs dans les données

8.5.2 LES STATISTIQUES LONGITUDINALES

Certaines procédures mathématiques ont été développées pour profiter pleinement du caractère longitudinal des données. Le chercheur devra maîtriser des techniques statistiques particulières comme l'analyse de survie, connue aussi sous le nom américain de *event history analysis*. S'il ne possède pas ces compétences, il devra les acquérir d'une manière ou d'une autre.

Le livre de P. A. Allison, *Event History Analysis* publié chez Sage, constitue une bonne introduction à ce champ de l'analyse des données. Les techniques d'analyse s'inspirent des tables de survie développées au XVIIIe siècle. Les biostatisticiens intéressés à évaluer des processus expérimentaux, notamment l'effet de certains médicaments sur les chances de survie, ont renouvelé la méthode entre 1950 et 1960. Un sociologue, Tuma, a introduit les chaînes de Markov et l'analyse explicative au milieu des années 1970. On peut analyser des événements répétés ou uniques et plusieurs types d'événements à la fois ; le temps peut être considéré comme discret (regroupé) ou continu et correspondre ou non à des courbes typiques (paramétriques, semi-paramétriques ou non paramétriques). L'auteur analyse aussi des logiciels de traitement de données.

NOTES

(1)   Boruch (1988) recense une cinquantaine d'enquêtes longitudinales majeures menées aux États-Unis depuis 1950. La plus connue en sciences sociales est le Panel Study on Income Dynamics (PSID) qui dure depuis plus de 25 ans. Cette enquête a été entreprise par les chercheurs de l'Université du Michigan dans la foulée des grandes enquêtes réalisées dans le cadre de la War on Poverty de l'administration Johnson au milieu des années 1960. Une de ses fonctions était d'évaluer les programmes mis en place alors. De nombreux pays occidentaux mènent aujourd'hui des enquêtes similaires ou inspirées du PSID.

(2)   Nous désignons comme « partants » les individus qui quittent le ménage initial, quelle qu'en soit la raison (divorce, séparation, départ des enfants de la maison) ; ceci nous a semblé la meilleure traduction du terme *split-off* qu'utilisent les anglo-saxons pour les désigner.

Chapitre 9

Les échelles, les indices et les typologies

INTRODUCTION

La construction de métriques en sciences sociales pose de nombreux problèmes. Comme le fait remarquer N. Delruelle, dans sa préface du livre de Javeau et Legros-Bawin *Les Sondages en question*, poser une seule question pour connaître une attitude ne suffit généralement pas. Pour comprendre les phénomènes complexes, on doit comptabiliser un grand nombre d'événements qui permettent de mieux les décrire. On a donc pensé à former des indices (index) qui servent à mesurer de tels phénomènes. L'indice Dow Jones, par exemple, est comptabilisé à partir des cotes en Bourse des plus grandes entreprises américaines. Il fournit des informations sur la performance de tout le marché boursier. La majorité des indices non économiques sont des échelles où l'on comptabilise les résultats de plusieurs questions pour constituer une seule variable synthétique. On peut également construire des variables synthétiques en utilisant l'analyse factorielle, une technique statistique avancée que nous introduirons au dernier chapitre de cet ouvrage.

Cette étape plus technique constitue la dernière phase de l'analyse conceptuelle telle que codifiée par P. Lazarsfeld. En effet, les concepts sont d'abord soumis à une démarche analytique en étant réduits en composantes observables ; c'est ce que nous avons fait avec le concept de la bonne conduite automobile (voir la section Exercices et corrigés). Ici, nous faisons le processus inverse : à partir des éléments, nous reconstituons les touts. Cette démarche tire donc son origine des premières étapes de la formulation d'un questionnaire. Le chercheur doit inclure dans son questionnaire les variables nécessaires à la construction des échelles et des typologies avant de penser à les construire techniquement. Même les procédés de classement automatique, d'analyse factorielle, d'analyse de correspondances, d'analyse typologique, etc. reposent sur la présence des bonnes variables dans le questionnaire.

Nous verrons deux types d'échelles : les échelles additives et les échelles hiérarchiques. Nous nous attarderons également à la construction des typologies. À la différence des échelles qui sont toujours unidimensionnelles, les typologies sont des variables composites, multidimensionnelles. Nous présenterons aussi les éléments de l'analyse de la fidélité et de la validité nécessaires au choix d'échelles toutes faites. Nous traiterons plus particulièrement des échelles psychométriques.

34   Transformation des variables

Les programmes de traitement statistique valables incluent tous des procédures permettant de transformer des variables. Étant donné la diversité de ces procédures et chaque logiciel ayant sa syntaxe particulière, nous n'en présenterons aucune en particulier mais nous aborderons plutôt leurs principes de base.

Il est possible d'accomplir toutes les opérations mathématiques de base (+ − × ÷) ainsi que des opérations plus sophistiquées comme l'extraction de racines carrées ou le calcul de valeurs exponentielles. Consultez le manuel de votre progiciel pour savoir quelles opérations il peut accomplir et pour connaître sa syntaxe particulière. Ces opérations peuvent comporter une ou plusieurs variables aussi bien que des constantes. Lorsqu'on additionne plusieurs variables, la nouvelle variable ainsi créée aura comme valeur, pour chaque répondant, la somme des réponses de ces derniers pour chacune des variables originales.

La plupart du temps, les progiciels permettent aussi de faire des transformations conditionnelles. On peut les exprimer ainsi : SI [une condition donnée est remplie] ALORS [exécute la transformation suivante]. Les transformations qu'on peut accomplir sont les mêmes que précédemment, mais on peut aussi accorder à une variable donnée la valeur d'une autre variable comme dans l'exemple suivant :

SI [le répondant est un homme] ALORS [la variable Q6 doit être remplacée par la valeur de la variable Q17].

Certains progiciels permettent aussi de remplacer les valeurs des variables par d'autres au choix. Cette opération s'appelle le recodage d'une variable.

Enfin, il est possible, la plupart du temps, de construire des variables en accordant la valeur 1 à une variable chaque fois que le progiciel rencontre une valeur donnée dans un ensemble de variables. Par exemple, si nous avons trois variables mesurant le type de lecture des répondants, soit des quotidiens, des revues et des romans, on peut demander à l'ordinateur de créer la variable « lecture ». Ce dernier accordera un point à cette variable lorsque la personne aura déclaré lire « parfois » ou « souvent » et n'accordera aucun point lorsqu'il aura déclaré ne jamais lire un de ces types d'imprimés. La variable « lecture » vaudra trois points lorsque le répondant aura affirmé lire des quotidiens, des revues *et* des romans, deux points lorsque seulement deux types d'imprimés sont lus, et ainsi de suite.

9.1 LES ÉCHELLES ADDITIVES

Il existe deux méthodes principales pour construire une échelle additive : la méthode de Likert et celle de Thurstone. Les principes de base sont les mêmes, seul le mode de pondération (attribution de poids différents à certaines réponses ou à certaines questions) varie. En voici les principales étapes de construction :

1) choix des indicateurs qui se rapportent à l'univers de contenu ;
2) examen du caractère discriminant des variables ;
3) pondération ;
4) examen et traitement des valeurs manquantes ;
5) addition des poids attribués ;
6) regroupement.

9.1.1 LE MODE DE CONSTRUCTION

1) La première étape est largement théorique. Dans la plupart des enquêtes d'opinion, on ne dispose pas d'un nombre élevé de variables pour décrire un phénomène et on ne peut les multiplier sans risquer des non-réponses. On doit donc choisir judicieusement les questions qui formeront l'échelle. Ces questions doivent être univoques et se rapporter toutes au même univers de contenu. Le premier objectif de la construction s'avère la validité du construit.

2) Une fois les résultats de la distribution de fréquences en main, on ne sélectionne que les variables qui sont discriminantes, c'est-à-dire celles où l'on ne trouve pas plus de 90 % des répondants concentrés dans une seule catégorie.

3) On identifie les valeurs manquantes et on décide du traitement qu'on en fera dans l'échelle. Les décisions sont inspirées principalement par des considérations pratiques.

4) La pondération des indicateurs implique différentes décisions hiérarchiques. La toute première est de s'engager ou non dans une pondération inégale. On peut ensuite choisir l'une ou l'autre méthode de pondération, soit la pondération au jugé ou par défaut, soit celle de Likert, soit celle de Thurstone.

5) On additionne les poids attribués à chacune des réponses pour constituer l'échelle.

6)   Il peut être utile de subdiviser l'échelle obtenue en catégories distinctes, soit en fonction de la distribution (quartile, quintile, etc.) ou en fonction de la théorie ou de modèles mathématiques d'inspiration gaussienne.

9.1.2   LES NON-RÉPONDANTS

Le problème des non-répondants et leur étude sont les mêmes que pour toute variable : on analyse les non-réponses en croisant les variables de contenu et les variables sociodémographiques et en incluant les non-réponses ; si les non-réponses sont liées à une caractéristique démographique (le sexe ou l'âge par exemple), on conclut à leur caractère systématique. Après avoir identifié les variables dont les non-répondants sont exclus systématiquement, on les élimine de l'échelle. S'il en reste trop peu, on renonce à construire l'échelle. Cette étude peut être relativement longue. On peut également utiliser l'analyse discriminante.

Ce qui suit vaut pour les non-répondants non systématiques. Lorsqu'on a un grand nombre de répondants et que l'on a peu de questions dans l'échelle, on élimine tous ceux qui n'ont pas répondu à une variable donnée ; c'est le traitement par défaut que l'on obtient avec la plupart des progiciels. Il arrive aussi que l'on ne puisse se permettre d'exclure trop de répondants et que l'on dispose d'un nombre suffisant de questions (cinq et plus). On n'élimine alors le répondant qu'à partir d'une certaine proportion de non-réponses. On peut aussi accorder aux non-réponses une valeur moyenne ou une valeur au hasard. Certaines techniques permettent d'attribuer une réponse au répondant en vertu de son profil général, ce qui peut être hasardeux.

9.1.3   LES TECHNIQUES DE PONDÉRATION

Différentes techniques de pondération sont utilisées pour la construction d'échelles. Certaines méthodes sont basées sur des techniques mathématiques, alors que d'autres reposent sur la coutume ou sur le seul jugement du chercheur.

LA TECHNIQUE DE PONDÉRATION AU JUGÉ

Cette technique, en fait, n'en est pas une. Il s'agit tout simplement d'attribuer à chacune des réponses un poids correspondant au nombre indiquant leur position dans l'échelle.

Par exemple, dans une échelle variant de « très satisfait » à « très insatisfait » et comptant cinq niveaux, on accorde un poids de 5 à « très satisfait » et un poids de 1 à « très insatisfait ». Lorsqu'il s'agit d'une échelle de satisfaction et si c'est l'insatisfaction que l'on mesure, on inverse l'attribution des scores. Ici, la seule précaution à prendre est d'accorder le pointage dans le sens de l'échelle. Par exemple, le maire X est en faveur de la construction d'un incinérateur et contre celle d'une usine d'épuration des eaux ; si l'on demande l'opinion des citoyens sur ces deux sujets et qu'on veut constituer une échelle d'approbation des politiques du maire X, la réponse « tout à fait d'accord » à la question relative à l'incinérateur vaudra 5 points dans l'échelle d'approbation, mais la même réponse « tout à fait d'accord » à la question sur l'usine de traitement des eaux ne vaudra qu'un seul point.

Lorsqu'on utilise cette méthode de pondération, les catégories mitoyennes du type « plus ou moins satisfait » reçoivent un poids moyen, soit 3, pour les variables comportant cinq choix de réponses. Une méthode plus respectueuse de la signification de ces choix de réponses est d'accorder la valeur 0 à la catégorie indécise, +1 et +2 aux catégories supérieures à celle-ci et −1 et −2 à celles qui lui sont inférieures (voir l'encadré 35).

35   Types de poids

TS	PS	+/−	PI	TI
5	4	3	2	1

TS	PS	+/−	PI	TI
2	1	0	−1	−2

LA PONDÉRATION DES RÉPONSES SELON LEUR RARETÉ

L'attribution des poids au jugé

La pondération des réponses selon leur rareté peut être faite au jugé ou selon la méthode de Likert. La méthode au jugé est plus rapide mais moins précise puisque les critères d'attribution des poids sont variables d'une recherche à l'autre et non reproductibles. L'esprit est toutefois le même, quelle que soit la méthode. Lorsqu'il agit au jugé, le chercheur détermine des poids différents pour chacune des catégories selon ce qu'il sait de la répartition des biens dans la population (réfrigérateur, cuisinière, magnétoscope, téléviseur, etc.) ou selon la distribution échantillonnale, mais en soi, il n'applique aucune règle précise de nature mathématique.

Dans une échelle exprimant l'accord sur des politiques par exemple, si une majorité se prononce en faveur d'un élément de la politique, le désaccord de la minorité sur cet élément implique un désaccord plus profond que l'accord. Ou encore, pour les études sur le train de vie, la possession d'un réfrigérateur est banale et par conséquent peu révélatrice d'un train de vie élevé ; au contraire, son absence inciterait à soustraire de nombreux points à une telle échelle. Un ordinateur, un four à micro-ondes ou un magnétoscope ajouteraient au calcul du train de vie, alors que leur absence n'indiquerait pas nécessairement la pauvreté.

La technique de Likert

La technique mise au point par Likert est plus complexe, mais elle permet à tous les chercheurs de reproduire les travaux d'un autre chercheur. Cette technique repose sur le postulat de normalité des réponses. L'encadré 36 en présente les étapes.

---

36   Méthode de pondération de Likert

1) Les proportions que le chercheur observe dans son échantillon sont exprimées comme des pourcentages cumulés sur la courbe normale.

2) Ces scores sont considérés comme les limites d'une classe.

3) Le chercheur établit la médiane de chacune des classes.

4) La médiane exprimée en score z sert de poids pour la catégorie.

EXEMPLE
Une variable quelconque comportant quatre choix de réponses, soit « Très satisfait », « Satisfait », « Insatisfait » et « Très insatisfait »

où   Très satisfait   = 15 %
      Satisfait   = 35 %
      Insatisfait   = 40 %
      Très insatisfait   = 10 %

Les classes sont de 0 % à 15 %, de 15 % à 50 % (15 % + 35 %), de 50 % à 90 % (50 % + 40 %) et de 90 % à 100 % (90 % + 10 %).

On calcule la médiane de chacune des classes. Ces médianes sont 7,5 %, 32,5 %, 70 % et 95 % respectivement. On cherche ensuite dans la table de la courbe normale la valeur de z qui correspond à ces pourcentages.

Les scores z sont de –1,44 pour 7,5 %, de –0,45 pour 32,5 %, de 0,53 pour 70 % et de 1,65 pour 95 %.

On utilise ces scores z dans la construction de l'échelle.

N.B. : L'utilisation de la table normale pour déterminer les scores z est expliquée au chapitre 10.

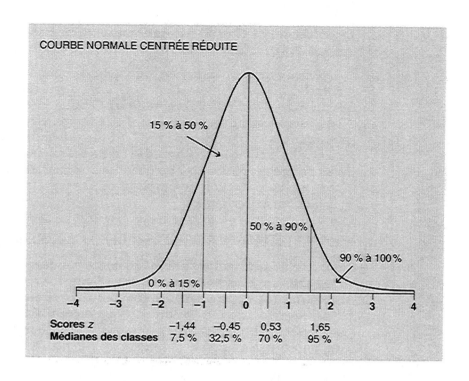

LA PONDÉRATION DES QUESTIONS SELON DES JUGEMENTS

Cette méthode a été élaborée par Thurstone. Elle n'utilise pas les scores observés mais se fonde sur l'apport de certaines variables à l'indicateur à partir de l'estimation faite par des juges. Elle se rapproche donc des pondérations au jugé, sauf que ce n'est pas le chercheur qui établit l'importance relative des questions, mais plutôt des juges réputés indépendants de ce dernier. Idéalement, si les juges proviennent d'un échantillon représentatif de la population et s'ils sont suffisamment nombreux, les poids qu'ils accorderont à une question donnée se répartiront de façon normale et le chercheur adoptera la moyenne de ces scores comme poids pour la question. La méthode s'applique très bien pour les questions binaires (oui – non, accord – désaccord) puisque le poids est alors accordé directement à la valeur positive. Lorsque la variable compte plusieurs catégories, chacune d'elles est multipliée par le poids. On notera toutefois que la méthode n'est pas toujours respectée intégralement par le chercheur. En effet, l'évaluation des juges se distribuera normalement s'ils constituent eux-mêmes une représentation gaussienne de la réalité ; comme, bien souvent, le chercheur ne s'engagera pas dans une procédure semblable, fort coûteuse, il sélectionnera des amis ou des connaissances et obtiendra des poids propres à l'évaluation de ces derniers. On utilise fréquemment cette méthode avec une table ronde d'experts qui évaluent chacune des questions.

Deux questions inspirées de l'exercice portant sur la conduite automobile (voir la section Exercices et corrigés) permettent d'illustrer la technique. Nous voulons construire une « échelle de sexisme au volant ». Nous disposons de deux questions : 1) Selon vous, est-ce qu'on devrait interdire aux femmes de conduire ? 2) Existe-t-il une différence entre la conduite automobile des hommes et celle des femmes ? Il est évident qu'une réponse positive à la première question, même faiblement positive, implique une attitude très sexiste. La seconde question n'a pas le même caractère extrême.

9.1.4   LA VALIDATION DES ÉCHELLES D'APRÈS LIKERT

Les échelles additives doivent être définies théoriquement. Leur validité en est alors une de construit. On pourrait toutefois valider ces échelles si on disposait d'une variable qui aurait les mêmes propriétés que l'échelle, ce dont nous ne disposons pas bien sûr (sinon pourquoi se casser la tête). On peut toutefois mesurer la « consistance » de l'échelle, ce qui est une mesure de sa validité, en vérifiant le « sens » de ses indicateurs. La méthode est illustrée dans l'encadré 37. Cette technique n'est pas la seule qui existe ; les progiciels de traitement statistique offrent souvent des programmes tout faits tel *Reliability* pour SPSS. Cependant, la sensibilité théorique de l'analyste permet d'éviter les pires erreurs en identifiant le sens de chacune des variables. C'est ce que nous soulignions d'emblée pour la pondération au jugé.

---

37   Méthode d'analyse de la consistance des échelles

1) On construit l'échelle projetée en utilisant l'une ou l'autre méthode de pondération.

2) On recode l'échelle en quartile, c'est-à-dire que l'on accorde la valeur 1 aux valeurs de l'échelle qui regroupent les premiers 25 %, la valeur 2 aux valeurs de l'échelle qui regroupent les 25 % suivants et ainsi de suite.

3) On croise chacune des variables avec l'indice et on observe le coefficient gamma obtenu par ce croisement. Les gammas doivent être élevés et positifs. Lorsque l'échelle comporte peu de variables, on doit construire plusieurs échelles qui toutes ne contiendront pas la variable unique utilisée pour le croisement.

4) On rejette les variables qui ne remplissent pas la condition « gamma positif et élevé » et on recommence.

Des échelles mal construites et mal validées donneront des résultats décevants. Notamment, l'utilisation de variables contradictoires dans une même échelle donnera l'impression d'une absence de relations entre l'échelle et les variables de contrôle.

9.2 LES ÉCHELLES HIÉRARCHIQUES

Comme les échelles de Likert, les échelles de Guttman, ou échelles hiérarchiques, ont surtout été développées pour la mesure des attitudes. Elles s'inscrivent dans la tradition développée par Bogardus au début du siècle. Les échelles hiérarchiques sont toutefois nettement moins populaires que les échelles additives. Elles doivent rencontrer deux exigences : être unidimensionnelles et cumulatives, c'est-à-dire que chacun des éléments doit représenter un stade supérieur de la caractéristique analysée et impliquer les autres nécessairement. Notez que ces questions sont réparties au sein du questionnaire plutôt que posées les unes à la suite des autres.

---

38 Exemple d'échelle de Guttman

A. En général, je n'aurais pas d'objection à ce que ma fille ou mon garçon sorte avec une personne noire si c'est une bonne personne.

B. Lors d'une fête avec des amis, je n'hésiterais pas à danser avec une personne noire si elle me plaisait.

C. Je n'aurais aucune objection à inviter une personne noire à souper chez moi.

D. En général, je n'aurais aucune objection à avoir des Noirs comme voisins immédiats.

E. En général, je n'aurais aucune objection à m'asseoir à côté d'une personne noire dans un autobus.

Pour constituer une échelle hiérarchique, les réponses à ces questions devraient correspondre au profil suivant :

VALEUR DE L'ÉCHELLE	QUESTIONS				
	A	B	C	D	E
5	1	1	1	1	1
4	0	1	1	1	1
3	0	0	1	1	1
2	0	0	0	1	1
1	0	0	0	0	1
0	0	0	0	0	0

SOURCE : SPSS, 1975, p. 530-531.

L'analyse des préjugés sociaux est un exemple classique de l'utilisation des échelles de Guttman (voir l'encadré 38). Les réponses aux cinq questions utilisées ont été dichotomisées[1], c'est-à-dire ramenées à deux choix : en accord (1) ou en désaccord (0).

Le problème, on l'aura deviné, est de s'assurer de la stricte hiérarchie des questions de l'échelle. Ainsi, dans l'exemple de l'encadré 38, une personne pourrait ne pas vouloir d'un Noir comme voisin parce que cela signifierait pour elle habiter un quartier pauvre. Ou encore, elle pourrait répondre qu'elle n'inviterait pas un Noir à danser parce qu'il n'y en a pas dans son groupe d'amis. Le cumul pose encore plus de difficultés pour les questions d'ordre politique où il est coutumier de se prononcer de manière non hiérarchique : on prend souvent parti pour des extrêmes au détriment des positions intermédiaires. L'unidimensionnalité devient encore plus importante. Prenons un exemple politique et un exemple d'analyse de marché.

THÈME DE LA GRATUITÉ DES SOINS DE SANTÉ

A. Êtes-vous d'accord pour que l'on impose un ticket modérateur de 5 $ pour chaque visite chez un médecin ?

B. Êtes-vous d'accord pour que l'on impose un ticket modérateur représentant 10 % des coûts pour tout acte médical (visite et opération) ?

C. Êtes-vous d'accord pour que chaque client paie les frais de tout acte médical et que l'État rembourse 85 % des dépenses ?

D. Êtes-vous d'accord pour que l'État ne paie plus les frais médicaux ?

Bien que ces questions soient ordonnées en fonction du coût des services, il est peu sûr que ceux qui sont pour les catégories les plus hautes (A et B) soient nécessairement en accord avec les plus basses (C et D) ; on aura tendance à choisir ce qui nous semble la meilleure solution. Celui qui est pour la médecine privée n'est pas nécessairement pour le ticket modérateur de 5 $. On peut s'opposer à la question C pour des raisons de lourdeur administrative et pourtant être d'accord avec la question D, et ainsi de suite.

L'autre exemple, tiré de Ghiglione et Matalon, est encore plus simple :

A. Accepteriez-vous d'acheter le produit S au prix de 10 $?

B. Accepteriez-vous d'acheter le produit S au prix de 20 $?

Ici, tout semble clair ; de manière générale, ceux qui accepteraient de payer 20 $ pour un produit accepteraient également de payer moins. Pourtant, chacun sait que parfois on préférera un produit plus cher parce qu'on le croit de meilleure qualité, ou encore par consommation ostentatoire, c'est-à-dire pour manifester sa classe sociale ou pour prouver qu'on est à la mode. Le phénomène des grandes marques (Lacoste,

Vuarnet, etc.) où l'on paie le prix fort pour un simple logo (un alligator par exemple) illustre bien la consommation ostentatoire.

9.3   LES TYPOLOGIES

La typologie, dans le cadre de ce manuel, sera étudiée sous deux angles principaux. Premièrement, comme modèle théorique, nous aborderons le concept d'idéal type et, deuxièmement, comme modèle empirique, nous verrons les principes de construction de variables typologiques.

Comme instrument de mesure, la typologie est une façon d'organiser et de simplifier des phénomènes complexes. Sur le plan théorique, la typologie est une logique de construction de l'objet social (Gagnon, 1974).

9.3.1   L'IDÉAL TYPE

Ce concept a été « inventé » par Max Weber au tournant du siècle comme méthode d'analyse, laquelle est une variante de la méthode comparative où, plutôt que d'établir des comparaisons avec des objets réels, on compare la réalité à une image logique construite théoriquement. Un type idéal est en quelque sorte une caricature de la réalité. Le type est donc qualifié d'idéal non parce qu'il constitue un idéal à atteindre, mais parce qu'il n'existe qu'idéalement.

En fait, cette méthode est utilisée couramment dans le quotidien non pas de façon scientifique, mais de manière stéréotypée. Lorsque, par exemple, on parle du bureaucrate, du fonctionnaire, de l'ouvrier ou du patron, on fait appel à des types idéaux. On aurait bien de la difficulté à trouver dans la réalité des individus strictement conformes au modèle.

Prenons un autre exemple qui correspond mieux au goût du jour : les yuppies. Ce phénomène social se rapporte à certaines caractéristiques qui servent à le nommer : YUPpies = la jeunesse (*Young*), l'urbanité (*Urban*) et la profession (*Professionnal*). Son traitement dans les médias et son origine, le monde *glamour* de la publicité, ont affublé les yuppies de caractéristiques fantaisistes : la BMW, le champagne au petit déjeuner, la vie culturelle, le condo, le boursicotage, l'âpreté du gain et la cocaïne. En concrétisant de la sorte un concept qui peut être un type idéal utile théoriquement, on ne peut guère désigner qu'une fraction infime de la société. En conservant au yuppy une connotation idéaliste, le concept demeure intéressant pour comprendre un certain retour vers les centres-villes des personnes qui vivaient en banlieue. Cela permet de comprendre la flambée des prix dans les quartiers centraux des villes (dans le quartier Montcalm à Québec ou autour du square Saint-Louis à Montréal, un condo de 7 pièces sans sous-sol ni terrain vaut plus cher qu'une maison unifamiliale de 10 pièces avec un terrain dans bien des banlieues).

> « On obtient un idéal type en accentuant unilatéralement un ou plusieurs points de vue et en enchaînant une multitude de phéno-mènes isolés, diffus et discrets, que l'on retrouve tantôt en grand nombre, tantôt en petit nombre, parfois pas du tout, qu'on ordonne selon les précédents points de vue choisis unilatéralement pour former un tableau de pensée homogène. » (Weber cité par Gagnon, 1974, p. 6.)

Lorsqu'on procède empiriquement, on juxtapose et on coordonne des caractéristiques observées dans des sociétés ou des groupes concrets pour construire une image qui, en fait, n'existe pas concrètement. Logiquement, on doit déterminer les caractéristiques essentielles et secondaires qui sont le propre d'un type donné.

9.3.2   LE MODE D'UTILISATION

« Le type idéal est un étalon, un point de repère auquel on compare la réalité » (Gagnon, 1974). C'est donc un outil d'analyse et non une théorie sociale.

Revenons un moment aux yuppies. Prenons une à une les caracté-ristiques propres à ce type. La jeunesse d'abord. On décrit habituelle-ment la jeunesse par la simple mesure de l'âge. Or, les yuppies ne sont pas si jeunes que ça ; ils n'ont plus 20 ans quoi ! Mais acceptent-ils pour autant de vieillir ? N'est-ce pas un phénomène important de notre culture que la définition de la jeunesse appartienne à un certain groupe social ? Ceux qui ont vécu le *generation gap* dans les années 1970 sem-blent s'être approprié la qualité de « jeune » pour longtemps.

La profession maintenant. La question porte moins sur celle que les yuppies pratiquent que sur celle qu'ils auraient pu pratiquer. Nombre d'individus qui appartiennent à la classe yuppy ont été des chômeurs instruits qui, aujourd'hui, occupent un emploi non professionnel ; n'ont-ils pas développé eux aussi des valeurs, un certain contact avec la culture savante qui les distingue à jamais des non instruits ?

Enfin, l'urbanité est la tendance qu'ont les yuppies à demeurer au centre-ville. On a remarqué en effet que certains quartiers centraux sont devenus à la mode chez les jeunes professionnels. Les condos et les logements de luxe se sont développés un peu partout. Mais l'exode vers les banlieues s'est poursuivi et maisons unifamiliales et cottages sont demeurés l'acquisition la plus courante chez les professionnels. Ces nouveaux banlieusards sont-ils semblables à leurs prédécesseurs ou sont-ils plus urbains ? Est-ce que la maison de banlieue est devenue une maison de ville ? Y a-t-il un seul centre-ville ?

La définition d'un type idéal permet de nous poser des questions utiles : jusqu'à quel point une société ou un groupe s'éloignent-ils du type idéal et pourquoi ?

9.3.3   LES TYPOLOGIES BINAIRE, TERNAIRE, ETC.

La méthode typologique a été utilisée avec le plus de succès sous les modèles d'opposition. Rappelons les plus fructueux :
- société traditionnelle / société technocratique de F. Dumont et Redfield ;
- personnalité ouverte / personnalité fermée de Rokeach ;
- contrôle social traditionnel / interne / externe de Riesman ;
- mode de production traditionnel / à la chaîne / automatisé de Touraine ;
- suicide altruiste / égoïste / anomique de Durkheim ;
- leader charismatique / traditionnel / bureaucratique de Weber.

9.3.4   LA TYPOLOGIE COMME INSTRUMENT DE MESURE

La typologie est un instrument de mesure des phénomènes multidimensionnels, ce qui la distingue des échelles qui, nous l'avons vu, sont unidimensionnelles. On l'utilise pour mesurer les phénomènes où l'analyse multivariée aura révélé l'action de variables concomitantes. Son mode de construction tiendra donc beaucoup à la représentation bivariée, aux tableaux croisés.

Sa construction peut reposer sur un idéal type, sur un ensemble de déductions théoriques permettant d'établir des caractéristiques et sur la présence de relations empiriquement définies. Dans le premier cas, la tâche principale consiste à établir des caractéristiques observables qui permettent de distinguer les types. On appelle substruction cette utilisation des typologies. La substruction permet en quelque sorte de meubler le continuum entre deux pôles d'une typologie binaire. Le deuxième cas permet de dégager des types à partir de caractéristiques que l'on juge pertinentes théoriquement, alors que le dernier cas se fonde sur des relations statistiquement significatives.

Voici un exemple tiré de l'*American Sociological Review* (ASR) de février 1977 ; l'étude de Wright et Perrone est consacrée aux classes sociales. La tentative des auteurs consiste à établir différents types sociaux à partir de trois dimensions ou caractéristiques : le mode de propriété, le contrôle du travail d'autrui et l'autonomie au travail. On a donc trois variables binaires qu'il s'agit de combiner dans une table trivariée.

39 Exemple de substruction

AUTONOME				NON AUTONOME		
	Propriétaire	Non propriétaire			Propriétaire	Non propriétaire
Contrôle	C P capitaliste	C NP cadre supérieur		Contrôle	C P sous-traitant	C NP cadre intermédiaire
Non contrôle	NC P rentier	NC NP professionnel		Non contrôle	NC P indéterminé	NC NP prolétaire

Cette typologie permet de déterminer quelles questions poser (questions individuelles ou par échelles) et indique quels croisements faire. On pourrait, par ailleurs, vérifier les hypothèses en croisant la typologie avec une question sur la profession. Pour construire une telle typologie, il faudrait poser trois types de questions portant chacune sur un aspect, plutôt qu'une seule question se rapportant aux trois aspects simultanément : des questions sur l'autonomie, des questions sur le contrôle du travail et des questions sur la propriété des modes de production. Deux raisons justifient cette façon de faire : les répondants ne savent pas toujours comment évaluer des concepts tels que l'autonomie et le contrôle, et les chercheurs se priveraient de données importantes sur chacun des trois sujets indépendants si leur typologie s'avérait inadéquate.

La construction des typologies à partir des données d'enquête se fait de la manière suivante : de préférence, on dichotomise les variables ou échelles utilisées et on construit une variable unique à partir de ces variables. La plupart des programmes informatiques comportent des commandes qui permettent de le faire ; ces commandes sont du type :

SI (if) V1 = 1 et V2 = 1 et V3 = 1 ALORS (then) typologie = 1

SI (if) V1 = 2 et V2 = 1 et V3 = 1 ALORS (then) typologie = 2

et ainsi de suite.

La construction de variables typologiques (multidimensionnelles) ne procède pas toujours d'une construction théorique a priori. Ainsi, de nombreuses maisons de sondage ont établi des types à partir de généralisations empiriques. On choisit alors des variables qui ont des liens avec le comportement étudié, un comportement d'achat quelconque par exemple, et on les combine entre elles pour établir des « profils » ou des types de consommateurs. Lorsqu'on agit ainsi, on doit rechercher des variables qui, tout en étant reliées au comportement étudié, sont faiblement reliées entre elles. Des variables trop fortement associées les unes aux autres pourraient n'être que différents indicateurs de la même dimension. Il faut donc choisir la bonne variable ou construire une échelle et utiliser cette dernière dans la construction de la typologie.

9.3.5   LA RÉDUCTION

La réduction s'avère une opération nécessaire pour l'utilisation des typologies dans les analyses concrètes. En effet, certains des types déduits grâce à la typologie sont soit rarissimes, soit inintéressants ; on préférera alors en éliminer quelques-uns et se consacrer à l'étude des plus pertinents.

LA MÉTHODE INTUITIVE

Différentes méthodes de réduction existent, les unes d'inspiration mathématique, les autres plus intuitives. Voici, parmi les secondes, les plus courantes :

1)   réduction a priori sur des bases logiques. Une typologie de l'état civil fondé sur trois caractéristiques : marié ou non, conjoint vivant ou non, en ménage ou non. Il est évident que la catégorie « marié, conjoint décédé et en ménage » ne renvoie à rien ;

2)   réduction a posteriori en vertu des fréquences. Lorsqu'on constate que certaines catégories sont trop rares, on peut les regrouper avec d'autres qui leur sont parentes ou, si elles sont très rares et non regroupables, les inclure aux valeurs manquantes ;

3)   réduction a priori sur des bases théoriques. Nous en parlions plus haut, la dichotomisation est une procédure quasi obligatoire pour le traitement des échantillons.

LA MÉTHODE SYSTÉMATIQUE

Cette méthode consiste à attribuer des poids à chacune des catégories de chacune des variables et à regrouper dans la même catégorie les diverses combinaisons qui auront le même score. C'est un procédé analogue à celui utilisé pour la construction des échelles de Likert.

9.4   L'USAGE D'ÉCHELLES PSYCHOLOGIQUES DANS LES SONDAGES

Dans cette section, nous considérerons l'apport de la psychométrie au développement des échelles de mesure des aptitudes, de l'intelligence, des attitudes, des intérêts et de la personnalité. Ces échelles peuvent servir dans des questionnaires de sondage ou comme unique instrument de mesure pour une enquête représentative. Il s'agit donc de présenter ces échelles psychométriques plutôt que d'élaborer un guide permettant d'en construire.

La mesure de l'intelligence et des attitudes prend tout son sens quand on les compare à celles d'autres individus ; c'est ce que permettent les échelles validées que l'on utilise dans les tests. Les échelles psychologiques fournissent donc, et c'est leur principale utilité dans un sondage, des mesures normatives de certains comportements. En effet, alors que la mesure d'une attitude politique (être favorable à l'application d'une loi quelconque), d'une attitude sociale (être favorable aux décisions du patron) ou d'une connaissance (connaître le nom d'un candidat politique ou l'existence d'une loi) ne peut être comparée qu'à la population visée par les données du sondage, l'utilisation d'échelles psychologiques permet d'étendre la comparaison à une population plus large, externe aux cadres de l'enquête.

On peut illustrer l'avantage que l'on en tire de la manière suivante. On pourrait vouloir mesurer l'agressivité des conducteurs au volant et construire une échelle d'agressivité à partir de questions démontrant l'adoption de tels comportements. On pourrait aussi poser le problème différemment et se demander si les agressifs présentent une conduite automobile particulière. Il faudrait alors pouvoir mesurer l'agressivité des répondants et l'adoption de certains comportements.

L'usage d'échelles déjà constituées et validées est donc un avantage, surtout pour la mesure des attitudes psychologiques et de l'intelligence. L'utilisation des échelles au sein du questionnaire de sondage reposera moins sur le prétest que sur des mesures expérimentales réalisées par les concepteurs du test et des évaluateurs indépendants. Ces mesures concernent la fidélité et la validité des échelles psychométriques et se trouvent dans la documentation accompagnant les tests ainsi que dans diverses publications.

9.4.1   LES TYPOLOGIES DES TESTS

La confection de mesures en psychométrie repose sur la théorie des tests. On peut définir le test comme « une procédure systématique de mesure d'un échantillon du comportement d'un individu » (Brown, 1970, p. 2). Toutefois, les procédures pour obtenir ces mesures sont fort différentes selon les dimensions analysées et les objectifs des tests. On peut regrouper les tests selon différents critères qui déterminent autant de typologies.

PAR DOMAINE D'APPLICATION

Les tests sont le plus souvent utilisés pour aider les organisations et les individus dans leurs prises de décision. Ils servent principalement dans quatre champs d'application. Les deux premiers champs répondent aux demandes des organisations, les deux derniers à celles des individus engagés dans une relation d'aide. Les tests servent donc :

- à la sélection des candidats par le biais des institutions scolaires pour satisfaire les exigences des employeurs à la recherche de personnel répondant à certaines caractéristiques ;
- à l'évaluation des habiletés et des attitudes des individus pour satisfaire des exigences personnelles ou en vertu de programmes scolaires ou professionnels (*achievement test*) ;
- à l'orientation scolaire et professionnelle des individus ;
- au diagnostic clinique par des psychothérapeutes et des psychiatres.

L'utilisation des tests nourrit également la recherche scientifique ; ils servent encore à la prise de décision, mais comme preuves pour vérifier des hypothèses. L'étude des effets du stress sur la performance intellectuelle, par exemple, a donné lieu à des expérimentations sanctionnées par des tests aussi bien qu'à des études sur la population générale.

PAR CONTENU

Les tests peuvent également être regroupés en fonction des problématiques théoriques auxquelles ils sont destinés. La tradition psychologique a produit des mesures dans quatre principales directions :

1) les tests de performance ;

2) les tests d'aptitudes, d'habiletés et d'intelligence ;

3) les tests d'intérêts ;

4) les tests de personnalité et d'attitudes.

Les tests de performance

Les tests de performance sont très bien adaptés à l'évaluation des apprentissages scolaires et professionnels. Le chercheur peut utiliser des tests standardisés existants ou construire son propre test. Dans le dernier cas, la tâche la plus difficile consiste à identifier un échantillon d'éléments d'apprentissage significatif des acquis essentiels que devront posséder les élèves. Le chercheur devra donc définir strictement l'univers d'apprentissage dont il tirera ses questions. Dans le cas où le chercheur utilisera un test existant, il devra s'interroger sur la pertinence de ce dernier pour les apprentissages qu'il veut étudier.

Dans l'ensemble, les tests de performance ne sont utiles qu'à titre d'auxiliaires et à la condition expresse que la problématique oblige à mesurer la performance des individus. Comme, bien souvent, la tâche des sondeurs n'est pas d'évaluer ce que savent les répondants mais plutôt quels comportements ils adoptent, ces tests sont pour eux d'un usage restreint. De plus, ils sont souvent très longs ; la durée de passation des tests que Brown présente varie entre une et six heures. Lorsqu'ils sont bien documentés et répartis en sous-échelles clairement identifiables et courtes, on peut parfois les utiliser directement ou s'en inspirer pour construire des échelles.

Les tests d'aptitudes, d'habiletés et d'intelligence

Les tests d'aptitudes, d'habiletés, et plus particulièrement les tests d'intelligence appelés aussi tests de quotient intellectuel (QI), sont sans doute la forme de tests la plus connue. Depuis les adeptes de Mensa, qui vouent un culte aux résultats des tests, jusqu'à l'individu qui veut connaître ses possibilités intellectuelles dans un monde axé sur la performance, les tests de QI n'ont pas fini de faire couler l'encre.

On distingue trois principales écoles de pensée pour la confection d'échelles d'intelligence : pour certains, l'intelligence est une capacité générale ; pour d'autres, elle est le résultat de la combinaison de plusieurs facteurs ; enfin, pour les derniers, l'intelligence n'est pas un concept théorique valide pour l'élaboration de métriques ; l'approche est statistique, comparative et pragmatique (Brown, 1970).

Les tests définissant le concept d'intelligence générale sont ceux qui ont le plus contribué à populariser le concept de quotient intellectuel. Les plus célèbres sont les tests de la famille Weschler, adaptés au Québec par Barbeau et Pinard, et le Stanford-Binet. Ces tests, malgré leur définition unique de l'intelligence, se présentent sous la forme de multiples échelles mesurant chacune une dimension particulière de l'intelligence générale. Ils ont donné lieu à une foule d'adaptations des plus diverses et il est possible d'utiliser, lorsque le média s'y prête, l'une ou l'autre de ces échelles ou de s'en inspirer. Les échelles du test Barbeau-Pinard, conçues pour l'entrevue de personne à personne, ont été adaptées à l'écrit.

Les tests fondés sur la définition de l'intelligence comme étant un ensemble d'aptitudes distinctes peuvent être plus facilement utilisés au sein des sondages. Ils s'approchent beaucoup des tests de performance. Les mesures des aptitudes ont l'avantage de fournir au sondeur des échelles comportant un faible nombre de questions sur des sujets précis. Cependant, ces échelles ont souvent un format qui les rend difficilement utilisables au téléphone ou par écrit.

Les tests d'intérêts

Les tests d'intérêts sont typiques des sciences de l'orientation. Ils sont une application particulière des tests de personnalité et sont presque tous construits comme des tests prédicteurs, c'est-à-dire que les questions et les réponses ne font pas souvent partie de l'univers à l'étude. Le *Strong Vocational Interest Blank* (SVIB), un des tests d'intérêts les plus connus au Québec, en est un bon exemple. On l'a construit en mesurant les attitudes et les goûts de nombreux professionnels et travailleurs exerçant l'une ou l'autre occupation à l'étude. Les résultats moyens des professionnels et des travailleurs sur les différentes échelles du test ont servi à évaluer jusqu'à quel point les répondants s'approchaient ou s'éloignaient des profils de goûts, d'attitudes et d'habitudes de vie des professionnels qui avaient servi à étalonner l'échelle. Ce mode de construction des échelles de la personnalité est très courant.

Les tests de personnalité et d'attitudes

Brown (1970) recense trois approches de la mesure de la personnalité : l'auto-rapport, analogue à la démarche de sondage par le questionnaire ; les techniques projectives développées dans le sillon du célèbre test des taches d'encre de Rorschach ou de celui du *TAT (Thematic Aperception Test)* construit autour d'images représentant des situations orientées (ces techniques exigent des cliniciens entraînés pour recueillir les commentaires des individus) ; les méthodes situationnelles fondées autour des techniques d'entrevue individuelle et de groupe[2], ce qui rappelle les jurys des fabricants d'images (voir le chapitre 4).

Les deux dernières méthodes peuvent être utilisées dans une enquête par sondage, mais le sont rarement. Les chercheurs doivent être conscients que leur unité de sondage avec ces méthodes est davantage l'interviewer que les personnes soumises à l'étude. Seules des situations expérimentales où plusieurs juges sont évalués et soumis à des calculs d'accords inter-juges avec plusieurs groupes pour chaque juge assurent suffisamment de rigueur méthodologique. Les chercheurs en linguistique, en communication et en sciences sociales ont développé des modèles mathématiques et des programmes informatiques destinés à l'analyse de contenu.

La mesure de la personnalité laisse une image plus floue que la mesure de l'intelligence, car s'il n'y a pas accord sur la définition de l'intelligence, on s'entend encore moins sur la forme des questions qui permettent de cerner la personnalité des individus. Ici, l'interchangeabilité des indices se combine à des axes d'analyse différents et à des approches métriques distinctes. De plus, comme pour les sondages, les tests de personnalité modifient les modèles de réponses vers la désirabilité sociale. La formulation des questions exige les mêmes précautions que celles énoncées au chapitre 5.

Parmi les grands tests de personnalité, le *MMPI (Minnesota Multiphasic Personnality Inventory)* est fondé sur toute une série de recherches portant sur la mesure des psychopathologies. On peut utiliser les tests de cette nature pour des enquêtes où on s'attend à rencontrer des pathologies, mais surtout pas pour un sondage d'opinion politique. De nombreux tests mesurent des aspects moins pathologiques de la personnalité. Le *16PF (16 Personnality Factors)* est de cette famille ; il est composé de 16 échelles d'une vingtaine de questions construites par analyse factorielle.

Les échelles de personnalité sont efficaces. Elles ont généralement une bonne fidélité et une grande stabilité : le *SVIB* a résisté à une étude longitudinale menée sur une période de 18 ans. Ces échelles sont variées et couvrent les aspects les plus banals de la personnalité (aimer faire la cuisine ou conduire une automobile) jusqu'aux psychopathologies graves. Encore plus que l'intelligence, la personnalité profonde semble échapper à ceux qui la sondent.

9.4.2   L'ÉTUDE DE LA FIDÉLITÉ ET DE LA VALIDITÉ

La méthodologie de la psychologie et, sous certains aspects, du marketing et des sciences de l'organisation est très différente de celle de la sociologie et des sciences politiques. En psychologie, on peut beaucoup plus facilement mener des expérimentations, notamment utiliser la technique des groupes témoins, et utiliser divers examens cliniques pour valider les métriques. Trois aspects sont déterminants de cette différence : sociologues et politologues s'intéressent à des événements uniques, il est quasiment impossible de contrôler l'apparition et la disparition des conditions et la psychologie comme l'économique s'adressent avant tout aux individus. En effet, les sociologues et les politologues ne peuvent, dans la plupart des cas, multiplier les échantillons d'une situation : le déroulement de chaque campagne électorale ne peut être modifié, on ne peut non plus changer les emplois des gens pour faire varier leurs attitudes face au patronat ou leurs activités au sein des foyers. De même, on ne peut multiplier l'hôpital Louis-Hippolyte-Lafontaine pour vérifier des hypothèses différentes.

L'ÉTUDE DE LA FIDÉLITÉ

Il faut pouvoir examiner les études consacrées aux tests (échelles) pour vérifier leur fidélité sur trois points : la stabilité, l'existence d'équivalence et l'homogénéité. Les techniques existantes sont, respectivement, la passation d'un même test deux fois aux mêmes individus soit en leur administrant des formes équivalentes, soit en faisant l'analyse interne du questionnaire (voir l'encadré 40).

L'ÉTUDE DE LA VALIDITÉ

La validité des échelles déjà constituées peut être évaluée sous cinq angles différents : la validité nominale, la validité prédicative, la validité concurrente, la validité de contenu et la validité de construit. Ces critères ne concernent toutefois pas que les échelles déjà construites ; celles que l'on élabore doivent également répondre à l'un ou l'autre de ces critères, selon les circonstances (voir l'encadré 41).

40   Types d'analyses de la fidélité

1) La stabilité s'évalue principalement par la méthode intitulée test–retest. Il s'agit de faire passer le même questionnaire aux mêmes gens à des moments distincts. Une corrélation de 0,70 et plus entre les réponses aux deux passations est recommandable.

2) L'existence de formes équivalentes et distinctes d'un même test représente un avantage, surtout lorsqu'on veut évaluer des changements diachroniques. Des moyennes et des écarts types semblables et une forte corrélation entre les deux échelles sont les indices d'équivalence.

3) L'homogénéité est une caractéristique importante lorsqu'on utilise plusieurs questions pour mesurer une attitude. Il s'agit de savoir si les différentes parties du test sont équivalentes ou mesurent toutes la même attitude. La méthode d'évaluation de ces équivalences se nomme *split half* et consiste à mesurer la corrélation entre deux moitiés du même test. Un coefficient, le Kuder-Richardson Formula 20, permet le calcul de toutes les moitiés possibles.

41   Études de la validité des questions

1) La validité nominale, connue en anglais sous le nom de *face validity*, consiste en une analyse sommaire d'une question pour déterminer si elle semble logiquement reliée à la dimension à l'étude, à l'univers de contenu.

2) La validité prédicative consiste en la capacité du questionnaire de prédire une habileté ou un comportement. Elle peut être évaluée en comparant les résultats du questionnaire aux résultats des activités concrètes qu'il est censé prédire. Par exemple, en comparant les résultats d'un test de compétences linguistiques aux résultats en composition française.

3) La validité concurrente consiste à comparer les résultats à un questionnaire avec ceux d'autres questionnaires reconnus.

4) La validité de contenu consiste à établir un lien entre les questions posées et les connaissances déjà acquises sur le sujet. Contrairement aux autres mesures de validité, la validité de contenu n'a pas de métrique mathématique (coefficient de corrélation) ; les experts évaluent plutôt le respect des connaissances mesurées par le questionnaire. La validité de contenu s'applique lorsque les questions posées constituent un échantillon des questions que l'on pourrait poser dans un contexte où l'univers des questions est connu (en principe). Les tests de connaissance ou de performance sont de ce type. Par exemple, la technique de conduite automobile est connue au même titre que la mécanique automobile et il s'agit de déterminer si les questions posées sont représentatives de ces connaissances.

5) La validité de construit s'apparente à la précédente. Toutefois, l'univers des questions posées n'est pas connu, mais théorique ou construit. Les attitudes sont par exemple des construits et il s'agit pour l'expert de déterminer si les questions posées ont un lien logique avec la définition théorique de l'attitude. Une méthode de validation de construit est la comparaison des résultats au test avec le diagnostic d'experts sur la dimension étudiée.

Le caractère clinique de la psychologie est ici fort utile. Des populations identifiées cliniquement, donc des individus desquels on s'attend à certains scores au test, peuvent servir à valider les mesures. On soumet à un test des groupes d'individus caractérisés par des qualités différentes et on évalue jusqu'à quel point le test et le diagnostic coïncident.

LES GROUPES DE RÉFÉRENCE

Un des avantages singuliers du test psychométrique est de fournir des données normatives et de permettre de comparer les répondants à la population mère. Le constructeur de tests, en réalisant ses études sur la fidélité et la validité de son instrument, élaborera la procédure d'établissement des normes.

Le caractère relatif des mesures psychologiques se manifeste par la constitution de un ou plusieurs groupes de référence (*norm group*) qui s'apparentent aux groupes à qui s'appliquent les tests. Le constructeur du test devra spécifier le groupe de référence avec la même précision que lorsqu'on identifie la population observée et les unités de sondage dans un plan d'échantillonnage.

Des groupes de référence doivent être construits pour chacune des sous-populations qui montrent des résultats différents à un même test. Lorsque hommes et femmes ont des scores différents dans l'ensemble du test ou dans certaines échelles (aptitudes mécaniques et aptitudes pour le travail de bureau par exemple), le constructeur du test présentera un groupe de référence féminin et un groupe de référence masculin.

Les groupes de référence ainsi que tout sous-groupe de référence doivent provenir d'un échantillon représentatif, probabiliste et sans biais de la population définie : le groupe de référence d'un test s'adressant aux 15-25 ans et comportant deux sous-groupes, un pour les hommes et un pour les femmes, doit avoir été étalonné sur un échantillon représentatif d'hommes de 15 à 25 ans et auprès d'un échantillon féminin de même nature. Les groupes de référence doivent être le plus grands possible pour réduire l'erreur échantillonnale et le plus récents possible pour rendre compte des derniers changements enregistrés dans la situation à l'étude. Il est possible pour un chercheur de construire un groupe de référence qui lui permettra de produire des résultats normalisés. Le sondeur qui utilise une échelle psychologique donnée peut se servir de son échantillon, s'il est suffisamment vaste, comme groupe de référence.

9.4.3   LES SOURCES BIBLIOGRAPHIQUES

On trouve sur les rayons de tout bon laboratoire de psychométrie et dans les bibliothèques universitaires deux index de tests, d'analyses et de critiques. Oscar K. Buros a publié le *Tests in Print* et le *Mental Measurement Yearbook*. Le premier ouvrage recense la bibliographie des tests, le second en fait l'analyse et la critique. Les ouvrages couvrent tout le catalogue des tests publiés en éducation, en psychologie et en industrie. Tous ces tests sont à vendre quoique certains, plus officiellement utilisés, sont soumis à de strictes règles de confidentialité. Le *Mental Measurement Yearbook* est en quelque sorte la bible des psychométriciens puisqu'en plus de la description du test, de son objectif et de sa population, il contient des informations techniques (durée de passation et d'administration, nombre de pages) et statistiques (validité et fidélité) ; on y recense les revues et les livres de psychométrie. Ce domaine est organisé de manière très systématique : il recèle tant une industrie qu'une discipline scientifique méthodique. Enfin, l'ouvrage abondamment illustré de J.L. Sellier (1973) sur les tests constitue une bonne introduction.

Quelle que soit la nature d'un test, les enquêteurs devront en identifier et en acquérir plusieurs afin de pouvoir comparer les approches. Par ailleurs, ces tests sont pour la plupart en langue anglaise et de culture américaine. Les Québécois devront les traduire et vérifier s'ils peuvent être transposés chez nous. Or, ces deux opérations, dans une profession où la formulation exacte de la question est si importante, ne peuvent qu'introduire des biais avec la version originale. Les statistiques publiées sont alors en porte à faux et on devrait réétalonner le test si on en a les moyens. Il reste néanmoins que notre intégration massive à la culture américaine laisse une bonne validité aux tests importés des États-Unis.

NOTES

(1)   Les variables d'attitudes étant la plupart du temps polytomiques (plusieurs choix de réponses), on doit donc décider d'un point de coupe qui permettra de les rendre dichotomiques. On peut décider d'utiliser des critères logiques, au jugé, ou des critères plus mathématiques. Le niveau de mesure est alors souvent déterminant ; on utilise la moyenne pour les variables d'intervalles, la médiane pour les variables ordinales et le mode pour les variables nominales. On peut également faire des tests préalables sur des différences de moyennes et de proportions.

(2) Les techniques de groupe se sont aussi développées en éliminant l'interviewer, les personnes à l'étude ayant une tâche à accomplir selon des instructions précises. Les chercheurs les observent au travers d'une vitre sans tain.

Partie 3

Le traitement et l'analyse des données d'une enquête

LES ÉTAPES DE L'ANALYSE D'UN SONDAGE

Après avoir préparé un plan de traitement, on peut distinguer cinq étapes majeures dans le processus d'élaboration d'un rapport de traitement des données de sondage : 1) la préparation des données, 2) la préparation des variables, échelles, facteurs et typologies, 3) l'analyse des données, 4) leur interprétation et 5) leur présentation.

L'encadré 42 permet de détailler chacune de ces étapes ; notons toutefois que certaines de ces étapes sont séquentielles alors que d'autres sont concurrentes. L'analyse des données et la construction des variables sont deux aspects d'une même tâche. Le plan d'analyse devrait d'ailleurs être préparé, dans ses grandes lignes, dès le lancement du projet d'enquête, lors de la formulation des hypothèses de la problématique. Les variables que l'on compte construire d'une manière ou d'une autre, les échelles, les indices et les typologies doivent également être planifiés dès le début de l'enquête puisque l'on doit s'assurer que le questionnaire contiendra bien les questions qui permettront de les construire. C'est pourquoi nous avons jugé bon d'en inclure les technicalités dans la partie traitant de l'élaboration de la problématique et de la construction du questionnaire.

La liste des procédures statistiques suggérées dans l'encadré 42 n'est pas exhaustive ; les grands progiciels statistiques tels BMDP, SPSS ou SAS contiennent des programmes suffisamment élaborés pour permettre la réalisation de la plupart des analyses statistiques. Ils sont très bien documentés et on trouve des versions PC et Apple pour la plupart d'entre eux.

42   Processus de traitement des données

PRÉPARATION DES DONNÉES

1) Saisie des données et constitution du fichier informatique.
2) Nettoyage du fichier et recherche des valeurs aberrantes.
3) Réalisation d'une première distribution de fréquences.
4) Croisements démographiques afin d'analyser la représentativité de l'échantillon et d'évaluer les coefficients de pondération.

PRÉPARATION DES VARIABLES

5) Construction et transformation des variables, des échelles et des indices.
6) Analyse factorielle.

ANALYSE DES DONNÉES

7) Croisements entre les variables démographiques et les variables d'opinion, ou de comportement effectif, ou de souhait, etc.
8) Vérification des hypothèses non démographiques.
9) Étude des résultats en les contrôlant par une troisième variable.
10) Analyse de variance, test de moyenne.
11) Analyse multivariée : factorisation, équation explicative, analyse de piste (explicative), etc.

INTERPRÉTATION DES DONNÉES

12) Interprétation des résultats statistiques.
13) Lien avec les données officielles ou d'autres enquêtes.
14) Lien avec la problématique.

PRÉSENTATION DES RÉSULTATS

15) Construction de tableaux de résultats in texte.
16) Construction de graphiques in texte.
17) Mise en annexe de la distribution de fréquences et des principaux tableaux de données détaillés.
18) Réalisation d'un rapport méthodologique (représentativité de l'échantillon et déroulement de l'enquête).
19) Rédaction d'un texte d'analyse.

LA PRÉPARATION DES DONNÉES

Nous traiterons de chacune de ces étapes dans les chapitres qui suivent ; une seule exception : la préparation des données. Cette étape du traitement des sondages ne requiert la maîtrise d'aucune technique particulière. La recherche des données aberrantes reste néanmoins une tâche importante et fastidieuse. On en diminuera le fardeau en s'adressant à une firme de saisie de données expérimentée et en exigeant le service de double frappe ou « perfo-vérif », c'est-à-dire que tous les questionnaires sont saisis deux fois et les différences entre les deux saisies sont comparées afin d'éliminer les erreurs. Si on le fait soi-même, on saisira également deux fois les questionnaires. Certains programmes de saisie des données font une vérification interne de la saisie. Malgré cela, il reste toujours quelques erreurs (moins de 1 %) qui exigent du chercheur la consultation des questionnaires de sondage. Pour les questionnaires auto-administrés et ceux dont la structure est plus complexe, l'analyse des questions-filtres (questions qui orientent les individus vers une partie ou l'autre du questionnaire selon leurs caractéristiques) peut être très longue. En effet, les gens ne suivent pas toujours les instructions et les interviewers commettent parfois des erreurs.

La préparation des données doit être faite d'abord à partir de la distribution de fréquences où on notera les valeurs que l'on n'avait pas planifiées (par exemple un 6 dans une échelle de satisfaction allant de 1 à 5 ou un troisième sexe). Ensuite, on doit faire sortir une liste de tous les numéros d'identification des questionnaires comportant des erreurs par l'ordinateur et, enfin, comparer les scores inscrits sur les questionnaires avec ceux du fichier de saisie pour apporter les corrections nécessaires, voire éliminer un répondant farfelu.

LE TRAITEMENT STATISTIQUE DES DONNÉES DE SONDAGE

Aujourd'hui, avec l'utilisation généralisée de l'informatique, l'ordinateur prend en charge une part de plus en plus grande des calculs les plus complexes. Cela rend moins impérative la maîtrise de formules et de calculs difficiles. Encore faut-il bien les comprendre et savoir utiliser leurs résultats à bon escient ! Déjà, les moyennes, les médianes et les écarts types sont pour la plupart des gens des concepts ésotériques ; qu'en est-il alors des coefficients d'association et de corrélation qui font partie des rudiments de toute étude statistique ! L'utilisation de l'ordinateur ne permet pas de tout résoudre. L'outil est puissant mais la direction de l'analyse, elle, n'est pas automatique. Quelles relations regarder, lesquelles interroger ? Voilà qui relève du jugement et de l'expertise humaine.

Dans la même veine, le « tout-à-l'ordinateur » s'avère parfois plus encombrant qu'utile. Pensons au temps perdu à remplir un formulaire à l'aide de l'ordinateur alors qu'il faut définir avec précision l'utilisation de l'espace ; c'est comme vouloir enfoncer un clou de cinq centimètres avec un marteau-pilon. La dactylo demeure encore l'outil le plus rapide. Par analogie, la situation est la même pour l'analyse de certaines données d'enquête. Il faut donc savoir maîtriser ce que l'on appelle les « petits outils manuels » de l'analyse des données. Les calculs simples de l'inférence statistique, le calcul des intervalles de confiance, la standardisation des données et l'utilisation de la courbe normale peuvent tous être réalisés avec une simple calculatrice.

L'interprétation des sondages ne s'enseigne pas, elle s'apprend. Soit, il faut maîtriser les techniques statistiques et graphiques mais, pour reprendre les propos du président de Sorecom, sociologue de formation, interrogé sur le profil idéal du praticien des sondages, « ça prend avant tout une solide culture générale ». Cette réponse peut paraître déroutante, mais il n'en est rien. La connaissance de la société, de ses valeurs, de la dynamique de ses changements exige avant toute chose un éveil et une attention qui ne sont le propre d'aucune technique particulière. La complexité de la situation oblige l'analyste à maîtriser aussi un vaste ensemble de données sociales et démographiques. Sans cela, l'analyse mathématique des données n'est qu'un colosse d'airain aux pieds d'argile.

Chapitre 10

L'analyse univariée, la représentativité et l'inférence statistique

INTRODUCTION

Ce chapitre est principalement consacré aux principaux moyens d'analyse descriptive : la construction de distributions de fréquences et de distributions de fréquences cumulées, les statistiques de distribution (forme et dispersion) et celles de tendance centrale.

Nous verrons ensuite les notions mathématiques propres à l'inférence des proportions et des moyennes que l'on peut calculer à partir de la distribution de fréquences. La présentation, l'interprétation et l'inférence des données provenant de tableaux croisés seront abordées au chapitre 12. Nous nous attarderons aux scores standard et aux propriétés de la courbe normale dont la compréhension est essentielle aux calculs de la représentativité.

L'inférence regroupe l'ensemble des techniques mathématiques qui, d'une part, permettent de déterminer si les résultats peuvent être généralisés à la population dont est tiré l'échantillon et qui, d'autre part, fournissent une évaluation des marges d'erreur propres aux calculs sur des échantillons.

Notre objectif premier est de fournir les éléments du langage mathématique essentiels à l'analyse statistique des sondages. Nous ne visons donc ni l'exhaustivité, ni la compréhension de démonstrations mathématiques parfois complexes. Ceux qui désirent approfondir leurs connaissances statistiques devront compléter leurs acquis par d'autres manuels consacrés strictement à l'analyse des données. Ces notions élémentaires constituent toutefois le bagage de base essentiel à la compréhension des résultats de sondage.

10.1 LES CARACTÉRISTIQUES DES VARIABLES

10.1.1 LES NIVEAUX DE MESURE

Les trois principaux niveaux de mesure des variables que nous rencontrons dans l'étude par sondage des populations humaines sont le niveau nominal, le niveau ordinal et le niveau par intervalles. On peut également distinguer les variables de rapport mais elles sont nettement moins importantes en recherche sociale. Nous les présentons dans l'ordre croissant des possibilités d'analyse statistique qu'elles offrent.

LES VARIABLES NOMINALES

Les variables nominales ne font que catégoriser les individus dans des classes distinctes. Aucun ordre et aucune métrique précise ne correspondent à cette classification. Une variable nominale a plusieurs états mais n'a aucune valeur numérique. Plus concrètement, lorsqu'on procède à la codification informatique de ces variables, on accorde un numéro à chacune des catégories. Par exemple, à la question « Quelle est votre religion ? », le choix de réponse 1 signifie catholique, le choix de réponse 2 signifie protestant, etc. Ces chiffres sont simplement des codes qui permettent de distinguer les répondants ; on ne peut effectuer aucun calcul et il n'y a pas d'ordre entre chacune des deux catégories. En effet, on ne peut dire qu'être catholique c'est être moins protestant. Cela ne veut pas dire non plus que les individus qui ont la valeur 2 possèdent la caractéristique à un degré deux fois plus élevé que ceux qui ont la valeur 1. En d'autres mots, on ne peut affirmer sans rire que les protestants sont deux fois plus catholiques que les catholiques. De même, on ne peut établir de moyennes : une moyenne de 1,5 correspondrait à une religion hybride mi-protestante, mi-catholique...

En somme, on ne peut utiliser aucun calcul additionnant, soustrayant, multipliant ou divisant les valeurs des variables nominales. On peut toutefois identifier leur mode, soit la valeur la plus fréquente dans la distribution, calculer des proportions (pourcentages), évaluer la dispersion de la population entre chacune des catégories de la variable ainsi que calculer de nombreux coefficients d'association que nous présentons au chapitre 12. De plus, on peut utiliser le test du khi^2 pour évaluer l'inférence des tableaux croisés comprenant des variables nominales.

LES VARIABLES ORDINALES

La situation est en partie la même pour les variables ordinales que pour les variables nominales. Les variables ordinales sont qualitatives plutôt que quantitatives puisqu'elles fournissent un ordre qu'on ne peut dénombrer. On peut affirmer que quelqu'un de « très satisfait » est plus satisfait que quelqu'un qui déclare être « satisfait », ou encore que « souvent » représente un comportement plus fréquent que « rarement ». Mais on ne peut compter combien de fois « souvent » est plus fréquent que « rarement ». De plus, être très satisfait ne signifie pas la même chose pour chacun, ne représente pas la même « quantité » de satisfaction. Le fait que vous soyez très satisfait de votre travail ne signifie pas nécessairement que votre professeur en sera lui aussi très satisfait. Les codes chiffrés que l'on donne aux choix de réponses (5 pour « très satisfait », 4 pour « plutôt satisfait », etc.) indiquent bien un ordre, mais les intervalles entre chacune de ces réponses ne sont pas assurés. Pour les variables ordinales, on peut utiliser les mêmes calculs et les mêmes statistiques que pour les variables nominales en plus de certaines autres. On peut évaluer la médiane de la distribution, c'est-à-dire la valeur qui divise la distribution en deux parties égales ; on peut également calculer le percentile des distributions cumulées et certains coefficients d'association exprimant l'ordre.

Toutefois, dans la pratique, les échelles ordinales, surtout lorsqu'elles comptent de nombreuses catégories comme les scores des tests psychométriques, sont souvent analysées comme des variables par intervalles.

LES VARIABLES PAR INTERVALLES

Les variables par intervalles et les variables de rapport (ratio) sont métriques ou quantitatives. Les variables par intervalles ont comme principale propriété des unités de mesure constantes : des intervalles égaux et mesurables entre chacune des catégories. L'expérience d'un travailleur peut s'exprimer par le nombre d'années de travail, tout comme son degré d'instruction se mesure par le nombre d'années de scolarité qu'il a complétées. On peut donc additionner et soustraire les variables par intervalles. Elles permettent de calculer la moyenne arithmétique, la variance et l'écart type d'une distribution ainsi que le coefficient de corrélation (*r* de Pearson). Or, la plupart des techniques statistiques avancées utilisent des calculs fondés sur la moyenne. C'est le cas de la régression multiple, de l'analyse factorielle et de l'analyse discriminante par exemple. Les variables par intervalles permettent l'utilisation des tests statistiques du F de Fischer et du *t* de Student.

LES VARIABLES DE RAPPORT

Les variables par intervalles ne permettent pas d'effectuer toutes les opérations mathématiques. Il leur manque en effet un zéro absolu significatif. Seules les variables de ratio ou de rapport en possèdent un. La présence d'un zéro absolu est nécessaire pour calculer la moyenne géométrique comme la moyenne harmonique et le coefficient de variation. Nous négligerons les variables de rapport pour la suite du texte, et ce pour deux raisons : premièrement, il y a très peu de ces variables en sciences sociales et, lorsqu'il y en a, la présence de nombreuses variables d'un niveau de mesure inférieur interdit d'utiliser les techniques mathématiques appropriées à ce niveau de mesure ; deuxièmement, dans le cadre de ce manuel, presque aucune technique mathématique n'exige des variables de ratio. Donc, à moins d'indications contraires, lorsque nous parlerons de variables métriques, nous entendrons variables par intervalles pour le reste du texte.

De manière générale, les variables d'un niveau de mesure supérieur peuvent facilement être transformées en variables d'un niveau inférieur, mais pas l'inverse. Toutefois, les statisticiens ont développé des techniques pour adapter les variables d'un niveau de mesure inférieur aux exigences des analyses sophistiquées. On construit alors autant de variables dichotomiques (0, 1) qu'il y a de choix de réponses dans la variable originale. Par exemple, la variable « religion » avec trois choix de réponses (catholique, protestante et juive) donnera trois variables qui auraient comme seules valeurs oui = 1 et non = 0.

10.1.2   LES VARIABLES CONTINUES ET LES VARIABLES DISCRÈTES

Une autre qualité importante des variables est leur continuité. On dit d'une variable qu'elle est continue quand les individus peuvent obtenir des scores situés entre les unités d'une échelle ou lorsque la valeur de la variable dépend du niveau de précision de la mesure. La taille des individus, leur âge et l'heure sont des variables continues. On dit qu'il n'y a pas de solution de continuité lorsqu'on ne peut déterminer d'interruptions dans une continuité. Par extension, on en est venu à considérer comme continues toutes les variables monétaires ainsi que les variables dont les catégories sont très nombreuses, comme les échelles de prestige professionnel. Au contraire, une variable est discrète si les objets mesurés ne peuvent avoir de valeurs fractionnaires. Par exemple, les classes sociales marxistes, la taille des familles comme celle de tous les groupes ont toutes un nombre limité de valeurs. Les variables nominales sont toujours des variables discrètes alors que les variables ordinales et par intervalles peuvent être discrètes ou continues (Loether et McTavish, 1974, p.25).

Comme le souligne Ornstein (1983), le caractère de continuité des variables est parfois l'objet d'un débat théorique. Les théories de l'atteinte d'un rang social (*Status Attainment*) définissent les classes sociales comme un phénomène continu et se servent des échelles de prestige professionnel pour les mesurer, alors que les théoriciens marxistes les définissent comme discrètes et les mesurent au moyen d'une typologie des positions des classes.

La distinction entre variables continues et discontinues pose certains problèmes pour les variables par intervalles : le niveau de précision de la mesure des variables continues détermine la présentation des données de leurs résultats et les règles d'arrondissement des valeurs continues.

Voici comment le niveau de précision des variables entre en ligne de compte. Une règle graduée en centimètres est un bon exemple d'échelle continue qui peut poser des problèmes puisque les objets peuvent mesurer 1, 2 ou 3 centimètres, mais aussi 1,000 01 centimètre ou 2,000 000 5 centimètres. Par conséquent, une telle règle n' informera sur la réalité qu'avec une certaine marge d'erreur ; cette « erreur » est appelée « intervalle de valeurs ». Lorsqu'on utilise une règle n'ayant pas un grand degré de précision, on doit être conscient que la mesure que l'on donne (1, 2 ou 3 centimètres) n'est que le point milieu de cet intervalle de valeurs. Le revenu mesuré au dollar près donne des montants variant entre plus ou moins 0,50 $. Quelqu'un qui gagne 7 900 $ obtient en fait entre 7 899,50 $ et 7 900,50 $.

La première conséquence de l'imprécision des mesures se manifeste par des précautions quant à la présentation des données. Lorsque des variables continues sont analysées et présentées, on ne doit pas leur donner une allure de précision qui pourrait induire le lecteur en erreur. Ainsi, donner 24 123,00 $ comme résultat d'une moyenne de revenu porte à confusion lorsque la mesure n'est précise qu'aux 100 $ près (Loether et McTavish, 1974) ; il faut donc arrondir les résultats selon les règles arithmétiques habituelles, soit aux 100 $ près. La deuxième conséquence concerne la construction de distributions de fréquences ; nous en parlerons au point suivant.

10.2   L'ANALYSE UNIVARIÉE

L'analyse univariée, ou descriptive, est l'analyse que l'on fait des variables d'un questionnaire prises une à une. C'est la première étape de toute analyse statistique et dans bien des cas, c'est la seule qui soit communiquée à l'extérieur de l'équipe de recherche.

L'analyse univariée se fait de deux manières : par l'étude de la répartition des données entre les divers choix de réponses au moyen des distributions de fréquences et des distributions de fréquences cumulées en considérant la signification desdits choix de réponses, et au moyen de statistiques simples appelées paramètres statistiques ou indices-résumés. Ces statistiques concernent trois caractéristiques des distributions de fréquences : leur tendance centrale, leur dispersion et leur forme. Nous allons d'abord considérer l'analyse de la distribution des données.

10.2.1   LA DISTRIBUTION DE FRÉQUENCES ET LA DISTRIBUTION DE FRÉQUENCES CUMULÉES

La distribution de fréquences s'avère la forme d'analyse statistique la plus simple. Pour les variables nominales et ordinales, il s'agit simplement d'un compte rendu du nombre de personnes (fréquences) ayant répondu à chacun des choix de réponses proposés pour chacune des questions du questionnaire. La chose est légèrement plus compliquée pour les variables par intervalles ; nous en traiterons plus loin. Les données que nous livrent les médias sur les sondages politiques sont essentiellement des distributions de fréquences. On peut en faire l'analyse au moyen de tables de données et de graphiques.

Pour être pleinement significative, la distribution de fréquences cumulées[1] exige des données d'un niveau de mesure ordinal ou plus élevé. Plutôt que de présenter combien d'individus appartiennent à chacune des catégories, elle indique combien de personnes appartiennent à des catégories inférieures ou égales à une catégorie donnée. Cumulées ou non, les distributions de fréquences peuvent être exprimées en pourcentages[2] aussi bien qu'en scores bruts. Le tableau 10.1 présente la distribution de fréquences et la distribution de fréquences cumulées du niveau de scolarité de la population de Québec, exprimées tant en scores bruts qu'en pourcentages.

43 Interprétation des questions d'opinion

La construction et l'interprétation de la distribution de fréquences des questions d'opinion politique se sont beaucoup raffinées au cours des dernières années. Alors que dans les premières enquêtes ces questions étaient surtout dichotomiques, elles sont aujourd'hui généralement à choix multiples. Cela permet d'évaluer l'intensité des opinions et de mieux en comprendre l'évolution. Les choix de réponses coutumiers aux échelles de satisfaction se répartissent comme suit : très satisfait, plutôt satisfait, plus ou moins satisfait, plutôt insatisfait, très insatisfait. La distribution de fréquences de ces choix de réponses peut se présenter selon quatre principaux modèles :

1) Une forte majorité des réponses peut se trouver à l'un ou l'autre des extrêmes (très satisfait ou très insatisfait) ; on décrit cette situation comme une opinion très majoritaire.

2) On peut constater que les réponses se retrouvent en proportion presque égale aux deux extrêmes simultanément. L'opinion publique est alors nommée opinion polarisée.

3) On peut constater une répartition quasi égale entre les différents choix de réponses ; cela révèle une certaine indifférence quant au sujet.

4) On peut observer une légère majorité pour l'une ou l'autre des positions mitigées (plutôt satisfait ou plutôt insatisfait) ; cela démontre une opinion incertaine.

TABLEAU 10.1
Niveau de scolarité de la population de Québec

Niveau de scolarité	Fréquence	Fréquence cumulée	Pourcentage	Pourcentage cumulé
Primaire	60	60	12,0	12,0
Secondaire	236	296	47,3	59,3
Collégial	106	402	21,2	80,6
Universitaire	97	499	19,4	100,0
TOTAL	499		100,0	

Les variables par intervalles, surtout lorsqu'elles sont continues et fort nombreuses, posent certains problèmes quand il s'agit de les présenter sous forme de distributions de fréquences. Elles doivent alors être regroupées en classes. D'ailleurs, à moins d'y être obligé pour pouvoir présenter ces données, on évitera de les regrouper pour en faire l'analyse univariée. On préférera en faire l'analyse au moyen des indices-résumés plutôt que par les distributions de fréquences. Toutefois, le regroupement en classes peut être nécessaire pour réaliser certaines analyses bivariées.

Deux ordres de critères régissent le regroupement en classes des variables par intervalles : des critères logiques déterminés par chaque problématique particulière et des critères mathématiques, les variables regroupées pouvant faire l'objet de différents calculs. Les progiciels sophistiqués permettent de faire facilement plusieurs regroupements et de revenir à la variable non regroupée au besoin.

Sur le plan mathématique, deux choix s'offrent : regrouper en fonction des valeurs ou regrouper en fonction des effectifs. Selon les circonstances, on choisira l'une ou l'autre possibilité. Dans le premier cas, on pourra étudier la variation des effectifs selon les valeurs et dans le second, ce sera l'inverse. Lorsqu'on fait des regroupements d'après les effectifs, on utilise souvent l'un ou l'autre des quantiles présentés à l'encadré 44 et dont la logique de construction est la même que pour la médiane (deuxième quartile). Comme le montre le tableau 10.2, les classes regroupées par effectifs ont, la plupart du temps, des amplitudes de classe inégales.

TABLEAU 10.2
Durée de résidence à Québec répartie en quartiles

Quartile	Percentile	Valeur	Amplitude de classe
Premier	25,00	10 ans	10 − 0 = 10 ans
Deuxième	50,00	25 ans	25 − 10 = 15 ans
Troisième	75,00	42 ans	42 − 25 = 17 ans

Lorsqu'on utilise les valeurs de la variable, il est préférable de construire des classes égales. De plus, chacune de ces classes, ou intervalle de valeurs, aura une longueur exprimée par un nombre impair (3, 5, 7), ce qui permet d'avoir un chiffre rond comme point milieu. Pour ce faire, on tentera d'optimiser l'équation suivante :

$$\frac{\text{Étendue}}{k} = T$$

Étendue = valeur maximale − valeur minimale

où k est le nombre de classes
T la taille de l'intervalle de valeurs.

Dans le tableau 10.3, nous avons regroupé les mêmes données sur la durée de résidence qu'au tableau 10.2, mais cette fois en faisant des classes égales fondées sur les valeurs.

TABLEAU 10.3
Durée de résidence à Québec regroupée selon les valeurs

Valeur	Fréquence	Pourcentage	Pourcentage cumulé
1 à 10 ans	133	26,2	26,2
11 à 20 ans	94	18,5	44,8
21 à 30 ans	88	17,4	62,1
31 à 40 ans	62	12,2	74,4
41 à 50 ans	46	9,1	83,4
51 à 60 ans	38	7,5	90,9
61 à 70 ans	22	4,3	95,3
71 à 80 ans	18	3,6	98.8
81 à 90 ans	6	1,2	100,0
TOTAL	511	100,0	100,0

10.2.2   LES STATISTIQUES DESCRIPTIVES

Les trois grands types de statistiques qui peuvent être calculées pour faire l'analyse descriptive des variables du questionnaire sont les mesures de tendance centrale, les mesures de dispersion et les mesures de la forme de la distribution.

LES MESURES DE TENDANCE CENTRALE

Dans le cadre de ce manuel, nous considérerons trois principales statistiques de tendance centrale : le mode, la médiane et la moyenne arithmétique. L'encadré 44 présente les définitions et les principales formules de calcul de ces indices-résumés. Nous n'y reviendrons pas dans ce texte.

Comme on pouvait s'y attendre, on peut classer chacune de ces mesures de tendance centrale selon le niveau de mesure des variables étudiées : le mode pour les variables nominales, la médiane pour les variables ordinales et la moyenne pour les variables par intervalles. Toutefois, deux précisions méritent d'être faites sur l'emploi de certaines statistiques. D'une part, chacune de ces statistiques possède des caractéristiques propres que l'on ne peut substituer l'une à l'autre selon le niveau de mesure de la variable ; d'autre part, certaines des caracté-ristiques de la distribution des scores bruts nous feront préférer parfois une statistique d'un niveau de mesure inférieur à celui de la variable étudiée.

Par exemple, le mode est la valeur la plus fréquente de la distribu-tion ; c'est une valeur existante contrairement à la moyenne et à la médiane qui ne sont ni des valeurs existantes, ni des valeurs fréquentes. C'est donc le mode qui représente la valeur la plus probable de l'échan-tillon, quel que soit le niveau de mesure de la variable.

---

44   Mesures de tendance centrale

MODE (M_o)

Valeur le plus souvent rencontrée dans une distribution. Une distribution peut être multimodale ; on dit aussi plurimodale.

Variables nominales.

Seule mesure de tendance centrale pour les variables nominales.

Lorsque les données sont regroupées, on parle de catégorie modale car on ne peut pas toujours identifier une seule valeur modale dans la catégorie la plus nombreuse. Bialès (1988, p. 81) suggère la formule suivante pour calculer le mode des variables continues regroupées :

$$M_o = \begin{array}{c}\text{Borne inférieure}\\ \text{de la classe modale}\end{array} + \left[\frac{\text{Différence d'effectif avec la classe antérieure}}{\begin{array}{c}\text{Différence d'effectif}\\ \text{avec la classe antérieure}\end{array} + \begin{array}{c}\text{Différence d'effectif}\\ \text{avec la classe postérieure}\end{array}}\right]$$

$\times$ Amplitude de classe

MÉDIANE (M_e)

Valeur qui divise la distribution en deux parties égales.

Lorsque n (la taille de l'échantillon) est impair, la médiane est égale à la valeur qui correspond au rang défini de la manière suivante :

$$\frac{n+1}{2} \tag{1}$$

Lorsque n est pair, la médiane correspond au point milieu de l'intervalle entre deux rangs définis respectivement par :

$$\frac{n}{2} \text{ et } \frac{n}{2} + 1 \tag{2}$$

La meilleure mesure de tendance centrale pour les variables ordinales.

Les autres quantiles divisent la distribution cumulée en différentes unités : les 3 quartiles en 4 parties égales de 25 %, les 4 quintiles en 5 parties de 20 %, les 9 déciles en 10 parties de 10 % et les 99 centiles en 100 parties. Le principe général est qu'on a toujours $k - 1$ quantile(s) pour k partitions ou, en d'autres mots, il suffit d'une seule ligne pour diviser une page en deux parties, de deux lignes pour la diviser en trois, et ainsi de suite.

Le calcul de la médiane pour les données groupées est parfois compliqué. On identifie d'abord la catégorie médiane, c'est-à-dire celle qui contient la valeur supérieure à 50 % des effectifs. On calcule ensuite les effectifs cumulés pour la catégorie précédant la catégorie médiane. On calcule la différence entre ce score et celui de la médiane évaluée selon l'une ou l'autre des méthodes précédentes. On calcule le rapport entre cette différence et la fréquence de la catégorie médiane. Enfin, on applique ce ratio à l'intervalle de classe de la catégorie médiane en tenant pour acquis que les effectifs sont distribués également à l'intérieur de la classe. Voici un exemple :

Valeur	Fréquence	Pourcentage	Pourcentage cumulé
1 à 10 ans	133	26,2	26,2
11 à 20 ans	94	18,5	44,8
21 à 30 ans	88	17,4	62,1
31 à 40 ans	62	12,2	74,4
41 à 50 ans	46	9,1	83,4
51 à 60 ans	38	7,5	90,9
61 à 70 ans	22	4,3	95,3
71 à 80 ans	18	3,6	98,8
81 à 90 ans	6	1,2	100,0
TOTAL	511	100,0	100,0

La catégorie médiane est de 21 à 30 ans. Le nombre total de cas dans l'échantillon étant impair (511), on peut évaluer la médiane en utilisant la formule (1), ce qui donne la valeur du 256ᵉ cas comme valeur médiane.

On fait alors l'opération suivante : $256 - (133 + 94) = 29$
puis on calcule le ratio : $29/88 = 33$ % ou 0,33
et on applique ce ratio à l'intervalle de classe : $9 \times 0,33 = 3$
ce qui donne une médiane de 24 ans.

Moyenne arithmétique* (μ ou $\overline{X}$) : $\sum X_i / n$ où X_i représente chacune des valeurs et n la taille de l'échantillon.
Calcul le mieux connu et le mieux adapté aux variables métriques.

Pour les variables regroupées en classes, la formule de la moyenne devient :

$$\frac{\sum X_i f_i}{n}$$

où X_i est le point milieu de la classe
f_i est la fréquence de chaque classe
n est la taille de l'échantillon.

→

Lorsqu'on possède des informations sur la moyenne de différentes sous-populations et qu'on veut calculer la moyenne de la population totale, on utilise la formule suivante :

$$\text{Moyenne} = \frac{1}{N} \Sigma\, n_h\, \mu_h$$

où n_h est la taille de chacune des h sous-populations
μ_h est la moyenne de chacune des h sous-populations
N est la taille de la population totale.

Par exemple, 7 000 personnes (N) sont membres d'une grande organisation. On observe une moyenne de revenu égale à 10 000 \$ (μ_1) pour les 5 000 femmes (n_1) de l'organisation et une moyenne de 15 000 \$ (μ_2) pour les 2 000 hommes (n_2). Quel est le revenu moyen des membres de l'organisation ? Bien sûr, il serait faux de dire que les gens gagnent en moyenne 12 500 \$. Appliquons la formule :

$$\frac{1}{7\,000} \times (5\,000 \times 10\,000) + (2\,000 \times 15\,000) = \frac{50\,000\,000 + 30\,000\,000}{7\,000} = 11\,428\,\$$$

* Nous traitons des différentes notations à la section 10.5, consacrée à l'inférence.

La deuxième remarque est particulièrement importante pour l'utilisation de la moyenne. Nous avons déjà démontré comment une valeur extrême pouvait jouer sur la représentativité de la moyenne lorsque les échantillons sont réduits (voir la section 7.3.2). La situation est la même lorsque les échantillons sont biaisés en faveur des valeurs plus hautes ou en faveur des valeurs plus basses. La structure du revenu, par exemple, est caractérisée par la présence de revenus très élevés mais fort rares, ce qui modifie sensiblement la moyenne en l'attirant vers des valeurs élevées. La moyenne est une mauvaise mesure lorsque la distribution des scores n'est pas normale. On préférera alors utiliser la médiane, laquelle est insensible aux valeurs extrêmes. On utilisera les statistiques de la forme de la distribution pour évaluer la normalité de la courbe et la validité de la moyenne comme mesures de tendance centrale. Nous présentons les statistiques de la forme de la distribution un peu plus loin dans cette section et les propriétés de la courbe normale à la section 10.4.

LES MESURES DE DISPERSION

Les mesures de dispersion, à l'instar des mesures de tendance centrale, ont le niveau de mesure comme premier critère du choix d'un indice de variation statistique. On trouve relativement peu de mesures de dispersion pour les variables nominales et ordinales : l'indice de dispersion permet de savoir jusqu'à quel point les répondants sont répartis dans toutes les catégories (entre les choix de réponses) ou concentrés dans quelques-unes. L'indice de dispersion varie entre 0 et 1, 0 indiquant une dispersion minimale ou, autrement dit, une concentration des répondants dans une seule catégorie. On peut alors comparer de nombreuses variables entre elles. Toutefois, l'indice de dispersion ne permet pas de déterminer « où » se situent les gens. Par exemple, si tout le monde se déclare très satisfait de la performance d'un politicien donné et très insatisfait d'un autre, l'indice de dispersion sera le même.

---

45 Mesures de dispersion

INDICE DE DISPERSION (D)

Mesure de la répartition des cas entre leurs différentes catégories pour les variables nominales.

$$D = \frac{k(N^2 - \Sigma f_i^2)}{N^2(k-1)}$$

où k est le nombre total de catégories de la variable

N le nombre de répondants à la question

Σf_i^2 la somme des carrés des fréquences de chacune des catégories de réponses de la variable analysée.

ÉTENDUE (E)

Distance entre la plus forte valeur et la plus basse.

$$E = f_v - b_v$$

où f_v est la plus forte valeur

b_v est la plus faible valeur.

Si, dans un échantillon, le plus bas revenu mensuel est 450 $ et le plus élevé est 5 450 $, l'étendue de la variable « revenu mensuel » est 5 000 $.

ESPACE INTERQUARTILE (Q)

Distance entre la valeur se trouvant au troisième quartile (Q_3) et celle se trouvant au premier quartile (Q_1).

$$Q = Q_3 - Q_1$$

Nous avons présenté plus haut dans ce texte comment calculer les quartiles.

VARIANCE (σ^2 ou s^2)

Moyenne des déviations à la moyenne élevée au carré.

$$s^2 = \frac{\Sigma(X_i - \overline{X})^2}{n \text{ ou } n-1} \text{ pour les petits échantillons}$$

ou, d'une manière plus facile à calculer :

$$s^2 = \frac{\Sigma X_i^2 - \Sigma(X_i)^2/n}{n}$$

Pour des données regroupées, X_i est remplacé par $f_i X_i$ où f_i est la fréquence de la classe et X_i est le point milieu de la classe.

ÉCART TYPE (σ ou s)

Racine carrée de la variance.

Souvent, on utilise certaines mesures construites pour les variables par intervalles pour des variables ordinales. L'étendue, l'espace interquartile, les scores standard (scores z), la variance et l'écart type sont toutes des mesures de la dispersion des variables par intervalles. Nous présentons les formules de calcul de toutes ces statistiques dans l'encadré 45, sauf les scores standard que nous présentons à la section 10.3.

On utilise généralement les mesures de dispersion avec les mesures de la forme de la distribution. Ces deux concepts doivent être bien intégrés car ils sont fondamentaux pour l'interprétation des données descriptives aussi bien que causales et multivariées.

Parmi les mesures de dispersion, la variance et l'écart type sont les plus utilisées. Il est assez rare qu'on interprète la variance directement car sa valeur dépend toujours des valeurs spécifiques mises en jeu et de la taille de l'échantillon. La variance et l'écart type sont à leur maximum quand les données sont concentrées aux deux extrémités de la distribution et égalent 0 si elles ne varient pas.

L'écart type informe sur la magnitude des écarts à la moyenne. Par exemple, deux échantillons d'une même moyenne d'âge, disons 20 ans, mais d'un écart type de 2 ans et de 5 ans respectivement seraient composés d'individus ayant un âge plus près de 20 ans dans le premier cas que dans le second. Combiné aux scores standard, l'écart type permet de mieux analyser la dispersion, compte tenu de la forme de la distribution. Nous y reviendrons plus loin dans ce texte.

LES MESURES DE LA FORME DE LA DISTRIBUTION

La distribution de fréquences permet, pour les variables nombreuses et par intervalles, d'évaluer la forme de la courbe de distribution. On peut alors utiliser certaines statistiques ou constater cette forme par des moyens graphiques. Les progiciels statistiques de qualité ont habituellement de bonnes capacités graphiques. Nous traiterons des méthodes graphiques au chapitre 11.

Connaître la forme de la distribution d'une variable permet de mieux la décrire. Cette analyse de la forme est toutefois aussi utile pour les calculs statistiques plus avancés que pour les calculs d'inférence. On compare généralement cette forme à celle de la courbe normale ou à d'autres courbes théoriques (F, t, khi²). De nombreux calculs ont comme exigence le caractère « normal » des données sur lesquelles ils portent, c'est-à-dire que leur distribution s'approche de la courbe normale. Nous présentons plus bas les éléments de base de la courbe normale et de la courbe normale centrée réduite.

Les mesures de formes ne s'appliquent généralement qu'aux variables par intervalles. À la rigueur, on s'en sert également pour les données ordinales, surtout lorsque ces dernières comportent de nombreux choix de réponses.

Nous présentons dans l'encadré 46 deux types de statistiques de la forme : une statistique de symétrie ou de biais et une statistique d'aplatissement ou de kurtose. Combinées au mode, ces deux statistiques permettent de décrire la forme de la plupart des distributions de données.

---

46 Mesures de la forme de la distribution

MESURE DE BIAIS *(skewness)*

Cette mesure permet de déterminer si les données sont regroupées également de part et d'autre de la moyenne ou si elles se trouvent davantage au-dessus ou au-dessous de la moyenne. Lorsqu'une distribution n'est pas biaisée, on dit qu'elle est symétrique.

Il existe différentes formules pour calculer le biais d'une distribution. Nous ne présentons ici que la plus simple. Cette dernière est toutefois peu adaptée aux grands échantillons, comme d'ailleurs le calcul manuel.

$$\text{Biais} = \frac{\sum [(X_i - \overline{X})/s]^3}{n}$$

Lorsque la distribution est symétrique, la statistique est égale à 0. Si la distribution est biaisée à droite, la statistique est positive. Si la distribution est biaisée à gauche, la statistique est négative.

MESURE DE KURTOSE *(kurtosis)*

Cette mesure informe sur la hauteur de la courbe.

Comme pour le calcul du biais, nous ne fournissons ici que la formule la plus simple malgré qu'elle s'adapte mal aux grands échantillons.

$$\text{Kurtose} = \frac{\sum [(X_i - \overline{X})/s]^4}{n} - 3$$

Lorsque la courbe est mésokurtique (ou normale ou en forme de cloche), la kurtose est égale à 0. La kurtose est positive lorsque la courbe est plus prononcée (leptokurtique) et elle est négative lorsque la courbe est plus large et aplatie (platykurtique).

Pour l'une et l'autre de ces statistiques, il n'existe pas de normes établies pour déterminer quand une distribution est trop biaisée ou aplatie. On accepte généralement de petits écarts de normalité et on ne s'inquiète guère lorsque les statistiques sont inférieures à +/− 1.

Le mode pour l'analyse de la forme d'une distribution prend une définition légèrement différente. Plutôt que de considérer uniquement la valeur la plus fréquente (ce qui est la définition du mode), on tient compte de tous les pics que l'on rencontre dans la distribution et on les considère comme des modes même si un de ceux-ci est plus important que les autres. Une distribution qui n'a qu'un seul pic est dite uni-modale, une distribution qui a deux pics est appelée bimodale et, lorsqu'il y en a plus, on parle de distribution multimodale (voir figure 10.1).

FIGURE 10.1   Type de la distribution

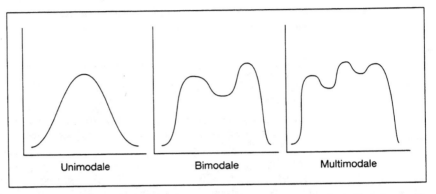

La kurtose est en soi un concept facile à comprendre. C'est jusqu'à quel point une distribution de données est aplatie ou pointue (voir figure 10.2). Lorsque la distribution présente la forme d'une cloche, on dit qu'elle est mésokurtique ; c'est le cas de la courbe normale. Lorsque les valeurs sont davantage groupées autour de la moyenne et que la distribution offre un profil très marqué avec un pic très élevé, on la dit leptokurtique. Enfin, lorsque les valeurs sont peu groupées autour de la moyenne mais s'étalent plutôt autour d'elle sans former un pic marqué, la distribution est platykurtique (platy signifie « large » en grec). L'écart type d'une distribution leptokurtique est moins élevé que celui d'une courbe platykurtique.

FIGURE 10.2   Forme de la distribution

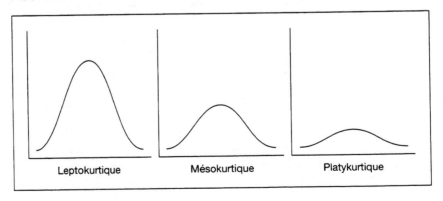

Comme nous le soulignions plus tôt dans ce texte, la moyenne n'est pas toujours la mesure la plus appropriée pour connaître la tendance centrale d'une distribution. La symétrie d'une distribution doit absolument être évaluée avant de prendre une décision. Comme on peut le remarquer en consultant la figure 10.3, l'analyse de la symétrie a comme préalable l'unimodalité de la distribution. On dit qu'une courbe est symétrique lorsque le nombre de réponses qui sont supérieures à la moyenne est égal au nombre de réponses qui sont inférieures à la moyenne. La courbe est biaisée vers la droite lorsqu'on observe plus de valeurs inférieures à la moyenne, mais des valeurs supérieures à la moyenne très élevées, ce qui allonge la courbe à droite du pic central bien que la masse des répondants se trouve à gauche du pic ; c'est ce qui arrive généralement avec la distribution des salaires. Lorsque la courbe est au contraire plus allongée à gauche du pic central, on la dit biaisée vers la gauche.

FIGURE 10.3 Symétrie de la distribution

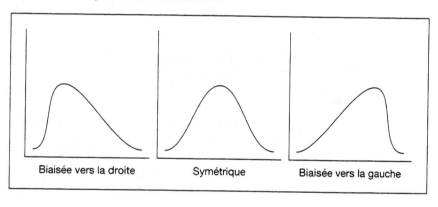

| Biaisée vers la droite | Symétrique | Biaisée vers la gauche |

10.3 LES SCORES STANDARD

Les scores standard, aussi appelés scores *z* ou cotes *z*, très importants en statistiques inférentielles, sont une simple conversion de différents scores en unités standard qui permettent la comparaison. C'est ce qu'on appelle une transformation linéaire. Le score *z* indique le nombre d'écarts types dont un score donné s'éloigne de la moyenne. L'unité de mesure est l'écart type. L'utilisation de scores standardisés dans certains calculs ne s'applique qu'à des distributions normales. La formule de standardisation est la suivante :

$$z = \frac{(X_i - \overline{X})}{s} \tag{1}$$

où z signifie score standard
X_i est le score original
$\overline{X}$ est la moyenne arithmétique
s est l'écart type de la distribution.

La même formule, après quelques transformations algébriques, permet de trouver un X_i donné lorsqu'on dispose des autres éléments. La formule s'exprime alors ainsi :

$$X_i = \overline{X} + (z \times s) \tag{2}$$

Étant donné que la cote z est l'expression du nombre d'écarts types dont un score s'éloigne de sa moyenne, la distribution des scores z donne une moyenne égale à 0 et un écart type égal à 1. Dit autrement, lorsqu'un score observé est égal à la moyenne, il s'éloigne de 0 écart type de celle-ci.

Comparons deux variables tirées d'un même échantillon : le niveau de scolarité (X) d'une moyenne de 10 et d'un écart type de 2,1 ($\overline{X} = 10$, $s = 2,1$) ; le salaire (Y) d'une moyenne de 20 000 \$ et d'un écart type de 4 200 \$ ($\overline{Y} = 20\,000$ \$, $s = 4\,200$ \$). Nous nous posons la question suivante : toute proportion gardée, qui gagne cher et qui a une scolarité élevée ?

X_i	Calcul	z
10	(10 – 10)/2,1	0
15	(15 – 10)/2,1	2,38
5	(5 – 10)/2,1	–2,38
11	(11 – 10)/2,1	0,48
12	(12 – 10)/2,1	0,95

Y_i	Calcul	z
20 000	(20 000 – 20 000)/4 200	0
30 000	(30 000 – 20 000)/4 200	2,38
10 000	(10 000 – 20 000)/4 200	–2,38
22 000	(22 000 – 20 000)/4 200	0,48
24 000	(24 000 – 20 000)/4 200	0,95

On s'aperçoit aisément que les scores z sont égaux. Donc, 30 000 est à la distribution des salaires ce que 15 est à la distribution de la scolarité. Voici un exemple d'application.

Mon beau-frère est français. Dans une discussion épistolaire sur nos revenus, il prétend que son revenu est plus élevé que le mien. Il gagne 120 000 FF et moi 25 000 $. Il appuie son affirmation sur le cours relatif du franc et du dollar qui est de 4,5 FF pour un dollar, ce qui lui fait un revenu de 26 667 $. Pour ma part, je conteste son calcul parce que le cours des deux monnaies fluctue et que sa richesse supérieure ne vaut que lorsqu'il voyage. Le coût de la vie ayant tendance à s'aligner sur le revenu moyen des pays comme la France et le Canada où le niveau de vie est semblable, je propose de standardiser nos revenus pour les comparer. Nous savons par ailleurs que le revenu moyen en France est de 87 256 FF et l'écart type 22 157 FF et, au Canada, de 16 512 $ et 3 612 $ respectivement. a) Qui gagne le plus ? b) Quel serait mon salaire en France ? c) Quel serait le salaire de mon beau-frère au Canada ?

a) En appliquant la formule (1) :
120 000 FF – 87 256 FF / 22 157 FF = 1,48
25 000 $ – 16 512 $ / 3 612 $ = 2,35

J'aurais donc, proportionnellement au revenu moyen de mon pays, un revenu plus élevé que celui de mon beau-frère.

b) En appliquant la formule (2) :
87 256 FF + (2,35 x 22 157 FF) = 139 324,95 FF

c) En appliquant la formule (2) :
16 512 $ + (1,48 x 3 612 $) = 21 857,76 $

10.4 LA DISTRIBUTION NORMALE

10.4.1 LES PRINCIPES GÉNÉRAUX

Dans le graphique qui suit, chaque X représente un individu et les chiffres expriment le pourcentage à un examen dont les notes possibles seraient des multiples de 10. Si on voulait savoir combien de personnes ont obtenu entre 50 % et 70 %, on n'aurait qu'à compter le nombre de X inclus entre ces deux notes. Si les notes entre 0 % et 100 % pouvaient être tous les nombres possibles jusqu'à la cinquième décimale, par exemple, et que la forme de la courbe était en gros la même, nous aurions une courbe normale non standardisée. Le nombre infini de X que la courbe contiendrait fait que l'on pourrait utiliser une formule de calcul de la surface de la courbe pour connaître le nombre de X contenus entre deux valeurs. Celle que nous utilisons dans les tests statistiques est une courbe normale qu'on dit centrée réduite ; on la nomme « courbe normale » (voir la page suivante). Elle présente l'avantage d'être standardisée, c'est-à-dire que les scores standard remplacent les notes de notre exemple, et sa surface a été calculée pour toutes les notes. Son utilité a été démontrée à plusieurs reprises car de nombreux phénomènes sociaux, économiques, administratifs et psychologiques se distribuent de façon normale.

```
                              X
                      X   X   X
                  X   X   X   X   X
              X   X   X   X   X   X   X
          X   X   X   X   X   X   X   X   X
      X   X   X   X   X   X   X   X   X   X   X
     ─────────────────────────────────────────
  %   0  10  20  30  40  50  60  70  80  90  100
```

10.4.2   LES PROPRIÉTÉS

La courbe normale centrée réduite possède des propriétés qui sont fort utiles ; certaines de ses caractéristiques sont les mêmes que celles des scores standard, d'autres lui sont particulières. Sa moyenne arithmétique, sa médiane et son mode sont égaux et c'est la valeur 0, comme la moyenne des scores z, qui a ces caractéristiques. La courbe de la distribution de fréquences est symétrique, c'est-à-dire qu'il y a exactement le même nombre de cas qui sont distribués selon une même forme de part et d'autre de la moyenne. Cela permet, entre autres, de ne calculer que la moitié de la courbe pour en connaître toutes les valeurs puisque, pour l'autre moitié, seul le signe des valeurs change. Donc, lorsqu'on a une variable se distribuant normalement, quelles que soient sa valeur et sa moyenne puisqu'on peut la standardiser, la proportion des cas entre deux scores est toujours la même. Par exemple, entre $-1,96$ écart type et $+1,96$ écart type de la moyenne, on trouve 95 % des cas. La surface totale sous la courbe est égale à 1 ou 100 %. Toutefois, la courbe est asymptotique (la courbe n'atteint jamais l'abscisse), ce qui signifie que l'on n'atteint jamais le 1 dont il est question précédemment. Cette dernière caractéristique est généralement sans incidence pratique, ce qui fait que les tables de la distribution normale se limitent le plus souvent à des calculs ne dépassant pas 5 écarts types. Toutefois, il ne faudra pas s'étonner si un calcul effectué par ordinateur indique qu'un individu s'éloigne de 7 ou 8 écarts types de la moyenne.

FIGURE 10.4   Courbe normale centrée réduite

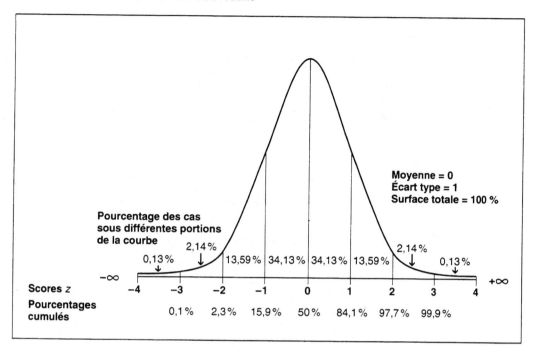

On peut donc connaître la proportion et le nombre de cas en deçà ou au-delà d'une valeur donnée pour toute distribution normale sans avoir à les calculer : connaître la moyenne et l'écart type de la distribution particulière, savoir en standardiser les résultats et utiliser une table où l'on a calculé ces proportions pour une distribution normale ($\mu=0$ et $\sigma=1$) suffisent. Toutefois, la courbe normale ne vaut que pour les échantillons comportant un minimum de 30 cas.

L'utilisation de la table de la loi normale est par ailleurs fort simple. Ces tables comprennent au moins deux colonnes : la première est une colonne de scores z et la seconde donne la proportion de cas entre la moyenne et ce score z. Souvent, on ajoute une troisième colonne représentant la proportion de cas entre le score z et le maximum de la distribution de fréquences fixé à 0,5 (50 % des cas). On peut obtenir ce chiffre, lorsque la troisième colonne est absente, en soustrayant 0,5 à la valeur obtenue dans la deuxième colonne. Les chiffres de la table ne sont calculés que pour la moitié de la distribution puisqu'ils sont exactement les mêmes pour l'autre moitié étant donné la symétrie de la courbe.

10.4.3 LES PRINCIPALES UTILISATIONS DE LA COURBE NORMALE

1) Déterminer le rang centile (Rc) d'un score donné. Par exemple :
   soit X_i où $\bar{x} = 12$ et $s = 3$. Quel est le Rc de 16 ?

   $z = 16 - 12/3 = 1,33$
   Valeur dans la table de $1,33 \Rightarrow 0,408\,2$
   $Rc = (0,5 + 0,408\,2) \times 100$
   $Rc = 90,82\ \%$

2) Inversement, déterminer le score correspondant à un Rc (fréquence cumulée) donné. Par exemple :
   soit X_i où $\bar{x} = 52$ et $s = 15$. Quel score correspond à un Rc de 40 % ?

   $0,4 = 0,5 - 0,1$
   Valeur dans la table qui est le plus proche de $0,1 = 0,098\,7 \Rightarrow$ score $z = 0,25$
   $0,25 = X - 52/15$
   $X = 52 - (0,25)\,(15)$
   $X = 48,25$

3) Trouver la proportion et le nombre de cas entre 2 scores. Par exemple :
   soit X_i où $\bar{x} = 22$, $s = 7$ et $n = 1\,000$. Trouver le pourcentage et le nombre de cas entre 27 et 33.

   Pour $X = 27$, $z = 27 - 22/7 = 0,71$
   Pour $X = 33$, $z = 33 - 22/7 = 1,57$
   Pour $z = 0,71$, valeur dans la table $= 0,261\,1$
   Pour $z = 1,57$, valeur dans la table $= 0,441\,8$
   $0,441\,8 - 0,261\,1 = 0,180\,7$ soit $18,07\ \%$ des cas
   $0,180\,7 \times 1\,000 = 180,7$ soit 181 cas

4) Déterminer la proportion et le nombre de cas entre $\bar{x} + z$ et $\bar{x} - z$. Par exemple :
   soit X_i où $\bar{x} = 46$, $s = 4$ et $n = 1\,000$. Quelle proportion de cas se situe en deçà de 5 points autour de la moyenne ?

   $\bar{x} - x = 46 - 5 = 41 \Rightarrow z = 1,25$
   $\bar{x} + x = 46 + 5 = 51 \Rightarrow z = -1,25$
   $1,25 \Rightarrow$ valeur dans la table $= 0,394\,4$
   $2 \times 0,394\,4 = 0,798\,8 = 79,9\ \%$
   $0,798\,8 \times 1\,000 = 799$ cas

5) Déterminer la distance (espace entre les scores) qui inclut une proportion donnée des cas autour de la moyenne. Par exemple :
   soit X_i où $\bar{x} = 35$ et $s = 5$. Trouver les scores délimitant les 40 % les plus rapprochés de la moyenne.

20 % à gauche de la moyenne et 20 % à droite
0,20 = score z de 0,52
$X_1 = 35 + (0,52) 5 = 37,6$
$X_2 = 35 - (0,52) 5 = 32,5$

10.5 L'ESTIMATION

L'estimation est la technique statistique qui permet de calculer la marge d'erreur découlant des calculs effectués à partir d'un échantillon plutôt qu'avec toute la population. L'utilisation d'échantillons probabilistes permet de calculer, d'estimer cette marge d'erreur. Il existe deux types d'estimations, soit 1) une estimation ponctuelle : la valeur observée d'une variable donnée dans l'échantillon (estimateur) correspond à la valeur de cette même variable (paramètre) dans la population ; 2) une estimation par intervalles de confiance : on postule que la distribution d'échantillonnage se répartit normalement.

Le calcul des intervalles de confiance repose sur le postulat de normalité des erreurs, c'est-à-dire que les erreurs d'échantillonnage, pour une méthode aléatoire simple, se distribuent en suivant une courbe normale. On peut illustrer ce postulat de façon simple. Imaginons une population de un milliard de boules de billard dont une moitié sont blanches (500 000 000) et l'autre rouges. Si on procède, par exemple, à 3 000 tirages aléatoires simples d'échantillons égaux de 1 000 boules de billard, la proportion de boules blanches (nous l'appellerons P) que l'on obtiendra dans ces échantillons se répartira selon une courbe normale : on trouvera 68 % des valeurs de P entre -1 et +1 écart type de la valeur réelle de P fixée au départ à 50 %. En fait, au moyen des calculs simples présentés plus bas, on peut affirmer que 95 % des valeurs de P que l'on observerait à la suite de ces nombreux tirages se situeraient entre 46,9 % et 53,1 %. Ces calculs nous évitent d'avoir à faire tous ces tirages et permettent d'estimer la marge d'erreur.

Nous présentons ici deux formules d'estimation, soit celle d'une proportion et celle d'une moyenne ; il en existe d'autres appropriées à des différences de proportions ou à des différences de moyennes.

47 Formules et symboles

La notation mathématique est un monde de conventions. Malheureusement, malgré la rigueur qui est le propre de la mathématique, on observe de légères différences d'un auteur à l'autre et d'une culture à l'autre entre les Américains, les Français et les Québécois. L'essentiel est que chaque terme d'une formule soit défini et que cette définition soit suffisamment claire pour permettre d'identifier des concepts semblables malgré qu'on les symbolise par des lettres différentes.

Par ailleurs, le fait que les calculs statistiques puissent s'adapter aussi bien à des échantillons qu'à des populations a amené les statisticiens à manifester cette distinction en utilisant des caractères grecs lorsqu'on parle de populations et des caractères latins lorsque les calculs sont faits sur des échantillons et qu'ils nécessitent le calcul d'intervalles de confiance. Il arrive parfois que certains livres ou manuels ayant une mauvaise qualité typographique ne respectent pas cette convention. Devant l'impossibilité d'imprimer les caractères de l'alphabet grec, on utilise alors les majuscules à la place des caractères grecs et les minuscules pour les caractères latins. Notons que N désigne toujours la taille de la population et *n* celle de l'échantillon.

Les caractères grecs (μ, σ, σ^2) désignent ce qu'on appelle « les paramètres » de la population et leur mesure est réputée sans marge d'erreur. Les caractères latins ($\bar{x}$, s, s^2) sont les estimateurs de ces paramètres et sont mesurés avec une marge d'erreur.

Les deux principales qualités d'un estimateur sont les suivantes : il ne doit pas être biaisé et doit être efficace. On dit d'un estimateur qu'il n'est pas biaisé quand il ne surestime ni ne sous-estime le paramètre et qu'il est efficace s'il a une faible marge d'erreur.

Enfin, le fait que l'on analyse des échantillons plutôt que des populations entraîne parfois de légères modifications aux formules de calcul. Plutôt que de présenter l'une et l'autre modifications (lorsqu'elles existent), nous avons préféré présenter les calculs propres aux échantillons.

10.5.1 L'ESTIMATION D'UNE PROPORTION

La formule d'estimation d'une proportion que nous présentons ici ne s'applique qu'aux échantillons obtenus par une méthode de tirage aléatoire simple. Ces échantillons ne doivent pas représenter plus de 10 % de la population sinon, sans être intrinsèquement mauvaise, l'estimation serait trop exigeante. En effet, lorsque l'échantillon représente une grande proportion de la population, sa marge d'erreur est inférieure et il faut corriger sa formule pour en tenir compte. De plus, étant donné que nous utilisons la courbe normale dans nos calculs, l'échantillon doit compter au moins 30 cas ($n > 30$). Enfin, la proportion que l'on veut estimer (p) et son inverse (q) doivent toutes les deux représenter au moins 5 cas. Par conséquent, on ne pourrait estimer une proportion de

5 % dans un échantillon ne comptant que 30 cas puisque 5 % de 30 donnerait un résultat inférieur à 5. Cette formule s'inscrit ainsi :

$$p \; {+\!/-} \; K \sqrt{\frac{p \times q}{n}}$$

où p = la proportion (pourcentage) que l'on veut estimer
     q = la proportion inverse de p, $q = 1 - p$
     K = la valeur de la loi normale standardisée correspondant
       à la moitié du niveau de confiance choisi.

On n'en prend que la moitié pour deux raisons : la table n'est calculée que pour les moitiés et, surtout, la formule prévoit que l'on ajoute et que l'on retranche la valeur calculée afin d'évaluer l'intervalle de confiance. C'est ce que signifie le + / – de la formule.

La partie de la formule $\sqrt{\dfrac{p \times q}{n}}$ s'intitule l'estimation de l'erreur d'échantillonnage (EÉ).

Les calculs d'estimation, comme la plupart des tests statistiques, utilisent deux principaux niveaux de confiance : 99 % et 95 %. Les valeurs de K pour ces niveaux de confiance sont, respectivement, 2,58 et 1,96. En vérifiant ces valeurs dans la table, on s'aperçoit que 1,96 correspond à 0,475 et 2,58 à 0,495. Lorsqu'on double ces valeurs, on obtient 0,95 donc 95 % et 0,99, soit 99 %.

Pour illustrer la mécanique de la formule et ses résultats, nous prendrons une situation quelconque où un échantillon de 1 000 personnes serait tiré de la population d'un quartier urbain de 80 000 personnes. Pour un échantillon et une population d'aussi grandes tailles, les exigences d'un nombre minimal d'individus dans l'échantillon et d'un rapport inférieur à 10 % entre l'échantillon et la population sont aisément remplies. Nous calculerons un intervalle de confiance ayant un degré de confiance égal à 0,95 et un autre égal à 0,99 pour la proportion 0,69.

Limite inférieure $= 0{,}69 - 1{,}96 \times \sqrt{[(0{,}69 \times (1 - 0{,}69))/1\,000]}$
$0{,}69 - 1{,}96 \times \sqrt{(0{,}000\,213\,9)}$
$0{,}69 - 1{,}96 \, (0{,}014\,625\,32)$
$0{,}69 - 0{,}028\,7$
$0{,}66$ (en arrondissant)

Limite supérieure = $0{,}69 + 1{,}96 \times \sqrt{[(0{,}69 \times (1 - 0{,}69))/1\,000]}$

$0{,}69 + 1{,}96 \times \ \sqrt{(0{,}000\,213\,9)}$

$0{,}69 + 1{,}96\,(0{,}014\,625\,32)$

$0{,}69 + 0{,}028\,7$

$0{,}72$ (en arrondissant)

Pour 99 %, on remplace 1,96 par 2,58 et les limites deviennent 0,65 et 0,73.

10.5.2   L'ESTIMATION D'UNE MOYENNE

La mécanique de l'estimation de la moyenne est légèrement plus complexe que celle d'une proportion. On doit avoir accès aux données pour pouvoir calculer l'erreur d'échantillonnage, ce qui empêche souvent, par exemple, d'estimer une moyenne avec les données qui sont fournies par les médias. De plus, si la fraction d'échantillonnage et l'exigence d'un échantillon aléatoire simple restent inchangées, l'échantillon doit comporter au moins 100 individus pour que la moyenne se distribue normalement et que l'on puisse utiliser la table normale. La formule devient :

$$\text{Moyenne} +/- \text{K (EÉ)} \tag{1}$$

$$\text{où} \quad \text{EÉ} = \sqrt{\frac{\Sigma(X_i - \overline{X})^2}{n \times (n - 1)}} \tag{2}$$

Par exemple : calculer un intervalle de confiance ayant une probabilité de 99 % de contenir la valeur de la moyenne de la taille de la famille pour une enquête portant sur la population des familles de Montréal comptant au moins un enfant (fictif). Vous avez en main les données suivantes :

1 enfant	300 familles
2 enfants	400 familles
3 enfants	150 familles
4 enfants	100 familles
5 enfants	50 familles
TOTAL	1 000 familles (n)

On doit d'abord calculer la moyenne :

$$\frac{(300 \times 1) + (400 \times 2) + (150 \times 3) + (100 \times 4) + (50 \times 5)}{1\,000} = 2{,}2$$

Ensuite, on doit calculer l'erreur d'échantillonnage en utilisant la formule (2). Notez que l'on ne peut écrire ici tous les termes de l'addition ;

elle est par ailleurs facile à comprendre : 300 fois 1,44 égale 1,44 additionné 300 fois. On peut donc écrire la formule de la façon suivante :

$$EÉ = \sqrt{\frac{[300(1-2,2)^2]+[400(2-2,2)^2]+[150(3-2,2)^2]+[100(4-2,2)^2]+[50(5-2,2)^2]}{1\,000 \times 999}}$$

$$EÉ = \sqrt{\frac{[300(-1,2)^2]+[400(0,2)^2]+[150(0,8)^2]+[100(1,8)^2]+[50(2,8)^2]}{999\,000}}$$

$$EÉ = \sqrt{\frac{[300(1,44)]+[400(0,04)]+[150(0,64)]+[100(3,24)]+[50(7,84)]}{999\,000}}$$

$$EÉ = \sqrt{\frac{432+16+96+324+392}{999\,000}}$$

$$EÉ = \sqrt{0,001\,261\,261}$$

$$EÉ = 0,035\,514\,24$$

On utilise ensuite la formule (1) avec la valeur de l'erreur d'échantillonnage calculée :

2,2   +/−   2,58 (0,035 514 24)

2,2   +/−   0,091 626 739

ce qui donne, en arrondissant, un intervalle de confiance allant de 2,1 à 2,3 pour la moyenne de la taille des familles de l'enquête. En d'autres mots, il y a 99 % de chances que la moyenne de l'échantillon se situe entre 2,1 et 2,3.

La façon de calculer l'intervalle de confiance d'une moyenne présentée ici contient deux approximations ou imprécisions qui n'ont pas de conséquences pratiques :

1)   Quand il s'agit d'une moyenne, ce n'est pas la courbe normale qui est utilisée mais la loi dite du t de Student. Or, pour des valeurs qui sont égales ou supérieures à 100, ces deux courbes ont presque la même valeur. En fait, t vaut 2,00 à 95 % et 2,64 à 99 %.

2)   Cette deuxième remarque vaut tant pour l'estimation des moyennes que pour celle des proportions. Quand la fraction d'échantillonnage ($f = n/N$) est grande ($n/N > 10$ %), on doit la corriger par $(1-f)^{1/2}$. L'erreur d'échantillonnage s'en trouve réduite.

10.5.3 LA DÉTERMINATION DE LA TAILLE D'UN ÉCHANTILLON POUR LES GRANDES POPULATIONS

La formule d'estimation d'une proportion permet de calculer la taille souhaitable d'un échantillon que l'on désire tirer d'une population donnée. Cette formule ne s'applique toutefois qu'aux très grandes populations. Autrement, on doit appliquer une autre formule que nous présentons plus bas. Les calculs avec la présente formule ne seraient pas intrinsèquement faux, mais conduiraient à tirer un trop grand échantillon pour les objectifs visés. Les critères pour déterminer si on a affaire à une population infinie (très grande) ou finie sont présentés à la section suivante.

Pour utiliser la formule d'estimation, le chercheur doit déterminer a priori, en fonction de ses objectifs, le niveau de confiance et la taille de l'erreur d'échantillonnage qu'il utilisera. L'erreur d'échantillonnage atteint son niveau maximal pour un p égal à 0,50 ; on utilise donc 0,5 dans la formule. Nous avons choisi une EÉ de 0,03 et un niveau de confiance de 95 %. Il ne s'agit pas d'une norme mais uniquement d'un exemple. La formule pour faire ce calcul, le résultat de simples transformations algébriques de la formule d'estimation des proportions, est la suivante :

$$\frac{p \times (1 - p)}{(\text{EÉ} \div \text{K})^2} = n$$

donc

$$\frac{0,5 \times 0,5}{(0,03 \div 1,96)^2} = 1\ 067$$

Toutefois, ce calcul, dans le contexte du sondage, constitue l'objectif pour le nombre de questionnaires complétés. Le chercheur devra donc augmenter le nombre de numéros de téléphone ou de ménages tirés initialement afin de tenir compte des différents facteurs de non-réponse.

10.5.4 LE CALCUL DES ÉCHANTILLONS POUR LES POPULATIONS FINIES

Les populations finies sont de petite taille. On dénombre deux critères qui permettent de décider si la population est finie ou infinie : un critère de taille de la population et un autre fondé sur le rapport entre la taille de l'échantillon projeté (taille qu'on peut évaluer au moyen de la méthode précédente) et la taille de notre population. Pour le premier critère, une population de plus de 45 000 personnes ne pose pas de problème pour la formule de l'estimation vue à la section 10.5.3. Pour le deuxième critère, on calcule le rapport entre n, la taille de l'échantillon projeté, et N, celle de la population. Si 30 n > N, la population est finie et on doit se servir de la formule suivante pour évaluer la taille de l'échantillon :

$$\frac{N}{N - 1 \, [EÉ^2 \div (K^2 \times pq)] + 1} = n$$

Comme pour les populations infinies, l'erreur d'échantillonnage et l'intervalle de confiance sont les choix du chercheur alors que p et q égalent 0,50. De plus, ici aussi on devra évaluer le taux de non-réponse pour connaître la taille de l'échantillon initial que l'on devra tirer.

Lorsque la taille de la population est inférieure à 500 personnes, le tirage d'un échantillon ne permet guère de faire d'économies puisqu'il représentera 50 % et plus de la population (De Sève, 1987). Cela est d'autant plus vrai que l'on devra, la plupart du temps, suréchantillonner pour compenser les non-répondants, ce qui augmentera encore le rapport $n/$N. De plus, outre le facteur économique, on doit aussi tenir compte du fait qu'une minorité d'individus se trouvent éliminés de l'enquête (par exemple, 65 personnes sur 300 lorsqu'on a une EÉ de 0,03 et un K de 1,96 sans suréchantillonner), ce qui peut poser des problèmes sociaux importants au sein d'une organisation. Pour ces deux raisons, il est alors préférable de faire un recensement et de ne pas sacrifier au fétichisme échantillonnal.

NOTES

(1) La tradition française, à la différence de la tradition américaine, donne aux distributions un sens restrictif. Les Français réservent le terme « distribution » aux distributions de fréquences, et nomment « répartition » ce que les Américains appellent « distribution de fréquences cumulées ». Devant l'importance des progiciels d'origine américaine, nous avons préféré utiliser la terminologie américaine.

(2) La construction de pourcentages appelés aussi proportions (p_i) est fort simple. Il s'agit de faire le rapport entre l'effectif de chacune des catégories ou des classes de la variable (e_i) et l'effectif total (e_t) et de multiplier le résultat par 100 : $p_i = (e_i/e_t) \times 100$. On exprime alors les pourcentages en utilisant la notation %. Par exemple, une variable ayant trois catégories dont les effectifs sont $e_1 = 57$, $e_2 = 73$ et $e_3 = 45$ pour un e_t de 175 s'exprime, en pourcentage, $p_1 = 32,6$ %, $p_2 = 41,7$ % et $p_3 = 25,7$ % pour un total de 100 %. La précision des

pourcentages (les chiffres après le point sont conservés) et l'arrondissement qu'on doit alors faire peuvent avoir comme conséquence que le total n'égalera pas 100 %. Pour notre exemple, si nous ne conservions aucun chiffre après le point, nos pourcentages seraient alors de 33 %, 42 % et 26 % pour un total de 101 %. Ce phénomène relativement courant et sans conséquence réelle peut parfois laisser perplexes des lecteurs peu habitués aux calculs de proportions. Il sera alors préférable d'expliquer ce phénomène dans une note en bas de page.

Chapitre 11

La présentation des données et des rapports

INTRODUCTION

La présentation des données est plus capitale pour le succès d'une analyse qu'on ne le croit généralement. Elle permettra aux utilisateurs de la recherche de comprendre la portée de l'enquête et la signification des résultats. En effet, un inconvénient majeur que l'analyste rencontrera s'avère l'écart entre ses connaissances statistiques et celles des utilisateurs. Ses talents de pédagogue seront alors mis à l'épreuve de même que sa capacité de présenter de façon claire les résultats de base de l'enquête : lorsque les données statistiques les plus simples sont bien comprises, l'analyste peut gagner la confiance des utilisateurs pour des analyses plus sophistiquées. Il existe deux manières de présenter des données : les tableaux et les graphiques. Nous présenterons d'abord les règles pour la construction des graphiques puis celles pour la présentation des tableaux de données. Enfin, nous exposerons les principes de rédaction d'un rapport de recherche.

Tous les exemples de graphiques choisis concernent le Québec. Les données proviennent généralement des recensements canadiens de 1981 et 1986. On y trouve des informations sur l'âge et le sexe de la population ainsi que différentes structures géopolitiques du Québec (certaines données se trouvent en annexe). Nous montrons aussi les tendances futures de cette population telles que les démographes les projettent. Nous comparons le Québec et l'Ontario, des villes et des régions, de même que les anglophones, les allophones et les francophones quant à l'accès à l'éducation supérieure. Nous présentons le niveau de scolarité atteint de même que le revenu selon le sexe en les ventilant par l'âge[1].

LES OUVRAGES SPÉCIALISÉS

Il va sans dire que ce court chapitre sur les techniques d'expression graphique ne peut être qu'une introduction. Parmi les meilleurs livres consacrés exclusivement au domaine[2], notons l'ouvrage de Jacques Bertin, *Sémiologie graphique : les diagrammes, les réseaux, les cartes* ; ce livre présente la graphique d'un point de vue théorique et pratique mais est d'un accès difficile. Pour ceux qui désirent surtout un guide pratique montrant ce qu'il faut faire et éviter sous l'angle statistique, le livre de C.F. Schmid, *Statistical Graphics*, est une heureuse alternative. Le livre de J.V. White, *Using Charts and Graphs*, nous ouvre tout le champ de l'imagination visuelle et présente certaines techniques d'art graphique. Enfin, *Graphis Diagrams*, un livre réalisé sous la direction de W. Herberg, offre tout un panorama de ce qu'on pourrait appeler les plus beaux graphiques au monde, tous types confondus. Notons, parmi la production québécoise, l'ouvrage *Cartographie dans les médias* dans lequel M.-J. Gauthier a réuni les textes et les graphiques des communications prononcées au congrès annuel de l'Association canadienne de cartographie par des cartographes mondialement reconnus ; ce congrès portait sur les principaux problèmes de l'utilisation de cartes géographiques et de graphiques statistiques dans les médias.

LES OUTILS ET LES HABILETÉS GRAPHIQUES

La prolifération de logiciels graphiques permet à l'analyste de ne pas avoir à maîtriser les techniques de base du dessin graphique. Nous présentons dans l'encadré 48 les principales familles de logiciels graphiques. Chaque logiciel ayant ses règles internes d'utilisation, nous croyons inutile de présenter le vocabulaire d'un seul d'entre eux.

Il reste néanmoins que la plupart des types élémentaires de graphiques peuvent être réalisés à la main sur une table de cuisine avec un crayon, une plume, une règle, une équerre, un compas et du papier bien sûr. Avec relativement peu de moyens supplémentaires, on peut se procurer dans un magasin de matériel d'arts graphiques et artistique différents articles tels des règles graduées en picas, un T, des modèles, du papier millimétré arithmétique ou logarithmique, ainsi que du ruban à motifs préimprimés ou des feuilles avec des lettres et des symboles pouvant être transposés sur le papier. Ces rubans et ces feuilles sont bien connus sous le nom de la principale entreprise qui les fabrique, Letraset. Si la graphique vous intéresse passionnément, vous pourrez vous procurer une table graphique avec une bonne lampe et en faire un champ de spécialisation.

---

48   Logiciels graphiques

On peut distinguer quatre familles de logiciels graphiques :

1) Les **logiciels de dessin** : ils offrent rarement la possibilité de déterminer des échelles de mesure exactes. Il faut être très habile pour pouvoir s'en servir. Ils sont peu recommandables pour la réalisation de graphiques scientifiques.

2) Les **progiciels graphiques** : ces programmes ont comme seule fonction de faire des graphiques scientifiques et d'affaires. Vérifiez les possibilités d'interconnection avec les logiciels statistiques, chiffriers et bases de données, la variété des types de graphiques, leur facilité d'utilisation ainsi que leur souplesse pour la rédaction des légendes, titres et sous-titres. La plupart n'offrent pas les caractères accentués propres à la langue française.

3) Les **modules graphiques des progiciels statistiques et des chiffriers** : beaucoup de progiciels d'analyse statistique et de chiffriers offrent la possibilité de construire des graphiques à partir des données analysées sans sortir de leur environnement. Ils ont les mêmes limites que les progiciels graphiques. Ils sont souvent très chers.

4) Les **logiciels de dessin graphique (CAD)** : très souples et très puissants avec comme principale limite la compétence de leurs utilisateurs, ces logiciels exigent des ordinateurs et des écrans coûteux aussi bien qu'un long apprentissage.

Par ailleurs, que vous utilisiez l'informatique ou pas et quel que soit votre attirail de dessinateur, le choix du type de graphiques repose entièrement sur votre compétence d'analyste.

11.1   QUELQUES RÈGLES POUR LA CONSTRUCTION DES GRAPHIQUES

11.1.1   LES FONCTIONS DU GRAPHIQUE

Les graphiques n'ont pas qu'une fonction de communication des données : ils servent aussi à les analyser et à en faire l'inventaire (Bertin, 1973). Cette dernière fonction est toutefois moins importante pour les diagrammes statistiques que pour les cartes géographiques. Les données d'enquête, comme toutes les séries statistiques lorsqu'elles sont très nombreuses et très détaillées, sont mieux servies par les tableaux de données que par les graphiques. On pourra toutefois les traiter mathématiquement ou graphiquement pour les simplifier et les communiquer. Souvent, la lecture des tableaux de données ne permet que difficilement de comprendre la structure des données, alors que le graphique la met en lumière.

L'ORDRE ET LA SIMPLIFICATION

On peut simplifier les données en les ordonnant ou en éliminant certains détails. On construit, par exemple, les pyramides d'âges en regroupant les âges par tranches quinquennales ou décennales, ce qui réduit la précision mais fournit une meilleure image d'ensemble. Classer les données en ordre croissant ou décroissant est une opération que l'on fera presque toujours pour les graphiques à barres présentant des données nominales (voir figure 11.5).

La construction de graphiques exige donc de comprendre les données traitées et de connaître les exigences de précision du domaine à l'étude. On ne peut se référer exclusivement à des critères esthétiques.

RÉPONDRE À CERTAINES QUESTIONS

Pour J. Bertin, un graphique doit autant que possible permettre de répondre aux trois niveaux de questions que l'on peut se poser sur ses composantes : au niveau élémentaire ou ponctuel (quelle proportion de francophones de 65 ans et plus sont allés à l'université ?), au niveau intermédiaire où l'on met en relation une partie de l'information (les francophones de moins de 35 ans ont-ils rattrapé les anglophones en ce qui a trait à la scolarisation universitaire ?) et au niveau global où le graphique donne une information d'ensemble (quelles sont les tendances de la population québécoise pour la scolarité universitaire selon l'âge et la langue ?). Chaque graphique doit pouvoir répondre à ces questions pour toutes ses composantes, c'est-à-dire pour toutes les variables qu'il met en scène. Il s'agit bien sûr d'un objectif général qui ne sera pas toujours atteint ; toutefois, un graphique qui ne donne une réponse qu'aux questions ponctuelles est inutile.

FOURNIR DES IMAGES SIGNIFICATIVES

La fonction de communication des graphiques ne peut se réaliser uniquement par voie de figuration ; les graphiques doivent être des images significatives. « Nous appellerons *image* la forme significative perceptible dans l'instant minimum de vision » (Bertin, 1973, p. 142). Pour atteindre cet objectif, les informations transmises par un graphique doivent se limiter à trois variables, soit l'abscisse et l'ordonnée du plan cartésien, et une seule des variables que Bertin appelle des variables rétiniennes. Ces dernières sont des formes différentes ou des différences de grain (motif) pour tracer des lignes ou des rectangles, ou encore des différences de taille ou d'orientation de plusieurs symboles. La règle édictée par Bertin signifie qu'on ne peut espérer construire une image significative si on utilise plus d'une variable rétinienne, les deux autres, abscisse et ordonnée, étant toujours présentes, imposées en quelque sorte par l'acte même de dessiner.

En termes plus simples, les objets que l'on représente en graphique peuvent être plus ou moins hauts et plus ou moins larges. Toutefois, ils ne doivent pas être trop complexes. Tout au plus peut-on faire varier leurs motifs ou leur orientation, mais jamais plus d'une de ces caractéristiques à la fois. Encore faut-il y aller avec parcimonie. De plus, les variables rétiniennes doivent toujours être ordonnées.

Pour la plupart des graphiques utilisés couramment en sciences sociales, cet objectif de clarté peut facilement être atteint. Les principaux défauts relèvent plutôt de la trop grande complexité des graphiques surchargés d'informations. Multiplier les lignes et leurs motifs dans un graphique à lignes, créer des motifs quasi psychédéliques dans les graphiques à colonnes, surcharger de symboles les pictogrammes sont tous des défauts courants de la présentation des données sociales.

11.1.2   LE SYSTÈME CARTÉSIEN

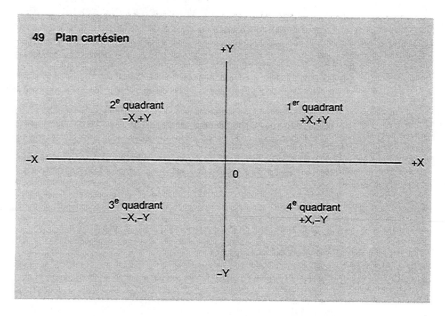

49   Plan cartésien

La construction de graphiques se fait sur un plan cartésien, soit un espace plat que l'on peut définir au moyen de deux coordonnées. La ligne verticale est appelée ordonnée et est représentée par la lettre Y ;

on la nomme aussi l'axe des Y. La ligne horizontale est appelée abscisse et est représentée par la lettre X ; on la nomme aussi l'axe des X. Ces lignes divisent un plan en quatre quadrants. Généralement, on n'utilise et ne représente que le premier quadrant. On peut toutefois les représenter tous, selon les besoins.

Bien qu'à titre de dessinateur on utilise toujours le plan cartésien et ses deux dimensions, ces dernières ont toutefois des usages fort différents selon le type de graphique. Pour les histogrammes, les diagrammes à bâtons, les ogives, les polygones de fréquences et les graphiques à points, on accorde une valeur métrique aux deux axes. Pour les graphiques à barres, on n'accorde une valeur métrique qu'à un seul axe. Les graphiques à colonnes comme les graphiques à lignes sont surtout utilisés pour les données de temps (années, mois, jours) sur l'axe des X, mais les premiers s'utilisent aussi sans métrique pour l'axe des X.

De manière générale, lorsqu'on met en scène deux variables dans un même graphique, l'axe des X est réservé à la variable indépendante et l'axe des Y à la variable dépendante. Cette manière de faire respecte les conventions quant à l'usage des lettres X et Y pour la construction de formules mathématiques.

Par ailleurs, certains modèles de graphiques comportent une troisième dimension (un axe Z) ou contiennent plus d'une échelle sur une même dimension (deux axes Y par exemple). Dans les deux cas, l'objectif de communication se trouve compromis. Ces graphiques sont difficiles à comprendre et leur usage devrait être limité aux seules publications scientifiques, et encore... Si les progiciels graphiques les plus courants offrent souvent une option 3-D (trois dimensions), ils permettent rarement de construire des graphiques à trois dimensions. En fait, l'option 3-D offerte par la plupart des progiciels est purement esthétique : des graphiques à barres sont parfois plus jolis[3] si on ajoute un effet de profondeur aux rectangles représentant des données n'ayant que deux dimensions sur le plan statistique.

11.1.3 LA PROPORTIONNALITÉ, L'ÉLÉGANCE ET LA PRÉCISION

Le titre de cette section résume tout son contenu. La construction de graphiques exige de la part du concepteur un solide jugement esthétique. Les règles absolues dans le domaine sont donc fort rares. On note toutefois certains principes généraux.

1) Les axes des graphiques doivent se situer entre un rapport de deux à trois (2/3) et un rapport de trois à quatre (3/4). Mais les graphiques

présentant de longues séries temporelles peuvent parfois être beaucoup plus larges que hauts.

2) Les axes peuvent être verticaux ou horizontaux.

3) Les deux axes sont des « lignes spéciales » dans le graphique ; on doit donc toujours les inclure au dessin et les faire ressortir de manière à pouvoir les identifier rapidement. Les diagrammes en forme de tarte et en colonnes ainsi que les pictogrammes n'en ont pas.

4) La surface du graphique doit être utilisée au moins à 60 % par des symboles, des rectangles ou des lignes.

5) Tous les dessins doivent être exécutés avec précision pour qu'une même quantité numérique soit toujours représentée de la même façon.

6) Tous les symboles alphanumériques doivent être lisibles.

7) Les grilles dont la seule fonction est de permettre de comparer les données graphiques doivent rester légères, en arrière-plan et d'un niveau de précision correspondant à celui des données présentées. Ces grilles peuvent être verticales *ou* horizontales si les données n'ont qu'une coordonnée métrique mais elles seront horizontales *et* verticales si les deux axes sont métriques.

8) Toujours commencer les fréquences avec l'origine (axe des Y). Au besoin, si le graphique ne peut tenir dans une seule page, utilisez une ligne brisée explicite pour indiquer la non-continuité de l'échelle.

9) Un cadre autour du graphique le rehausse mais demeure optionnel.

11.1.4   LE SYSTÈME DE RÉFÉRENCE

Les titres, sous-titres, sources, légendes, échelles et étiquettes font tous partie du système de référence d'un graphique. Ce système a deux fonctions principales, soit : 1) une fonction externe qui consiste à faire le lien avec le texte et les sources de données et 2) une fonction interne qui permet de comprendre le graphique.

LES TITRES ET LES SOUS-TITRES

Les titres et sous-titres décrivent le graphique dans son ensemble. Les premiers sont obligatoires alors que les seconds sont optionnels. Lorsque les deux sont utilisés, le sous-titre aura un caractère plus fonctionnel et le titre sera plus « médiatique », c'est-à dire qu'il fera référence à la signification du graphique pour l'exposé alors que le sous-titre en décrira les éléments d'information. Lorsque seul un titre est utilisé, il devra être plus fonctionnel que substantif. Titre et sous-titre doivent permettre de répondre aux questions sur la nature des données, la date de leur collecte et leurs limites géographiques. Les deux derniers points seront omis si toutes les données proviennent de la même enquête ou du même corpus ou concernent tous la même localité.

Lorsqu'un graphique met en rapport deux variables en relation de dépendance, le titre commencera toujours avec la variable dépendante. Par exemple, on écrira « Vote aux dernières élections selon le sexe » plutôt que « Sexe des voteurs aux dernières élections ».

LES SOURCES

La provenance des données doit être inscrite sur tous les graphiques d'un ouvrage. On peut faire une exception lorsque la seule source de données est l'enquête que l'on commente. Encore là, il est préférable de mettre en annexe les tableaux de données dont sont issus les graphiques et d'y renvoyer le lecteur.

La source de toutes les données utilisées doit être inscrite. En effet, il arrive souvent que, lorsqu'on constitue des séries temporelles par exemple, l'on doive utiliser plusieurs publications pour construire un même graphique ; on devra alors préciser quelle partie des données provient de telle ou telle source et non seulement indiquer ces sources en vrac. On inscrit généralement la source des données au bas et à gauche du graphique.

LES LÉGENDES, LES ÉCHELLES ET LES ÉTIQUETTES

Les légendes, échelles et étiquettes permettent de lire un graphique. Les règles de position de ces différents éléments varient beaucoup selon le type de graphique. On peut prendre comme règle générale que tout élément d'information graphique doit être identifié.

1)   La signification des axes doit être explicitée. S'agit-il de dollars, de milliers de dollars, de pourcentages, de personnes ou de ménages ?

2)   Les axes, lorsqu'ils sont métriques, doivent non seulement être identifiés mais aussi gradués sous forme d'échelle. Cette graduation sera généralement identifiée en multiples de 10 (10, 20, 30, 40, etc.) ou de 5 (5, 10, 15, 20, etc.). On pourra aussi dessiner de simples barres sur les axes entre les graduations identifiées par des chiffres en fonction de la précision des données.

3) Les grilles que l'on dessinera pour interpréter les données prendront leur source dans les graduations des échelles.

4) Les lignes ou les rectangles (en barres ou en colonnes) doivent être identifiés. On peut le faire au moyen d'étiquettes accolées directement aux lignes ou aux rectangles dans le graphique ou au moyen de légendes. L'utilisation de l'une ou l'autre méthode dépend largement des préférences personnelles de l'auteur et de l'allure générale du graphique. On préférera généralement des légendes pour les graphiques à barres et à colonnes et des étiquettes pour les graphiques à lignes, surtout lorsque ces dernières sont très nombreuses.

5) Tout symbole dont le sens n'est pas évident doit être défini dans le graphique.

6) L'utilisation de chiffres dans les graphiques, que ce soit au sommet des colonnes, au sein des barres ou accolés aux lignes, doit être faite avec précaution, même en marge. Un graphique n'est pas un tableau et le surcharger de chiffres nuira à son interprétation et à ses qualités de communication. Si on tient absolument à avoir tous les chiffres, on construit un tableau plutôt qu'un graphique, ou on ajoute le tableau au graphique. Toutefois, certains types de graphiques, tels les diagrammes en forme de tarte ou en forme de colonne et les pictogrammes, n'ont pas d'échelles qui permettent d'estimer la valeur de chacune de leurs sections. On doit alors fournir certains chiffres.

Notons que le polygone, l'ogive et le diagramme à bâtons ont, tout comme l'histogramme, deux axes métriques. Nous les appellerons graphiques métriques.

11.1.5 LES PRINCIPES MATHÉMATIQUES

LA VALEUR AGRÉGÉE ET LA VALEUR INDIVIDUELLE

Les données individuelles, appelées aussi données brutes, sont rarement représentées sous forme de graphique. Seul le graphique à points fournit une image de valeurs individuelles ; chaque point du graphique montre les coordonnées d'un répondant en fonction de ses réponses à deux questions (par exemple 2 000 $ et 14 ans de scolarité).

La plupart des autres données sont des données agrégées. Les fréquences exprimées en pourcentages ou en nombres absolus sont fondées sur des regroupements par classe. Les moyennes comme les totaux ou les comptes sont aussi des agrégats.

Les données temporelles sont agrégées selon les conventions du domaine à l'étude. On trouve donc différentes unités de temps : an, mois, jour, heure, trimestre, jour–mois, mois–semestre, mois–année, etc.

LE NIVEAU DE MESURE DES DONNÉES ET LEUR CONTINUITÉ

Comme pour les autres outils statistiques, le graphique est influencé par le niveau de mesure des variables. Le fait que les données soient discrètes ou continues entre en considération, tout particulièrement pour les variables par intervalles.

Lorsqu'on a regroupé des variables par intervalles continues en classes pour en construire la distribution de fréquences, on peut utiliser l'histogramme ou l'un ou l'autre des graphiques dont les deux coordonnées sont métriques. Les rectangles de l'histogramme sont contigus, ce qui exprime la continuité des variables. Lorsque les variables par intervalles sont discrètes, on préférera utiliser le diagramme à bâtons ou des colonnes très étroites. On évitera surtout toute composante donnant une impression de continuité tels des rectangles qui se touchent ou des lignes comme dans l'ogive, le polygone ou le graphique à lignes.

Les variables nominales sont toutes discrètes (discontinues). On utilise alors l'une ou l'autre application des diagrammes à colonnes ou à barres, les tartes, les colonnes ou les pictogrammes.

Les variables ordinales constituent une zone grise ; continues, elles ne sont pas métriques. Lorsqu'elles sont longues, des échelles par exemple, on peut les considérer comme des variables par intervalles continues. Lorsqu'elles sont courtes, une question sur la satisfaction par exemple, on les représente surtout comme des variables nominales, quoique l'histogramme conviendrait également.

11.2 LES GRAPHIQUES MÉTRIQUES : L'HISTOGRAMME, LE POLYGONE, L'OGIVE ET LE DIAGRAMME À BÂTONS

Nous avons regroupé les graphiques illustrant l'histogramme, le polygone et l'ogive à la figure 11.1 et ceux du diagramme à bâtons à la figure 11.2.

11.2.1   L'HISTOGRAMME

L'histogramme s'adapte particulièrement aux variables par intervalles préalablement regroupées en classes. On peut aussi l'utiliser avec des variables ordinales.

L'histogramme peut représenter des données brutes ou exprimées en pourcentages. On devra donc toujours indiquer clairement les unités utilisées, que ce soit des pourcentages ou des personnes, des ménages, des hommes ou des femmes, etc.

La distribution de fréquences est représentée par une série de rectangles contigus qui sont aussi larges que leur catégorie sur l'axe des X et aussi hauts que leur fréquence en ordonnée.

On aura donc tendance à construire des catégories qui sont de taille équivalente (0-5 ans, 5-10 ans, etc.). Les catégories du type « 65 ans et plus » ne sont généralement pas soumises à ce principe de largeur proportionnelle. Le graphique A (figure 11.1) représente des données d'enquête ; on connaît donc la valeur maximale de la variable, ce qui permet de déterminer la largeur de la dernière catégorie avec précision. Nous avons volontairement regroupé les données en catégories inégales.

L'ordonnée commence toujours avec 0, soit l'origine, et l'axe des X avec le score pertinent le moins élevé. L'axe des Y doit être légèrement plus long que la hauteur de la barre correspondant à la catégorie la plus nombreuse. L'axe des X doit être également légèrement plus long que ne l'exige la largeur totale des barres.

11.2.2   LE POLYGONE

Le polygone, comme l'histogramme, s'adapte aux données métriques regroupées exprimées en pourcentages ou en valeurs. Le polygone mérite son nom parce qu'on le termine à gauche et à droite par une ligne rejoignant l'abscisse et correspondant à la valeur inférieure (à gauche) et supérieure (à droite) de la dernière valeur de la distribution de fréquences. Lorsque ces valeurs ne peuvent exister, on utilise la ligne d'ordonnée pour fermer le polygone.

Sur un plan cartésien, on trace des points correspondant au point milieu de chaque catégorie, puis on les relie par une ligne droite. On voit très bien l'opération au graphique C de la figure 11.1 où l'histogramme et le polygone sont superposés. La surface totale du polygone doit égaler celle de l'histogramme.

Un des avantages du polygone est qu'il peut se superposer et représenter alors des variables croisées.

Les axes sont tous deux métriques. L'axe des X commence par la valeur inférieure à la dernière catégorie. Mais si cette dernière ne peut exister, on ajoute un espace égalant au moins la moitié de l'espace occupé par la dernière catégorie.

L'axe des Y commence toujours à 0 et ne peut être brisé.

11.2.3 L'OGIVE

L'ogive est une technique un peu moins courante. À la différence des autres techniques, elle utilise des données ou des pourcentages cumulés. Les variables sont par intervalles et regroupées en distributions de fréquences, ou ordinales.

On utilise l'ogive principalement pour représenter des données temporelles où l'accumulation des faits est importante pour l'interprétation. Par exemple, le pourcentage cumulatif de divorces pour une cohorte de mariages d'une année à l'autre.

Les règles de construction sont fort simples. On trace des points ayant pour coordonnées la fréquence ou le pourcentage cumulé en ordonnée et la plus haute valeur de la classe en abscisse. On relie ces points ensemble sans toutefois rejoindre l'axe des X. Les axes observent les mêmes règles que pour le polygone.

Les ogives ont comme avantage de pouvoir servir à différentes estimations mathématiques. Lorsqu'ils sont construits avec des pourcentages cumulés, ils permettent d'estimer la valeur de tout quantile (médiane, quartile). La précision de ces estimations variera grandement en fonction de la précision du graphique et de sa taille.

11.2.4 LE DIAGRAMME À BÂTONS

Les diagrammes à bâtons sont réservés aux données par intervalles discrètes. Ces dernières sont la plupart du temps peu nombreuses et ne peuvent être regroupées en distributions de fréquences.

On dessine les diagrammes à bâtons en élevant une ligne verticale directement au-dessus de la valeur dont la longueur représente le nombre ou le pourcentage de la valeur. L'unidimensionnalité de la ligne indique qu'il ne peut y avoir de valeurs intermédiaires. On peut toutefois utiliser des colonnes étroites qui ont l'avantage de rendre le graphique plus clair et plus précis.

FIGURE 11.1
Graphiques métriques : histogramme, ogive et polygone

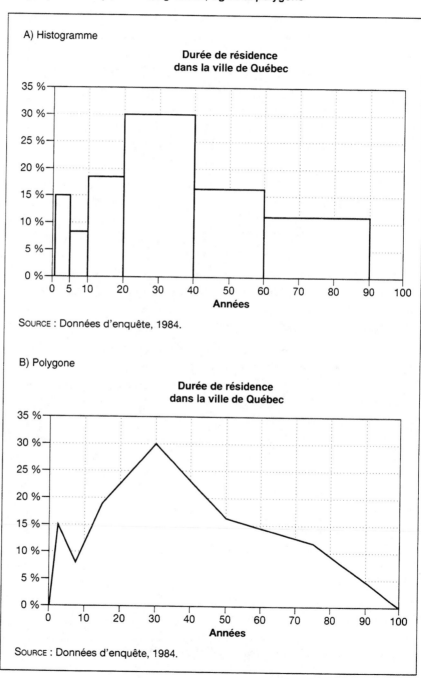

A) Histogramme

Durée de résidence
dans la ville de Québec

SOURCE : Données d'enquête, 1984.

B) Polygone

Durée de résidence
dans la ville de Québec

SOURCE : Données d'enquête, 1984.

FIGURE 11.1
Graphiques métriques : histogramme, ogive et polygone (suite)

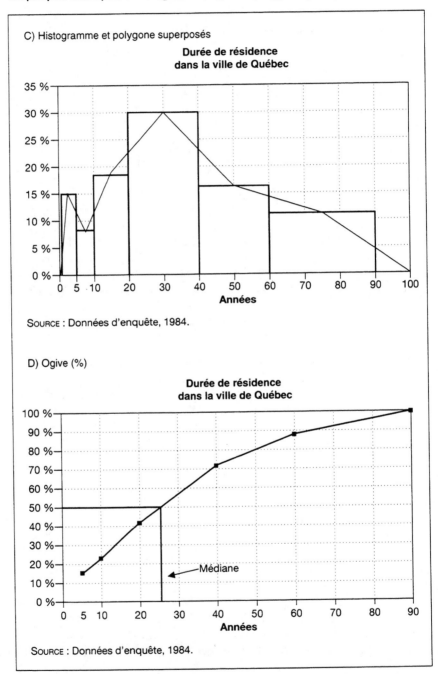

C) Histogramme et polygone superposés

**Durée de résidence
dans la ville de Québec**

SOURCE : Données d'enquête, 1984.

D) Ogive (%)

**Durée de résidence
dans la ville de Québec**

Médiane

SOURCE : Données d'enquête, 1984.

FIGURE 11.2
Représentation des données par intervalles discrètes

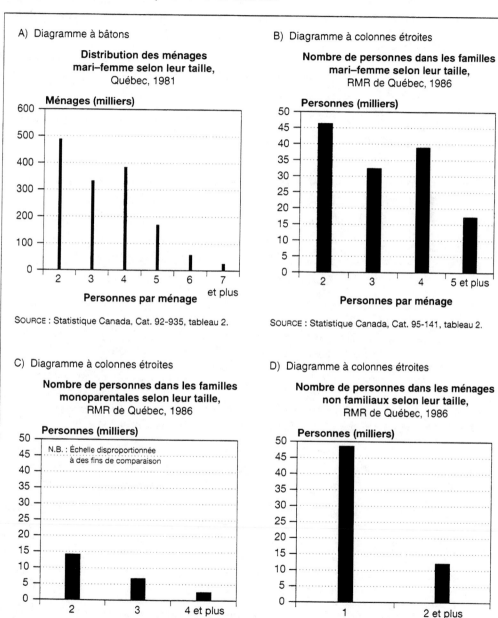

A) Diagramme à bâtons

Distribution des ménages
mari–femme selon leur taille,
Québec, 1981

SOURCE : Statistique Canada, Cat. 92-935, tableau 2.

B) Diagramme à colonnes étroites

Nombre de personnes dans les familles
mari–femme selon leur taille,
RMR de Québec, 1986

SOURCE : Statistique Canada, Cat. 95-141, tableau 2.

C) Diagramme à colonnes étroites

Nombre de personnes dans les familles
monoparentales selon leur taille,
RMR de Québec, 1986

SOURCE : Statistique Canada, Cat. 95-141, tableau 2.

D) Diagramme à colonnes étroites

Nombre de personnes dans les ménages
non familiaux selon leur taille,
RMR de Québec, 1986

SOURCE : Statistique Canada, Cat. 95-141, tableau 2.

Les deux axes sont métriques. En ordonnée, on trouve le nombre d'unités présentant la caractéristique ou le pourcentage. L'ordonnée commence toujours à 0. L'abscisse commence par la plus basse valeur de la variable et se termine par la plus haute.

Notez au passage que les diagrammes B, C et D de la figure 11.2 auraient tous pu être inclus dans un même graphique. C'est uniquement pour qu'ils soient comparables que chacun de ceux-ci a la même échelle en ordonnée. Par conséquent, le diagramme C est tout à fait dispropor- tionné : les composantes sont loin d'occuper 60 % de la surface du graphique.

11.3   LES DIAGRAMMES EN FORME DE TARTE OU EN COLONNES ET L'UTILISATION DES SYMBOLES

11.3.1   LES DIAGRAMMES EN FORME DE TARTE OU EN COLONNES

Les diagrammes en forme de tarte ou en colonnes permettent d'illustrer les données nominales. On les utilise toutefois souvent pour représenter des données par intervalles regroupées ou ordinales. On peut illustrer les pourcentages aussi bien que les nombres absolus.

Pour les tartes, la valeur en pourcentage de chacune des catégories d'une variable est représentée par une pointe de tarte proportionnelle à cette valeur. La construction des tartes est aisée à comprendre : un cercle ayant 360°, 1 % équivaut à 3,6°.

Les colonnes, des étages de grain ou de couleur différents et proportionnels à l'importance de la catégorie, sont utilisées à la place des pointes de tarte. On trouve un graphique à colonnes à la figure 11.4.

On ne représente habituellement ni l'axe des X ni l'axe des Y. Voilà qui n'est pas sans poser certains problèmes d'interprétation. Tartes et colonnes sont donc souvent utilisées avec des chiffres indiquant la fréquence ou le pourcentage.

La simplicité de la construction des graphiques en forme de tarte et leur relative popularité dans les médias ainsi que dans les rapports des sociétés ne doivent pas nous faire oublier certaines règles d'usage. Premièrement, on ne doit pas multiplier à l'excès le nombre de pointes. En effet, le nombre de catégories qu'on peut présenter sous forme de tarte doit être limité à cinq ou six, sinon on y perd en clarté et les objectifs de communication ne sont pas remplis (Schmid, 1983).

FIGURE 11.3
Tarte avec pointe en évidence

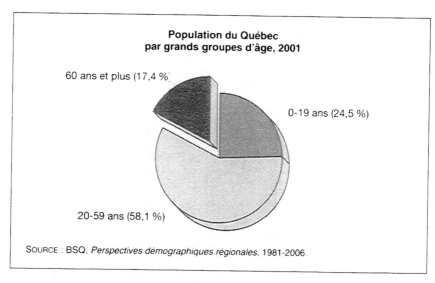

**Population du Québec
par grands groupes d'âge, 2001**

60 ans et plus (17,4 %)

0-19 ans (24,5 %)

20-59 ans (58,1 %)

SOURCE : BSQ, *Perspectives démographiques régionales*, 1981-2006.

On doit également se méfier de la tendance à utiliser des tartes de tailles différentes proportionnelles au nombre de cas présentés dans chaque graphique. Nous l'avons fait dans la figure 11.4 B (page suivante) qui illustre les différences de scolarité dans les régions de Hull et d'Ottawa en tenant compte de leur population respective. Mais si l'on avait construit, par exemple, une grande tarte pour représenter les grands groupes d'âge au Canada et d'autres plus petites pour chaque province, chacune des petites tartes et la grande étant proportionnelles à la population de chaque province et à celle du pays entier, l'effet n'aurait pas été des meilleurs. De plus, cette manière de faire, outre la disproportion des tartes qui représenteraient des populations très différentes, pose le problème de l'expression des différences de taille. Nous en parlons davantage à la section suivante.

11.3.2 LA REPRÉSENTATION IMAGÉE : LE PICTOGRAMME

À la place des colonnes et des tartes, on peut utiliser divers symboles : des cercles ou des sphères, des silhouettes humaines, des bateaux, des boisseaux de blé, etc. Lorsqu'on utilise les symboles d'une manière strictement analogue aux figures standard, les seules limites sont le bon goût, la clarté et l'exactitude. On imagine mal, par exemple, une pyramide des âges remplie de petits bonshommes et de petites bonnes femmes ; l'effet serait sidérant, surtout dans un rapport de société ou ministériel. Un dessin d'animation utilisant la même technique pourrait par contre être intéressant.

FIGURE 11.4
Diagrammes à colonnes et en forme de tarte

A) Deux colonnes

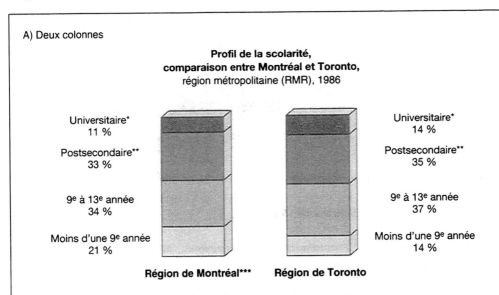

Profil de la scolarité,
comparaison entre Montréal et Toronto,
région métropolitaine (RMR), 1986

Universitaire*
11 %

Postsecondaire**
33 %

9e à 13e année
34 %

Moins d'une 9e année
21 %

Universitaire*
14 %

Postsecondaire**
35 %

9e à 13e année
37 %

Moins d'une 9e année
14 %

Région de Montréal*   Région de Toronto**

* Avec grade ** Avec ou sans diplôme *** Le total est inférieur à 100 % à cause des règles d'arrondissement
SOURCE : Statistique Canada, Cat. 93-156.

B) Deux tartes proportionnelles

Niveau de scolarité atteint,
comparaison entre le Québec et l'Ontario,
RMR de Hull-Ottawa, 1986

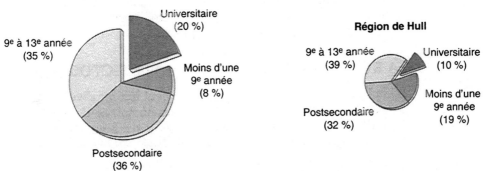

Région d'Ottawa

Universitaire
(20 %)

9e à 13e année
(35 %)

Moins d'une
9e année
(8 %)

Postsecondaire
(36 %)

Région de Hull

9e à 13e année
(39 %)

Universitaire
(10 %)

Moins d'une
9e année
(19 %)

Postsecondaire
(32 %)

SOURCE : Statistique Canada, Cat. 93-156.

Une difficulté supplémentaire dans l'utilisation des symboles survient lorsque l'on veut représenter les données en faisant varier la taille des symboles ; on doit prendre garde aux effets visuels produits par la croissance des surfaces. En effet, le doublement du rayon d'un cercle en quadruple la surface. Il existe, en cartographie, des chartes et des abaques qui permettent de contrer les effets trompeurs.

11.4   LES DIAGRAMMES À BARRES ET À COLONNES

Les diagrammes à barres et à colonnes sont de loin les plus utilisés pour illustrer les données sociales et ont une grande variété d'applications. On peut s'en servir pour les distributions de fréquences comme pour les tableaux croisés, pour des données positives aussi bien que négatives. Les figures 11.5 et 11.8 A présentent les diagrammes à barres ou à colonnes simples servant aux distributions de fréquences et les figures 11.6 et 11.7 illustrent les diagrammes à barres ou à colonnes croisées pour les tableaux croisés.

FIGURE 11.5
Diagramme à barres simples

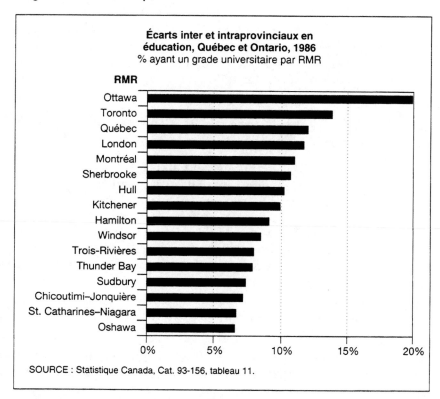

SOURCE : Statistique Canada, Cat. 93-156, tableau 11.

Le choix de la colonne ou de la barre repose largement sur les préférences du graphiste. Certains réservent l'emploi des colonnes aux seuls graphiques comportant des données de temps comme le diagramme 11.8 A.

11.4.1   LES DIAGRAMMES À BARRES OU À COLONNES SIMPLES

Les graphiques à barres et à colonnes servent principalement pour les données nominales. Mais très souvent, ils illustrent des données qui proviennent d'une distribution de fréquences, de taux (figures 11.8 A et 11.8 B) ou d'un ensemble de distributions de fréquences pour comparer une catégorie particulière (figure 11.5). Les données peuvent être exprimées en pourcentages ou en nombres absolus.

Les diagrammes à barres et à colonnes exigent des rectangles pour représenter les données. Une seule dimension possède des caractéristiques métriques : la largeur pour les diagrammes à barres et la hauteur pour les diagrammes à colonnes. Les autres dimensions répondent à des critères esthétiques et ne varient pas au sein d'un même graphique. Les diagrammes 11.6 et 11.8 A utilisent une troisième dimension uniquement pour des motifs esthétiques.

Un seul axe sera gradué. L'autre servira à des nomenclatures ou à des classes sans référence à l'importance de ces classes ou nomenclatures. La seule exception notable s'avère le graphique à colonnes temporel. Lorsqu'on utilise des intervalles de temps inégaux, on doit disposer les colonnes sur l'axe des X pour représenter l'inégalité de ces intervalles. Si, par exemple, les colonnes des années 1961, 1971 et 1981 sont chacune à 2 centimètres l'une de l'autre, l'année 1986 ne devra être qu'à 1 centimètre de la catégorie précédente.

Beaucoup de graphiques sont soit disproportionnés (une seule catégorie regroupant une vaste majorité de répondants) ou encore ont des différences peu significatives lorsque prises dans leur ensemble (les cotes de la Bourse avec des variations de 5, 6 ou 15 sur 1 800, par exemple). Dans le premier cas, on peut tronquer la colonne la plus haute au moyen d'une ligne brisée et inscrire le chiffre représenté à son sommet ; dans le second, on doit dessiner une ligne brisée à la base du graphique, et ce sur toute sa largeur.

11.4.2   LES DIAGRAMMES À BARRES OU À COLONNES CROISÉES

La représentation des données croisées se fait en utilisant des colonnes ou des barres de différents grains, chacun de ceux-ci se rapportant à une catégorie de la variable indépendante. La figure 11.6 montre la répartition de la scolarité selon le sexe. Les rectangles foncés représentent les hommes, et les rectangles clairs les femmes.

La méthode précédente a toutefois des limites qui sont atteintes rapidement, soit le nombre de catégories de la variable indépendante. Ainsi, le groupe d'âge selon une typologie des spectacles regroupant sept types de spectacles ne donnerait qu'un graphique très confus. Il est préférable alors d'utiliser une autre variante : le diagramme à barres croisées (100 %). La technique consiste à aligner tous les rectangles (variable dépendante) d'une même catégorie (variable indépendante) bout à bout afin de mieux comparer les catégories. L'exemple des classes de revenu selon l'âge pour les hommes et les femmes (figure 11.7) est une bonne illustration du principe. On notera que cette technique de représentation ne s'utilise qu'avec des données exprimées en pourcentages.

FIGURE 11.6
Diagramme à barres croisées (3-D)

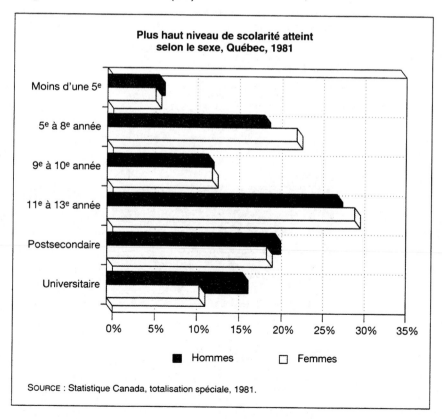

SOURCE : Statistique Canada, totalisation spéciale, 1981.

FIGURE 11.7
Diagrammes à barres croisées (100 %)

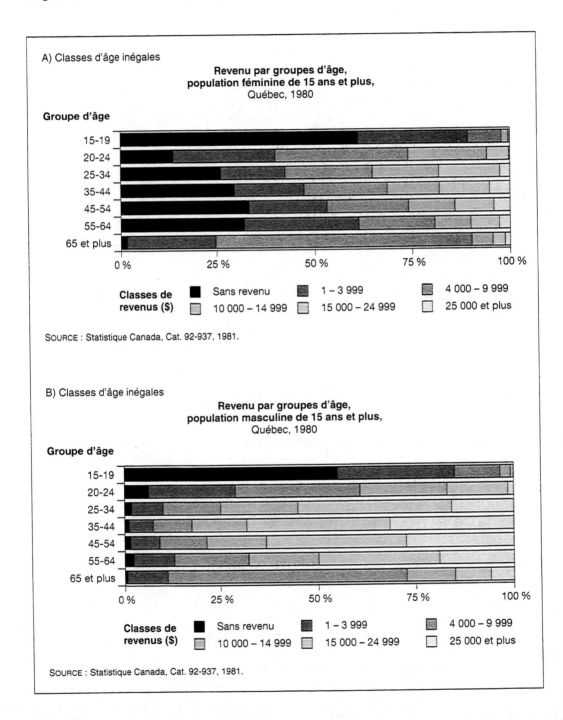

FIGURE 11.7
Diagrammes à barres croisées (100 %) (suite)

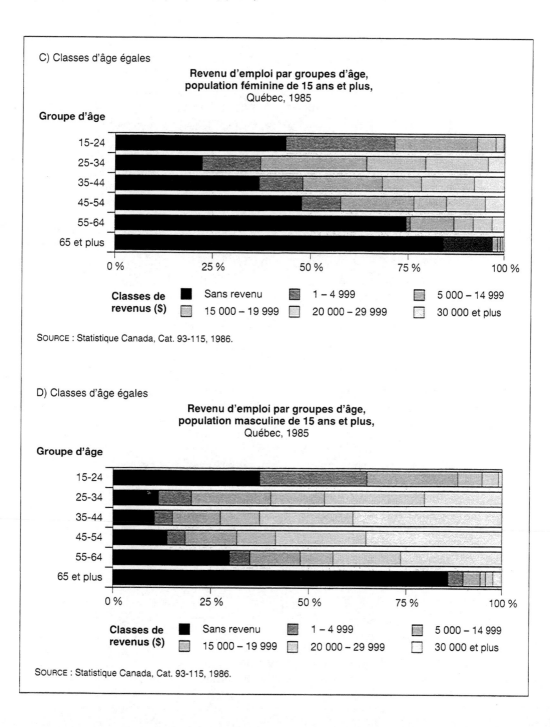

C) Classes d'âge égales

Revenu d'emploi par groupes d'âge,
population féminine de 15 ans et plus,
Québec, 1985

SOURCE : Statistique Canada, Cat. 93-115, 1986.

D) Classes d'âge égales

Revenu d'emploi par groupes d'âge,
population masculine de 15 ans et plus,
Québec, 1985

SOURCE : Statistique Canada, Cat. 93-115, 1986.

Lorsqu'on utilise les diagrammes à barres croisées, il faut prendre soin d'ordonner les grains utilisés afin de produire une image globale significative. Dans nos exemples, plus le grain est clair, plus le revenu est élevé.

De tels diagrammes sont parfois trompeurs. Les diagrammes de la figure 11.7 ne disent rien de l'importance réelle de chaque catégorie d'âge dans la population. Les informations portent sur la composition de chacune des catégories. Pour combler ce manque, on peut exprimer la composition des catégories en nombres absolus plutôt qu'en pourcentages. On y perd sur le plan de l'image, mais l'information est plus complète. On obtiendra un résultat comparable en utilisant un diagramme procentuel conjointement avec un diagramme du type de la pyramide des âges qui fournit une vision de la répartition de la population.

Enfin, les graphiques à barres et à colonnes peuvent être adaptés aux données négatives (figure 11.8 B) aussi bien qu'aux configurations ressemblant aux pyramides des âges. Alors, les catégories de la variable indépendante, plutôt que d'être côte à côte ou bout à bout, sont opposées les unes aux autres de chaque côté d'un axe central.

11.5   LES GRAPHIQUES À LIGNES

11.5.1   LES GRAPHIQUES À LIGNES OU À COLONNES

Le graphique à lignes, comme le graphique à colonnes, s'utilise généralement avec des données de temps comme variable indépendante. Choisir entre l'un ou l'autre n'est pas évident. Ce sont généralement le niveau de mesure des variables et le type de données qui entrent en ligne de compte. Les graphiques à lignes devraient être réservés à des variables par intervalles.

De plus, les graphiques à lignes permettent de présenter facilement des données croisées de temps alors que le graphique à colonnes est moins efficace et souvent confus dans de semblables circonstances.

Dans bien des cas, toutefois, on devra se référer à la tradition du champ de connaissance pour déterminer lequel des deux on doit utiliser.

FIGURE 11.8
Graphiques à colonnes et à lignes

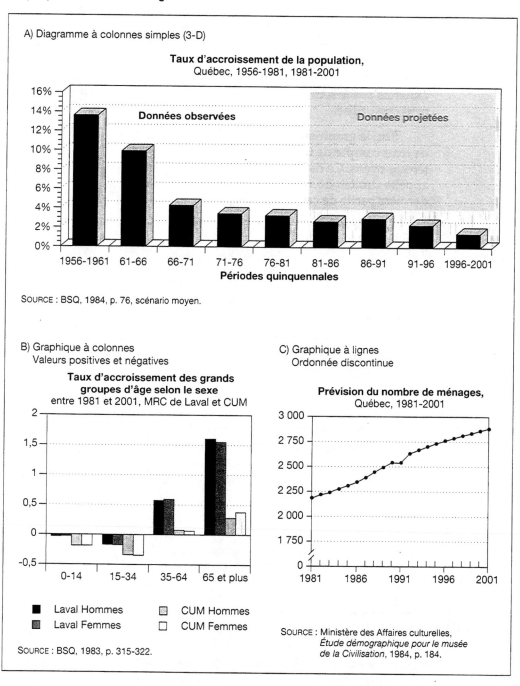

A) Diagramme à colonnes simples (3-D)

Taux d'accroissement de la population,
Québec, 1956-1981, 1981-2001

Données observées

Données projetées

Périodes quinquennales

SOURCE : BSQ, 1984, p. 76, scénario moyen.

B) Graphique à colonnes
Valeurs positives et négatives

Taux d'accroissement des grands
groupes d'âge selon le sexe
entre 1981 et 2001, MRC de Laval et CUM

■ Laval Hommes   ▨ CUM Hommes
▨ Laval Femmes   ☐ CUM Femmes

SOURCE : BSQ, 1983, p. 315-322.

C) Graphique à lignes
Ordonnée discontinue

Prévision du nombre de ménages,
Québec, 1981-2001

SOURCE : Ministère des Affaires culturelles,
Étude démographique pour le musée
de la Civilisation, 1984, p. 184.

11.5.2   LA CONSTRUCTION

Ce type de graphique est foncièrement différent des précédents puisqu'il ne met pas en scène les catégories d'une variable avec leur fréquence, mais plutôt deux variables, l'une dépendante et l'autre indépendante. Il est réservé aux variables par intervalles. On l'utilise généralement avec une variable exprimant le temps en abscisse ; ce n'est toutefois pas le seul type de variable indépendante par intervalles qui peut être utilisé.

Seul le graphique à points, dont nous parlerons plus loin, permet de tenir compte de tous les individus et non seulement de leurs caractères moyens. Ce dernier permet de tracer également des lignes qu'on appelle droites de régression. Nous en parlerons davantage dans la dernière partie de cet ouvrage.

La variable dépendante est représentée sur l'axe des Y et la variable indépendante sur l'axe des X. On trace un point à la jonction des deux variables (x, y) et on relie ces points avec une ligne droite.

Lorsqu'on illustre des tableaux croisés au moyen de graphiques à lignes, on doit faire varier le grain de chacune des lignes afin de les distinguer. Les figures 11.11 et 11.12 présentent des données croisées.

Les deux axes sont métriques. L'axe des X commence avec la valeur la plus basse de la variable indépendante et l'axe des Y commence avec 0.

Il arrive souvent, comme pour les colonnes, que l'on doive briser la ligne d'ordonnée lorsque les écarts entre les différentes données de temps sont trop petits proportionnellement à la valeur totale pour ressortir suffisamment, ou encore que le graphique manque d'élégance. On commence alors l'ordonnée avec 0 mais on la brise de manière explicite en poursuivant avec les valeurs adéquates. C'est ce que nous avons fait à la figure 11.8 C.

De plus, les axes des graphiques à lignes peuvent être linéaires aussi bien que logarithmiques. On peut aussi utiliser deux axes des Y ayant chacun des graduations différentes. Nous aborderons ces graphiques plus complexes à la section 11.6.2.

11.6   LES GRAPHIQUES COMPLEXES

Nous présentons dans cette section certaines applications plus complexes des techniques de base. Nous verrons principalement les pyramides des âges, notamment les techniques de projection, et les graphiques semi-logarithmiques. Nous discuterons également du mérite respectif des graphiques logarithmiques et des graphiques linéaires à deux ordonnées pour présenter des données très différentes en magnitude sur un même graphique.

11.6.1   LA PYRAMIDE DES ÂGES

Ce type d'utilisation de la technique de l'histogramme est légèrement plus complexe à première vue. Il s'agit en fait de deux histogrammes, un pour les hommes et l'autre pour les femmes, représentant la distribution de l'âge par tranches de cinq ans (la taille de catégorie le plus utilisée qu'on appelle, en démographie, un lustre), histogrammes que l'on aurait en quelque sorte mis dos à dos pour mieux les comparer. En ordonnée, on trouve l'âge et en abscisse la fréquence ; d'un côté les femmes (habituellement à droite) et de l'autre les hommes. On peut utiliser le pourcentage ou les données brutes. Par ailleurs, l'échelle des âges peut être au centre de la pyramide ou sur les côtés.

La pyramide des âges peut être interprétée de trois manières : sur le plan descriptif, elle fournit un état de la population ; sur le plan historique, elle fait état des guerres et des famines qui ont laissé des traces et sur le plan projectif, elle permet de prévoir l'état des populations futures.

Il existe, sur le plan de l'interprétation, trois grands types de pyramides qui montrent respectivement une population en croissance, une population en décroissance et une population stationnaire. Une population en croissance offrira un profil très évasé au bas de la pyramide et très étroit au haut ; en fait, c'est le profil qui ressemble le plus à une pyramide. Le profil d'une population stationnaire offre les mêmes caractéristiques visuelles d'ensemble qu'une cloche. Les catégories d'âge plus jeunes (0-10 ans) sont légèrement plus nombreuses que les catégories un peu plus vieilles (20-60 ans). Ces dernières (les catégories comprises entre 20 et 60 ans) sont de taille sensiblement égale entre elles. La pyramide d'une population en décroissance offre comme principal caractère distinctif des strates du plus jeune âge moins nombreuses que celles des âges supérieurs. Les pyramides de la ville de Montréal et de la Communauté urbaine de Québec sont nettement du type décroissant, alors que celle de la réserve montagnaise indique une forte croissance.

FIGURE 11.9
Pyramide des âges, différents types de peuplement

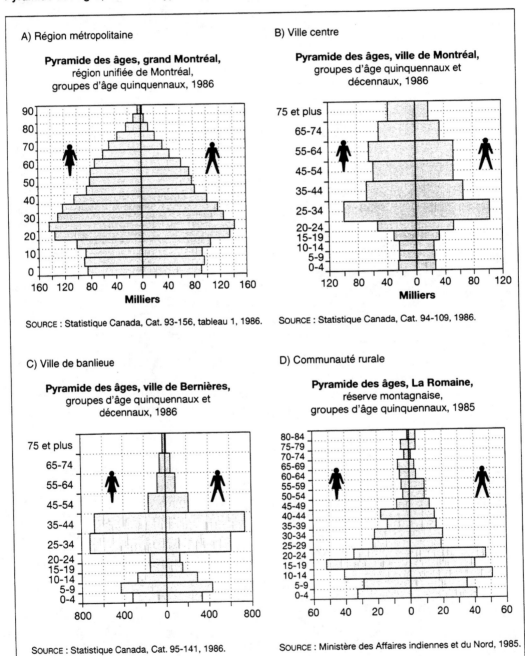

A) Région métropolitaine

Pyramide des âges, grand Montréal,
région unifiée de Montréal,
groupes d'âge quinquennaux, 1986

SOURCE : Statistique Canada, Cat. 93-156, tableau 1, 1986.

B) Ville centre

Pyramide des âges, ville de Montréal,
groupes d'âge quinquennaux et
décennaux, 1986

SOURCE : Statistique Canada, Cat. 94-109, 1986.

C) Ville de banlieue

Pyramide des âges, ville de Bernières,
groupes d'âge quinquennaux et
décennaux, 1986

SOURCE : Statistique Canada, Cat. 95-141, 1986.

D) Communauté rurale

Pyramide des âges, La Romaine,
réserve montagnaise,
groupes d'âge quinquennaux, 1985

SOURCE : Ministère des Affaires indiennes et du Nord, 1985.

La pyramide des âges peut servir à décrire des populations de toutes les tailles. Toutefois, les petites populations offriront rarement un profil aussi lisse que celui des grandes populations, et ce quel que soit le niveau de précision des classes d'âge. Cela tient aux effets de cohorte. On remarque par exemple que la ville de banlieue, une ville jeune et en expansion, ne compte presque pas d'adolescents alors que les jeunes enfants sont plus nombreux. Les familles qui composent ces populations sont relativement jeunes et ont commencé à avoir des enfants qui, eux aussi, sont encore jeunes. On trouve le même phénomène, l'effet de cohorte, dans les réserves indiennes. Les adolescents sont cette fois beaucoup plus nombreux que les jeunes enfants et n'ont pas encore fourni leur moisson de descendants, ce qui explique la faiblesse relative du groupe le plus jeune.

FIGURE 11.10
Pyramide des âges avec projection

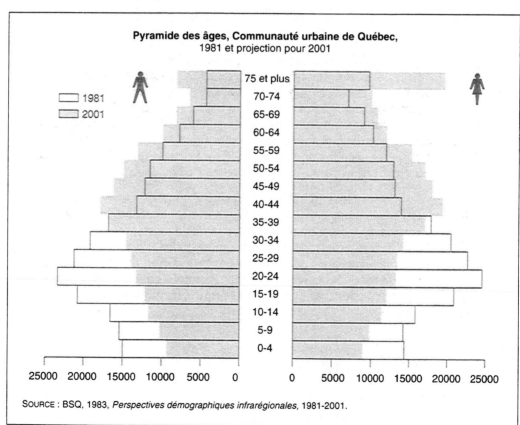

SOURCE : BSQ, 1983, *Perspectives démographiques infrarégionales*, 1981-2001.

L'interprétation de la pyramide des âges représente une difficulté supplémentaire lorsqu'on utilise la superposition de données projetées. En effet, il est courant, en démographie, de faire des projections de la population dans l'avenir. Si les modèles de projection sont de plus en plus complexes et incluent des hypothèses de diverses natures, l'essentiel de la mécanique repose sur l'observation et la projection des taux de fécondité, de mortalité, de mariage et de divorce, sur l'analyse de cohortes et de leurs périodes de fécondité et de nuptialité et, finalement, sur l'analyse des courants migratoires. Mais n'allons pas plus loin puisque nous nous intéressons à la représentation des résultats.

Comme notre exemple le démontre (figure 11.10), on superpose les deux pyramides en utilisant des teintes différentes pour les données de recensement et les données projetées. La pyramide foncée, les données projetées, représente l'état de la population tel qu'on le croit probable lors de l'année de référence, soit en 2001.

11.6.2   LES GRAPHIQUES SEMI-LOGARITHMIQUES ET LES GRAPHIQUES AYANT DEUX AXES DES Y

Les graphiques semi-logarithmiques utilisent le logarithme de la valeur ou du pourcentage plutôt que ceux-ci en ordonnée. Cette manière de faire présente des avantages et des inconvénients. D'une part, elle permet d'analyser des tendances et des rapports et d'inclure des données d'une grande différence de magnitude. D'autre part, les graphiques semi-logarithmiques sont moins connus à l'extérieur des milieux scientifiques et posent donc des problèmes de communication ; de plus, ils donnent une estimation moins précise de la valeur de chaque variable.

Nous avons produit deux séries de diagrammes semi-logarithmiques. La première concerne l'évolution observée et prévue de l'espérance de vie par sexe ainsi que celle de l'écart d'âge entre les sexes. Nous nous en servirons pour montrer les avantages des échelles logarithmiques pour présenter des données d'une grande différence de magnitude. La seconde série concerne la scolarité. Nous nous en servirons surtout pour illustrer l'apport des graphiques semi-logarithmiques pour l'étude des rapports.

11.6.3   LA CONSTRUCTION

Les données sont ici du même type que celles des graphiques à lignes : par intervalles et continues. Tous les types de lignes peuvent être utilisés.

La graduation des axes est bien sûr la caractéristique principale des diagrammes semi-logarithmiques. L'ordonnée des diagrammes que nous présentons a une apparence curieuse. Un des graphiques de la série sur l'espérance de vie (figure 11.11 A) est accompagné des nombres 1, 10 et 100 en ordonnée alors que un des graphiques sur la scolarité (figure 11.12 A) comporte les nombres 0,1, 1, 10 et 100. On remarque aussi que les traits marquant la graduation, plutôt que d'être situés à des intervalles rigoureusement égaux, sont de plus en plus rapprochés pour chaque série de nombres.

Il faut savoir deux choses pour pouvoir lire de tels tableaux :

1) les écarts, quoique graphiquement inégaux, sont mathématiquement égaux. Ils représentent la même quantité, quelle que soit la taille de leur intervalle ;

2) chaque chiffre de l'ordonnée constitue, pour celui qui les suit, l'unité de comptage. À la droite de la figure 11.11 A, nous avons inscrit le deuxième chiffre de chaque série de graduations. La première va de 1 à 10 par intervalles de 1, la seconde de 10 à 100 par intervalles de 10.

FIGURE 11.11
Graphiques semi-logarithmiques et à plusieurs axes des Y

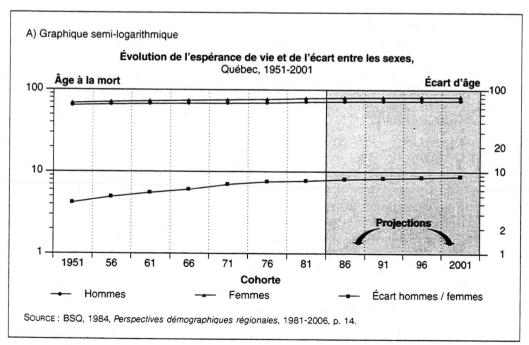

A) Graphique semi-logarithmique

Évolution de l'espérance de vie et de l'écart entre les sexes,
Québec, 1951-2001

Source : BSQ, 1984, *Perspectives démographiques régionales*, 1981-2006, p. 14.

FIGURE 11.11
Graphiques semi-logarithmiques et à plusieurs axes des Y (suite)

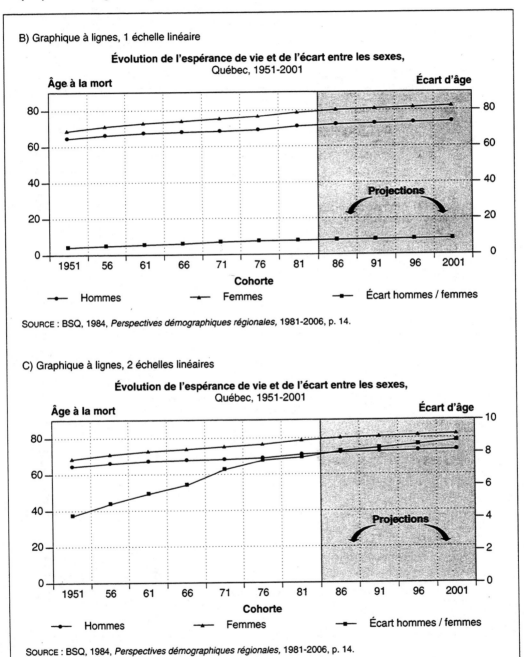

B) Graphique à lignes, 1 échelle linéaire

Évolution de l'espérance de vie et de l'écart entre les sexes,
Québec, 1951-2001

Âge à la mort

Écart d'âge

Cohorte

◆— Hommes   ▲— Femmes   ■— Écart hommes / femmes

SOURCE : BSQ, 1984, *Perspectives démographiques régionales,* 1981-2006, p. 14.

C) Graphique à lignes, 2 échelles linéaires

Évolution de l'espérance de vie et de l'écart entre les sexes,
Québec, 1951-2001

Âge à la mort

Écart d'âge

Cohorte

◆— Hommes   ▲— Femmes   ■— Écart hommes / femmes

SOURCE : BSQ, 1984, *Perspectives démographiques régionales,* 1981-2006, p. 14.

11.6.4   LES AVANTAGES ET LES INCONVÉNIENTS

Le premier avantage du graphique logarithmique est statistique ; il permet d'exprimer les rapports, les tendances, les taux de changement. De plus, il facilite la présentation de données ayant une magnitude différente sur un même graphique. Pour bien comprendre ce dernier avantage, on doit connaître ce qui s'offre comme solution de rechange : les graphiques à deux ordonnées.

LES GRAPHIQUES À DEUX ORDONNÉES

Ces graphiques ont comme objectif de présenter des données supplémentaires et interreliées aux données principales. Lorsque ces données ont une grande différence de magnitude, l'information présentée souffre de grandes distorsions. La ligne « écart entre les sexes » de la figure 11.11 B ne semble pas indiquer une grande progression malgré que cet écart ait doublé pendant cette période de temps. La figure 11.11 C n'a pas la même graduation sur l'ordonnée de gauche que sur celle de droite. Les deux lignes « hommes » et « femmes » ont l'axe de gauche comme référence, la ligne « écart entre les sexes » l'axe de droite. On apprécie nettement mieux la progression de l'écart d'âge à la mort entre les hommes et les femmes.

Il reste néanmoins que ce graphique trompe l'œil. L'image est difficile d'accès.

LES GRAPHIQUES SEMI-LOGARITHMIQUES

Comme on peut le constater à la figure 11.11 A, l'écart d'âge est bien représenté sans se confondre avec les deux autres lignes. Toutefois, on y perd un peu en précision quant à la détermination de l'âge à la mort. L'image d'ensemble est plus intéressante et plus efficace.

11.6.5   L'INTERPRÉTATION DES GRAPHIQUES SEMI-LOGARITHMIQUES

LE TAUX DE CHANGEMENT

Lorsque les lignes des graphiques logarithmiques s'alignent comme une droite et qu'elles sont orientées vers le haut, elles expriment un taux d'augmentation qui est constant. Lorsqu'elles sont orientées vers le bas,

FIGURE 11.12
Étude des tendances et des rapports

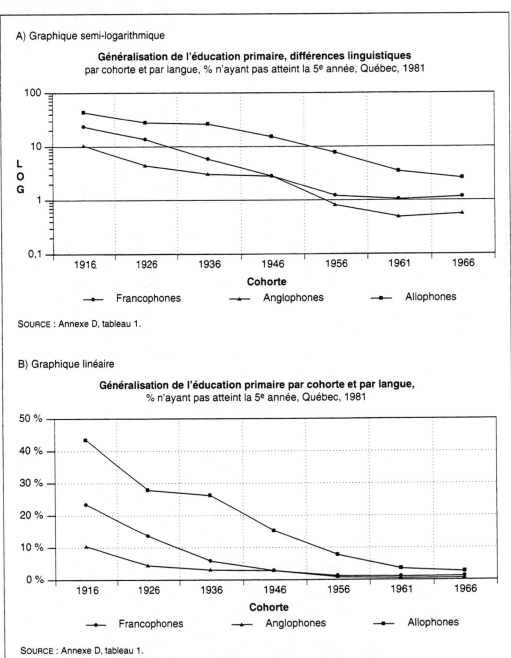

A) Graphique semi-logarithmique

Généralisation de l'éducation primaire, différences linguistiques
par cohorte et par langue, % n'ayant pas atteint la 5ᵉ année, Québec, 1981

SOURCE : Annexe D, tableau 1.

B) Graphique linéaire

Généralisation de l'éducation primaire par cohorte et par langue,
% n'ayant pas atteint la 5ᵉ année, Québec, 1981

SOURCE : Annexe D, tableau 1.

FIGURE 11.12
Étude des tendances et des rapports (suite)

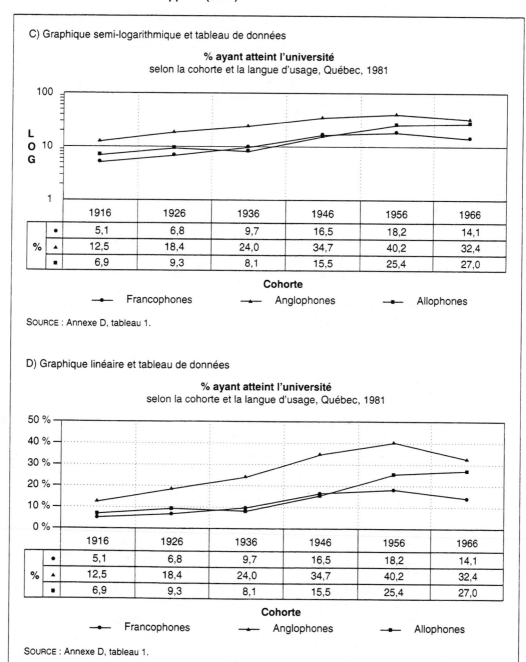

C) Graphique semi-logarithmique et tableau de données

% ayant atteint l'université
selon la cohorte et la langue d'usage, Québec, 1981

%		1916	1926	1936	1946	1956	1966
	•	5,1	6,8	9,7	16,5	18,2	14,1
	▲	12,5	18,4	24,0	34,7	40,2	32,4
	■	6,9	9,3	8,1	15,5	25,4	27,0

Cohorte

—•— Francophones   —▲— Anglophones   —■— Allophones

SOURCE : Annexe D, tableau 1.

D) Graphique linéaire et tableau de données

% ayant atteint l'université
selon la cohorte et la langue d'usage, Québec, 1981

%		1916	1926	1936	1946	1956	1966
	•	5,1	6,8	9,7	16,5	18,2	14,1
	▲	12,5	18,4	24,0	34,7	40,2	32,4
	■	6,9	9,3	8,1	15,5	25,4	27,0

Cohorte

—•— Francophones   —▲— Anglophones   —■— Allophones

SOURCE : Annexe D, tableau 1.

elles expriment une décroissance constante. C'est le cas dans la première section de la figure 11.12 A pour les francophones du Québec. La scolarité primaire incomplète comme niveau d'étude terminal a décru constamment pour les cohortes de 1921 à 1961. À compter de 1961, la proportion de francophones n'ayant pas atteint la 5e année est restée stable. La scolarité universitaire a connu une progression moins constante. Elle s'est accélérée jusqu'à la cohorte de 1966 (figure 11.11 C) pour décroître brusquement après, ce qui s'explique en bonne partie par le jeune âge des membres de cette cohorte, les plus jeunes ayant 15 ans en 1981.

LES RAPPORTS

Lorsque deux droites sont parallèles dans un graphique semi-logarithmique, cela exprime la conservation du rapport entre ces deux quantités. Pour la scolarité universitaire, anglophones et francophones restent dans un rapport relativement constant au fil des ans. En gros, deux fois plus d'anglophones que de francophones ont atteint l'université. La ligne des allophones est plus fantaisiste. On voit nettement mieux ce rapport dans le graphique semi-logarithmique que dans le graphique linéaire.

11.7 LES GRAPHIQUES À POINTS

Le graphique à points (*scattergram*) est plus courant dans les publications strictement scientifiques qu'ailleurs. Particulièrement bien adapté pour les variables par intervalles non regroupées et nombreuses, il permet de bien visualiser les relations entre une variable indépendante et une variable dépendante. Son utilisation est par ailleurs intimement associée à la compréhension des coefficients de corrélation linéaire.

De plus, par son usage dans l'analyse de régression multiple, on l'appelle aussi graphique des résidus. On désigne par « nuage de points » l'ensemble des points présents sur ce type de graphique.

Le principal avantage du graphique à points est de représenter les coordonnées de tous les individus sur les deux variables étudiées. On peut, par exemple, retrouver tous les individus d'une enquête en fonction de l'âge et du nombre d'années de scolarité.

Nous présentons plus longuement les propriétés de ces graphiques au chapitre suivant.

11.8 LA PRÉSENTATION DES TABLEAUX DE DONNÉES CHIFFRÉS

Les règles de présentation des tableaux de données sont, sous bien des aspects, similaires à celles des graphiques. Voici quelques éléments particuliers.

1) La variable dépendante est présentée en rangées. La variable indépendante est présentée en colonnes. Ce principe n'est pas absolu mais préférable.

2) Si un tableau est exprimé en pourcentages, on doit retrouver dans le bas de chaque colonne le nombre d'individus que représente 100 %. Si la première convention sur l'ordonnancement des variables indépendantes et dépendantes n'a pas été respectée et si les 100 % concernent les rangées, c'est là que les nombres seront écrits.

TABLEAU 11.1
Différence des effectifs de la population entre 1981 et 2001 pour les trois grands groupes d'âge selon le sexe, Québec et région 03

Groupe d'âge	Sexe	QUÉBEC		RÉGION 03	
		Nombre	%	Nombre	%
0 - 19	Hommes	−144 531	−13,99	−31 481	−18,72
	Femmes	−141 747	−14,41	−29 885	−18,71
	Total	−286 278	−14,2	−61 366	−18,72
20 - 59	Hommes	266 776	14,93	35 536	12,56
	Femmes	235 687	13,0	28 095	9,73
	Total	505 463	14,03	63 631	11,14
60 et +	Hommes	157 225	44,61	23 046	40,61
	Femmes	250 450	53,47	38 233	50,23
	Total	407 675	49,67	61 279	46,12
Total	Hommes	279 470	8,81	27 101	5,30
	Femmes	344 390	10,63	36 443	6,95
	Total	626 860	9,74	63 544	6,16

SOURCE : Calcul effectué à partir du scénario moyen, BSQ, 1984, *Perspectives démographiques régionales*, 1981-2006.

11.9 LA PRÉSENTATION DES RAPPORTS DE RECHERCHE

11.9.1 LA PRÉSENTATION PHYSIQUE

Il va sans dire que les rapports de recherche sont toujours dactylographiés et paginés, à l'exception de la page de titre. Il est préférable que les annexes soient paginées de façon continue avec le corps du texte.

La table des matières apparaît au début du texte. Elle comprendra toutes les sections et les sous-sections du texte que l'on espère nombreuses. Un rapport doit être facile à consulter. La table des matières doit comporter une section distincte pour chacun des points suivants : les graphiques in texte, les tableaux in texte, les tableaux en annexe.

11.9.2   LE CONTENU DU RAPPORT

Un rapport de recherche doit inclure les parties suivantes : un rappel de la problématique de la recherche, des hypothèses formulées au départ et des lignes directrices ; une description détaillée de la méthodologie utilisée et des écueils rencontrés, le tout permettant d'évaluer la pertinence et la réussite de la méthode ; les principaux résultats de l'enquête reliés à la problématique et aux hypothèses que l'on présentera sous forme de graphiques et de tableaux et qui seront interprétés ; la formulation des conclusions.

On y annexera toujours le questionnaire, la feuille-réponse s'il y a lieu, la distribution de fréquences complète et les données de tous les tableaux croisés mentionnées dans le texte ainsi que celles ayant servi à construire les graphiques.

11.9.3   LA GRILLE D'ÉVALUATION DU RAPPORT

	A	B	C	D	E

PROBLÉMATIQUE
    Connaissance du sujet
    Explication du problème
    Utilisation des sources statistiques
    Utilisation des lectures
    Bibliographie et références
    Entrevues réalisées
    Hypothèses et questions principales

ÉCHANTILLONNAGE
    Plan d'échantillonnage
    Mode de sélection des répondants
    Faisabilité
    Représentativité
    Type d'échantillon
    Taille de l'échantillon

QUESTIONNAIRE
    Lien problématique–questionnaire
    Libellé des questions
    Adéquation entre les questions et les réponses
    Ordre des questions
    Codification informatique
    Présentation graphique du questionnaire
    Questions d'éligibilité
    Questions d'orientation et questions-filtres

Présentation de l'enquête
Instructions

PRÉTEST
  Description du sous-échantillon
  Commentaires recueillis
  Corrections apportées

ANALYSE DES RÉSULTATS
  Rappel de la problématique générale
  Lien entre les résultats et la problématique
  Commentaires sur les tableaux
  Présentation des données (tableaux)
  Présentation des données (graphiques)
  Hypothèses et conclusions
  Analyse statistique

CRITIQUE MÉTHODOLOGIQUE
  Critique des résultats du sondage
  Compte rendu des difficultés rencontrées
  Critique de la méthode utilisée

NOTES

(1)   Nous avons tenté de faire coïncider les techniques graphiques et une certaine homogénéité des thèmes, mais cela n'a pas toujours été possible. Par conséquent, nous avons regroupé les graphiques par thèmes sur certaines pages plutôt que de suivre un ordre fondé sur leurs caractéristiques techniques.

(2)   Vous trouverez, dans la bibliographie placée à la fin de l'ouvrage, les références des livres mentionnés dans cette section.

(3)   C. Schmid, dans son livre *Statistical Graphics*, souligne les erreurs que l'on peut commettre en cherchant à embellir la présentation des graphiques par des techniques ajoutant une impression de profondeur. Cela peut rendre les graphiques moins précis, voire confondre les utilisateurs. Il faut se méfier particulièrement des dessins en perspective qui très souvent déforment les figures, ce qui restreint leur pouvoir explicatif.

Chapitre 12

L'analyse bivariée : tableaux de contingence, tests d'hypothèse, khi carré et coefficients d'association et de corrélation

INTRODUCTION

L'analyse bivariée constitue la deuxième étape de l'analyse d'un sondage. Elle permet de savoir si les distributions de fréquences observées et analysées au moyen des techniques descriptives restent les mêmes, quelles que soient les catégories sociales. Est-ce que la distribution des opinions est la même chez les hommes que chez les femmes ? En d'autres mots, on veut savoir si la structure des préférences ou d'autres attributs des répondants est associée à leur sexe, à leur âge ou à d'autres caractéristiques. Pour ce faire, on dispose essentiellement de quatre techniques. Les tableaux de contingence et les coefficients d'association s'appliquent aux variables nominales et ordinales ainsi qu'aux variables par intervalles regroupées. Les graphiques à points et les coefficients d'ajustement linéaire, dont le coefficient de corrélation, sont réservés aux variables par intervalles non regroupées ainsi qu'aux variables ordinales longues, notamment les échelles d'attitude. Par analogie, on peut dire que les tableaux de contingence et les graphiques à points sont l'équivalent des distributions de fréquences de l'analyse univariée et

que les coefficients sont l'équivalent des indices-résumés. Nous introduirons les principaux concepts nécessaires à l'étude des relations
bivariées et nous présenterons quelques-uns des coefficients les plus
employés.

Lorsqu'on fait un croisement entre deux variables, on doit se poser
une question du même ordre que pour l'estimation : les différences
observées entre les catégories du tableau sont-elles dues aux marges
d'erreur propres à la technique des sondages ou révèlent-elles une
différence réelle ? Lorsque les données se présentent comme un tableau
de contingence où figure la répartition conjointe de deux variables, on
utilise un test statistique appelé khi². La compréhension de ce test
statistique élémentaire se fera en ayant recours à des calculs simples et
à une logique particulière : la falsification.

12.1   LES TABLEAUX DE CONTINGENCE

Les tableaux de contingence sont sans doute le moyen le plus répandu
de présenter des données de sondage. Ils sont particulièrement appropriés aux données nominales et ordinales, si courantes dans l'étude des
populations humaines, ainsi qu'aux données métriques regroupées.

12.1.1   LE VOCABULAIRE

Ces tableaux donnent lieu à un vocabulaire particulier que nous présenterons succinctement. Reportons-nous au tableau 12.1. La colonne et la
rangée marquées TOTAL s'appellent les marginales du tableau. Les
marginales, en l'absence de valeurs manquantes, sont égales à la distribution de fréquences des variables. Dans notre tableau, les fréquences
en pourcentage de la variable V1 sont 42,5 % pour OUI et 57,5 % pour
NON ; V2 compte une part égale de OUI et de NON (100 / 200). Lorsqu'il
y a des valeurs manquantes, ce qui arrive la plupart du temps, et qu'elles
ont été éliminées de l'étude, la distribution de fréquences des marginales se fait en éliminant les cas où l'une *ou* l'autre des variables est
manquante. Il y aura donc des différences entre la distribution de
fréquences simple de chacune des variables et la distribution de fréquences combinée que fournissent les marginales.

Le croisement de deux catégories d'une variable, là où est inscrit
le nombre 64 par exemple, s'appelle une cellule. Il y a donc quatre
cellules dans notre exemple. Le terme « cellule » est plus évident lorsqu'on considère l'apparence des tableaux fournis par un logiciel comme

SPSS (voir le tableau 12.2). Le tableau 12.1 compte deux rangées et deux colonnes. On ne compte les marginales ni pour le calcul du nombre de cellules, ni pour celui du nombre de rangées et de colonnes.

TABLEAU 12.1
Exemple de tableau de contingence (%)

V1 \ V2	OUI	NON	TOTAL
OUI	64	21	42,5
NON	36	79	57,5
TOTAL	100	100	100
	(100)	(100)	(200)

La coutume veut que l'on présente les chiffres exprimant la relation de dépendance en pourcentages. De plus, la variable indépendante est présentée en colonne et la variable dépendante en rangée. Dans notre exemple, la variable V2 est la variable indépendante et les pourcentages présentés sont la répartition de la variable dépendante selon les catégories de la variable indépendante. Autrement dit, quand les gens ont répondu OUI à V2, ils ont répondu OUI à V1 dans une proportion de 64 %, et NON dans une proportion de 36 % ; quand ils ont répondu NON à V2, ils ont répondu OUI à V1 dans une proportion de 21 % et NON dans 79 % des cas. De manière générale, on fait les calculs en colonne et on les compare de gauche à droite.

La variable indépendante est celle qui fait varier la variable dépendante. Nous traiterons de la causalité avec plus de détails dans le chapitre suivant.

12.1.2 LA PRÉSENTATION INFORMATIQUE DES TABLEAUX DE CONTINGENCE

Les tableaux croisés réalisés par le logiciel SPSS présentent les données du croisement de deux variables en les répartissant dans des cellules fermées. Ces cellules peuvent être nommées selon les titres combinés des colonnes et des rangées. Ainsi, dans le tableau 12.2 qui servira de modèle à nos explications, la première cellule est Femme–Variétés, la deuxième (de gauche à droite) Homme–Variétés, etc. Nous avons conservé la terminologie anglaise d'origine du SPSS pour bien représenter la réalité à laquelle devra faire face l'utilisateur de ce logiciel. Les autres logiciels statistiques sont également presque tous de conception américaine et trop peu vendus pour être traduits en français. Une traduction française libre est toutefois inscrite entre parenthèses.

TABLEAU 12.2
Tableau de contingence par SPSS

		TYPES DE SPECTACLE SELON LE SEXE		
	COUNT ROW PCT		SEXE	
TYPESPEC	COL PCT TOT PCT	FEMME 1	HOMME 2	ROW TOTAL
VARIÉTÉS	1	285 58,2 40,4 21,5	205 41,8 33,0 15,4	490 36,9
THÉÂTRE	2	139 64,1 19,7 10,5	78 35,9 12,6 5,9	217 16,4
ROCK	3	24 16,2 3,4 1,8	124 83,8 20,0 9,3	148 11,2
GRANDS EXPLORATEURS	4	39 67,2 5,5 2,9	19 32,8 3,1 1,4	58 4,4
MUSIQUE CLASSIQUE	5	123 62,8 17,4 9,3	73 37,2 11,8 5,5	196 14,8
HOCKEY	6	26 23,9 3,7 2,0	83 76,1 13,4 6,3	109 8,2
DANSE	7	70 64,2 9,9 5,3	39 35,8 6,3 2,9	109 8,2
	COLUMN TOTAL	706 53,2	621 46,8	1 327 100,0

KHI^2 =151,227 58 AVEC 6 DEGRÉS DE LIBERTÉ, SIGN.=0,0
V DE CRAMER = 0,337 58
NOMBRE DE VALEURS MANQUANTES = 34

On trouve quatre nombres dans chacune des cellules ; le premier est exprimé en nombre entier et les trois autres sont en pourcentages.

La toute première case donne la définition de ces nombres pour chacune des cellules. Le COUNT (COMPTE) donne le nombre de personnes qui correspondent à la caractéristique (nom) de la cellule : 285 est le nombre de femmes présentes à un spectacle de variétés. Le ROW PCT (PCT RANGÉE) est le pourcentage selon la rangée, c'est-à-dire que le total (100 %) est établi en additionnant les nombres de la rangée. Ici, 58,2 % et 41,8 % représentent la proportion respective de femmes et d'hommes présents à un spectacle de variétés et 58,2 % = 285/490. Le COL PCT (PCT COLONNE) est le pourcentage selon la colonne. Dans la première cellule, 40,4 % représente la proportion de spectacles de variétés auxquels ont assisté les femmes de l'enquête : 40,4 % = 285 / 706. Nous avons souligné les chiffres des colonnes car ce sont eux qui permettent d'apprécier l'effet de la variable indépendante[1] (le sexe) sur la variable dépendante (le type de spectacle). Le pourcentage selon la rangée fournit des informations descriptives plutôt qu'explicatives. Lorsqu'on s'intéresse à la composition sexuelle de la clientèle de chaque type de spectacle, on se réfère au ROW PCT (PCT RANGÉE) et lorsqu'on veut connaître le choix de spectacles selon le sexe, on se réfère au COL PCT (PCT COLONNE). En combinant le ROW PCT et le COL PCT, on pourrait affirmer que 5,8 spectateurs de variétés sur 10 sont des femmes et que 4 femmes sur 10 vont à un spectacle de variétés contre 3,3 hommes. Le TOT PCT (PCT TOTAL) se calcule à partir du nombre total d'individus dans l'enquête : 21,5 % = 285 / 1 327.

Le premier nombre que l'on retrouve dans la colonne ROW TOTAL (TOTAL RANGÉE) est un nombre entier, et le second un pourcentage. Le nombre entier est le total des COUNT de cette rangée et le chiffre en pourcentage est la proportion de cette rangée sur le total : 490 = 285 + 205 et 36,9 % = 490/1 327. Au bas du tableau, COLUMN TOTAL (TOTAL COLONNE) correspond à l'addition des colonnes et à la proportion qu'elles représentent sur le total. Ces deux suites de nombres, l'une en rangée au bas du tableau et l'autre en colonne à l'extrême droite du tableau, sont les marginales du tableau. On peut en tirer la distribution de fréquences de chacune des deux variables. La variable SEXE compte 706 femmes (53,2 %) et 621 hommes (46,8 %) et la variable TYPESPEC se distribue ainsi : 490 personnes assistent à un spectacle de variétés (36,9 %), 217 vont au théâtre (16,4 %), etc.

Au bas du tableau, le logiciel fournit la valeur du khi^2 et indique son niveau de confiance : plus il est près de zéro, mieux c'est. On peut aisément tolérer des grandeurs jusqu'à 0,05. Enfin, la dernière ligne indique le nombre de personnes n'ayant pas répondu à l'une ou l'autre des deux questions ; ce sont les valeurs manquantes (*missing cases*).

12.1.3   L'INTERPRÉTATION DES TABLEAUX CROISÉS

Pour comprendre l'effet de la variable indépendante sur la variable dépendante (voir le chapitre 13 pour la définition de ces termes), soit le type de spectacle selon le sexe dans le tableau 12.2, une analyse sommaire de la répartition des pourcentages de la colonne est fort instructive. Deux modèles principaux d'interprétation peuvent être suggérés : un pour les variables nominales et l'autre pour les niveaux de mesure supérieurs.

Pour les variables nominales, chacune des catégories de la variable dépendante est considérée de manière indépendante ; on ne cherche aucune structure d'ensemble qui révélerait un ordre mathématique entre ces variables. Le tableau 12.2 est un bon exemple d'étude de variables nominales. On peut comparer deux à deux les nombres soulignés. On voit que 40,4 % des femmes vont à un spectacle de variétés contre 33 % des hommes ; on voit également que 3,7 % des femmes vont au hockey contre 13,4 % des hommes, soit environ trois fois plus, etc. On ne peut rien dire d'autre.

Pour les variables ordinales et métriques regroupées, la situation est différente : on recherche une structure d'ensemble plutôt que de simplement comparer les valeurs des pourcentages pour chacune des catégories. On peut distinguer trois structures cibles : la première indique une relation positive, la deuxième une relation négative et la troisième une relation non linéaire. Les tableaux de données présentés au tableau 12.3 illustrent ces trois types de structures. Notez la position des valeurs élevées dans chacun des tableaux. Le tableau I indique que plus la variable 1 est forte, plus la variable 2 l'est également. Le tableau II montre que plus la variable 1 est forte, plus la variable 2 est faible. Le dernier tableau est légèrement différent. Pour une valeur faible de la variable 1, on observe une faible valeur de la variable 2 (comme pour le tableau I), mais pour une valeur forte de la variable 1, on observe une valeur faible pour la variable 2 (comme pour le tableau II) et une valeur moyenne de la variable 1 se traduit par une valeur forte de la variable 2. Le croisement de la scolarité et de l'âge, en regroupant les variables, donnerait un profil semblable : la scolarité croît constamment entre la naissance et 35 ans, puis décroît pour les classes d'âge plus élevées.

TABLEAU 12.3
Types de relations

Tableau I
Relation positive

	Faible	Moyen	Fort
Faible	60 %	20 %	10 %
Moyen	30 %	60 %	30 %
Fort	10 %	20 %	60 %

Tableau II
Relation négative

	Faible	Moyen	Fort
Faible	10 %	20 %	60 %
Moyen	30 %	60 %	30 %
Fort	60 %	20 %	10 %

Tableau III
Relation non linéaire

	Faible	Moyen	Fort
Faible	60 %	10 %	60 %
Moyen	30 %	30 %	30 %
Fort	10 %	60 %	10 %

Malheureusement, la situation n'est pas toujours aussi claire. Les coefficients que nous présentons à la section 12.4 aident pour l'analyse des tableaux croisés. Avant de nous engager dans l'interprétation de ces coefficients, il reste toutefois à décider si les chiffres que nous observons dans les tableaux de contingence peuvent être généralisés à la population ou s'ils sont le fruit des erreurs d'échantillonnage combinées des deux variables à l'étude. En d'autres termes, nous comparerons non plus les colonnes de cellules entre elles, mais plutôt chacune des cellules avec la marginale en colonne. En effet, malgré que l'on puisse observer une structure conforme à l'un ou l'autre modèle présenté plus haut et malgré des coefficients d'association qui semblent intéressants, il arrive que les tableaux ne révèlent rien de la population dont ils sont issus. Voilà qui nous force à faire un test d'hypothèse sur la significativité des tableaux.

12.2   LES TESTS D'HYPOTHÈSE

12.2.1   LES PRINCIPES GÉNÉRAUX

Au chapitre 3, nous avons souligné comment la formulation d'une problématique aussi bien que celle des hypothèses qui la sous-tendent influaient sur la démarche de recherche. Nous avons également mis en lumière, au chapitre sur l'usage d'éléments de psychométrie dans les sondages, l'impossibilité d'utiliser l'expérimentation pour la plupart des sciences sociales[2]. La statistique, comme discipline autonome de ses applications, emploie la méthode expérimentale. Cela se traduit par l'utilisation de multiples tests d'hypothèse et par l'usage de la méthode de la falsification. La logique est assez simple et générale :

> **50   Définition et étapes du test d'hypothèse**
>
> TEST D'HYPOTHÈSE
> Soumission d'un modèle à des calculs qui permettent de rejeter l'hypothèse nulle.
>
> On désigne l'hypothèse nulle par H_0. C'est une hypothèse théorique générale selon laquelle le phénomène soumis au test n'existe pas. C'est l'hypothèse principale, celle que l'on soumet au test.
>
> On désigne par H_1 ou H_a l'hypothèse de l'existence de la relation ; on la nomme hypothèse alternative.
>
> ÉTAPES DU TEST D'HYPOTHÈSE
> Après avoir vérifié la signification exacte du test que l'on utilise, on choisit un seuil de signification et on calcule le nombre de degrés de liberté qu'offrent les données disponibles. On calcule ensuite la formule permettant d'obtenir la statistique propre à notre échantillon et on la compare aux résultats d'une courbe préétablie.
>
> Bien sûr, c'est l'ordinateur qui, en pratique, réalise les calculs et, la plupart du temps, fait les comparaisons à la table.

dans le cadre d'une procédure statistique choisie selon un plan d'expérimentation, on constitue un modèle que l'on soumet au processus de falsification par le biais d'un test d'hypothèse. On dénombre une multitude de tests dont les plus répandus sont le test du khi^2, le test du F de Fisher et celui du t de Student. Tous ces tests sont fondés sur l'existence, démontrée mathématiquement, de la distribution de certaines statistiques selon certaines courbes qui ont un rôle analogue à la courbe normale pour l'estimation des proportions. Ces tests interviennent à différentes étapes du processus d'expérimentation soit pour valider (on devrait plutôt dire falsifier) des préalables à l'usage de certaines procédures, soit pour analyser les différentes statistiques résultant de ces procédures.

Le terme « falsifier » cause des problèmes. Malgré une signification différente en statistique, falsifier, en français, signifie fausser ou frauder. En statistique, falsifier est l'inverse de valider, de vérifier ; plutôt que de prouver qu'un phénomène observé est vrai, on démontre qu'il n'est pas faux. Cela oblige à prendre une certaine distance face aux résultats de sondage ; l'usage des mathématiques pour l'analyse des sondages ne démontre pas que les résultats sont vrais, mais qu'ils ne sont pas faux. Voilà qui ouvre la porte à beaucoup d'autres enquêtes sur un même sujet plutôt que de la fermer sur la résolution définitive d'un problème parce que « vraie ». Or, comme le veut le dicton, il n'y a pas deux vérités sur un même sujet. Mais arrêtons là une discussion sur la vérité qui nous mènerait trop loin de notre sujet.

Outre l'attitude générale que cela suppose face aux résultats, la falsification oblige aussi à une gymnastique intellectuelle qui rompt avec la logique habituelle dans les rapports quotidiens : on fait amplement usage de doubles négations.

En effet, si le modèle que l'on soumet au test est la relation que l'on étudie, l'hypothèse que l'on formule plus particulièrement et que l'on falsifie est l'hypothèse selon laquelle il n'y a pas de relation, appelée hypothèse nulle (H_0). Le test permet de rejeter ou non l'hypothèse nulle.

12.2.2 LES TYPES D'ERREURS

Les tests statistiques permettent de contrôler deux types d'erreurs que l'on désigne comme des erreurs de première espèce et de deuxième espèce ou, dans le contexte nord-américain, erreurs de type I et erreurs de type II. Le premier type d'erreur est de rejeter H_0 quand elle est vraie, le second de l'accepter lorsqu'elle est fausse. Le seuil de signification choisi, les caractéristiques des variables et le plan de sondage (Gouriégoux, 1987) peuvent le faire tomber dans l'une ou l'autre de ces erreurs. Sans entrer dans une démonstration mathématique trop élaborée, précisons que le plan de sondage peut modifier la dispersion de l'échantillon dans la population, augmenter l'homogénéité des résultats ou en réduire la variabilité.

51 Types d'erreurs

	Accepte H_0	Rejette H_0
H_0 fausse	Type II	Aucune
H_0 vraie	Aucune	Type I

Prenons un exemple pour illustrer ce dilemme sur le seuil de signification. Un professeur doit préparer un examen pour évaluer sa classe. Il veut savoir si ses étudiants sont mauvais, s'ils sont nuls. Il compose son examen et tente de le graduer de manière à identifier les mauvais étudiants tout en accordant aux meilleurs la note qu'ils méritent. Si son examen est trop difficile, en d'autres mots s'il place le seuil de la réussite trop haut (à 70 % plutôt qu'à 60 %), il risque alors d'accepter H_0, à savoir que ses étudiants sont nuls, alors que l'hypothèse est fausse. S'il place le seuil trop bas, les plus faibles passeront l'examen et il rejettera H_0 alors qu'elle est vraie. Il conclurait à tort que ses étudiants ne sont pas nuls. Dans le premier cas, il ferait une erreur de type II, dans le second une erreur de type I.

12.3   LE KHI CARRÉ

Le test du khi carré ou khi^2 est l'archétype des tests d'hypothèse. Il est surtout utilisé dans des disciplines comportant des questions de niveaux de mesures non métriques, mais aussi pour les phases exploratoires et la communication des résultats. Il permet de falsifier l'indépendance statistique des relations observées dans un tableau de contingence. Le khi^2 est employé aussi dans la construction des mesures d'association ; il est donc très important de le comprendre et de pouvoir en interpréter les résultats.

Les opérations qui permettent d'accomplir un test du khi^2, le test d'inférence des tableaux croisés, sont fort simples : on émet l'hypothèse que la relation n'existe pas (hypothèse nulle) et on vérifie la valeur du khi^2 dans une table pour savoir si on accepte l'hypothèse que la relation à l'étude n'existe pas. La valeur du khi^2, notre critère pour cette décision, doit être supérieure à celle inscrite dans la table pour tout tableau d'une configuration semblable, soit pour tous les tableaux ayant le même résultat pour l'équation suivante : $dl = (r - 1)(c - 1)$. Les progiciels fournissent toutes ces informations automatiquement, du moins si on les demande.

12.3.1   LES CONDITIONS À REMPLIR

Le khi^2 est une courbe légèrement différente de la courbe normale ; elle n'est pas symétrique et varie selon le nombre de degrés de liberté. Mais pour les deux courbes, on retrouve certaines conditions du même type. Une condition essentielle à l'usage des formules standard du khi^2 est aussi que les données proviennent d'un échantillon aléatoire simple. La taille de l'échantillon doit être supérieure à 50 ($n > 50$). D'autres données s'ajoutent du fait que deux variables sont utilisées. Les observations doivent être indépendantes les unes des autres : V1 et V2 ne peuvent être une observation répétée sur un même sujet, ni reliée par une question-filtre. Enfin, certaines conditions s'appliquent à la forme que prend la relation, soit un tableau de contingence, et concernent plus directement les résultats de nos calculs. La somme des fréquences théoriques doit être égale à la somme des fréquences observées. Notez que l'usage de l'ordinateur rend superflue cette dernière condition. Enfin, chaque fréquence théorique doit être supérieure à 5. Toutefois, cette dernière condition peut être facilement contournée en regroupant des catégories lorsque c'est possible ; les « très satisfaits » peuvent être additionnés aux « satisfaits » par exemple.

12.3.2   LE CALCUL DU KHI CARRÉ

Formule du khi^2 :

$$\frac{\Sigma(f_o - f_a)^2}{f_a}$$

où f_o signifie les fréquences observées

f_a signifie les fréquences attendues ; on les appelle aussi fréquences théoriques et fréquences prédites.

Le khi^2 mesure l'ampleur de l'écart entre les valeurs du tableau observé empiriquement et une situation hypothétique appelée fréquence attendue. Le chercheur compare ainsi les fréquences observées aux fréquences obtenues s'il n'y avait eu aucune influence de la variable indépendante. Cette situation, l'absence d'influence de la variable indépendante sur la variable dépendante, s'intitule l'indépendance statistique et, dans un test d'hypothèse, elle est H_0, soit l'hypothèse nulle.

Voici une série de tableaux qui permettent d'illustrer tout le processus d'évaluation de la significativité d'une relation par le calcul du khi^2. Le tableau 12.4 présente des fréquences observées lors d'une enquête réalisée à partir d'un échantillon de numéros de téléphone générés par ordinateur. L'échantillon provient d'une procédure aléatoire simple et sa taille est suffisamment grande ($n > 50$). De plus, vu le grand nombre d'observations et le nombre restreint de cellules, il est fort probable que les fréquences théoriques seront au moins égales à 0.

TABLEAU 12.4
Appréciation de l'efficacité de la gestion selon l'âge regroupé des répondants (f_o)

	ÂGE				
	18-34 ans	35-44 ans	45-59 ans	60 ans et +	Total
Efficace	103	54	54	64	275
Non efficace	83	36	19	16	154
Total	186	90	73	80	429

Afin de faire l'analyse, nous avons calculé les pourcentages en fonction des colonnes. Les résultats sont colligés au tableau 12.5.

TABLEAU 12.5
Appréciation de l'efficacité de la gestion selon l'âge regroupé des répondants (%)

	ÂGE				
	18-34 ans	35-44 ans	45-59 ans	60 ans et +	Total
Efficace	55,4	60,0	74,0	80,0	64,1
Non efficace	44,6	40,0	26,0	20,0	35,9
Total	186	90	73	80	429
	43,4	21,0	17,0	18,6	100,0

On constate que l'âge influe sur l'appréciation de l'efficacité de la gestion par les répondants. Il semble que plus on est vieux, plus on en est satisfait : 80 % des 60 ans et plus trouvent la gestion efficace contre 55,4 % chez les 18-34 ans, soit une différence de près de 25 %. Toutefois, l'écart entre la cellule « Efficace/18-34 ans » et la marginale « Efficace/Total » n'est que de 11,3 %, et celle entre « Efficace/60 ans et + » et la marginale est de 15,9 %. Et que dire des groupes d'âge intermédiaires où les différences sont, dans l'ordre chronologique, de 4,1 % et de 10 %. Ces différences sont-elles suffisantes pour écarter l'hypothèse que ces chiffres résultent du hasard ? qu'ils sont le fruit de l'erreur d'échantillonnage ?

Pour évaluer la représentativité, nous effectuerons un test d'hypothèse basé sur le calcul du khi[2]. Pour cela, il faut calculer un tableau qui présente des résultats dont on est sûr qu'ils indiquent qu'il n'y a aucune relation entre les variables. Il n'est pas difficile de comprendre qu'un tableau où les cellules auraient la même valeur en pourcentages que la marginale en colonne signifierait qu'il n'y a aucune relation entre les deux variables, que les variables sont indépendantes statistiquement. Le tableau 12.6 est de ce type.

TABLEAU 12.6
Appréciation de l'efficacité de la gestion selon l'âge regroupé des répondants
sous l'hypothèse de l'indépendance statistique (%)

	ÂGE				
	18-34 ans	35-44 ans	45-59 ans	60 ans et +	Total
Efficace	64,1	64,1	64,1	64,1	64,1
Non efficace	35,9	35,9	35,9	35,9	35,9
Total	186	90	73	80	429
	43,4	21,0	17,0	18,6	100,0

Il ne faut toutefois pas oublier que le calcul du khi^2 se fait avec des valeurs et non avec des pourcentages. Nous utiliserons les pourcentages du tableau 12.6 (tableau de l'hypothèse nulle) pour calculer ces nombres. Nous les présentons au tableau 12.7. Bien que les nombres ne soient pas entiers, il ne s'agit pas de pourcentages. Ces nombres sont le produit de calculs ; ils sont théoriques. Le tableau 12.7 permet de constater que toutes les fréquences attendues sont supérieures à 5, donc que la condition est bien remplie. On peut également additionner toutes ces valeurs pour vérifier si leur total est bien 429.

TABLEAU 12.7
Appréciation de l'efficacité de la gestion selon l'âge regroupé des répondants
sous l'hypothèse d'indépendance statistique (f_a)

	ÂGE				
	18-34 ans	35-44 ans	45-59 ans	60 ans et +	Total
Efficace	119,2	57,7	46,8	51,3	275
Non efficace	66,8	32,3	26,2	28,7	154
Total	186	90	73	80	429

Nous avons donc en main tous les éléments nécessaires à l'opérationnalisation de la formule du khi^2. Calculons d'abord la différence entre les fréquences observées et les fréquences attendues ($f_o - f_a$). Le tableau 12.8 présente cette opération pour notre exemple.

TABLEAU 12.8
Appréciation de l'efficacité de la gestion selon l'âge regroupé des répondants
$(f_o - f_a)$

	ÂGE				
	18-34 ans	35-44 ans	45-59 ans	60 ans et +	Total
Efficace	103	54	54	64	275
	–119,2	–57,7	–46,8	–51,3	
	– 16,2	– 3,7	7,2	12,7	
Non efficace	83	36	19	16	154
	–66,8	–32,3	–26,2	–28,7	
	16,2	3,7	– 7,2	–12,7	
Total	186	90	73	80	429

Comme on peut le constater, la somme de toutes ces différences entre valeurs observées et valeurs prédites sous l'hypothèse d'indépendance statistique est égale à 0. Nous complétons les autres calculs du khi² pour contourner ce problème.

$$\text{Khi}^2 = \frac{(-16,2)^2}{119,2} + \frac{(-3,7)^2}{57,7} + \frac{(7,2)^2}{46,8} + \frac{(12,7)^2}{51,3} + \frac{(16,2)^2}{66,8} + \frac{(3,7)^2}{32,3} +$$

$$\frac{(-7,2)^2}{26,2} + \frac{(-12,7)^2}{28,7}$$

$$\text{Khi}^2 = 18,69$$

Nous avons donc calculé le khi² pour l'exemple choisi. Il reste à déterminer son degré de signification et à le comparer à un niveau de signification choisi. Le choix du niveau de signification est une décision du même ordre que l'estimation d'une proportion ou d'une moyenne. En sciences sociales, le choix le plus fréquent pour l'estimation est 95 %. On peut être plus exigeant lorsqu'on tente de vérifier une théorie (99 %) et moins exigeant dans le cas d'une recherche exploratoire (90 %). On notera ici que 99 % = 0,99 et que de nombreux statisticiens et la plupart des progiciels utilisent la proportion inverse pour désigner le niveau de signification (0,01 au lieu de 0,99).

Le degré de signification du khi² s'évalue au moyen d'une table ; cette dernière oblige à connaître deux informations outre la valeur du khi² : le niveau de signification choisi et le nombre de degrés de liberté (*dl*). Le calcul du nombre de degrés de liberté est très facile :

$$dl = (c - 1)(r - 1)$$

où c = le nombre de colonnes (marginale exclue)

r = le nombre de rangées (marginale exclue).

Si le khi^2 est supérieur à la valeur indiquée dans la table, nous rejetons H_0 et il n'y a pas d'indépendance statistique ; donc, il y aura une relation entre les deux variables (voir Table des seuils du khi^2, Annexe B).

Calculons d'abord le *dl* puisque c'est lui qui indique à quel nombre de la table comparer le khi^2. Dans notre exemple, le *dl* est de 3, soit $(4 - 1)(2 - 1)$. La valeur de khi^2 dans la table pour un seuil de 0,01 est de 11,345 et pour 0,05 il est de 7,815.

Notre statistique étant supérieure à ces seuils, malgré que le seuil de 0,05 soit suffisant, nous rejetons H_0 et acceptons H_1 : il y a une telle relation dans notre population. En fait, c'est tout ce que nous permet de dire le khi^2. Ce sont les coefficients d'association qui indiquent l'intensité et la direction de la relation. Nous avons tout de même déjà une information essentielle. Notons au passage que les meilleurs progiciels statistiques comme SPSS fournissent en même temps que le khi^2 le degré de liberté du tableau, la significativité du tableau et le nombre de cellules dont la fréquence attendue est inférieure à 5.

12.4 LES COEFFICIENTS D'ASSOCIATION ET DE CORRÉLATION

L'analyse bivariée repose largement sur le choix d'un coefficient d'association approprié. Le niveau de mesure est le facteur le plus déterminant : le coefficient choisi doit permettre d'analyser les relations de la variable dont le niveau de mesure est le plus bas. Par exemple, la religion, une variable nominale, et la satisfaction face à la politique, une variable ordinale, obligent à choisir un coefficient de niveau nominal. Les coefficients d'association donnent deux types d'informations : l'intensité de la relation pour tous les coefficients et la direction de l'association pour les coefficients s'appliquant aux variables ordinales et par intervalles.

Ces deux informations sont indépendantes l'une de l'autre, c'est-à-dire qu'un coefficient de –0,40 et un

52 Règle du choix des coefficients

NIVEAUX DE MESURE		
Variable 1	Variable 2	Coefficient
Nominale	Nominale	Nominal
Nominale	Ordinale	Nominal
Nominale	Par intervalles	Nominal
Ordinale	Ordinale	Ordinal
Ordinale	Par intervalles	Ordinal
Par intervalles	Par intervalles	Par intervalles

N.B. : Les variables 1 et 2 peuvent être inversées.

autre de +0,40 ont la même intensité mais une direction différente. Cela n'a rien à voir avec la comptabilité où –40 $ représente une valeur moindre que +40 $.

Intensité : la mesure de l'intensité indique à quel point l'association entre deux variables est forte. De manière générale, une intensité égale à 0 indique une absence d'association et une intensité égale à 1 une association parfaite, c'est-à-dire que la caractéristique A sera toujours associée avec la caractéristique B.

Direction : la direction d'une association indique le sens des covariations de deux variables, lesquelles doivent avoir au moins un ordre. Une relation est dite positive si les valeurs de l'une et l'autre variable augmentent ou diminuent parallèlement : plus il y a de A et plus il y aura de B, ou moins il y aura de A et moins il y aura de B. Une relation est dite négative si la crois-sance d'une variable en-traîne la décroissance de l'autre : plus il y aura de A et moins il y aura de B, ou moins il y aura de A et plus il y aura de B. La règle est la même que pour la multipli-cation.

53	**Direction d'une relation**
+ A → + B ⇒	Relation positive
– A → – B ⇒	Relation positive
+ A → – B ⇒	Relation négative
– A → + B ⇒	Relation négative

Parmi les autres caractéristiques des coefficients, la symétrie renvoie à l'analyse causale que nous verrons plus en détail au chapitre suivant. Un coefficient peut être asymétrique ou symétrique. Lorsque les coefficients ont des valeurs différentes selon que l'on s'interroge sur les effets de Y sur X (Y → X) ou sur ceux de X sur Y (X → Y), le coefficient est asymétrique. Les bons progiciels statistiques fournissent les résultats des deux valeurs du coefficient, soit sa valeur pour (Y → X) et sa valeur pour (X → Y). Les autres coefficients, notamment ceux réservés aux variables nominales, n'ont qu'une seule valeur ; ils sont symétriques.

Nous avons regroupé les mesures statistiques que nous présentons en trois blocs correspondant aux trois principaux niveaux de mesure identifiés précédemment. Ici comme dans les autres sections mathématiques, nous avons deux postulats qui nous guident dans la présentation mathématique des statistiques : 1) ceux à qui s'adresse ce manuel sont des concepteurs et des utilisateurs de données de sondage et non pas des mathématiciens ; 2) tous les calculs nécessaires sont réalisés par ordinateur au moyen d'un progiciel de statistiques.

12.4.1 LES COEFFICIENTS D'ASSOCIATION POUR LES VARIABLES NOMINALES

Tous ces coefficients s'appliquent à des variables nominales ou à une combinaison de variables dont au moins une est nominale. Leur calcul repose sur la valeur du khi^2 ; ils sont donc symétriques puisque le khi^2 reste le même, qu'on le calcule en colonnes ou en rangées.

LE PHI

Intensité : 0 à 1 pour les tableaux de 2 rangées sur 2 colonnes (tableaux 2 × 2) ; peut dépasser 1 pour les tableaux plus grands. De manière générale, on ne doit donc l'utiliser que pour des tableaux 2 × 2.

Formule : $\dfrac{\text{Khi}^2}{N}$

où   N = le nombre de cas dans le tableau.

LE COEFFICIENT DE CONTINGENCE (C)

Intensité : 0 à 1 et moins. Le coefficient ne peut être utilisé pour comparer des tableaux de tailles différentes à moins de pouvoir le corriger. Pour les tableaux carrés (2 × 2), (3 × 3), etc., il est possible de corriger le C.

On calcule le C_{max} par la formule :

$$C_{max} = \sqrt{\frac{k-1}{k}}$$

où k est le nombre de colonnes ou de rangées.

Avec k = 2 C_{max} = 0,707
3   0,816
4   0,866
5   0,894
6   0,913
7   0,926
8   0,935
9   0,943

Le C variera de 0 à 1 pour tous les tableaux en utilisant la formule suivante :

$$C_{corrigé} = C_{observé} / C_{max}$$

Formule : $\sqrt{\dfrac{Khi^2}{Khi^2 + N}}$

LE V DE CRAMER

Intensité : 0 à 1. Pour des tableaux 2 × 2, V = phi ; certains progiciels fournissent le phi plutôt que le V pour les tableaux 2 × 2. De plus, le phi est égal au *r* de Pearson pour les variables dichotomiques, ce qui en fait un bon substitut dans certains calculs.

Formule : $\sqrt{\dfrac{Khi^2}{N \times t}}$

où   *t* est le plus petit de (*c* - 1) ou de (*r* - 1).

12.4.2   LES COEFFICIENTS ADAPTÉS AUX VARIABLES ORDINALES

Tous les coefficients qui suivent s'appliquent à des relations dont les variables ont un niveau de mesure au moins ordinal. Ils sont, pour la plupart, basés sur le principe de la réduction proportionnelle des erreurs.

LE GAMMA

Intensité et direction : −1 à +1.

Formule : $\dfrac{N+ \, - \, N-}{N+ \, + \, N-}$

où   N+   = nombre de paires où les variables indépendantes et dépendantes varient dans le même sens

N−   = nombre de paires où les variables indépendantes et dépendantes varient en sens contraire.

La mécanique de la formule est la suivante : on prend les cas par paire et l'on observe si les variables indépendantes et dépendantes varient dans un même sens pour chacune des paires. Il y a cinq grands types de paires :

1)   les paires concordantes où l'ordre entre les deux cas sur la variable indépendante est le même que sur la variable dépendante ;

2)   les paires discordantes où l'ordre entre les deux cas sur la variable indépendante est l'inverse de l'ordre sur la variable dépendante ;

3)   les paires où les variations de la variable indépendante ne s'accompagnent d'aucune modification de la variable dépendante ;

4)   les paires où il n'y a aucune modification de la variable indépendante malgré qu'il y en ait sur la variable dépendante ;

5)   les paires où ni la variable dépendante ni la variable indépendante ne varient.

Seuls les deux premiers types de paires indiquent une relation entre la variable indépendante et la variable dépendante. Ajoutons aussi que pour un tableau 3 × 3, il existe 44 850 paires possibles.

Symétrique : le gamma reste le même, quelle que soit la variable indépendante.

LE D DE SOMERS

Intensité et direction : –1 à +1.

Formule : $\dfrac{N+ \, - \, N-}{N+ \, + \, N- \, + \, N\text{-dep}}$

où   N+   = nombre de paires où les variables indépendantes et dépendantes varient dans le même sens

N–   = nombre de paires où les variables indépendantes et dépendantes varient en sens contraire

N–dep = nombre de paires où la variable indépendante est différente dans les deux cas sans que varie la variable dépendante (paires de type 3).

Asymétrique : le D de Somers n'est pas symétrique ; selon qu'il est calculé par rangées ou par colonnes, les paires de type 3 ne sont pas les mêmes. On doit donc l'utiliser lorsque la relation de dépendance est connue. Il existe également un D de Somers symétrique.

LE RHÔ DE SPEARMAN

Le rhô est utilisé lorsqu'on veut comparer le rangement fait par plusieurs « juges » de certains objets ou groupes en fonction d'une évaluation de leurs qualités intrinsèques, par exemple lorsqu'on demande à un jury d'ordonner 50 nations en vertu de leur potentiel militaire ou artistique. Ce n'est pas un coefficient qui se base sur la réduction proportionnelle des erreurs ; nous l'avons classé ici pour ses facilités ordinales. Le rhô peut être utilisé comme substitut du r de Pearson dans des procédures d'analyse multivariée.

Intensité et direction : –1 à +1.

Formule : $\dfrac{1 - 6\Sigma D^2}{N (N^2 - 1)}$

où   D = différence entre les rangs accordés par les juges

N = nombre de cas (d'individus) rangés.

12.4.3 LES VARIABLES PAR INTERVALLES ET L'AJUSTEMENT LINÉAIRE

Les variables par intervalles fournissent des propriétés mathématiques supérieures aux autres types de variables. Elles permettent d'utiliser des mesures telles que la moyenne, la variance et l'écart type. De plus, contrairement aux variables de niveau inférieur, le calcul des relations entre deux variables par intervalles ne repose pas sur la constitution d'un tableau de contingence pour leur analyse, mais plutôt sur un graphique à points et, conséquemment, on n'utilise pas le khi^2 comme indicateur de l'inférence.

L'AJUSTEMENT LINÉAIRE

Les coefficients de la famille du coefficient de corrélation *r* sont basés sur la notion d'ajustement linéaire : lorsque les valeurs de deux variables par intervalles servent de coordonnées à des points sur un plan cartésien, on peut calculer jusqu'à quel degré ces points s'ordonneront comme une droite imaginaire qui traverserait ce nuage de points en son centre et dont la pente et l'intersection seraient calculables. Cette droite sera celle qui se rapprochera le plus de tous les points en même temps. Le *r* de Pearson est le coefficient qui permet de résumer ce phénomène.

En géométrie, on exprime la formule de toute droite de la manière suivante :

$y = a + bx$

où   *a* est la constante ou l'intersection de la droite avec l'axe des *y*

b est la pente.

FIGURE 12.1
Principaux paramètres d'une droite

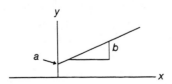

Simplement, on peut dire qu'à partir d'un point *a* sur l'axe des *y*, on peut tracer une droite telle que pour toute variation de *x*, il y aura une variation de *b* sur l'axe des *y*. Par exemple, l'équation $y = 5 + 9x$ donnerait une droite qui intercepterait l'axe des *y* à la valeur 5 (*a*) et qui augmenterait de 9 (*b*) pour chaque unité de *x*.

Pour décrire un nuage de points, l'équation de la droite est toutefois incomplète. On doit lui ajouter un troisième terme appelé « terme d'erreur » (ou résidu) qui exprime la différence entre la droite et les points du nuage qui ne sont pas situés directement sur la droite.

FIGURE 12.2
Droites de régression

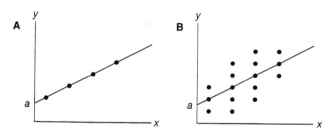

L'équation de la droite ne s'écrira plus

$y = a + bx$ (fig. 12.2A)

mais plutôt

$\hat{y} = a + bx + \in$ (fig. 12.2B)

où $\in$ désigne le terme d'erreur

$\hat{y}$ désigne les valeurs prédites par la droite.

LE CALCUL DE LA DROITE DE RÉGRESSION

Les erreurs ou résidus sont au centre du calcul qui permet d'évaluer la droite de régression. On choisit comme droite de régression celle qui traverse le nuage de points le plus dans son centre, donc la droite qui réduit les erreurs. La méthode de construction de cette droite s'intitule la méthode des « moindres carrés ». Les carrés en question désignent le carré de la distance entre la droite et chacun des points observés $(\hat{y} - y_i)^2$. Le terme « moindre » renvoie à la propriété de cette formule de tracer la droite qui minimise cette distance. Les moindres carrés permettent de minimiser la sommation suivante :

$$\Sigma(\hat{y} - y_i)^2$$

Il est donc possible de calculer la pente et la constante le plus appropriées à un nuage de points donné sans avoir à expérimenter toutes les droites possibles. On calcule d'abord la pente, puis on déduit la constante par simple transformation algébrique. La formule théorique des moindres carrés est la suivante :

$$b = \frac{\Sigma(x_i - \overline{x})\,(y_i - \overline{y})}{\Sigma(x_i - \overline{x})^2}$$

On peut calculer la constante en remplaçant, dans l'équation de la droite, le x par $\overline{x}$ et le y par $\overline{y}$ car les droites de régression passent nécessairement par la moyenne des deux variables.

$$a = \overline{y} - b\,(\overline{x})$$

L'équation de régression est asymétrique et sa pente comme sa constante peuvent être positives ou négatives. Lorsque la pente est négative, la droite pointe vers le bas et la relation est négative.

LES ERREURS D'ÉCHANTILLONNAGE ET LES COEFFICIENTS DE RÉGRESSION

Comme pour les variables de niveau inférieur, on peut effectuer un test statistique sur l'existence de la relation. Pour ce faire, on calcule l'écart type de l'estimateur b (s_b) :

$$s_b = \sqrt{\frac{\Sigma\,(y - \hat{y})^2/(n - 2)}{\Sigma\,(x - \overline{x})^2}}$$

Cet écart type de l'estimateur b permettra d'effectuer un test d'hypothèse sur l'existence de b. Ici aussi l'hypothèse nulle est l'hypothèse d'une absence de relation et l'hypothèse alternative est celle d'une présence d'association. L'hypothèse nulle équivaut à émettre l'hypothèse que la pente β est égale à 0 dans la population :

$$H_0 : \beta = 0 \text{ et } H_a : \beta \neq 0$$

Nous accepterons H_0 si l'intervalle de confiance construit autour de b contient la valeur 0. Pour construire cet intervalle de confiance, nous nous servirons de s_b et d'une distribution théorique dont les probabilités sont connues : la distribution du t de Student. L'intervalle de confiance bilatéral construit avec la distribution t autour de b avec un niveau de confiance de 95 % (taux de significativité égal à 0,05) se note :

$$b \pm (t_{n-2\,;\,0,975} \times s_b)$$

où $t_{n-2\,;\,0,975}$ indique la valeur que t prendra avec un degré de liberté égal à $n-2$ (n = taille de l'échantillon) et un niveau de confiance de 95 %. Avec un niveau de confiance de 99 %, seule change la valeur de t qui se note alors $t_{n-2\,;\,0,995}$.

On consulte une table pour connaître la valeur de t, calculer la valeur de l'intervalle de confiance et constater si, oui ou non, l'intervalle de confiance contient 0. On peut aussi calculer le rapport de t. Ce rapport dont la formule est $|b/s_b|$ doit être supérieur à 2 pour que nous rejetions H_0 (voir Lewis-Beck, 1980, p. 34-35).

On peut, bien entendu, faire un test similaire sur a. Mais contrairement à la pente (b), un intervalle de confiance incluant 0 pour l'interception (a) n'a pas comme conséquence d'invalider l'analyse, mais seulement le caractère prédictif de l'équation. Par ailleurs, on peut effectuer un test de t pour différentes hypothèses autres que $\beta = 0$ et pour d'autres rapports que l'égalité.

L'ÉCART TYPE DE L'ESTIMATION DE y ($\hat{y}$)

Aux intervalles de confiance et aux tests statistiques permettant d'établir la significativité des estimateurs du modèle s'ajoute le calcul de l'écart type de l'estimation de y qui n'est pas un calcul d'inférence, mais plutôt un calcul de précision. Cet écart type est une évaluation de l'« erreur moyenne » entre la valeur prédite et les valeurs observées. Sa formule s'écrit :

$$s_e = \sqrt{\dfrac{\Sigma\,(y_i - \hat{y_i})^2}{n-2}}$$

La valeur de cet écart type sera d'autant plus basse que les points du nuage seront rapprochés de la droite de régression, que les différences entre chacune des valeurs observées de y (y_i) et les valeurs prédites ($\hat{y}$) au moyen de la droite de régression seront petites. L'écart type de l'estimation permet de constater l'adéquation entre la ligne de régression et le nuage de points.

LE COEFFICIENT DE RÉGRESSION LINÉAIRE

Le r de Pearson permet d'évaluer l'intensité de la relation entre deux variables, ou dans quelle mesure le nuage de points est aligné. La pente de la droite lui donne son signe et l'on mesure la dispersion des points pour obtenir son intensité. La formule théorique du r est :

$$\frac{\Sigma \, (x_i - \overline{x}) \, (y_i - \overline{y})}{\sqrt{\Sigma \, (x_i - \overline{x})^2} \; \sqrt{\Sigma \, (y_i - \overline{y})^2}}$$

LE COEFFICIENT DE DÉTERMINATION (r^2)

Le coefficient de détermination permet d'évaluer l'ajustement de la droite de régression au nuage de points. On calcule alors jusqu'à quel point notre modèle est plus efficace que la moyenne pour décrire une variable. En effet, en l'absence de toute droite de régression, on peut affirmer que le meilleur indice-résumé pour les variables par intervalles est la moyenne. Il s'agit donc de savoir si l'équation permet de mieux résumer la variable dépendante que la moyenne.

$$r^2 = 1 - \left[\frac{\Sigma \, (y_i - \hat{y})^2}{\Sigma \, (y_i - \overline{y})^2} \right]$$

Le mode de construction de cette statistique permet de disposer d'une mesure ordinale de la relation entre la ou les variables indépendantes et la variable dépendante. Cette mesure varie entre 0 et 1. Quand $\hat{y} = y_i$, alors la droite touche à tous les points observés et $r^2 = 1$. Quand, à l'opposé, l'équation de régression ne prédit pas mieux la relation que la moyenne de y, alors $\overline{y} = \hat{y}$ et $r^2 = 0$.

On peut aussi exprimer cette équation de la manière suivante :

$$r^2 = \frac{\Sigma \, (\hat{y} - \overline{y})^2}{\Sigma \, (y_i - \overline{y})^2} = \frac{\text{Somme des carrés expliquée par la régression}}{\text{Somme totale des carrés}}$$

On dit alors que r^2 exprime la proportion de variance expliquée par la régression parmi la variance totale.

$$r^2 = \frac{\text{Variance expliquée}}{\text{Variance totale}}$$

Une valeur du r^2 de 0,76 permet de dire que l'équation de régression explique 76 % de la variance.

QUELQUES EXEMPLES ET DES POSTULATS

La figure 12.3 illustre les propriétés de l'ajustement linéaire. Ces exemples, construits à l'aide du logiciel SPSS, contiennent de nombreuses informations. Les chiffres à l'intérieur de chaque rectangle représentent la fréquence de chacune des entrées. Les lettres A et R indiquent respectivement le début et la fin de la droite ajustant le mieux le nuage de points. À la droite de chaque graphique, on trouve la valeur du r de Pearson, du r^2 et la significativité de la relation. Plus la significativité sera grande, plus la statistique sera près de 0. On remarquera plus particulièrement les croisements 4 et 6 (figures E et F) qui démontrent respectivement la sensibilité du r de Pearson aux valeurs extrêmes et son incapacité à analyser les relations non linéaires.

FIGURE 12.3
Exemples de graphiques à points et de coefficients de corrélation

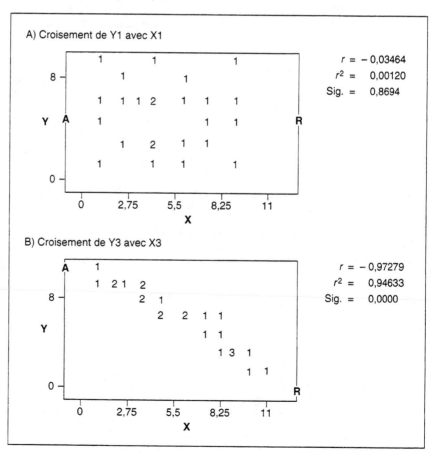

FIGURE 12.3
Exemples de graphiques à points et de coefficients de corrélation (suite)

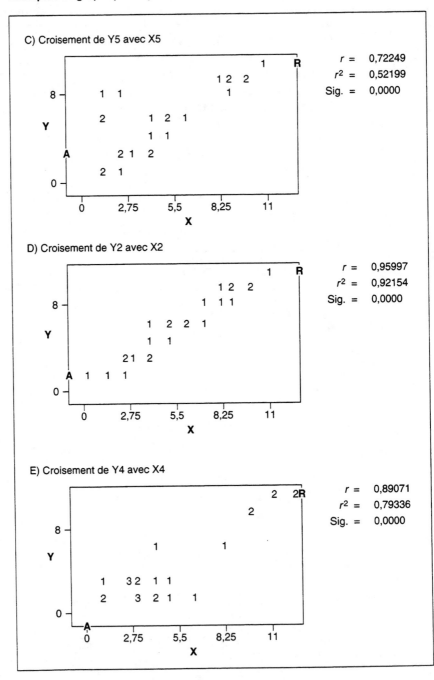

C) Croisement de Y5 avec X5

r = 0,72249
r^2 = 0,52199
Sig. = 0,0000

D) Croisement de Y2 avec X2

r = 0,95997
r^2 = 0,92154
Sig. = 0,0000

E) Croisement de Y4 avec X4

r = 0,89071
r^2 = 0,79336
Sig. = 0,0000

FIGURE 12.3
Exemples de graphiques à points et de coefficients de corrélation (suite)

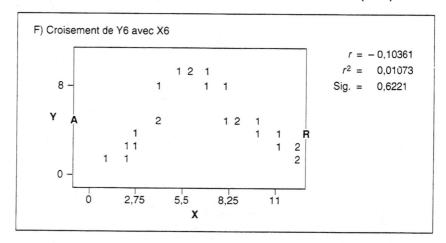

F) Croisement de Y6 avec X6

$r = -0,10361$
$r^2 = 0,01073$
Sig. $= 0,6221$

En fait, le r de Pearson et la droite de régression seront des mesures valables de la relation entre deux variables uniquement lorsque certains postulats seront rencontrés : la relation est linéaire et les résidus sont distribués normalement autour de la droite avec une moyenne égale à 0 et une variance égale (homoscédasticité). Ces postulats sont bien représentés par la figure 12.4.

FIGURE 12.4
Postulats de l'analyse de régression

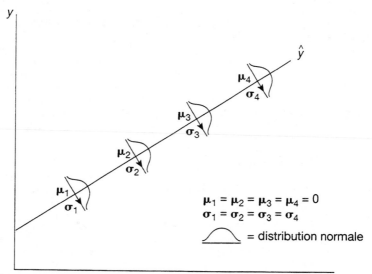

$\mu_1 = \mu_2 = \mu_3 = \mu_4 = 0$
$\sigma_1 = \sigma_2 = \sigma_3 = \sigma_4$

= distribution normale

RÉSUMÉ ET FORMULE DE CALCUL

Le *r* de Pearson ou coefficient de corrélation

Intensité et direction : −1 à +1.

Formule : $$\dfrac{n \sum x_i y_i - (\sum x_i)(\sum y_i)}{\sqrt{[n \sum x_i^2 - (\sum x_i)^2][n \sum y_i^2 - (\sum y_i)]^2}}$$

Symétrique : contrairement à l'équation de régression, le *r* est symétrique.

Le test de significativité du *r* de Pearson

On peut calculer un test utilisant la courbe du *t* sur la significativité du *r* indépendamment du test sur la droite de régression. L'hypothèse nulle est que le *r* est égal à 0 dans la population ($H_0 : r = 0$).

Formule : $$t = r \sqrt{\dfrac{n-2}{1-r_2}}$$

Le r^2 ou coefficient d'explication

Intensité : 0 à 1.

Formule : $r \times r$.

Symétrique : comme le *r*, le r^2 prend la même valeur, quelle que soit la variable indépendante.

12.4.4   LES RELATIONS NON LINÉAIRES

LOGIQUE DE CALCUL

Il arrive souvent que la relation entre deux variables ne soit pas linéaire mais curviligne. La constitution de courbes qui « ajustent » une telle relation est très complexe et renvoie à l'analyse de régression poly-nominale où :

$$\hat{y} = a + b_1 x_i + b_2 x_i^2 + \ldots + b_n x_n^n + \varepsilon$$

Il existe toutefois des coefficients qui permettent d'évaluer cette relation sans avoir à effectuer ces calculs complexes. Ce sont le êta et le êta² ou êta carré. Une des fonctions majeures du êta est d'établir la pertinence du *r* comme coefficient de corrélation. En effet, le êta est toujours[4] légèrement plus élevé que le *r* ; toutefois, une forte disproportion entre les deux coefficients indique que la variance serait mieux expliquée par une analyse non linéaire. Notons que différentes techniques existent pour « linéariser » une relation, notamment l'utilisation des transformations logarithmiques.

Le êta présente une particularité : seul le niveau de mesure de la variable dépendante doit être par intervalles. La variable indépendante peut être nominale, ordinale ou par intervalles, regroupée ou non[3]. Cela tient à son mode de calcul qui consiste en quelque sorte à comparer les moyennes de la variable dépendante pour chacune des catégories de la variable indépendante. Si cette moyenne varie beaucoup dans un sens ou dans l'autre (+ ou –) et pour n'importe quel ordre de catégories, êta est élevé, voire égal à 1.

RÉSUMÉ ET FORMULE DE CALCUL

Êta, ratio de corrélation

Niveau de mesure : la variable dépendante doit être par intervalles.

Intensité : 0 à 1.

Formule :

$$\hat{E}ta^2 = 1 - \frac{\Sigma y_i^2 - \Sigma n_k \overline{y}_{ik}^2}{\Sigma y_i^2 - n\,(\overline{y})^2}$$

où n_k est le nombre de cas dans chacune des *k* catégories de la variable indépendante

$\overline{y}_{ik}^2$ est la moyenne de y_i pour chacune des *k* catégories de la variable indépendante élevée au carré

n est le nombre total de cas.

$$\hat{E}ta = \sqrt{\hat{E}ta^2}$$

Asymétrique : contrairement au *r*, cette mesure est asymétrique ; on le comprend tout à fait lorsque l'on sait qu'une variable nominale peut servir comme variable indépendante.

NOTES

(1) Le chapitre 13 est consacré à la causalité ; c'est là que nous traiterons des critères qui permettent de distinguer la variable indépendante et la variable dépendante. Notons simplement, dans le contexte de cet exemple, que le type de spectacle ne peut causer le sexe ; ainsi, soumettre un groupe d'hommes à de la musique classique ne les transformera pas en femmes mais, si la société n'était composée que de femmes, le Colisée pourrait très bien fermer puisqu'il serait vide.

(2) Notez que divers champs d'application comme le marketing, les communications, les sciences administratives et même une discipline comme les sciences politiques s'inspirent des sciences sociales et de la psychologie et que d'autres disciplines font usage de design expérimentaux. Cela tient au fait que ces champs de la connaissance humaine puisent à plusieurs sources. Il reste néanmoins que les résultats d'une campagne électorale ou ceux d'une campagne de publicité ne trouvent leur confirmation que dans la société, et ce même si, dans leurs étapes préparatoires, leurs concepteurs ont utilisé des méthodes expérimentales.

(3) Notons au passage que pour l'utilisation du progiciel SPSS, il est préférable de ne pas faire afficher les tableaux croisant des variables trop longues ou de les regrouper. Cela évite un gaspillage de papier.

(4) Le êta est égal au *r* lorsque la variable indépendante est dichotomique (0,1).

Chapitre 13

L'analyse multivariée et la causalité

13.1 LES OBJECTIFS DE L'ANALYSE MULTIVARIÉE DE DIAGNOSTIC CAUSAL

L'analyse multivariée est à la fois complexe et riche. Dans ce chapitre, nous n'aborderons pas en profondeur les techniques les plus élaborées comme la factorisation, la régression multiple, l'analyse discriminante, l'analyse de piste et l'analyse de groupement. Nous en introduirons les concepts de base au moyen d'un type d'analyse multivariée plus logique que mathématique : l'analyse multivariée de Lazarsfeld. Nous présenterons d'abord dans ses grandes lignes le diagnostic causal puis, avant de passer à la partie plus technique, nous nous interrogerons sur les rapports de causalité.

54 Exigences de l'analyse multivariée

EXIGENCES MATHÉMATIQUES
Choisir la mesure d'association appropriée et en comprendre la signification.

EXIGENCES LOGIQUES
Comprendre les notions de variable indépendante, dépendante, antérieure, externe, concomitante, de variable inhibitrice et de variable intermédiaire.

EXIGENCES THÉORIQUES
Avoir un cadre conceptuel, ou cadre théorique, suffisamment développé pour choisir les variables pertinentes à l'étude multivariée et leur attribuer un rapport de causalité.

La technique d'analyse multivariée de diagnostic causal a été élaborée pour compenser les manques de l'enquête par sondage face à l'expérimentation : l'incapacité du chercheur d'agir sur l'environnement pour en faire varier les états. En effet, dans un cadre expérimental, il est possible de « contrôler » concrètement les variables qui pourraient nuire à la valeur des résultats :

1)   on peut les éliminer en contrôlant les conditions de l'expérimentation, par exemple en introduisant puis en éliminant toute figure d'autorité dans un groupe afin d'en connaître l'importance pour la formulation des opinions ;

2)   on peut les immobiliser (Pavlov, par exemple, tenait constant le niveau d'éclairage) ;

3)   on peut les « randommizer » ; c'est la technique la plus courante pour éliminer les effets inconnus dus à l'histoire particulière de chaque individu. On répartit au hasard les individus entre le groupe de contrôle et le groupe expérimental, ce qui évite que les groupes se forment à partir des caractéristiques personnelles et des sympathies entre les individus.

On a constaté très tôt l'impossibilité de recourir à l'expérimentation pour l'étude des phénomènes sociaux. Faire courir une rumeur sur le débarquement des « martiens », comme l'a fait Orson Welles[1] au début de sa carrière, ne conduirait pas un scientifique sur les voies de la même célébrité que le cinéaste. La démarche de Lazarsfeld au milieu du XXe siècle voulait aussi répondre à la question posée par Émile Durkheim au siècle précédent :

> « Lorsque deux faits sociaux sont en relation et qu'on pense que l'un est la cause de l'autre, il faut se demander si cette association ne serait pas due à quelque cause cachée. » (Durkheim cité dans Gagnon, 1974.)

L'exemple classique d'une telle relation réside dans l'illustration mathématique de la fable où les cigognes sont responsables de la naissance des enfants. Chacun connaît la légende mais ce qui est moins connu, c'est que la relation entre le nombre de cigognes et le nombre de bébés est vérifiée là où il y a des cigognes, et statistiquement significative. Ceux qui resteraient subjugués par les chiffres et la phrase magique « statistiquement significative dans 95 % des cas avec une marge d'erreur de 3 % » y perdraient leur latin. Or, si les statistiques indiquent l'intensité et la direction de la relation ou de l'association, elles n'ajoutent rien à l'étude de la causalité qui demeure un problème théorique pour chaque science particulière, la physique comme la sociologie.

PLUS DE CIGOGNES → PLUS DE BÉBÉS

Mais revenons à nos cigognes porteuses. Les chercheurs se trouvaient devant une impossibilité théorique ; chacun connaît la théorie des bébés, et pourtant il existe bien une relation significative. Ils devaient donc trouver un facteur qui explique à la fois le taux de bébés et le taux de cigognes, un facteur qui précéderait en quelque sorte la relation entre le nombre de cigognes et le nombre de bébés. Ce facteur est le taux d'urbanisation des villes. En effet, le taux d'urbanisation, soit la taille de la ville et son intensité démographique, fait diminuer le taux de naissance des bébés et le taux de naissance et d'établissement des cigognes. On peut illustrer cette relation causale graphiquement.

TAUX D'URBANISATION ⎯⎯⎯⎡ MOINS DE CIGOGNES
PLUS ÉLEVÉ   ⎣ MOINS DE BÉBÉS

Laissons là cette amusante illustration. La relation que nous croyons observer entre les cigognes et les bébés s'intitule *relation fallacieuse*. Toutefois, on ne peut compter sur l'évidence pour toujours indiquer nos erreurs. À défaut de fournir une théorie exhaustive, l'analyse multivariée offre une procédure de contrôle des relations causales qui permet d'éviter les pires erreurs. La première limite à ce type d'analyse est la présence, dans l'enquête, des variables de contrôle nécessaires à sa réalisation, ce qui ramène aux étapes antérieures de la réalisation de l'enquête. Par bonheur, les variables démographiques remplissent souvent la fonction de variables de contrôle.

13.2   LES TYPES DE VARIABLES CAUSALES

Lorsqu'on s'intéresse au problème de la causalité en sciences sociales, on doit distinguer sept grands types de variables :

1)   les variables externes,

2)   les variables antérieures,

3)   les variables intermédiaires,

4)   les variables inhibitrices,

5)   les variables concomitantes,

6)   les variables indépendantes,

7)   les variables dépendantes.

Toutefois, les variables associées ne sont pas toutes reliées de manière causale. L'obtention d'un coefficient quelconque ne signifie pas que la relation entre les variables en soit une de causalité. On doit donc d'abord distinguer théoriquement les liens entre les variables dont les trois principaux types sont la relation asymétrique, la relation symétrique et la relation réciproque ou circulaire.

Les relations sont dites asymétriques lorsqu'il existe des relations de causalité : A ⇒ B mais B ⇏ A. Par exemple, actuellement, le fait d'être une femme suggère que l'on s'intéresse davantage aux arts, aux lettres, aux sciences sociales et aux communications comme l'indique la proportion de femmes inscrites dans ces facultés universitaires ; mais le fait de s'intéresser à ces champs de la connaissance ne transforme personne en femme.

La symétrie implique que les variables sont associées soit parce qu'elles ont une même cause, soit parce qu'elles participent d'un même système. Les styles de vie, par exemple, fourmillent de caractéristiques associées mais qui ne sont pas causales entre elles. On observe, dans les classes supérieures, une forte consommation de loisirs culturels (théâtre, cinéma, opéra, spectacles divers) et une forte consommation de repas au restaurant, ce qui n'implique aucun lien de causalité entre la propension à consommer des loisirs culturels et la propension à prendre ses repas au restaurant. C'est la richesse des classes supérieures qui explique la consommation de repas au restaurant et de loisirs culturels.

La réciprocité est un cas particulier de l'asymétrie ; c'est ce que la théorie systémique intitule « amplification mutuelle » ou « équilibre » selon les circonstances, et que la mathématique désigne comme des relations circulaires. C'est le problème de la poule et de l'œuf. L'étude de ces relations oblige à tenir compte du temps, c'est-à-dire à scinder la relation réciproque en deux relations asymétriques sous condition de leur temporalité, soit A ⇒ B au temps 1 et B ⇒ A au temps 2. Il existe aussi des modèles mathématiques avancés dits de résolution d'équations simultanées qui en permettent l'analyse mathématique (voir les travaux de J.W. Forrester).

13.2.1   LES VARIABLES DÉPENDANTES ET INDÉPENDANTES

Ce sont sans doute les types de variables les plus connus. On dit que lorsque A cause B, A est une variable indépendante et B une variable dépendante. De manière générale, pour analyser un tableau de contingence, on cherche d'abord à établir la relation de causalité entre A et B. Il faut choisir la bonne valeur, celle qui va dans le même sens que la relation causale, pour les coefficients asymétriques.

Deux critères principaux aident à déterminer le lien de dépendance : le temps et l'inaltérabilité. En termes causaux, les variables qui prennent naissance dans un temps antérieur aux autres ont plus de chance d'en être la cause que l'inverse ; c'est là une évidence. Toutefois, certaines variables peuvent être difficilement distinguées sur ce plan ;

par exemple, les humains font des projets et tentent de planifier leur avenir ; ils ont des comportements téléologiques ou, en d'autres mots, les objectifs qu'ils caressent sont la cause des actions qu'ils accomplissent pour les atteindre. Beaucoup de phénomènes, surtout ceux qui sont les plus profonds, sont simultanés. Ainsi, le sexe d'un bébé est déterminé dès sa naissance, et sa socialisation de même que son éducation commencent aussi à ce moment. Le deuxième critère doit alors être pris en considération ; contrairement aux principes d'éducation, le sexe est inaltérable. En fait, la socialisation est un processus continu quoique l'enfance soit un moment critique doté d'une grande plasticité. Toutefois, le critère d'inaltérabilité lui-même n'est pas absolu : les transsexuels en sont une réalité sociale indéniable. Ici, on doit pouvoir juger du niveau d'inaltérabilité de la variable. Le sexe ne peut être modifié que très exceptionnellement et à un prix social, psychologique et financier fort élevé. Par ailleurs, la socialisation est un processus constant qui, bien que doté d'une grande inertie, peut être modifié.

L'analyse ne peut malheureusement pas s'arrêter là. En effet, que faire lorsque deux variables sont inaltérables et concomitantes, tels l'âge et le sexe. Dès la naissance, on a un sexe et on commence à vieillir. Mais quiconque étudie une profession sait que le sexe « cause » l'âge des professionnels. Cela tient au fait que les femmes n'ont accès aux études supérieures que depuis fort peu de temps. Par conséquent, les femmes professionnelles auront tendance à être plus jeunes que les hommes. Ici, la question devient plus complexe et oblige, d'une part, à définir d'autres formes de causalité que le simple lien entre une variable indépendante et une variable dépendante et, d'autre part, à insister sur les phases théoriques de la recherche. L'analyse multivariée permet de mieux définir les rapports de causalité.

13.2.2   LES VARIABLES EXTERNES

L'exemple de la cigogne et des bébés fournit un bon modèle de variable externe : l'urbanisation est extérieure au cadre conceptuel, elle n'ajoute rien à la théorie du « comment on fait des bébés ». Rosenberg présente un exemple moins grossier que celui de la cigogne. Il relate une étude datant de 1949 où les auteurs contestaient le lien statistiquement démontré entre, d'une part, l'urbanisation et la modernisation de la société et, d'autre part, la fréquence des maladies mentales. Les données de ces études étaient fondées sur le nombre d'hospitalisations pour troubles mentaux au cours des 100 dernières années : ce taux croissait constamment. Il était dès lors facile d'établir une théorie où l'abolition du sentiment communautaire, la concurrence croissante et l'instabilité familiale étaient les causes de cette augmentation. Les auteurs de l'étude eurent l'idée de contrôler la relation Temps ⇒ Maladie mentale par l'âge des gens hospitalisés et la relation disparut, sauf chez les plus âgés. En fait, ce que les études antérieures mesuraient n'était rien d'autre que le vieillissement de la population dû à l'allongement de l'espérance de vie. En effet, les personnes âgées sont souvent frappées par un type de maladie mentale d'origine physiologique (et non pas sociale) : la démence sénile. L'allongement de la vie au cours de ces 100 années avait de beaucoup augmenté la population susceptible d'être hospitalisée pour cette raison.

Ici, on dit que la variable est externe parce qu'elle n'est pas liée directement au cadre conceptuel. En fait, l'âge comme le taux d'urbanisation n'ajoutent rien et ne précisent pas la théorie sociale de la maladie mentale ni celle de la conception. Ces variables expliquent toutefois que l'on observe une relation entre les variables analysées. Ajoutons qu'aujourd'hui, les liens entre maladie mentale et évolution de la civilisation sont plus qualitatifs que quantitatifs : on n'observe plus les mêmes maladies mentales aujourd'hui qu'alors, la transition étant, en termes freudiens, le passage de l'hystérie vers la dépression (lire à ce sujet *Le Narcissisme* de C. Lasch).

13.2.3 LES VARIABLES ANTÉRIEURES

La variable antérieure se distingue de la variable extérieure en ce qu'elle s'inscrit dans une chaîne causale où elle précède la variable indépendante dont elle est la cause plutôt que d'expliquer la relation en étant la cause des deux variables. Schématiquement :

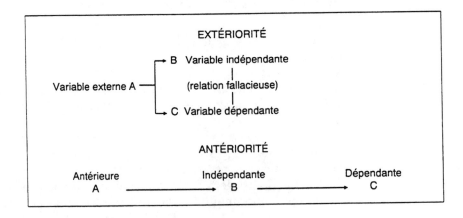

13.2.4 LES VARIABLES INTERMÉDIAIRES

L'action des variables intermédiaires est nécessaire pour que la relation entre la variable indépendante et la variable dépendante existe. En gardant les mêmes symboles que précédemment :

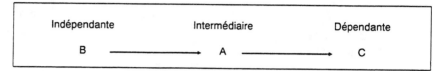

13.2.5 LES VARIABLES INHIBITRICES

Ces variables, lorsqu'elles ne sont pas contrôlées, empêchent de constater des relations existantes. Prenons par exemple la relation entre le sexe et la scolarité. On sait que les femmes ont de plus en plus accès aux études supérieures ; quelqu'un pourrait en conclure qu'il n'existe plus de discrimination sur le plan de la scolarisation. Toutefois, si l'on procède par champ de spécialisation, on observe l'existence de ghettos féminins et de royaumes masculins. La relative égalité entre hommes et femmes à l'université n'existe qu'à cause de la concentration des femmes dans les arts, les lettres, les sciences de l'éducation et les sciences sociales. Le génie, comme bien d'autres sciences « dures », est au contraire encore largement masculin. Ce sont là les disciplines qui assurent à leurs finissants des emplois bien rémunérés et un rang social élevé.

13.2.6 LES VARIABLES CONCOMITANTES

Les variables concomitantes sont un phénomène courant en sciences humaines. Sans être antérieures ou intermédiaires, ces variables ont une influence commune sur une même variable. Ce sont deux variables indépendantes. Leur effet peut être identique, une augmentation comme une diminution, ou l'inverse. On notera que les variables antérieures ont souvent un effet concomitant avec la variable indépendante sur la variable dépendante ; on parle alors d'effet indirect et d'effet direct de la variable antérieure sur la variable dépendante.

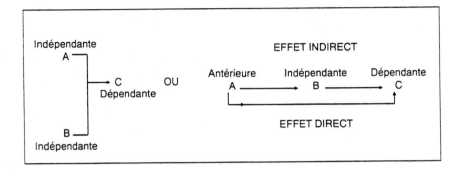

13.2.7 LA MULTICOLINÉARITÉ

La multicolinéarité n'est pas un type de relation causale. C'est davantage un état des données qui peut révéler certaines relations causales et en cacher d'autres. Il y a multicolinéarité quand des variables explicatives concomitantes sont fortement reliées entre elles ou lorsqu'elles mesurent le même phénomène. Ces variables peuvent être reliées causalement ou encore, jusqu'à un certain point, être indissociables comme le sont deux aspects d'un même problème. Lorsque c'est possible, il est préférable de n'utiliser qu'une des deux variables ou de construire une variable typologique à partir des deux variables originales.

Les phénomènes de multicolinéarité sont plus difficiles à détecter par une analyse de diagnostic causal que lorsqu'on utilise des techniques plus avancées. L'analyse des matrices de corrélation est des plus révélatrices.

13.2.8 LES DIAGRAMMES CAUSAUX

La distinction entre variables indépendantes et variables intermédiaires peut être équivoque, c'est-à-dire que le fait de découvrir une variable antérieure à une relation initiale où l'on avait une variable indépendante et une variable dépendante ramène la variable indépendante au rang de variable intermédiaire. D'une manière similaire, découvrir une variable intermédiaire dans une relation initiale « transforme » la variable indépendante en variable antérieure. Le rang de chaque variable est donc relatif à l'enchaînement causal étudié. Toutefois, les variables antérieures et intermédiaires sont toutes deux des causes de la variable dépendante. Voici une série de diagrammes inspirés des recherches sur l'atteinte d'un rang social (*Status Attainment*).

Le diagramme I montre une relation simple entre le niveau de scolarité qui est la variable indépendante et le revenu qui est la variable dépendante.

DIAGRAMME I

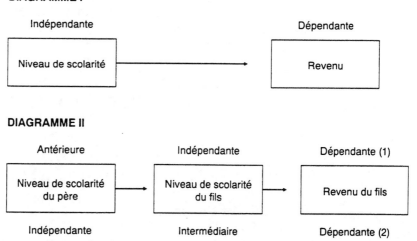

DIAGRAMME II

Pour le deuxième diagramme, nous avons introduit une troisième variable, le niveau de scolarité du père[2]. Nous avons inscrit deux séries de rapports causaux sur ce diagramme. La série (1) provient logiquement du premier diagramme : le niveau de scolarité du père, tout en étant dans une suite logique avec les deux variables, ce qui élimine tout diagnostic d'extériorité, est antérieur aux deux variables du diagramme I. On aurait choisi la série (2) si la relation initiale avait été le niveau de scolarité du père et le revenu du fils.

Le diagramme III est nettement plus complexe que les précédents. Il se rapproche davantage de ceux que l'on retrouve dans les articles et les ouvrages typiques du *Status Attainment* tout en restant simpliste vis-à-vis la complexité de la vie sociale.

DIAGRAMME III

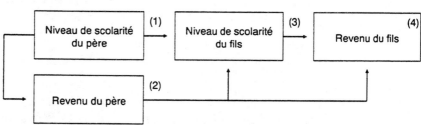

Le diagramme III combine différents rapports de causalité. Les variables (1) et (2) ont une influence concomitante sur la variable (3) et lui sont antérieures. Les variables (1) et (2) ont un effet indirect sur (4) par l'intermédiaire de (3) et, en plus, (2) a un effet direct sur la variable dépendante (4). Enfin, (1) a aussi un effet indirect sur (3) et (4) par l'intermédiaire de (2). Certains diagrammes causaux obtenus par la méthode de l'analyse de piste[3] comptent jusqu'à une vingtaine de variables et plusieurs niveaux intermédiaires.

13.3 LA PROCÉDURE DE CONTRÔLE D'UNE RELATION STATISTIQUE

13.3.1 LES LIMITES ET LES AVANTAGES DE LA TECHNIQUE

La technique mise au point par Lazarsfeld s'applique plus particulièrement aux tableaux de contingence, donc à l'analyse de variables non métriques. C'est l'un des seuls modes d'analyse multivariée qui permet d'analyser des données nominales lorsque les variables dépendantes et les variables indépendantes sont nominales. Les analyses log-linéaires, hiérarchiques ou non, avec fonction probit ou logit, constituent une alternative, mais elles exigent toutes la connaissance de cette mécanique de base pour être vraiment comprises. On utilise le diagnostic causal quand on fait l'analyse des tableaux croisés et qu'on observe une relation significative entre deux variables, qu'on l'ait prévue ou non, ou qu'il n'y a pas de relation là où on prévoyait en trouver une. Le diagnostic causal est limité par la faiblesse de ses métriques et par la taille de l'échantillon et il permet difficilement de faire l'analyse de plus de trois variables à la fois, surtout lorsqu'elles ne sont pas dichotomiques.

Les mesures basées sur le khi² sont limitées par les conditions qui circonscrivent l'usage de cette statistique. Rappelons que les cellules doivent toujours avoir une fréquence attendue d'au moins 5. Or, la méthode de Lazarsfeld entraîne une multiplication très rapide des tableaux et des cellules. En voici la procédure.

13.3.2 LA PROCÉDURE

Il s'agit de construire un tableau de contingence de la relation entre la variable indépendante (VI) et la variable dépendante (VD) pour chacune des catégories d'une troisième variable, puis de calculer et d'interpréter les différences de coefficient d'association entre ces tableaux. La troisième variable peut être appelée variable contrôle (VC) ou variable témoin. Cette dernière appellation renvoie à la logique expérimentale sous-jacente à la méthode mais s'utilise moins que la première dans la pratique.

Un exemple avec des variables indépendantes (VI) et dépendantes (VD) dichotomiques et une variable contrôle (VC) ayant trois catégories permettra de comprendre la logique de la méthode ainsi que les limites dues à l'accroissement du nombre de cellules. Les chiffres sont en nombre absolu et l'échantillon comporte 200 répondants. On trouve cet exemple dans l'encadré 55.

Le premier tableau illustre la relation initiale, celle que l'on veut analyser. Afin de vérifier si la relation entre VI et VD est modifiée par VC, on produit trois tableaux de contingence, un pour chacune des catégories de la variable VC, soit VC = toujours, VC = parfois, VC = jamais. Ce sont les relations conditionnelles, c'est-à-dire que c'est ce que devient le tableau de la relation initiale sous chacune des trois conditions imposées par la variable contrôle.

Le calcul des fréquences attendues nous apprend que, dès le premier tableau (VC = toujours), la cellule OUI-NON a une fréquence attendue de 4,6 et non pas de 5 comme l'exige le khi². Imaginons que l'on veut introduire une quatrième variable dans l'analyse, une variable ayant quatre choix de réponses par exemple. Il faudrait construire quatre fois plus de tableaux de contingence et l'on aurait 48 cellules à remplir. L'échantillon de 200 personnes ne peut manifestement pas fournir suffisamment de cas dans chacune de ces cellules.

La dernière série de tableaux représente les relations marginales, c'est-à-dire la relation de VC avec VI et VD. Le nom accordé à ces relations vient du fait que l'on peut construire ces tableaux à partir des marginales des tableaux des relations conditionnelles. Les marginales de colonne permettent de construire le tableau de la relation entre VC et VD, et les marginales de rangée celui de VC avec VI.

55   Exemple de relations contrôlées

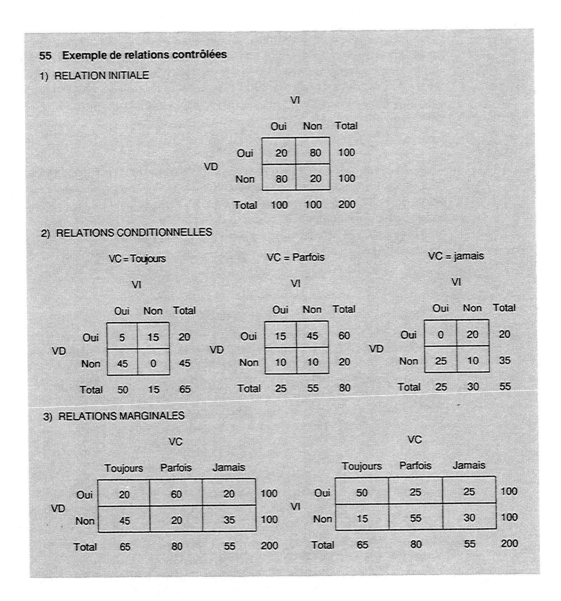

1) RELATION INITIALE

VI

	Oui	Non	Total
Oui	20	80	100
Non	80	20	100
Total	100	100	200

VD

2) RELATIONS CONDITIONNELLES

VC = Toujours

VI

	Oui	Non	Total
Oui	5	15	20
Non	45	0	45
Total	50	15	65

VD

VC = Parfois

VI

	Oui	Non	Total
Oui	15	45	60
Non	10	10	20
Total	25	55	80

VD

VC = jamais

VI

	Oui	Non	Total
Oui	0	20	20
Non	25	10	35
Total	25	30	55

VD

3) RELATIONS MARGINALES

VC

	Toujours	Parfois	Jamais	
Oui	20	60	20	100
Non	45	20	35	100
Total	65	80	55	200

VD

VC

	Toujours	Parfois	Jamais	
Oui	50	25	25	100
Non	15	55	30	100
Total	65	80	55	200

VI

13.3.3   LES ÉTAPES TECHNIQUES

QU'EST-CE QUE CONTRÔLER ?

Contrôler c'est d'abord construire, à l'aide de l'ordinateur, une table trivariée qui consiste en autant de tables bivariées qu'il y a de catégories dans la variable contrôle. Vous trouverez, à la section Exercices et corrigés, un exemple de relation contrôlée produite par ordinateur ;

comme relation initiale, nous avons utilisé le tableau du chapitre 12 qui illustre la relation entre le type de spectacle et le sexe. À la suite de cet exercice, nous trouvons les quatre tableaux suivants : 1) le type de spectacle selon le sexe pour les personnes de scolarité élémentaire, 2) le type de spectacle selon le sexe pour les personnes de scolarité secondaire, 3) le type de spectacle selon le sexe pour les personnes de scolarité collégiale, 4) le type de spectacle selon le sexe pour les personnes de scolarité universitaire. Enfin, nous avons commandé les tableaux croisés de la variable contrôle avec chacune des variables d'origine, soit la scolarité et le sexe et la scolarité et le type de spectacle.

QUE CALCULE-T-ON ?

Il serait plus exact de demander quel coefficient choisit-on ? Les règles de ce choix sont celles que l'on a vues précédemment, c'est-à-dire que l'on choisit en fonction des niveaux de mesure des variables utilisées et de la forme des tableaux. On ne sélectionne qu'un seul type de coefficient pour l'ensemble des tableaux puisqu'il s'agit de les comparer les uns aux autres. Il faut donc utiliser le coefficient qui permet d'évaluer l'association avec la variable ayant le niveau de mesure le moins élevé, même lorsque les deux autres variables sont croisées entre elles et sont métriques.

On construit ensuite un tableau où l'on retrouve les coefficients 1) de l'association initiale sur la table bivariée initiale, 2) des associations conditionnelles ou associations partielles de chaque sous-table bivariée et 3) des associations marginales.

QUE COMPARE-T-ON ?

On compare les coefficients de l'association initiale et ceux des associations conditionnelles. Selon que ces derniers restent semblables au coefficient de la relation initiale, se modifient de façon inégale entre les catégories de la variable de contrôle ou disparaissent, on pose différents diagnostics sur l'association initiale.

COMMENT VÉRIFIER LE DIAGNOSTIC ?

On observe la valeur des coefficients des associations marginales.

13.3.4 LES PRINCIPAUX DIAGNOSTICS CAUSAUX

LE CAS DE CONFIRMATION

On observe un cas de confirmation lorsque les coefficients d'association conditionnels ne sont pas significativement différents du coefficient d'association initial (différence inférieure à 0,05 environ).

Au moins un des coefficients d'association marginaux est nul ou presque (plus petit que 0,10).

LE CAS D'EXPLICATION

On observe un cas d'explication parfait lorsque les coefficients conditionnels sont réduits à néant et qu'en vertu du cadre théorique, la variable contrôle est antérieure ou externe aux variables de l'association. Lorsque la relation ne disparaît pas complètement, la relation logique d'antériorité peut être posée.

Les coefficients marginaux seront généralement très élevés. Mais une variable antérieure a des scores plus élevés qu'une variable externe.

LE CAS DE SPÉCIFICATION

On observe un cas de spécification lorsque les coefficients conditionnels sont différents significativement, en plus ou en moins, mais ne s'annulent pas. On dit alors que la variable témoin spécifie les conditions ou les circonstances de l'association initiale.

Les coefficients marginaux sont relativement élevés mais peuvent être différents selon les variables initiales.

Les variables sont alors concomitantes et la variable contrôle peut être vue comme une circonstance. Il se peut aussi qu'il y ait interaction entre les deux variables.

LE CAS D'INTERPRÉTATION

On observe un cas d'interprétation lorsque les coefficients conditionnels sont réduits à néant mais que, logiquement, la variable témoin est dite intermédiaire aux variables de l'association.

Les coefficients marginaux sont élevés.

13.3.5   UNE ILLUSTRATION NON MATHÉMATIQUE

Nous allons terminer ce chapitre par une illustration tirée de la vie quotidienne.

UNE SITUATION NON EXPÉRIMENTALE

Imaginons une cafétéria où des étudiants se connaissant tous, tout au moins pour s'être croisés à quelques reprises dans les corridors, dînent ensemble. Vous, l'observateur, êtes assis à une table et vous écoutez une conversation entre trois personnes. Marie, Pierre et Paul, des gens que vous avez connus dans un cours, discutent.

LE PROBLÈME :   QUELLE EST LA RELATION ?

Vous voulez connaître la nature des relations entre Marie, Pierre et Paul. En fait, vous voulez plus particulièrement savoir quel type de relation entretiennent Marie et Paul d'une part, et Marie et Pierre d'autre part. Forment-ils un couple ?

LA MESURE

Instinctivement, vous mesurez le temps et l'intérêt que chaque interlocuteur accorde à l'autre. Vous définissez la relation entre Paul et Marie comme la relation initiale et vous la contrôlez par la présence de Pierre.

DIVERSES HYPOTHÈSES DE DIAGNOSTIC

La confirmation de la relation

Vous vous dites que si Paul et Marie continuent d'avoir une conversation animée et intéressée, une certaine qualité de sourire lorsque Pierre se lève pour aller chercher des frites ou qu'il se tait, leur relation se trouve confirmée. Pierre n'a d'ailleurs que très peu d'échanges seul à seul avec Paul et Marie ; il ne participe qu'aux conversations de groupe.

L'explication de la relation

Si, au contraire, Paul et Marie se taisent et que tout s'arrête lorsque Pierre s'en va, vous pensez que c'est plutôt Pierre qui les unit. Alors, ils ne se parlent que parce qu'ils connaissent tous deux Pierre et, surtout, ils n'ont pas de relation particulière. Pierre a d'ailleurs de fréquentes conversations avec chacun des membres du duo, et ce presque en aparté.

Un intermédiaire

À moins que Pierre n'aide tout simplement Paul et Marie à communiquer ensemble. Tous deux, trop gênés pour se parler seul à seul, profitent des blagues de Pierre pour discuter. Pierre serait l'intermédiaire.

La spécification

Mais voilà le problème : il semble que nous ne nous trouvions pas devant une situation aussi tranchée. La conversation de Paul et Marie est un peu plus animée quand Pierre est là et légèrement moins lorsqu'il s'en va. Et ils ont tous des relations deux à deux. Voilà une spécification de la relation entre Paul et Marie qui nous amène à nous interroger davantage.

LES AUTRES ÉLÉMENTS DE LA SITUATION

D'abord, précisons que pour répondre à la question sur les relations de Pierre et Marie, il faudrait reformuler les hypothèses en les posant comme relation initiale.

Est-ce que nous avons tenu compte de tous les aspects de la situation ? Est-ce que notre démarche ne néglige pas trop d'aspects de la situation ? Nous n'avons pas vérifié l'effet de la relation entre Marie et Jacques assis pas très loin du trio et que l'on a vus déambuler ensemble à plusieurs reprises ; ni l'effet de la relation entre Paul et Jacqueline qui est passée à plusieurs reprises devant la table. Nous n'avons pas non plus mesuré l'effet du cours auquel ils ont assisté, ni de l'atmosphère générale de la cafétéria, très animée ce midi-là. Sans parler de vous qui les regardez !

LA CAUSALITÉ

Jusqu'à maintenant, nous avons parlé de la relation entre Paul et Marie sans poser de relation de causalité. Qui cause la relation ? Est-ce Paul ou Marie ? On peut épouser une vision traditionnaliste et affirmer que Paul drague Marie ; leur relation dépendrait de l'action de Paul. Ou encore adopter une position théorique conférant un rôle actif à Marie qui serait l'initiatrice de la relation, sa cause. À moins de pouvoir observer les intentions des acteurs, ce qui est impossible dans cette situation, on ne peut en décider. On pourrait toujours le leur demander mais, d'une part, c'est là une autre étude et, d'autre part, on ne le saura jamais précisément pour la séquence à l'étude au moment où elle se produit, et les personnes diront ce qu'elles en pensent en général.

13.4   LA MODÉLISATION

La modélisation est le processus par lequel l'analyste soumet un faisceau d'hypothèses à l'analyse statistique. Elle exige donc une vision complexe et ordonnée des phénomènes sociaux. C'est un processus similaire à la formulation d'hypothèses théoriques à la base de l'enquête entreprise. La modélisation se manifeste donc par une utilisation des variables qui se conforme aux conceptions théoriques et par une soumission à un processus d'expérimentation. La logique même de la science statistique est de cet ordre. On doit en effet considérer chaque tentative de solution permettant l'élaboration d'une analyse statistique comme autant d'expériences soumises au test de réalité.

Comme l'analyse multivariée de Lazarsfeld, les techniques avancées des données sont un substitut d'expérimentation concrète, quoiqu'elles puissent s'inscrire comme une des étapes d'une expérience en laboratoire. Elles permettent toutefois d'utiliser un grand nombre de variables simultanément et non seulement trois ou quatre comme le diagnostic causal.

La vérification statistique des modèles théoriques, qu'elle soit réalisée ou non par informatique, est absolument et parfaitement insensible à la charge sémantique des variables soumises. N'importe quelle collection de variables, même les plus farfelues, peuvent faire l'objet d'un coefficient d'explication ou de n'importe quelle analyse statistique, si sophistiquée soit-elle. De plus, si certains coefficients sont sensibles au fait qu'il y a des variables dépendantes et indépendantes, aucun ne dit quelle est la variable indépendante. L'analyste ne peut donc compter sur l'analyse statistique pour lui fournir « automatiquement » un modèle théorique.

Rappelons ici la logique des tests d'hypothèse. Ceux-ci indiquent qu'une relation n'est pas fausse, mais ne peuvent montrer la vraie relation. Deux variables symétriques et fortement reliées ne peuvent être identifiées comme telles par la procédure statistique ; l'exemple des bébés et des cigognes l'a bien démontré. Le problème de la spécification d'un modèle est donc avant tout un problème théorique et sa résolution est une tâche qui précède l'utilisation de techniques statistiques sophistiquées.

Le problème se pose moins pour l'utilisation de sondages réalisés à des fins particulières que l'on appelle des données primaires, que pour l'utilisation secondaire de données administratives, y compris celles du recensement. Lorsque la collecte des données est sous notre responsabilité, on doit choisir les variables soumises à l'analyse dès le départ. On doit modéliser la réalité en construisant la problématique et en posant un ensemble d'hypothèses de recherche. Les questions posées limitent l'analyse à ce seul univers; on ne part pas d'un univers de questions illimité, mais on dispose uniquement de celles qui ont été réalisées. Nous l'avons souligné au chapitre 3, la problématique, les questions que l'on se pose théoriquement précèdent dans le temps et déterminent le choix des questions, leur construction et leur analyse.

Outre les variables déjà choisies qui seront disponibles pour l'analyste, le précepte voulant que la théorie précède la mise en œuvre technique joue à plusieurs étapes en ce qui a trait à l'utilisation des techniques d'analyse : nos objectifs théoriques nous guident dans le choix d'une technique d'analyse ou d'une autre, de même qu'à l'intérieur de la technique choisie.

Le fait qu'on aura tenu compte du type d'analyse projeté dès la formulation des questions ne résout pas tous les problèmes d'analyse a priori. La statistique a ses techniques et ses exigences propres auxquelles il faut se soumettre ; on ne peut répondre à certaines questions sur les qualités des données que lorsque l'on dispose de ces données et que l'on en évalue les propriétés mathématiques réelles. On a parfois commis des erreurs de mesure, l'échantillon peut être biaisé. De plus, assez souvent, les études préliminaires nous auront appris qu'une variable ou l'autre ne répondait pas à nos espérances par son manque de discrimination ou son trop grand nombre de valeurs manquantes. Les variables qui restent doivent être scrutées afin de répondre aux exigences des modèles mathématiques. C'est tout un nouveau processus de recherche qui commence, guidé davantage par la falsification que par une approche rationaliste.

---

56 Sources de données

DONNÉES PRIMAIRES

Sondages et enquêtes préparés et réalisés par l'analyste ou par une équipe avec laquelle il a des contacts directs et continus. En principe, ces sondages sont préparés en fonction d'un cadre théorique dont l'opérationnalisation se traduit par la présence d'indicateurs (de variables) qui découlent logiquement du schéma explicatif de la théorie. La principale difficulté réside dans l'opérationnalisation de la théorie.

DONNÉES SECONDAIRES

Sondages, enquêtes et données officielles recueillies par d'autres personnes que l'analyste en fonction soit de théories, soit d'objectifs administratifs que l'analyste ne contrôle pas et parfois ne connaît pas. L'analyste doit établir un rapport entre des indicateurs déjà construits et son cadre théorique. Une grande difficulté réside dans la recherche de données adéquates.

13.5 LES MÉTHODES D'ANALYSE STATISTIQUE SOPHISTIQUÉES

Nous présentons ici quelques procédures statistiques qui permettent d'analyser des modèles multivariés sans les limites de la méthode développée par Lazarsfeld. Vu la complexité de chacune des méthodes, la présentation en sera succincte. Nous insisterons sur leurs buts et sur la qualité des données sans préciser leur mode de réalisation.

On peut regrouper les techniques d'analyse multivariée selon deux grandes catégories d'objectifs. Les premiers sont essentiellement descriptifs alors que les seconds sont explicatifs. Toutefois, selon les disciplines et les champs d'application, on observe des intérêts différents pour chacune des deux grandes catégories de techniques mathématiques.

13.5.1 L'ANALYSE DESCRIPTIVE

L'ANALYSE FACTORIELLE

Les applications

Dans la période suivant immédiatement la Seconde Guerre mondiale, c'est en psychologie que les techniques de classement automatique, et plus particulièrement l'analyse factorielle, se sont le plus imposées. Allport, Odbert et Cattel construisirent 35 groupes de traits psychologiques à partir de l'analyse de 1 800 adjectifs de la langue anglaise, groupes de traits qui, après avoir été attribués par des juges (des experts) à des personnes, furent réduits à 12 dimensions principales en utilisant l'analyse factorielle. Les multiples questions des tests psychométriques s'adaptaient bien à la recherche de facteurs sous-jacents. Aujourd'hui, la psychologie s'intéresse davantage aux analyses mathématiques des procédures expérimentales. Dans ce contexte, les techniques d'analyse de la variance multiple (MANOVA) occupent une place prépondérante.

L'influence des recherches des psychologues fut telle que la méthode se généralisa à tout le champ des sciences humaines, avec plus ou moins de succès cependant. Parmi les théoriciens des organisations, Pugh et Hickson, aussi appelés le groupe d'Aston, firent l'analyse des structures organisationnelles de façon analogue aux études de la personnalité. Ils firent une revue exhaustive de la documentation sur les organisations, identifièrent cinq dimensions principales, soit la spécialisation, la standardisation, la formalisation, la centralisation et la configuration, dimensions qui, après avoir été opérationnalisées dans une enquête auprès de 52 entreprises, permirent d'identifier quatre facteurs essentiels de la structure des organisations : la structure des activités, la concentration de l'autorité, la ligne de contrôle du procès de travail et la taille de la composante de soutien (Cantin, 1988, p.8). Les travaux du groupe d'Aston permirent la formulation de la théorie des contingences, un paradigme qui, aujourd'hui encore, domine la théorie des organisations.

Les exigences et le type de résultats

L'analyse factorielle requiert des variables par intervalles, mais on l'a beaucoup utilisée avec des données ordinales. On peut employer des variables dichotomiques. Pour réaliser une analyse factorielle, on peut utiliser des données brutes aussi bien que la matrice de corrélation. Les valeurs manquantes peuvent poser des problèmes importants.

L'analyse factorielle permet de connaître les facteurs sous-jacents à un ensemble de variables. Le facteur exprime ce qu'il y a de commun entre les variables, et sa force dépend de ce que chacune d'entre elles a d'unique. On peut donc s'en servir pour résumer de grands ensembles de variables aussi bien que pour tester certaines hypothèses sur la structure sous-jacente des variables. L'analyse factorielle constitue une solution de rechange à la construction d'échelles.

Ainsi, les différents indicateurs d'une même dimension pourront être utilisés pour identifier un facteur qui, en principe, se rapprochera de la dimension que l'on voulait connaître. Notez que l'analyse factorielle peut permettre de raffiner l'analyse dimensionnelle. On peut compter deux ou trois dimensions là où nous croyions n'en avoir qu'une seule. La pire situation pour l'analyste s'avère l'absence de facteurs communs pour une série de questions alors qu'il prétendait, a priori, décrire une même dimension. Lorsque l'analyse théorique a été bien faite, on ne rencontre habituellement pas ce type de problème.

De plus, on peut se servir de l'analyse factorielle pour résoudre certains problèmes de multicolinéarité rencontrés dans une analyse de régression multiple. On ne doit toutefois pas utiliser l'analyse factorielle pour déterminer des rapports de causalité car elle n'est pas conçue pour cela. Au contraire, on doit éviter d'inclure des variables ayant des rapports de causalité dans une même analyse factorielle.

Il existe plusieurs façons d'extraire les facteurs et on peut en déterminer le nombre aussi bien que contrôler la plupart des critères de sélection. Les meilleurs logiciels permettent de « sauver » les facteurs comme si c'étaient des variables autonomes et de les utiliser dans d'autres types d'analyses. L'analyse des correspondances est une variante de l'analyse factorielle élaborée pour les variables nominales (voir Bialès, 1988).

L'ANALYSE TYPOLOGIQUE (*CLUSTER ANALYSIS*)

Les applications

C'est du marketing que provient l'analyse typologique (*cluster analysis*) appelée aussi analyse de profil et analyse taxinomique. On s'en sert pour établir des profils de produits ou de consommateurs en fonction de certaines caractéristiques particulières. Cette technique met l'accent sur le critère de classification, mais néglige l'apport individuel de chaque variable. En d'autres mots, les résultats que l'on obtient concernent la variable qu'on analyse et non pas les variables qu'on utilise pour l'analyser, ce qui est une particularité de cette méthode face à toutes les autres.

Les exigences et le type de résultats

Ce type d'analyse a des exigences différentes pour la variable de regroupement (celle qu'on veut regrouper) et les variables de classification. Ces dernières doivent être au moins ordinales (on doit calculer des distances euclidiennes) alors que la première peut être nominale. On peut utiliser des variables dichotomiques comme variables de classification. Lorsque les unités de mesure sont différentes, il est préférable de standardiser toutes les variables de classification utilisées. De plus, les données de sondage doivent être agrégées sous forme de moyennes pour être utilisées dans des analyses typologiques hiérarchiques.

Il existe des analyses typologiques hiérarchiques et non hiérarchiques. Les techniques hiérarchiques sont nettement plus intéressantes ; elles permettent de connaître tout le profil de la variable, mais on ne peut les appliquer à des échantillons nombreux.

On peut utiliser l'analyse typologique pour identifier des groupes homogènes aussi bien que pour obtenir des indications visant à regrouper des variables nominales très longues. Par exemple, lorsque l'on connaît la ville de résidence des répondants, on peut vouloir les regrouper en catégories homogènes en fonction de certaines caractéristiques de ces villes (Norusis, 1988).

13.5.2   L'ANALYSE EXPLICATIVE

L'ANALYSE DE RÉGRESSION MULTIPLE

Les applications

L'analyse de régression multiple est largement répandue dans de nombreuses disciplines et champs d'application. Son exigence de variables par intervalles l'a rendue fort importante dans tous les domaines où des mesures de ce type sont possibles : les finances et l'économétrie, la médecine et la physique. L'existence d'un équivalent général comme l'argent pour les disciplines à caractère économique permet l'utilisation généralisée et tout à fait légitime de cette technique.

Les théories micro-économiques du capital humain (*human capital*) furent développées en utilisant la régression multiple. Les investissements en éducation, l'expérience acquise, l'âge, le nombre d'heures de travail par semaine, le nombre de semaines et de mois de travail par année, toutes ces mesures sont par intervalles. En management, diverses mesures de productivité ont été développées et, alliées à une stricte comptabilité des coûts des travaux, permettent de satisfaire aux exigences métriques de l'analyse de régression multiple.

En sociologie, la théorie de l'atteinte du rang social (*Status Attainment*) s'est servie amplement de l'analyse de régression multiple et de ses raffinements, telle l'analyse de piste (*path analysis*). Similaire sous bien des aspects à la théorie du capital humain, la théorie sociologique prend comme variable dépendante le prestige[4] plutôt que le revenu.

Notons que la théorie de l'atteinte du rang social ne rencontre plus aujourd'hui le même engouement chez les chercheurs. On cherche, d'une part, à appliquer la régression multiple à d'autres théories. Ornstein, par exemple, a utilisé la régression multiple pour comparer des modèles inspirés de trois écoles théoriques : le capital humain et l'atteinte du rang social constituent la première école, la segmentation du marché du travail représente la deuxième et l'approche néo-marxiste, inspirée par les travaux de E. O. Wright, la troisième. La recherche se tourne d'autre part vers l'utilisation de données longitudinales et s'intéresse davantage aux trajectoires professionnelles qu'au prestige professionnel.

Les exigences et le type de résultats

L'analyse de régression multiple permet de construire une équation explicative d'un phénomène donné. On identifie alors les variables indépendantes les plus significatives, ce qui permet de prédire les comportements non mesurés directement. La sociologie et la science politique, par exemple, se sont surtout intéressées aux fonctions explicatives de la méthode alors que l'économique et l'administration se sont aussi intéressées à ses fonctions prédictives.

Les variables indépendantes comme la variable dépendante doivent être métriques. On peut toutefois utiliser des variables binaires comme variables indépendantes. Les données ne doivent pas compter de valeurs manquantes ou très peu ; elles doivent être normales multivariées et correspondre à un certain nombre d'autres postulats.

L'ANALYSE DISCRIMINANTE

Les applications

L'analyse discriminante, une variante de l'analyse de régression multiple utilisant également l'analyse factorielle, part du principe que l'on connaît a priori les comportements des personnes, mais qu'on ignore les caractéristiques personnelles de celles-ci. En d'autres mots, on connaît le résultat d'une action et on veut identifier la clientèle, que celle-ci soit définie administrativement, commercialement, médicalement ou politiquement. Dans une étude du vote, cette technique permet d'identifier les caractéristiques des partisans de l'un et l'autre candidat. On peut l'utiliser en marketing aussi bien qu'en médecine où l'analyse discriminante a connu du succès (Norusis, 1988).

Les exigences et le type de résultats

La variable de groupement, c'est-à-dire la variable qu'on veut analyser, peut être nominale ou ordinale ; elle compte généralement peu de catégories. Les variables de classification doivent être par intervalles et normales multivariées[5].

L'analyse discriminante est explicative et prédictive. Elle permet de classer les individus qui n'ont pas de réponse particulière à la variable de groupement, mais qui ont répondu aux variables de classification. Par exemple, elle permet de classer ceux qui se déclarent indécis à une question sur le vote.

Pour réussir une analyse discriminante, comme pour la régression multiple, on doit déterminer a priori un modèle de variables explicatives. Les différents coefficients sont en effet dépendants des variables incluses dans l'équation, ce qui peut induire en erreur. Certaines variables peuvent en effet paraître non significatives alors que c'est le fait d'être combinées avec d'autres qui est responsable des résultats décevants.

L'ANALYSE LOG-LINÉAIRE

Les applications

L'abondance des variables nominales et ordinales en sociologie, que ce soit dans les champs de préoccupation de la discipline ou dans l'un ou l'autre de ses champs d'application, notamment le marketing et les communications, a favorisé l'adoption des techniques log-linéaires hiérarchiques ou non hiérarchiques. Ces techniques permettent de construire des modèles analogues à ceux de l'analyse de régression multiple. Inspirée de l'analyse des tableaux de contingence, l'analyse log-linéaire prend comme variable dépendante le contenu d'une cellule plutôt qu'une variable. Elle utilise le test d'ajustement du khi^2. Ce type d'analyse permet, comme la régression multiple, d'utiliser des procédures automatiques du type STEPWISE.

Les exigences et le type de résultats

Cette technique est plus puissante que le modèle de diagnostic causal que nous avons vu précédemment. Elle permet plus particulièrement d'outrepasser les limites du khi^2 quant à la taille de l'échantillon et au nombre de variables analysées, quoiqu'il faille éviter les cellules vides. Elle permet aussi de construire des modèles causaux.

Les variables utilisées sont nominales, ordinales ou par intervalles regroupées en classes. Comme les autres procédures multivariées, l'analyse log-linéaire est peu compatible avec les valeurs manquantes.

L'ANALYSE DE VARIANCE MULTIPLE

L'analyse de variance est surtout utilisée pour des schémas expérimentaux où le chercheur contrôle les stimuli auxquels sont soumis les individus. Ces derniers sont choisis en fonction de caractéristiques précises et sont répartis au hasard entre un groupe de contrôle et un ou des groupes expérimentaux. La méthode s'applique avec de meilleurs résultats dans des situations où les individus sont répartis également entre les différentes cellules (autant de gens soumis à la procédure A qu'à la procédure B, autant d'hommes que de femmes soumis à la procédure A, etc.). Des cellules vides ou inégales posent des problèmes qui font que la plupart du temps, on utilisera une autre méthode. On utilise donc fort peu l'analyse de variance multiple dans le cadre de l'analyse des sondages.

La technique permet de faire des analyses causales avec des variables indépendantes qualitatives, de manipuler plus d'une variable dépendante à la fois ainsi que d'évaluer des procédures expérimentales répétitives menées sur un même groupe de sujets. Outre l'analyse de la variance, et plus particulièrement des rapports entre la variance causée par l'hypothèse et celle causée par l'erreur, les procédures d'analyse de la variance multiple exigent la maîtrise de notions d'analyse de régression multiple, d'analyse factorielle et d'analyse discriminante.

NOTES

(1) En 1938, aux États-Unis, Orson Welles avait fait une adaptation radiophonique très libre du roman de H. G. Wells, *La Guerre des mondes,* à l'époque où ce média était tout nouveau. La lecture se faisait dans une ambiance dramatique, et sans interruption. Welles avait prévenu les auditeurs au début de l'émission, puis n'avait plus rien précisé par la suite. Ne sachant plus si cette histoire d'envahisseurs était vraie ou non, certains auditeurs cédèrent à la panique.

(2) Notez que la présentation de figures masculines ne nous est pas redevable entièrement. La théorie du *Status Attainment,* élaborée dans les années 1960, a d'abord été appliquée aux seuls hommes et les applications récentes à des populations féminines sont nettement moins intéressantes. Cette théorie néglige en effet tous les phénomènes de discrimination. De plus, le matériel empirique servant à valider la théorie est bien souvent inadéquat pour l'analyse de la carrière des femmes.

(3) L'analyse de piste est une technique d'analyse multivariée qui permet de mesurer l'ensemble des effets des variables les unes sur les autres au moyen du r de Pearson.

(4) L'adéquation de la mesure du prestige a été fortement critiquée ; on lui reproche de reproduire davantage la vision des gens plus instruits et dominants dans le tissu social. La mécanique de construction de la mesure comprend plusieurs étapes. Elle repose sur l'évaluation faite par la population du prestige des professions. On choisit donc des professions parmi les mieux connues, puis on les soumet à un échantillon probabiliste de la population. Le rangement fait par les répondants du prestige des professions cibles est ensuite généralisé aux autres professions reconnues par le recensement à partir de leurs caractéristiques communes, notamment la scolarité et le revenu.

(5) L'analyse de régression logistique permet d'obtenir des résultats comparables à ceux de l'analyse discriminante pour des variables du groupement binaire et des variables de classification qui ne répondent pas à ces exigences.

Exercices et corrigés

Exercices

EXERCICE DU CHAPITRE 1

1. Nommez les quatre premiers objectifs de la quête des données.

2. La quête des données est un phénomène récent et les médias sont les seuls à s'y intéresser. Commentez cette affirmation et démontrez votre point de vue.

3. Gallup a démontré la légitimité des sondages en obtenant des résultats de sondage exacts et différents de ceux d'une importante revue. Quel était l'objet de ce sondage ? Quelle était la revue dont il est question ? Quelle méthode cette revue a-t-elle utilisé ?

4. Nommez et définissez les principales utilisations du sondage.

N.B. : *Il n'y a pas de corrigé pour cet exercice ; toutes les réponses se trouvent dans le texte du chapitre 1.*

EXERCICE DU CHAPITRE 2

1. Quelles sont les conditions essentielles à l'apparition de l'opinion publique comme phénomène sociopolitique ? Commentez.

2. Quelles sont les principales étapes de l'apparition de l'opinion publique comme phénomène sociopolitique ? Commentez.

3. Il existe un débat autour de ce que mesurent les sondages d'opinion. Quelles sont les positions respectives des sociologues, tel P. Bourdieu, et des sondeurs ?

4. Les études sociologiques du divorce démontrent que les femmes divorcées provenant de milieux ruraux émigrent vers les villes dès

qu'elles se séparent. Expliquez ce phénomène à la lumière de la théorie de l'opinion publique.

5. Nommez et définissez trois grandes approches des médias.

6. Quelles sont les limites des médias « grand public » face aux sondages ?

7. Les sondages permettent de corriger l'image des partis, des politiciens et du discours politique. Lequel de ces usages pose un problème d'éthique politique ? Pourquoi ?

N.B. : *Il n'y a pas de corrigé pour cet exercice ; toutes les réponses, excepté celle de la question 4, se trouvent dans le texte du chapitre 2.*

EXERCICE DE LA PARTIE 2

L'exercice exposé dans les lignes qui suivent porte sur la différence de comportement en conduite automobile selon le sexe du conducteur. C'est un sujet difficile qui soulève bien des controverses. Pour faciliter les choses, nous avons fait une partie du travail théorique. On trouvera, en entrée de jeu, quatre mises en situation qui ont comme objectif de donner un contexte plus concret à cet exercice théorique. Le cadre géostatistique de ces enquêtes est laissé à la discrétion des étudiants, mais nous conseillons de le restreindre à une région provinciale délimitée plutôt que de l'étendre à l'ensemble du pays. De plus, on trouvera, à l'annexe A, des faits et des chiffres sur la conduite automobile.

1   LES MOTIVATIONS

* À la suite d'une série d'accidents qui ont fait la manchette, votre patron, le rédacteur en chef, aimerait que vous vérifiiez l'assertion selon laquelle les femmes conduisent mal. Selon lui, les hommes font des accidents, mais ce sont les femmes qui les provoquent. Son objectif premier est la réalisation d'un sondage spectacle. Vous le convainquez d'entreprendre un sondage scientifique sur une problématique plus large.
Financement limité, temps : 1 mois.

* Vous vous intéressez au sexisme en général et la conduite automobile vous semble un « lieu » où sont véhiculés nombre de préjugés sexistes. Votre objectif est de décrire la réalité et de promouvoir l'égalité des sexes dans une optique scientifique.
Financement très limité, temps : 1 an.

- Vous travaillez pour un organisme d'éducation populaire et devant l'importance des coûts sociaux reliés aux accidents d'automobile, vos patrons décident d'entreprendre une enquête sur la conduite automobile des Québécois. Selon eux, un comportement agressif engendre ces accidents ; ils aimeraient que la majorité des conducteurs adoptent une conduite prévoyante et responsable. Leur objectif est d'établir un programme d'éducation.
Financement limité, temps : 3 mois.

- Votre patron, le directeur du service du marketing, veut élaborer une campagne publicitaire pour un fabricant d'automobiles. Son hypothèse est que les hommes et les femmes ont des comportements différents en conduite automobile. Afin de construire deux campagnes distinctes, il veut connaître la perception de la bonne conduite automobile particulière à chacun des sexes.
Financement important, temps : 1 mois.

2   LA PROBLÉMATIQUE

- Thème de la recherche : la conduite automobile, les différences de comportement selon le sexe du conducteur, les perceptions et la réalité.

- Problème général : on sait peu de choses sur la problématique du comportement en conduite automobile selon le sexe du conducteur. Les statistiques automobiles fournissent des informations agrégées sur le risque de faire des accidents, mais ne renseignent guère sur les comportements quotidiens et les représentations symboliques des conducteurs et conductrices.

- Sens commun et préjugé social : les femmes conduisent mal ; les femmes conduisent de façon prudente et prévoyante. Les hommes conduisent bien ; les hommes conduisent de façon risquée, voire agressive.

QUESTION GÉNÉRALE

Existe-t-il une différence significative dans la manière de conduire qui permette d'attribuer une bonne conduite automobile à l'un ou l'autre sexe ?

LA POPULATION

Les conducteurs et conductrices de votre région. Toutefois, votre motivation et les hypothèses que vous formulerez peuvent vous amener à définir votre population de manière différente (par exemple, les couples dont les deux membres sont des conducteurs mais qui ne possèdent qu'une seule automobile).

LE CADRE THÉORIQUE (lien avec le savoir déjà constitué)

Les idées directrices

- Dimension psychosociale : l'analyse de tout comportement social implique la connaissance des valeurs, des attitudes et des aptitudes mises en cause par ce comportement.

- Dimension sociale : tout comportement social s'inscrit dans les valeurs d'une société. Les rôles sociaux attribués à chacun des sexes s'avèrent un facteur déterminant de l'adoption de valeurs, des attitudes développées et des compétences acquises.

- Dimension culturelle : les perceptions sociales ne sont qu'en partie le reflet de l'état réel de la société. Elles traduisent autant les valeurs sociales élargies que l'on trouve sous la forme du sens commun. Dans quelque domaine que ce soit, les perceptions sociales jouent sur la formulation d'une opinion. Le rôle de l'analyste des comportements sociaux comprend donc une double démarche soit 1) la connaissance des perceptions sociales et la compréhension de leurs fondements idéologiques et culturels et 2) leur mise en perspective par la connaissance de l'état réel de la société.

Les théories particulières

- Différentes études féministes, et plus largement l'étude de la discrimination en général, convergent sur plusieurs points. C'est très tôt dans le processus de socialisation que sont développées des attitudes, des aptitudes et des valeurs différenciées sur la base des axes de discrimination (race, sexe et religion). La discrimination sociale n'est pas qu'idéologique ; les apprentissages et les comportements différenciés découlent de la position occupée par les individus : dominant ou dominé. La perception que les catégories discriminées ont d'elles-mêmes, à moins d'adhérer à des groupes de revendication, correspond souvent à celle des catégories dominantes : la définition de la situation, ce qui est bien et ce qui est mal, est celle de la catégorie dominante socialement (analyse féministe).

- L'automobile est le symbole même de l'Amérique ; c'est là qu'elle s'est le plus développée et qu'elle a davantage marqué le paysage urbain, le développement économique et la symbolique culturelle. Sa généralisation a été à la base de l'industrie touristique, du motel et du camping, tous des moyens d'échapper à la servitude du quotidien. Dès les débuts de son histoire, l'automobile a été un symbole et un moyen d'autonomie individuelle. L'automobile s'avère également un élément important de reconnaissance sociale : la taille, le luxe et le prestige de l'automobile sont souvent des indicateurs « populaires » du niveau de réussite sociale de son possesseur.

• Sujet de conversation d'hommes au même titre que le sport, l'automobile est également un attribut masculin. Dans le couple, à l'instar des autres objets de valeur, la propriété de l'automobile aussi bien que son usage, y compris le droit de la déléguer, appartiennent le plus souvent à l'homme. De plus, la définition de la bonne conduite automobile est celle des hommes. Cette définition de même que les prétendues connaissances mécaniques de l'homme sont souvent purement idéologiques, c'est-à-dire qu'elles occultent la réalité (analyse de la culture automobile par rapport à l'idéologie sexiste).

• Il existe une « théorie » de la bonne conduite automobile, un guide pratique en fait, qui indique ce que tout conducteur devrait faire dans une circonstance ou l'autre. Ce guide est étroitement lié au code de la route et aux possibilités mécaniques des véhicules automobiles. La sécurité routière comprend également l'entretien adéquat de la voiture (pneus, freins, suspension, direction, visibilité). Toutefois, la compétence du conducteur ne repose pas uniquement sur la connaissance des règles de conduite, mais aussi sur la capacité psychologique d'en faire usage dans des situations risquées ; c'est alors une question de confiance en soi. Par ailleurs, la conduite automobile implique des relations avec l'environnement : les piétons, les autres automobilistes, les cyclistes et l'environnement urbain (point de vue technique automobile).

LA RECHERCHE DOCUMENTAIRE ET LES INFORMATEURS CLÉS

Afin de faciliter la réalisation de cet exercice, nous avons constitué un recueil de données et de recherche sur la conduite automobile (voir l'annexe A). Nous avons surtout utilisé les données publiées par la Régie de l'assurance automobile du Québec (RAAQ) dans son bulletin *Repère* ainsi que dans divers *Bilans routiers*. Vous pouvez compléter ces données par des recherches personnelles auprès du Club automobile du Canada ou de l'Association pour la protection de l'automobiliste (APA). De plus, vous pouvez vous procurer différentes bibliographies publiées par la RAAQ.

QUELQUES DÉFINITIONS OPÉRATOIRES ET HYPOTHÈSES PERSONNELLES

- Définition provisoire de la bonne conduite automobile : la bonne conduite automobile désigne un comportement respectueux vis-à-vis l'environnement et une certaine compétence dans la conduite d'un véhicule automobile. La bonne conduite se traduit par une absence d'accidents et d'infractions au code de la route.
- Hypothèses personnelles : la bonne conduite automobile peut s'expliquer par certaines valeurs face à l'environnement, par des attitudes vis-à-vis l'autre ainsi que par les facteurs qui favorisent l'acquisition et la mise en œuvre d'une certaine compétence technique.
- Définition provisoire du rapport à l'automobile selon le sexe du conducteur : le rapport des hommes et des femmes à l'automobile est différent socialement. Pour les hommes, l'automobile est un élément important de la symbolique masculine du pouvoir et de la réussite ; pour les femmes, nous émettons l'hypothèse que l'automobile permet une forme d'autonomie (accès à la rue le soir).

N.B. : *Il n'y a pas de corrigé pour cet exercice. Les principes théoriques développés sommairement ici de même que les données de l'annexe A sont la base des exercices de la deuxième partie de l'ouvrage (chapitres 3 à 6 inclusivement). Notez qu'à l'occasion, des exercices supplémentaires ne concernant pas cette problématique ont été ajoutés. Pour réaliser l'ensemble des exercices concernant le texte qui précède, référez-vous aux exercices intitulés « Exercice sur la bonne conduite automobile ».*

EXERCICES DU CHAPITRE 3

1. Exercice sur la bonne conduite automobile.

    a) À partir de la définition opératoire de la bonne conduite automobile, faites l'analyse conceptuelle de la « bonne » conduite automobile.

    b) Quelles sont les dimensions de la bonne conduite automobile ?

    c) Quels en sont les indicateurs empiriques ?

N.B. : *Vous trouverez le corrigé de cet exercice à la page 391.*

2. Répondez aux questions suivantes.

a) La démarche scientifique repose sur un principe d'analyse systémique. Quel est ce principe ? Expliquez.

b) Durkheim et Sutherland ont respectivement donné une définition du crime. Qu'est-ce qui distingue ces définitions l'une de l'autre et quelles en sont les conséquences pour la recherche empirique ?

c) Quels sont les avantages et les inconvénients du sens commun ou « gros bon sens » ?

d) Quels sont les quatre principaux types de recherches ? Expliquez.

e) À quoi sert le processus préliminaire de connaissance de l'objet ?

f) Quels sont les principaux types d'erreurs auxquels sont exposés les sondeurs ? Expliquez.

g) Quels sont les principaux types de théories en sciences sociales ? Expliquez.

N.B. : *Il n'y a pas de corrigé pour cet exercice ; toutes les réponses se trouvent dans le texte du chapitre 3.*

EXERCICES DU CHAPITRE 4

1. Exercice sur la bonne conduite automobile.

a) Définissez la population de votre enquête.

b) Réalisez une entrevue avec un homme et une entrevue avec une femme pour connaître leur vision respective de la conduite automobile. Construisez un guide d'enquête et faites le compte rendu des entrevues.

c) Consultez l'annexe A et présentez les principaux résultats des enquêtes menées par la Régie de l'assurance automobile du Québec pertinents pour votre motivation.

d) Formulez une hypothèse sur un aspect de la différence de comportement en conduite automobile selon le sexe du conducteur (représentation symbolique, comportement, attitudes, etc.).

N.B. : *Vous trouverez le corrigé de l'exercice 1. d) à la page 395.*

2.   Cherchez les mots suivants et donnez-en la définition ou des éléments biographiques significatifs à partir de deux sources de référence (dictionnaires, encyclopédies, *Who's Who*, etc.).

   a)   Questionnaire, enquête sociale, sondage, échantillon, index.

   b)   Sociologie, économique, communications, sciences politiques, service social, démographie, psychologie, sciences administratives, écologie, cybernétique.

   c)   Démocratie/oligarchie/monarchie, individualisme/holisme, société/communauté, éthique, déontologie.

   d)   Niveau de langue, mandant, méthodologie, théorie.

   e)   Problématique, concept, système, hypothèse, objet, recherche scientifique.

   f)   Observation, participation, analyse documentaire, entretien.

   g)   Max Weber, H.G. Gallup, Emile Durkheim, Robert K. Merton, Charles Booth, Paul Lazarsfeld, Luther, Calvin, Adam Smith.

   h)   Signal/signe, symbole, socialisation, parenté, rôle, norme, culture, institution, intégration / distanciation, caste / classe / strate, révolution industrielle, explosion démographique, division du travail, marché, oligopole/monopole, bureaucratie.

N.B. :   Il n'y a pas de corrigé pour cet exercice.

EXERCICES DU CHAPITRE 5

1.   Exercice sur la bonne conduite automobile.

   a)   Classez les indicateurs des pages 393 et 394 selon les différentes catégories de comportements et de questions mentionnées au chapitre 5.

   b)   Composez une question pour chacune de ces catégories.

   c)   Indiquez le niveau de mesure de chacune de vos questions.

N.B. :   Vous trouverez le corrigé de l'exercice a) à la page 397. Il n'y a pas de corrigé pour les questions b) et c).

2.   Répondez aux questions suivantes.

   a)   L'utilisation de l'annuaire téléphonique pose des problèmes d'échantillonnage. Dites pourquoi et décrivez la technique développée pour contourner ce problème.

b) Les sondages auto-administrés posent un problème majeur. Lequel ?

c) Les questionnaires distribués sur place sont particulièrement utiles dans trois circonstances. Quelles sont-elles ? Expliquez.

d) Quels sont les avantages du sondage de personne à personne ?

e) En quoi les instructions des sondages auto-administrés sont-elles différentes de celles des autres médias ?

f) Quels sont les principes stylistiques de la formulation des questions de sondage ?

g) Nommez six types de formulation de questions de sondage. Illustrez-les par un exemple.

h) Quelle est la principale difficulté que rencontre le sondeur pour déterminer si ses questions sont menaçantes ?

i) Pourquoi conseille-t-on d'utiliser des formulations et des catégories de réponses semblables aux statistiques officielles pour les variables signalétiques ?

j) Qu'est-ce qu'une échelle de réponse ? Faites-en une pour chacun des thèmes suivants : la satisfaction, la compétence, le bonheur, la durée, l'importance, le temps (la répétition).

k) Quels sont les grands types de questions de connaissance ?

N.B. : Il n'y a pas de corrigé pour cet exercice ; toutes les réponses se trouvent dans le texte du chapitre 5 ou peuvent être déduites.

EXERCICES DU CHAPITRE 6

1. Exercice sur la bonne conduite automobile.

    a) Rédigez une série de questions conformément à votre hypothèse ainsi que les questions démographiques pertinentes.

    b) Ordonnez vos questions.

N.B. : Il n'y a pas de corrigé pour cet exercice.

2. Répondez aux questions suivantes.

    a) Que doit-on trouver au début d'un questionnaire de sondage ?

    b) Pourquoi doit-on poser les questions générales avant celles plus spécifiques portant sur un même sujet ?

    c) Où doivent se trouver les questions signalétiques ?

d) À quoi servent les questions d'orientation ?

e) Quels sont les objectifs du prétest ?

f) Quels problèmes cause le questionnaire postal pour le prétest ?

N.B. :   *Il n'y a pas de corrigé pour cet exercice ; toutes les réponses se trouvent dans le texte du chapitre 6.*

EXERCICES DU CHAPITRE 7

1.   Construisez un plan de sondage probabiliste en spécifiant la population cible, la population observée, les bases de sondage, les unités de sondage et les méthodes de sélection de l'échantillon pour les situations suivantes :

Situation A

Un sondage sur la consommation de drogue chez les 13-16 ans de la région de Québec.

Situation B

Une étude sur la satisfaction des étudiants en communications de l'Université Laval et de l'UQAM.

Situation C

Un sondage sur la clientèle d'un centre commercial.

Situation D

Une enquête universitaire sur les rapports de pouvoir au sein des couples, entre hommes et femmes, tels qu'exprimés par leur rapport à l'automobile.

Situation E

Une enquête sur la consommation des ménages de la province de Québec permettant de faire des estimations précises pour chacune des régions du Québec.

N.B. :   *Vous trouverez le corrigé de cet exercice à la page 398.*

2. Pour deux de ces situations, identifiez les sources de statistiques officielles qui pourraient vous aider.

GUIDE POUR L'EXERCICE

Objectif de l'étude

Inscrivez ici l'objectif de votre étude tel que défini dans le texte de la question.

Population cible

Donnez ici une brève description de la population à l'étude.

Population observée

Inscrivez ici les limites pratiques à la définition précédente (par exemple, l'ensemble du Québec moins le Nouveau-Québec et la Basse-Côte-Nord). Si c'est nécessaire, précisez la période de temps (jour, mois, saison) où l'enquête devrait se dérouler.

Base de sondage

Décrivez votre base de sondage ; la définition peut être concrète (liste des abonnés de la revue XXX) ou conceptuelle (population qui se présente à des stands d'information ou dans des lieux précis). Pour les sondages complexes, il y aura plusieurs bases de sondage : une pour les unités primaires (liste des aires de dénombrement par exemple), une pour les unités secondaires (liste des logements occupés d'un secteur de recensement choisi) et même une pour les unités tertiaires (par exemple les membres adultes des ménages). Parfois, vous aurez à construire une base de sondage à partir de plusieurs listes ; si c'est le cas, précisez.

Unités de sondage

Il s'agit surtout de distinguer si les personnes donnent des renseignements sur eux-mêmes seulement ou sur d'autres individus ou regroupements d'individus (voir les définitions à la section 7.2.2). Pour les enquêtes complexes, c'est-à-dire celles utilisant une hiérarchie de bases de données, précisez le niveau des unités d'échantillonnage (primaire, secondaire, etc.).

Méthode de sélection

Inscrivez ici la méthode d'échantillonnage utilisée et décrivez concrètement les étapes de sélection. Par exemple, un échantillonnage à plusieurs degrés où, après avoir fait une liste combinée (décrite sous le point **Base de sondage**) des écoles secondaires de la région de Québec et du nombre de classes existantes des niveaux pertinents (exemple d'unité de tirage : école Joseph-François Perrault, secondaire I-A), vous réalisez un tirage aléatoire simple des unités et vous interrogez tous les membres de la classe (échantillonnage par grappe) ou une sélection aléatoire d'individus membres de ces classes. Il suffit évidemment de décrire les opérations que vous effectueriez, puisqu'il s'agit d'un plan et non de la réalisation effective de ces opérations. Vous n'avez qu'à dire « les commissions scolaires de la région 03 », par exemple, sans préciser lesquelles. Votre culture générale (ce que vous savez des problématiques à l'étude) vous sera fort utile pour cela.

Vous trouverez les dépôts de documents de Statistique Canada à Montréal : dans toutes les universités ; à Québec : à l'Université Laval, à la bibliothèque de l'Assemblée nationale et au Bureau de la statistique du Québec ; ailleurs : les universités et les collèges détiennent des collections plus ou moins importantes.

3. Répondez aux questions suivantes.

    a) Quelle différence y a-t-il entre un échantillon probabiliste et un échantillon non probabiliste ? Lequel doit-on préférer et pourquoi ?

    b) Dans quelle situation les unités d'échantillonnage, d'analyse, de référence et déclarantes se composent-elles des mêmes individus ?

    c) Quelle différence y a-t-il entre la population cible et la population observée ?

    d) Qu'est-ce que des bases multiples et quand doit-on les utiliser ?

    e) Quelle taille aura votre échantillon de départ si vous voulez avoir 1 000 répondants et que vous estimez à 25 % le taux de non-répondants ?

    f) Qu'est-ce que la technique de l'anniversaire ? Quand l'utilise-t-on ?

N.B. :   *Il n'y a pas de corrigé pour cet exercice ; toutes les réponses se trouvent dans le texte du chapitre 7.*

EXERCICES DU CHAPITRE 8

1. Répondez aux questions suivantes.

   a) Distinguez les approches ponctuelles, rétrospectives et longitudinales.

   b) Pourquoi appelle-t-on l'analyse longitudinale « méthode quasi expérimentale » ?

   c) Quels sont les principaux avantages du suivi intégral des partants ?

   d) La méthode longitudinale est menacée par l'attrition de l'échantillon. Expliquez.

   e) Quelles méthodes ont été élaborées pour contrer l'attrition ?

   f) Quels types de personnes sont plus susceptibles de quitter l'échantillon ?

   g) Quels sont les principaux critères pour évaluer une étude longitudinale ?

N.B. : *Il n'y a pas de corrigé pour cet exercice ; toutes les réponses se trouvent dans le texte du chapitre 8.*

2. Statistique Canada mène une enquête longitudinale intitulée *Enquête sur l'activité*. À partir de la description faite à l'annexe C, répondez aux questions suivantes.

   a) Quel est l'échantillon de l'enquête ?

   b) Quelle est la périodicité de cette enquête ?

   c) Quel est l'objectif de cette enquête ?

   d) Quelle est la durée de cette enquête ?

N.B. : *Il n'y a pas de corrigé pour cet exercice ; toutes les réponses se trouvent à l'annexe C.*

EXERCICES DU CHAPITRE 9

1. Vous avez construit une variable avec la scolarité et le sexe. Pour ce faire, vous avez subdivisé la scolarité en deux valeurs, soit « scolarité universitaire » et « scolarité non universitaire » ; puis,

vous avez combiné le sexe et la scolarité en une variable dont les catégories sont « femme non universitaire », « femme universitaire », « homme non universitaire » et « homme universitaire ». Ce que vous avez construit s'appelle :

a) une échelle additive de Likert ;

b) une échelle additive de Thurstone ;

c) une échelle hiérarchique de Guttman ;

d) une typologie ;

e) aucune de ces réponses.

2. Vous avez construit une échelle en utilisant la méthode suivante : après avoir sélectionné cinq variables, en avoir vérifié le caractère discriminant et décidé du traitement des valeurs manquantes, vous avez accordé un poids aux réponses des variables en utilisant une méthode fondée sur la rareté ; puis vous avez composé votre échelle. Qu'avez-vous fait ?

a) une échelle de Likert ;

b) une échelle de Thurstone ;

c) une échelle de Guttman ;

d) une typologie ;

e) aucune de ces réponses.

3. Vous avez pondéré des questions en demandant à un échantillon représentatif de la population l'importance qu'il accordait à chacune de ces questions. Quelle technique de pondération avez-vous utilisé ?

a) la pondération au jugé ;

b) la pondération selon la rareté ;

c) la pondération selon des jugements ;

d) aucune de ces réponses.

4. Lorsqu'on construit des échelles, typologies ou indices, les variables utilisées sont choisies à partir de quel(s) type(s) de critères ?

a) des critères mathématiques ;

b) des critères théoriques ;

c) des critères mathématiques et théoriques ;

d) aucun de ces critères.

5. Lorsqu'on veut construire des échelles, on parle du caractère discriminant des questions. Cela signifie :

a) que les questions sont discriminantes pour un sexe ou des races en particulier ;

b) qu'on peut très facilement distinguer le contenu conceptuel de chacune des variables ;

c) que ces questions permettent de connaître les phénomènes de discrimination ;

d) qu'aucune catégorie de réponses à la question ne regroupe 90 % et plus des répondants.

6. Comment analyse-t-on les non-réponses ?

a) on croise les variables de contenu et les variables sociodémographiques en incluant les non-réponses ;

b) on croise les variables de contenu et les variables sociodémographiques en excluant les non-réponses ;

c) on consulte tous les questionnaires et on note le nom des personnes qui n'ont pas répondu ;

d) l'analyse des non-réponses n'est pas nécessaire à la construction d'échelles.

7. Vrai ou faux.

a) Compte tenu du fait que toutes les exigences de la construction d'échelles sont remplies, la seule précaution à prendre lorsqu'on construit des échelles à partir de pondérations au jugé est de s'assurer que toutes les questions sont orientées dans le sens de l'échelle projetée.

b) La pondération des réponses selon la rareté peut être faite au jugé ou par la méthode de Likert.

c) Lorsqu'on pondère selon la rareté au jugé, on détermine des poids différents pour chacune des catégories selon ce qu'on sait de la répartition des biens dans la population (réfrigérateur, cuisinière, magnétoscope, téléviseur, etc.) ou selon la distribution échantillonnale, mais on n'applique aucune règle précise de nature mathématique.

d) Une échelle doit toujours être unidimensionnelle alors qu'une typologie est multidimensionnelle.

8. Voici cinq variables :
   Q1 satisfait des services hospitaliers
   Q2 satisfait des services sociaux
   Q3 satisfait du transport en commun
   Q4 satisfait du système d'éducation
   Q5 satisfait de la politique environnementale

Le choix de réponses de ces variables est toujours le même :
1 = très satisfait
2 = satisfait
3 = insatisfait
4 = très insatisfait

Le candidat Pier-Pol-Henri De Latrémouille s'insurge contre la dégradation des services hospitaliers et des services sociaux. Il craint que le gouvernement sortant ne veuille abandonner les excellents services de transport en commun et d'éducation. De plus, bien de son temps, il critique amèrement la politique environnementale.

Construisez une échelle d'appui au candidat De Latrémouille en vous servant de la pondération au jugé. Décrivez les opérations que vous feriez sur chaque question. Soyez bref.

N.B. : *Vous trouverez le corrigé de ces exercices à la page 403.*

9. Au moyen des outils de référence psychométriques, sélectionnez des tests concernant l'agressivité, l'anxiété, le stress, le bonheur. Justifiez tous les paramètres techniques de votre choix.

N.B. : *Il n'y a pas de corrigé pour cet exercice.*

10. Répondez aux questions suivantes.

    a) Qu'est-ce que la validité de construit ?

    b) Qu'est-ce que la fidélité ?

    c) Quels sont les principaux types de tests psychométriques ? Définissez-les.

    d) Qu'est-ce que l'étalonnage ?

N.B. : *Il n'y a pas de corrigé pour cet exercice ; toutes les réponses se trouvent dans le texte du chapitre 9.*

EXERCICES DU CHAPITRE 10

1. Quel est le niveau de mesure des variables suivantes ?

    a) La religion.

b) La fréquence de la pratique religieuse.

c) Le nombre de fois où l'on a assisté à une messe au cours de l'an dernier.

d) La satisfaction face à son emploi.

e) Le nombre d'heures de travail scolaire par semaine.

f) Le type de boisson que l'on préfère.

g) L'âge que l'on a.

h) Le revenu annuel.

i) L'importance que l'on accorde au revenu d'une personne.

j) L'appréciation du travail d'un employé.

2. Les variables suivantes sont-elles discrètes ou continues ?

a) Le nombre d'enfants dans une famille.

b) Le revenu annuel.

c) L'âge.

d) Le nombre de téléviseurs par ménage.

e) Le nombre d'heures d'écoute de télévision.

f) La satisfaction envers la politique économique québécoise.

3. Les données suivantes sont le nombre d'années de scolarité complétées de 100 personnes.

1	6	9	11	12	12	13	14	15	18
1	6	9	11	12	12	13	14	15	18
2	7	9	11	12	12	13	14	16	18
4	7	10	11	12	12	13	14	16	18
2	8	10	11	12	12	13	15	16	18
3	8	10	11	12	12	13	15	16	18
3	8	10	11	12	12	13	15	16	18
4	9	11	11	12	12	13	15	17	18
5	9	11	11	12	12	13	15	17	23
5	9	11	11	12	12	14	15	18	25

a) Au moyen de ces données brutes, calculez la moyenne, la médiane, le mode, l'écart type, le biais et la kurtose.

b) Construisez une distribution de fréquences en regroupant les données selon les valeurs 1 à 7 ans, 8 à 12 ans, 13 à 15 ans et 16 ans et plus. Exprimez cette distribution de fréquences en valeurs absolues et en pourcentages. Calculez la distribution de fréquences cumulées (en nombre absolu et en pourcentage).

c) Construisez une distribution de fréquences en regroupant les données selon les effectifs ; respectez autant que possible la division en quartiles. Exprimez cette distribution de fréquences en valeurs absolues et en pourcentages. Calculez la distribution de fréquences cumulées (en nombre absolu et en pourcentage).

d) Calculez la moyenne, la médiane, la catégorie modale et l'écart type de la première distribution.

4. Calculez la taille d'un échantillon aléatoire simple avec une marge d'erreur de 10 % à partir des données de l'exercice 3.

5. Tirez un échantillon des données présentées à l'exercice 3 et de la taille calculée à l'exercice 4 au moyen de la table des nombres aléatoires (annexe B). Effectuez sur cet échantillon toutes les opérations des exercices 3. a) à 3. d).

6. Calculez les intervalles de confiance (niveau de confiance = 95 %) pour les proportions et les moyennes calculées à l'exercice 5 en utilisant les formules appropriées inscrites dans ce manuel.

7. Faites les mêmes calculs en corrigeant la formule d'estimation pour les populations finies, c'est-à-dire en multipliant l'erreur d'échantillonnage (EÉ) par $\sqrt{1 - n/N}$. Comparez vos résultats avec ceux que vous avez obtenus à la question précédente.

8. Pour ceux qui disposent d'un logiciel statistique : tirez une trentaine d'échantillons pour lesquels vous calculerez la moyenne et quelques proportions. Par la suite, faites un graphique avec ces données de manière à illustrer la distribution d'échantillonnage.

N.B. : *Il n'y a pas de corrigé pour les exercices 5, 6, 7 et 8. Vous trouverez le corrigé des exercices 1 à 4 à la page 404.*

9. Paul vient de recevoir ses notes d'examens du ministère de l'Éducation.

	Français écrit	Français oral	Mathématiques	Anglais	Géographie	Histoire	Technologie	Physique	Chimie
Note	25/30	26/30	82/100	17/20	38/50	47/60	7/10	37/70	110/160
Moyenne	23,12	24,20	62,5	14,1	38	50	8,2	35,9	97,5
Écart type	2,4	2,7	6,8	1,8	5,1	4,8	0,7	8,1	15,3
Nombre	5 000	5 000	5 000	5 000	5 000	5 000	5 000	5 000	5 000

a) Dans quelles matières Paul est-il le plus fort ? Ordonnez-les.

b) Dans chacune des matières, quelle note devrait-il obtenir pour se situer dans les 10 % les plus forts ?

c) Combien d'étudiants sont plus faibles que lui :
- en français écrit ?
- en géographie ?
- en chimie ?

10. Vous avez reçu vos notes d'examens.

	Presse écrite	Radio – télévision	Enquête et opinion
Note	66/80	75/100	42/100
Moyenne	62	61	36
Écart type	2	7	3

a) Dans quelle matière êtes-vous le plus fort ?

b) Sachant qu'il y a 400 étudiants en presse écrite, 300 en radio – télévision et 120 en enquête et opinion, combien d'étudiants sont plus faibles que vous :
- en presse écrite ?
- en radio – télévision ?
- en enquête et opinion ?

c) Quelles notes ont obtenu ceux qui sont dans les 50 % centrés autour de la moyenne en presse écrite ?

11. Estimez les proportions suivantes.

p	Degré de confiance	n	N
0,10	95 %	100	100 000
0,10	95 %	1 000	100 000
0,50	95 %	100	100 000
0,50	95 %	1 000	100 000
0,50	99 %	1 000	100 000
0,90	95 %	100	100 000
0,90	95 %	1 000	100 000

12. Au cours de la dernière campagne électorale, les résultats de sondages se sont succédés à une vitesse effrénée dans les médias. Commentez la progression du Parti rhinocéros dans trois de ces sondages (fictifs). Le premier, fait par la firme Grand Galop auprès de 1 234 répondants, donne 10 % des votes au Parti rhinocéros. Le

deuxième, réalisé par la firme Angoisse Rouge auprès de 602 répondants, leur accorde 12 % de la faveur populaire. Le dernier a été fait par le Parti lui-même et accorde aux rhinocéros un score de 42 %. Illustrez vos propos par des calculs et commentez.

N.B. :   *Vous trouverez le corrigé des exercices 9 à 12 à la page 408.*

EXERCICES DU CHAPITRE 11

Certains graphiques illustrant le chapitre 11 sont tirés de tableaux reproduits à l'annexe D. Les données qui ont servi à constituer ces tableaux proviennent de Statistique Canada. Ces données n'ont jamais été publiées auparavant ; elles proviennent d'une totalisation spéciale et nous ont inspiré différents exercices, certains plus techniques, d'autres plus globaux.

1.   Commentez chacun des graphiques du chapitre 11 indépendamment les uns des autres.

2.   À partir des données des tableaux-sources, construisez des graphiques sur les sujets suivants :

   a)   accès aux études collégiales par langue d'usage et selon l'âge ;

   b)   accès à l'université par sexe et selon l'âge.

3.   En vous servant des graphiques et des tableaux du chapitre 11, construisez un « état de la situation » sur le thème *Langue, éducation et évolution démographique.*

   a)   Quelles données manque-t-il pour faire le tour de la problématique ?

   b)   Lesquelles devraient absolument être obtenues par voie de sondage ?

4.   Comment poseriez-vous le problème si votre motivation était :

   a)   la mise en marché de produits culturels (livres, spectacles, etc.) ;

   b)   l'administration du système d'enseignement et que vous ayez, notamment, à prévoir les effectifs du corps enseignant et la construction de nouvelles écoles.

5.   Compte tenu des données sur la répartition des revenus selon le sexe et des données sur l'éducation, construisez un projet d'enquête permettant de vérifier l'hypothèse suivante, inspirée des théories micro-économiques dites du *New Home Economics* de G. Becker :

« La différence de revenu entre hommes et femmes tient à la différence de leur investissement dans leur capital humain, notamment
en matière d'éducation. Cela arrive parce que les projets de vie des
hommes et des femmes et leurs attitudes face à l'éducation ne sont
pas les mêmes. Les premiers préfèrent une implication professionnelle, les secondes s'orientent en vertu de leur éventuelle famille. »

6. Beaucoup de graphiques du chapitre 11 ne sont pas immédiatement comparables, soit que l'année de la collecte des données
varie, soit que les données sont légèrement différentes. Les données sur le revenu, par exemple, sont parfois de 1980, parfois de
1986 ; elles concernent le revenu total ou le revenu d'emploi.
Trouvez les données qui vous permettraient d'effectuer des comparaisons valides et construisez-en le graphique.

N.B. : Il n'y a pas de corrigé pour ces exercices.

EXERCICES DU CHAPITRE 12

1. Lorsqu'on choisit un niveau de confiance élevé, 99 % par exemple,
   quelle erreur peut-on commettre ?

   a) rejeter H_0 alors qu'elle est vraie ;

   b) rejeter H_0 alors qu'elle est fausse ;

   c) accepter H_0 alors qu'elle est vraie ;

   d) accepter H_0 alors qu'elle est fausse.

2. Lorsqu'on choisit un niveau de confiance bas, 90 % par exemple,
   quelle erreur peut-on commettre ?

   a) rejeter H_0 alors qu'elle est vraie ;

   b) rejeter H_0 alors qu'elle est fausse ;

   c) accepter H_0 alors qu'elle est vraie ;

   d) accepter H_0 alors qu'elle est fausse.

3. Dans le calcul du khi^2, de quoi est-il question quand on fait
   référence aux fréquences théoriques ou attendues ?

   a) des fréquences de la variable dépendante que l'on prévoit
      observer en vertu de la théorie sociologique à laquelle on
      adhère ;

   b) des fréquences de la variable dépendante que l'on prévoit
      observer en fonction de la courbe normale ;

c) des fréquences de la variable dépendante que l'on aurait observées si, en théorie, les deux variables avaient été parfaitement indépendantes statistiquement.

4. Voici une série de khi^2 de tailles de tableaux et de nombres de cas dans l'échantillon ; dites, pour chacun de ceux-ci, s'ils sont significatifs à un seuil de 5 %.

	Khi^2	R × C	n	Oui ou Non
a)	3,21	2 × 2	66	_____
b)	6,34	2 × 3	37	_____
c)	8,99	2 × 2	190	_____
d)	8,22	6 × 2	1 200	_____
e)	112,33	6 × 5	1 110	_____
f)	4,32	2 × 2	66	_____
g)	8,52	2 × 3	32	_____
h)	3,56	2 × 2	48	_____
i)	18,21	6 × 2	1 200	_____
j)	112,33	6 × 5	50	_____
k)	40,34	2 × 2	600	_____
l)	12,69	7 × 2	1 200	_____

5. Choisissez le coefficient approprié (les chiffres entre parenthèses indiquent le nombre de catégories de la variable).

a) Le niveau de satisfaction envers le gouvernement (5) selon la langue parlée à la maison (3).

b) La satisfaction envers la politique municipale (5) selon l'âge du répondant (6).

c) Comparez le moyen de transport utilisé (3) selon l'âge (99) et le moyen de transport utilisé (3) selon la profession (8).

d) L'échelle de prestige des professions (100) selon le nombre d'années de scolarité (27).

e) Le type de spectacle (7) selon l'âge groupé des spectateurs (6).

f) Le type de spectacle (7) selon le nombre d'années de scolarité (21).

g) L'âge (99) selon la scolarité (21).

h) L'âge groupé (4) selon la scolarité groupée (4).

i) Le niveau de satisfaction envers l'accès aux salles de spectacles (5) selon la scolarité groupée (4).

j) Le niveau de satisfaction envers les services municipaux (5) selon l'âge groupé (5).

k) Le revenu des consommateurs (999 999) selon leur profession (450).

l) Le revenu des consommateurs (999 999) selon leur scolarité (29).

m) Être locataire ou propriétaire selon le sexe.

n) Comparez les relations entre la scolarité (21) et le revenu (999 999) ; la scolarité (21) et la profession (12).

o) Le revenu (999 999) selon le sexe.

p) La relation entre gagner plus que le salaire moyen et être une femme.

6. Lors d'un sondage réalisé par un organisme gouvernemental auprès de 35 000 personnes, on a obtenu les coefficients suivants pour le croisement du nombre d'années de scolarité et de l'âge : $r = 0,07$ et $\text{êta}^2 = 0,77$. Commentez ces résultats (fictifs).

N.B. : *Vous trouverez le corrigé de ces exercices à la page 410.*

EXERCICES DU CHAPITRE 13

1. Quelle distinction y a-t-il entre une relation symétrique, une relation asymétrique et une relation réciproque ?

2. Distinguez la variable indépendante et la variable dépendante s'il y a lieu.

   a) La propension à manger au restaurant et la propension à faire des voyages en Europe.

   b) La scolarité (4) et le sexe (2).

   c) Le niveau de satisfaction envers les services municipaux (4) et le quartier de résidence (5).

   d) L'appartenance à une profession et le sexe.

3. En vous référant aux diagrammes suivants, dites, en termes de causalité, de quels types de variables il s'agit. Commentez.

   a) + de cigognes → + de bébés

   b) + d'urbanisation ⌐→ – de cigognes
                        └→ – de bébés

   c) Scolarité du père → Scolarité du fils → Revenu du fils

d) Comment nomme-t-on la technique d'analyse statistique utilisée pour passer du diagramme a) au diagramme b) ?

N.B. : *Il n'y a pas de corrigé pour les exercices 3. a) et 3. b) ; les réponses se
trouvent dans le texte du chapitre 13.*

4.   Choisissez la technique statistique appropriée parmi la liste suivante.

A) Analyse de régression multiple

B) Analyse discriminante

C) Analyse factorielle

D) Analyse de profils (*cluster analysis*)

E) Analyse log-linéaire

F) Aucune de ces réponses

a) Vous avez un grand nombre de variables et vous aimeriez les
résumer en identifiant leurs dimensions sous-jacentes.

b) Vous voulez construire une équation vous permettant d'identifier les variables qui expliquent le mieux un phénomène
social.

c) Vous voulez établir les caractéristiques les plus importantes
pour distinguer deux groupes d'individus (ceux qui votent
pour un parti et ceux qui votent pour l'autre).

d) Vous avez une variable qui a comme catégories la trentaine de
villes de la Communauté urbaine de Québec. Vous aimeriez
faire des regroupements (recoder la variable) à partir de certaines caractéristiques connues (taille de la ville, nombre d'entreprises et de bureaux, taux d'universitaires, etc.).

e) Vous avez 30 questions correspondant théoriquement à trois
dimensions d'un concept donné et vous aimeriez savoir s'il y
aurait d'autres dimensions que révélerait votre analyse.

f) Vous avez 15 variables par intervalles et vous voulez
construire un modèle explicatif d'un phénomène exprimé au
moyen d'une variable elle aussi par intervalles.

g) Vous voulez établir les caractéristiques les plus importantes
pour distinguer plusieurs groupes d'individus caractérisés
par leur religion.

h) Vous avez 4 variables nominales et vous aimeriez construire un modèle explicatif d'une cinquième variable elle aussi nominale.

5. Pour les sorties informatiques apparaissant sur les pages suivantes :

a) choisissez une mesure appropriée et justifiez votre choix ;

b) déterminez l'association initiale de même que les associations conditionnelles et marginales et présentez-les sous la forme d'un tableau ;

c) faites un diagnostic et commentez.

TYPESPEC = type de spectacle auquel le répondant était présent.

SEXE = sexe du répondant.

Les données proviennent d'un sondage mené en 1985 auprès de 1 361 personnes sélectionnées en échantillonnage sur place. Chaque salle de spectacle pouvait être visitée plusieurs fois. L'échantillonnage n'est pas probabiliste. Un modèle approchant la population peut être obtenu par pondération.

N.B. : Vous trouverez le corrigé de ces exercices à la page 412.

6. Expliquez pourquoi il y a deux valeurs pour le D de Somers asymétrique et pour le êta. Illustrez votre propos par des chiffres.

7. Le *r* de Pearson du troisième tableau est-il significatif ?

8. Sur certains tableaux, il est écrit que les fréquences attendues de quelques cellules sont inférieures à 5,0. Expliquez.

N.B. : Il n'y a pas de corrigé pour ces exercices.

TABLEAU 1 (version originale anglaise)

TYPESPEC BY SEX

TYPESPEC	COUNT ROW PCT COL PCT TOT PCT	FEMME 1	HOMME 2	ROW TOTAL
VARIÉTÉS	1	285 58,2 40,4 21,5	205 41,8 33,0 15,4	490 36,9
THÉÂTRE	2	139 64,1 19,7 10,5	78 35,9 12,6 5,9	217 16,4
ROCK	3	24 16,2 3,4 1,8	124 83,8 20,0 9,3	148 11,2
GRANDS EXPLORATEURS	4	39 67,2 5,5 2,9	19 32,8 3,1 1,4	58 4,4
MUSIQUE CLASSIQUE	5	123 62,8 17,4 9,3	73 37,2 11,8 5,5	196 14,8
HOCKEY	6	26 23,9 3,7 2,0	83 76,1 13,4 6,3	109 8,2
DANSE	7	70 64,2 9,9 5,3	39 35,8 6,3 2,9	109 8,2
	COLUMN TOTAL	706 53,2	621 46,8	1 327 100,0

CHI SQUARE = 151,227 58 WITH 6 DEGREES OF FREEDOM
SIGNIFICANCE = 0,0
CRAMER'S V = 0,337 58
CONTINGENCY COEFFICIENT = 0,319 85
GAMMA = 0,105 33
SOMERS'S D (ASYMMETRIC) = 0,084 46 WITH TYPESPEC DEPENDENT = 0,053 42
WITH SEXE DEPENDENT
SOMERS'S D (SYMMETRIC) = 0,065 45
ETA = 0,054 08 WITH TYPESPEC DEPENDENT = 0,337 58 WITH SEXE DEPENDENT
PEARSON'S *r* = 0,054 09
SIGNIFICANCE = 0,024 4
NUMBER OF MISSING OBSERVATIONS = 34

TABLEAU 2

TYPESPEC PAR SEXE	CONTRÔLÉ PAR SCOL.		VALEUR = 1. 0-7

TYPESPEC	COUNT ROW PCT COL PCT TOT PCT	SEXE FEMME 1	HOMME 2	ROW TOTAL
VARIÉTÉS	1	17 65,4 44,7 25,8	9 34,6 32,1 13,6	26 39,4
THÉÂTRE	2	11 73,3 28,9 16,7	4 26,7 14,3 6,1	15 22,7
ROCK	3	1 14,3 2,6 1,5	6 85,7 21,4 9,1	7 10,6
GRANDS EXPLORATEURS	4	1 100,0 2,6 1,5	0 0,0 0,0 0,0	1 1,5
MUSIQUE CLASSIQUE	5	5 100,0 13,2 7,6	0 0,0 0,0 0,0	5 7,6
HOCKEY	6	0 0,0 0,0 0,0	7 100,0 25,0 10,6	7 10,6
DANSE	7	3 60,0 7,9 4,5	2 40,0 7,1 3,0	5 7,6
	COLUMN TOTAL	38 57,6	28 42,4	66 100,0

10 DES 14 (71,4 %) CELLULES VALIDES ONT UNE FRÉQUENCE ATTENDUE MOINDRE QUE 5,0
FRÉQUENCE ATTENDUE MINIMALE = 0,424
KHI CARRÉ = 21,477 51 AVEC 6 DEGRÉS DE LIBERTÉ
SIGNIFIANCE = 0,001 5
V DE CRAMER = 0,570 45
COEFFICIENT DE CONTINGENCE = 0,495 50
GAMMA = 0,288 89
D DE SOMERS (ASYMÉTRIQUE) = 0,232 14 AVEC TYPESPEC DÉPENDANT = 0,149 43 AVEC SEXE DÉPENDANT
D DE SOMERS (SYMÉTRIQUE) = 0,181 82
ÊTA = 0,199 05 AVEC TYPESPEC DÉPENDANT = 0,570 45 AVEC SEXE DÉPENDANT
r DE PEARSON = 0,199 05
SIGNIFIANCE = 0,054 5

TABLEAU 3

TYPESPEC PAR SEXE		CONTRÔLÉ PAR SCOL.		VALEUR = 2. 8-11
TYPESPEC	COUNT ROW PCT COL PCT TOT PCT	SEXE		
		FEMME 1	HOMME 2	ROW TOTAL
VARIÉTÉS	1	42 59,2 35,3 19,4	29 40,8 29,6 13,4	71 32,7
THÉÂTRE	2	16 61,5 13,4 7,4	10 38,5 10,2 4,6	26 12,0
ROCK	3	7 18,4 5,9 3,2	31 81,6 31,6 14,3	38 17,5
GRANDS EXPLORATEURS	4	5 55,6 4,2 2,3	4 44,4 4,1 1,8	9 4,1
MUSIQUE CLASSIQUE	5	30 93,8 25,2 13,8	2 6,3 2,0 0,9	32 14,7
HOCKEY	6	6 25,0 5,0 2,8	18 75,0 18,4 8,3	24 11,1
DANSE	7	13 76,5 10,9 6,0	4 23,5 4,1 1,8	17 7,8
COLUMN TOTAL		119 54,8	98 45,2	217 100,0

2 DES 14 (14,3 %) CELLULES VALIDES ONT UNE FRÉQUENCE ATTENDUE MOINDRE QUE 5,0
FRÉQUENCE ATTENDUE MINIMALE = 4,065
KHI CARRÉ = 52,760 42 AVEC 6 DEGRÉS DE LIBERTÉ
SIGNIFIANCE = 0,000 0
V DE CRAMER = 0,493 09
COEFFICIENT DE CONTINGENCE = 0,442 25
GAMMA = –0,014 55
D DE SOMERS (ASYMÉTRIQUE) = –0,012 26 AVEC TYPESPEC DÉPENDANT = –0,007 53 AVEC SEXE DÉPENDANT
D DE SOMERS (SYMÉTRIQUE) = –0,009 33
ÊTA = 0,046 28 AVEC TYPESPEC DÉPENDANT = 0,493 09 AVEC SEXE DÉPENDANT
r DE PEARSON = –0,046 28
SIGNIFIANCE = 0,248 8

TABLEAU 4

TYPESPEC PAR SEXE		CONTRÔLÉ PAR SCOL.		VALEUR = 3. 12-15
TYPESPEC	COUNT ROW PCT COL PCT TOT PCT	SEXE FEMME 1	HOMME 2	ROW TOTAL
VARIÉTÉS	1	158 64,8 43,8 26,5	86 35,2 36,4 14,4	244 40,9
THÉÂTRE	2	75 70,1 20,8 12,6	32 29,9 13,6 5,4	107 17,9
ROCK	3	11 16,4 3,0 1,8	56 83,6 23,7 9,4	67 11,2
GRANDS EXPLORATEURS	4	21 72,4 5,8 3,5	8 27,6 3,4 1,3	29 4,9
MUSIQUE CLASSIQUE	5	56 75,7 15,5 9,4	18 24,3 7,6 3,0	74 12,4
HOCKEY	6	12 29,3 3,3 2,0	29 70,7 12,3 4,9	41 6,9
DANSE	7	28 80,0 7,8 4,7	7 20,0 3,0 1,2	35 5,9
	COLUMN TOTAL	361 60,5	236 39,5	597 100,0

KHI CARRÉ = 91,582 46 AVEC 6 DEGRÉS DE LIBERTÉ
SIGNIFIANCE = 0,000 0
V DE CRAMER = 0,391 67
COEFFICIENT DE CONTINGENCE = 0,364 69
GAMMA = 0,090 62
D DE SOMERS (ASYMÉTRIQUE) = 0,071 13 AVEC TYPESPEC DÉPENDANT = 0,044 61
AVEC SEXE DÉPENDANT
D DE SOMERS (SYMÉTRIQUE) = 0,054 83
ÊTA = 0,028 44 AVEC TYPESPEC DÉPENDANT = 0,391 67 AVEC SEXE DÉPENDANT
r DE PEARSON = 0,028 42
SIGNIFIANCE = 0,244 1

TABLEAU 5

TYPESPEC PAR SEXE		CONTRÔLÉ PAR SCOL.		VALEUR = 4. 16 ET +

TYPESPEC	COUNT ROW PCT COL PCT TOT PCT	SEXE FEMME 1	HOMME 2	ROW TOTAL
VARIÉTÉS	1	68 45,9 37,4 15,7	80 54,1 32,0 18,5	148 34,3
THÉÂTRE	2	33 54,1 18,1 7,6	28 45,9 11,2 6,5	61 14,1
ROCK	3	4 12,5 2,2 0,9	28 87,5 11,2 6,5	32 7,4
GRANDS EXPLORATEURS	4	12 63,2 6,6 2,8	7 36,8 2,8 1,6	19 4,4
MUSIQUE CLASSIQUE	5	32 38,1 17,6 7,4	52 61,9 20,8 12,0	84 19,4
HOCKEY	6	8 21,6 4,4 1,9	29 78,4 11,6 6,7	37 8,6
DANSE	7	25 49,0 13,7 5,8	26 51,0 10,4 6,0	51 11,8
COLUMN TOTAL		182 42,1	250 57,9	432 100,0

KHI CARRÉ = 27,373 52 AVEC 6 DEGRÉS DE LIBERTÉ
SIGNIFIANCE = 0,000 1
V DE CRAMER = 0,251 72
COEFFICIENT DE CONTINGENCE = 0,244 11
GAMMA = 0,096 55
D DE SOMERS (ASYMÉTRIQUE) = 0,077 23 AVEC TYPESPEC DÉPENDANT = 0,047 30
AVEC SEXE DÉPENDANT
D DE SOMERS (SYMÉTRIQUE) = 0,058 67
ÊTA = 0,063 86 AVEC TYPESPEC DÉPENDANT = 0,251 72 AVEC SEXE DÉPENDANT
r DE PEARSON = 0,063 85
SIGNIFIANCE = 0,092 7
NOMBRE DE VALEURS MANQUANTES = 49

TABLEAU 6

TYPESPEC	COUNT ROW PCT COL PCT TOT PCT	0-7 1	8-11 2	12-15 3	16 et + 4	ROW TOTAL
VARIÉTÉS	1	26 5,2 39,4 1,9	72 14,4 32,6 5,4	251 50,1 41,2 18,8	152 30,3 34,7 11,4	501 37,6
THÉÂTRE	2	15 7,0 22,7 1,1	27 12,7 12,2 2,0	110 51,6 18,1 8,2	61 28,6 13,9 4,6	213 16,0
ROCK	3	7 4,8 10,6 0,5	38 26,2 17,2 2,8	68 46,9 11,2 5,1	32 22,1 7,3 2,4	145 10,9
GRANDS EXPLORATEURS	4	1 1,7 1,5 0,1	9 15,5 4,1 0,7	29 50,0 4,8 2,2	19 32,8 4,3 1,4	58 4,3
MUSIQUE CLASSIQUE	5	5 2,5 7,6 0,4	33 16,7 14,9 2,5	74 37,4 12,2 5,5	86 43,4 19,6 6,4	198 14,8
HOCKEY	6	7 6,4 10,6 0,5	24 21,8 10,9 1,8	42 38,2 6,9 3,1	37 33,6 8,4 2,8	110 8,2
DANSE	7.	5 4,6 7,6 0,4	18 16,5 8,1 1,3	35 32,1 5,7 2,6	51 46,8 11,6 3,8	109 8,2
	COLUMN TOTAL	66 4,9	221 16,6	609 45,7	438 32,8	1 334 100,0

1 DES 28 (3,6 %) CELLULES VALIDES A UNE FRÉQUENCE ATTENDUE MOINDRE QUE 5,0
FRÉQUENCE ATTENDUE MINIMALE = 2,870
KHI CARRÉ = 52,704 68 AVEC 18 DEGRÉS DE LIBERTÉ
SIGNIFICANCE =0,000 0
V DE CRAMER = 0,114 76
COEFFICIENT DE CONTINGENCE = 0,194 95
GAMMA = 0,053 63
D DE SOMERS (ASYMÉTRIQUE) = 0,042 34 AVEC TYPESPEC DÉPENDANT = 0,035 31 AVEC SCOL. DÉPENDANT
D DE SOMERS (SYMÉTRIQUE) = 0,038 51
ÊTA = 0,135 24 AVEC TYPESPEC DÉPENDANT = 0,124 77 AVEC SCOL. DÉPENDANT
r DE PEARSON = 0,053 18
SIGNIFICANCE = 0,026 1
NOMBRE DE VALEURS MANQUANTES = 27

TABLEAU 7

			SCOL.			
	COUNT ROW PCT COL PCT TOT PCT					
SEXE		0-7 1	8-11 2	12-15 3	16 et + 4	ROW TOTAL
FEMME	1	38 5,4 57,6 2,9	119 17,0 54,6 9,1	361 51,6 60,5 27,5	182 26,0 42,1 13,9	700 53,3
HOMME	2	28 4,6 42,4 2,1	99 16,2 45,4 7,5	236 38,5 39,5 18,0	250 40,8 57,9 19,0	613 46,7
	COLUMN TOTAL	66 5,0	218 16,6	597 45,5	432 32,9	1 313 100,0

SEXE PAR SCOL.

KHI CARRÉ = 34,613 54 AVEC 3 DEGRÉS DE LIBERTÉ
SIGNIFIANCE = 0,000 0
V DE CRAMER = 0,162 36
COEFFICIENT DE CONTINGENCE = 0,160 27
GAMMA = 0,192 85
D DE SOMERS (ASYMÉTRIQUE) = 0,097 55 AVEC SEXE DÉPENDANT = 0,128 34 AVEC SCOL. DÉPENDANT
D DE SOMERS (SYMÉTRIQUE) = 0,110 84
ÊTA = 0,162 36 AVEC SEXE DÉPENDANT = 0,104 05 AVEC SCOL. DÉPENDANT
r DE PEARSON = 0,104 07
SIGNIFIANCE = 0,000 1
NOMBRE DE VALEURS MANQUANTES = 48

Corrigés

CORRIGÉ DE L'EXERCICE DU CHAPITRE 3

1. Exercice sur la bonne conduite automobile.

   ### a) La représentation imagée du concept

   La conduite automobile donne lieu à différentes remarques qui sont parfois insultantes. Nous les reproduisons ici en nous excusant auprès des personnes qui pourraient se sentir visées ou qui s'offusqueraient d'un niveau de langage plus populaire que soutenu. Nombre de ces remarques proviennent des ateliers tenus en classe avec les étudiants en communications de l'Université Laval. Nous vous les livrons en vrac :

   « Grosse Corvette, p'tite quéquette. » « À bas les chapeaux. » « Même pas capable de reculer dans une entrée. » Un cycliste : « Encore un c... qui va m'ouvrir sa porte dans la face. » « Une vraie queue de veau ; coupe à gauche, coupe à droite, prend des risques pour arriver deux minutes avant tout le monde. » « Y en a qu'on dirait qui vont embarquer dans le coffre tellement y suivent de près. » « Celui-là, quand y tourne le coin de la 1re Avenue, on l'entend deux milles plus loin. » Un piéton : « Moé, quand y pleut, j'me traîne des roches pour en garrocher à ceux qui m'arrosent. » « Vous souvenez-vous, l'an dernier, une opération radar dans les zones d'écolier, le directeur de l'école allait 50 km trop vite. » « Qu'est-ce qui est pire qu'une femme au volant ? Un homme comme passager avec sa femme : "Tu vas trop vite ! tu vas trop lentement ! va à gauche ! va à droite !". » « Moé, jamais j'embarquerai avec une femme au volant ! »...

b) **Les dimensions de la bonne conduite automobile**

Pour construire les dimensions de la bonne conduite automobile, nous nous sommes servis de la définition opératoire que nous en avons donnée et des idées directrices mentionnées. Nous cherchons donc des valeurs, des attitudes, des aptitudes et des faits qui permettent de mesurer la bonne conduite automobile.

Définition provisoire de la bonne conduite automobile : la bonne conduite automobile désigne un comportement respectueux vis-à-vis l'environnement et une certaine compétence dans la conduite d'un véhicule automobile. La bonne conduite se traduit par une absence d'accidents et d'infractions au code de la route. Elle peut s'expliquer par certaines valeurs face à l'environnement, par des attitudes vis-à-vis l'autre ainsi que par les facteurs qui favorisent l'acquisition et la mise en œuvre d'une certaine compétence technique.

Dimension psychosociale : l'analyse de tout comportement social implique la connaissance des valeurs, des attitudes et des aptitudes mises en cause par ce comportement.

Attitudes : la bonne conduite automobile implique le respect des lois et des règlements, des autres conducteurs, des piétons et des cyclistes. Pour cela, il faut s'interroger sur ce que veut dire « respect ». La bonne conduite automobile exige également la confiance en soi.

Ici, nous avons développé le concept d'environnement inscrit dans la définition provisoire. Concrètement, ce concept englobe les autres conducteurs, les piétons et les cyclistes ; abstraitement, ce sont les lois et les règlements.

Aptitudes : la bonne conduite automobile nécessite la maîtrise de certaines techniques de conduite automobile et des notions élémentaires de mécanique.

Valeurs : la bonne conduite automobile exige l'adoption de certaines valeurs (respecter la vie humaine) et le rejet de certaines autres (attitudes compétitives comme arriver à destination en un temps record, se croire pilote de course, impressionner les autres, etc.).

Faits : le nombre d'accidents, le nombre d'infractions et les points de démérite.

Perception : les perceptions que nous avons désignées sous la rubrique « Sens commun » doivent être vérifiées empiriquement (perception de sa propre compétence, perception de la compétence de chacun des sexes).

L'analyse et la formulation des questions perceptuelles doivent être faites en tenant compte de l'idée directrice intitulée « Dimension culturelle » que nous reproduisons ci-dessous.

Dimension culturelle : les perceptions sociales ne sont qu'en partie le reflet de l'état réel de la société. Elles traduisent autant les valeurs sociales élargies que l'on trouve sous la forme du sens commun. Dans quelque domaine que ce soit, les perceptions sociales jouent sur la formulation d'une opinion. Le rôle de l'analyste des comportements sociaux comprend donc une double démarche soit 1) la connaissance des perceptions sociales et la compréhension de leurs fondements idéologiques et culturels et 2) leur mise en perspective par la connaissance de l'état réel de la société.

Facteurs démographiques : outre le sexe du conducteur, des facteurs tels que l'âge, l'éducation, la provenance géographique et l'expérience influent sur la bonne conduite automobile.

Autres facteurs : la variété des conditions d'utilisation et l'âge lors de l'obtention du permis de conduire.

c) **Les indicateurs**

Pour chacune des dimensions que nous avons identifiées à l'étape précédente, nous tentons de trouver des indicateurs empiriques. Ces indicateurs ne sont pas les seuls valides puisque cette démarche est largement exploratoire. De plus, leur formulation peut être ou non une question. La formulation des questions qui seront posées aux répondants constitue toutefois une étape ultérieure.

Respect des lois et des règlements : éviter d'enfreindre les lois et les règlements régissant la circulation, est-ce une priorité absolue ? Quels règlements sont enfreints par tout le monde ? par quelques-uns ? par les femmes ? les jeunes ? etc. Combien d'infractions au code de la route ont donné lieu à des points de démérite ?

Respect des autres conducteurs : est-on courtois au volant ? Donne-t-on une chance à l'autre (entrée sur les autoroutes par exemple) ? Respecte-t-on la règle implicite d'alternance aux carrefours comportant quatre arrêts obligatoires ?

Respect des piétons : observance des passages pour piétons, conduite sur chaussée mouillée (éviter d'arroser les piétons), attente à un arrêt pour que les piétons puissent traverser.

Respect des cyclistes : le conducteur fait-il un détour pour ne pas rouler trop près des cyclistes ? Considère-t-il la bicyclette comme un amusement ou un moyen de transport ? Accorde-t-il au cycliste le droit à la libre circulation ? Fait-il attention lorsqu'il ouvre la portière ? Respecte-t-il les voies cyclables ?

Confiance en soi : le conducteur est-il à l'aise pour dépasser un camion ? A-t-il confiance en ses réflexes ? Se considère-t-il bon conducteur ou bonne conductrice ?

Connaissance de certaines techniques : temps requis pour arrêter à la vitesse X, technique pour négocier une courbe, conduite sur la neige (arrêt, départ, dérapage), distinction entre traction avant et traction arrière.

Connaissance de la mécanique : manipulation des freins en cas de panne de moteur (frein à main), entretien de la voiture (freins, conduite, suspension, visibilité), conscience des limites du véhicule.

Perception de l'automobile : l'automobile est-elle un moyen de transport, un instrument de prestige ? Est-ce que le luxe d'une automobile est un facteur d'achat ? de fierté ? Quelle perception l'automobiliste a-t-il de la conduite des femmes et des hommes ?

Pouvoir : qui contrôle l'automobile (possesseur, conducteur principal, permission à demander) ?

Respect de la vie humaine : très difficile à mesurer ; voir s'il n'existe pas d'échelle toute faite.

Compétition : importance accordée à la compétition (la question peut être posée directement). Quel est l'intérêt du conducteur pour les voitures rapides ? Quelle est la voiture idéale ? Le conducteur cherche-t-il à impressionner ?

Expérience : nombre d'années d'expérience en conduite automobile, fréquence d'utilisation du véhicule (nombre d'heures par semaine).

Variété des conditions d'utilisation : conducteur principal ou secondaire, heures habituelles d'utilisation, conduite en ville, en banlieue, sur les autoroutes et les routes secondaires, âge lors de l'obtention du permis de conduire.

Variables sociodémographiques : âge, sexe, scolarité, revenu, lieu de résidence (centre-ville, banlieue, village, etc.).

CORRIGÉ DE L'EXERCICE DU CHAPITRE 4

1. Exercice sur la bonne conduite automobile.

La construction d'hypothèses n'est pas un processus univoque. *La bonne hypothèse n'existe pas.* Or, un corrigé peut donner la fausse impression qu'une hypothèse parfaite existe réellement. On peut toutefois formuler de bonnes hypothèses, des hypothèses intéressantes ou significatives.

Un autre point de confusion : doit-on absolument prouver son hypothèse ? Bien sûr, c'est ce que tout le monde recherche : avoir raison. Il n'y a toutefois pas de problème à voir une hypothèse infirmée. En fait, dans les deux cas, ce qui compte le plus, c'est ce que vous allez en dire.

Chacune des motivations présentées, que ce soit pour une enquête spectacle, une enquête scientifique, une enquête intervention ou une étude de marché, recèle une ou des hypothèses implicites. On voit ici comment les mandants orientent le questionnement des sondeurs. La première motivation concerne directement les causes des accidents et pose non moins directement l'hypothèse d'une cause indirecte aux erreurs des hommes : la conduite des femmes. La troisième motivation a également un objectif précis et distingue clairement deux modèles de conduite automobile : l'un « agressif masculin », l'autre « prévoyant féminin ». L'hypothèse sous-jacente est donc que les femmes sont plus prudentes et les hommes plus dynamiques.

Chacune de ces motivations aborde différemment les dimensions (et leurs indicateurs) de la bonne conduite automobile que nous avons dégagées au chapitre 4 dans une phase exploratoire commune à toutes les motivations. La première motivation oblige à fouiller le dossier accidents des conducteurs et à faire des recherches plus poussées sur les causes de ces accidents (vitesse, alcool au volant, etc.) ainsi que sur leur répartition selon le sexe. La deuxième motivation, de nature scientifique, est plus générale ; elle laisse la porte ouverte à beaucoup de points d'entrée sur le sujet. Le questionnement se rapporte davantage au cadre théorique que nous avons développé. Cette recherche pourrait porter sur les préjugés sociaux reliés à la conduite automobile et soulever l'hypothèse qu'on n'accorde pas plus de place à la femme sur la route que dans la société. On pourrait aussi axer la recherche sur les rapports de pouvoir au sein de la famille, l'automobile étant un des enjeux majeurs de l'exercice de ce pouvoir. La troisième motivation nous laisse avec les problèmes d'une recherche exploratoire sur la perception de la bonne conduite automobile et oblige à approfondir certaines attitudes, dont l'agressivité et la prudence. Enfin, la quatrième motivation se distingue des trois autres sous bien des aspects. Premièrement, elle tient pour acquis l'existence de certaines différences sans en préciser la nature. Deuxièmement, il ne s'agit pas de corriger les défauts de conduite automobile des hommes ou des femmes, mais plutôt de les utiliser pour vendre un produit. Pensons à tous les commerciaux qui vendent une « conduite dangereuse ». Il s'agit donc d'identifier la symbolique de la bonne conduite automobile des hommes et des femmes.

On peut émettre des hypothèses générales portant directement sur la bonne conduite automobile, lesquelles peuvent être reliées au sexe des automobilistes ou représenter une alternative à des explications fondées sur les distinctions sexuelles. L'hypothèse 1 en est un exemple.

Hypothèse 1 : on peut supposer que, indépendamment du sexe, l'expérience de conduite d'un individu et l'âge auquel il a appris à conduire sont les éléments primordiaux garants de sa bonne conduite automobile. L'expérience se mesure tant par le nombre d'années écoulées depuis l'obtention d'un premier permis de conduire que par la fréquence d'usage d'une automobile et la diversité des conditions d'utilisation.

Les hypothèses générales ne sont pas les seules que l'on doit formuler au début d'une recherche ; chacune d'elles génère un ensemble d'hypothèses spécifiques. De plus, en l'absence d'une hypothèse générale qui guiderait toute notre démarche, on doit poser des hypothèses spécifiques sur les relations que l'on prévoit observer.

Hypothèse 2 : la possession d'un véhicule automobile amène le conducteur à avoir davantage confiance en lui et, ainsi, à adopter un comportement plus risqué.

Hypothèse 3 : les femmes ont un comportement plus respectueux envers les autres conducteurs que les hommes.

Comme on peut le remarquer, il est difficile de formuler des hypothèses générales alors que l'on pourrait aisément, à partir des dimensions de la bonne conduite automobile, dégager un grand nombre de sous-hypothèses concernant tantôt le sexe du conduc-teur, tantôt son âge, tantôt une autre caractéristique démogra-phique ou une combinaison de caractéristiques démographiques. C'est ce qui se produit souvent lorsqu'on s'engage dans une recherche exploratoire, recherche qui ne pose pas d'hypothèses a priori mais qui veut « tout savoir » d'un phénomène.

Lorsqu'on utilise des techniques d'analyse multivariée, on tente de construire des modèles contenant en même temps un ensemble de sous-hypothèses.

CORRIGÉ DE L'EXERCICE DU CHAPITRE 5

1. Exercice sur la bonne conduite automobile.

   a) Classement des indicateurs selon les catégories de questions et de comportements.

      Comportements menaçants : indicateurs mentionnés sous les rubriques

      * Respect des lois et des règlements
      * Respect des autres conducteurs
      * Respect des piétons
      * Respect des cyclistes

      Comportements non menaçants : indicateurs mentionnés sous les rubriques

      * Expérience
      * Variété des conditions d'utilisation

      Questions sur les attitudes : indicateurs mentionnés sous les rubriques

      * Confiance en soi
      * Perception de l'automobile
      * Pouvoir
      * Respect de la vie humaine
      * Compétition

      Questions de connaissances : indicateurs mentionnés sous les rubriques

      * Connaissance de certaines techniques
      * Connaissance de la mécanique

      Questions sociodémographiques : indicateurs mentionnés sous la rubrique

      * Variables sociodémographiques

CORRIGÉ DE L'EXERCICE DU CHAPITRE 7

SITUATION A

Objectif de l'étude

Un sondage sur la consommation de drogue chez les 13-16 ans de la région de Québec.

Population cible

Les jeunes âgés de 13 à 16 ans de la région de Québec.

Population observée

Les jeunes âgés de 13 à 16 ans vivant dans la région de Québec et fréquentant une école secondaire de cette région. La scolarité étant obligatoire jusqu'à l'âge de 16 ans, nous ne négligeons qu'une infime partie de la population.

Bases de sondage

- La liste des écoles secondaires de la région de Québec.
- La liste des classes de chacune de ces écoles où on trouve des élèves de 13 à 16 ans.
- À partir des listes, nous constituerons une base de sondage unique.
- Tous les élèves (âgés de 13 à 16 ans) des classes retenues.

Unités de sondage

- Unité d'échantillonnage primaire : les classes et les écoles (secondaire I-A de l'école J.-F. Perreault, secondaire I-B de l'école J.-F. Perreault, etc.).
- Unité d'échantillonnage secondaire : les élèves membres des classes sélectionnées.
- Unités déclarantes, d'analyse et de référence : les élèves âgés de 13 à 16 ans.

Méthodes de sélection

Après avoir constitué une liste des écoles secondaires de la région de Québec et dénombré les classes existantes, réaliser un tirage aléatoire simple des unités (par exemple, l'école Iberville, secondaire II-A) ; puis, interroger tous les membres des classes et des écoles sélectionnées (échantillonnage par grappe).

SITUATION B

Objectif de l'étude

Une étude sur la satisfaction des étudiants en communications de l'Université Laval et de l'UQAM.

Population cible

Les étudiants en communications de l'Université Laval et de l'UQAM.

Population observée

Tous les étudiants inscrits à temps complet en communications à l'Université Laval et à l'UQAM.

Bases de sondage

- La liste des étudiants inscrits à temps complet en communications à l'Université Laval.
- La liste des étudiants inscrits à temps complet en communications à l'UQAM.

Unités de sondage

- Unité d'échantillonnage primaire : les étudiants inscrits à temps complet en communications à l'Université Laval et à l'UQAM.
- Unités d'échantillonnage secondaire, de référence, d'analyse et déclarantes : les étudiants susmentionnés.

Méthodes de sélection

Après avoir obtenu la liste des étudiants de chacune des universités, procéder de la façon suivante avec chaque liste : dénombrer les unités, sélectionner les unités de la liste en utilisant un « pas de sondage » et un point de départ choisis aléatoirement. Cela correspond à un échantillonnage probabiliste systématique. Si on vous donne accès aux listes informatisées, vous pourrez faire un tirage aléatoire simple aisément.

SITUATION C

Objectif de l'étude
Un sondage sur la clientèle d'un centre commercial.

Population cible
La clientèle d'un centre commercial.

Population observée
La clientèle âgée de 12 ans ou plus (adolescents et adultes) se présentant à l'une ou l'autre des portes d'entrée du centre commercial entre le (date au choix) et le (date au choix). On peut penser à l'éventualité de mener plusieurs sondages selon l'achalandage saisonnier, mais nous n'en tiendrons pas compte.

Bases de sondage
- Base de sondage conceptuelle : tous les individus (clientèle) âgés de 12 ans ou plus qui se présenteront à l'une des portes d'entrée du centre commercial.
- Base de sondage aréolaire : plan du centre commercial et de la position de ses portes d'entrée.
- On constituera une seule base de sondage portes/heures/jours.

Unités de sondage
- Unité d'échantillonnage primaire : portes/heures/jours du centre commercial.
- Unité d'échantillonnage secondaire : la population observée décrite plus haut.
- Unités de référence, déclarantes et d'analyse : la population observée décrite plus haut.

Méthodes de sélection
Après avoir fait un plan sommaire du centre commercial (portes d'entrée), faire un relevé de l'achalandage portes/heures/jours. Sélectionner un échantillon aléatoire simple de portes/heures/jours stratifié par porte et proportionnel à leur achalandage pour rendre l'échantillon le plus représentatif possible de la clientèle. Pour terminer, interroger chaque 15ᵉ client (de 12 ans ou plus) se présentant à une des portes du

centre commercial selon un horaire portes/heures établi à l'aide de la liste d'achalandage sélectionnée.

SITUATION D

Objectif de l'étude

Une enquête sur les jeux de pouvoir entre hommes et femmes dans les couples hétérosexuels, tels qu'exprimés par leur rapport à l'automobile.

Population cible

Les couples hétérosexuels.

Population observée

Les couples hétérosexuels où l'homme et la femme sont âgés de 16 ans ou plus, habitent ensemble, ont le téléphone, résident dans la région de Québec et où les deux conjoints possèdent un permis de conduire.

Bases de sondage

- Génération de numéros de téléphone au hasard : obtenir la liste des préfixes des numéros de téléphone en usage sur le territoire de la ville de Québec (522-, 523-, 524-, ..., 626-,..., nnn) et prévoir un certain nombre d'interurbains (1-289-, 1-367-).
- Tous les chiffres de 0000 à 9999 correspondant à la partie droite des numéros de téléphone.
- Les ménages inscrits à ces numéros de téléphone.

Unités de sondage

- Unité d'échantillonnage primaire : préfixes des numéros de téléphone (s'il y a peu de préfixes, on les prend tous).
- Unité d'échantillonnage secondaire : partie droite des numéros de téléphone.
- Unité d'échantillonnage tertiaire : individus membres de la population observée.
- Unités de référence et d'analyse : la personne sélectionnée et le couple.
- Unité déclarante : un des deux membres du couple.

Méthodes de sélection

Après avoir obtenu la liste des préfixes téléphoniques, procéder à un tirage aléatoire simple (optionnel en fonction de la taille de la région à l'étude) ; réaliser un échantillonnage aléatoire simple de la partie droite des numéros de téléphone proportionnellement à l'usage qui est fait de chaque préfixe (certains sont plus saturés que d'autres). Pour les numéros de téléphone privés où il y a un abonné, déterminer le répondant au moyen de la méthode de Kish à partir de la liste des individus éligibles que déclarera le répondant initial (conditions d'éligibilité : présence d'un couple et de deux détenteurs de permis de conduire).

SITUATION E

Objectif de l'étude

Une enquête sur la consommation des ménages de la province de Québec permettant de faire des estimations précises pour chacune des régions du Québec.

Population cible

Les ménages de la province de Québec.

Population observée

Tous les membres des ménages de la province de Québec âgés de 15 ans ou plus.

Bases de sondage

• Base aréolaire : liste des aires de dénombrement de la province de Québec ventilées selon le type de zone (urbaine ou rurale), la région et la sous-région provinciale.
• Base simple : les logements occupés dans les aires de dénombrement.

Unités de sondage

• Unité d'échantillonnage primaire : aires de dénombrement.
• Unité d'échantillonnage secondaire : logements occupés dans les aires de dénombrement.
• Unité d'échantillonnage tertiaire : les membres de la population observée.

- Unités de référence et d'analyse : le ménage, tous les membres du ménage.
- Unité déclarante : les membres du ménage interrogés.

Méthodes de sélection

- Échantillonnage stratifié proportionnel : après avoir obtenu la liste des aires de dénombrement, réaliser un tirage aléatoire simple stratifié en fonction des régions provinciales et des types de zones (urbaines et rurales). Strate n° 1 : région 01, zone urbaine ; strate n° 2 : région rurale, zone urbaine.
- Échantillonnage par grappe : interroger tous les membres éligibles de tous les logements occupés dans l'aire de dénombrement. On peut également faire une sélection aléatoire simple ou systématique des logements occupés.
- Échantillonnage aléatoire simple : dresser la liste de tous les logements occupés de chaque aire tirée précédemment, puis faire un tirage aléatoire simple des adresses de logements.
- Échantillonnage aléatoire systématique : déterminer un pas de sondage et visiter une maison sur x (pas de sondage) (voir la méthode des itinéraires). Interviewer tous les membres éligibles.

CORRIGÉ DES EXERCICES DU CHAPITRE 9

1. d
2. a
3. c
4. c
5. d
6. a
7. a) Vrai
   b) Vrai
   c) Vrai
   d) Vrai

8.   La position du candidat sur les services hospitaliers et les services sociaux est telle que les gens qui sont très insatisfaits sur l'un et l'autre thèmes ont une opinion semblable à celle de monsieur P.-P.-H. De Latrémouille. Par conséquent, en laissant ces deux variables telles quelles (4 = très insatisfait), on ajoute un maximum de points lorsque les gens sont du même avis que le candidat et un minimum de points lorsqu'ils ont une opinion contraire.

La situation s'inverse pour les deux variables suivantes : le candidat est très satisfait des services de transport en commun et d'éducation ; par conséquent, on devrait inverser les valeurs de ces deux variables de manière à accorder un poids maximal aux réponses qui expriment la satisfaction et un poids minimal à celles qui traduisent de l'insatisfaction (4=1, 3=2, 2=3, 1=4). La dernière variable est semblable aux deux premières. Une fois ces transformations exécutées, il ne reste qu'à additionner les variables.

CORRIGÉ DES EXERCICES DU CHAPITRE 10

1.   a) Nominal
     b) Ordinal
     c) Par intervalles
     d) Ordinal
     e) Par intervalles
     f) Nominal
     g) Par intervalles
     h) Par intervalles
     i) Ordinal
     j) Ordinal
2.   a) Discrète
     b) Continue
     c) Continue
     d) Discrète
     e) Continue
     f) Continue

3. a) Tableau de calcul

Scores bruts	Scores bruts au carré	$\dfrac{x_i - \bar{x}}{s}$	$\left(\dfrac{x_i - \bar{x}}{s}\right)^3$	$\left(\dfrac{x_i - \bar{x}}{s}\right)^4$	Scores bruts	Scores bruts au carré	$\dfrac{x_i - \bar{x}}{s}$	$\left(\dfrac{x_i - \bar{x}}{s}\right)^3$	$\left(\dfrac{x_i - \bar{x}}{s}\right)^4$
1	1	−2,478 77	−15,230 4	37,752 91	12	144	0,027 339	0,000 020	0,000 000
1	1	−2,478 77	−15,230 4	37,752 91	12	144	0,027 339	0,000 020	0,000 000
2	4	−2,250 94	−11,405 0	25,672 17	12	144	0,027 339	0,000 020	0,000 000
4	16	−1,795 29	−5,786 35	10,388 18	12	144	0,027 339	0,000 020	0,000 000
2	4	−2,250 94	−11,405 0	25,672 17	12	144	0,027 339	0,000 020	0,000 000
3	9	−2,023 12	−8,280 66	16,752 77	12	144	0,027 339	0,000 020	0,000 000
3	9	−2,023 12	−8,280 66	16,752 77	12	144	0,027 339	0,000 020	0,000 000
4	16	−1,795 29	−5,786 35	10,388 18	12	144	0,027 339	0,000 020	0,000 000
5	25	−1,567 46	−3,851 15	6,036 548	12	144	0,027 339	0,000 020	0,000 000
5	25	−1,567 46	−3,851 15	6,036 548	12	144	0,027 339	0,000 020	0,000 000
6	36	−1,339 63	−2,404 13	3,220 655	13	169	0,255 168	0,016 614	0,004 239
6	36	−1,339 63	−2,404 13	3,220 655	13	169	0,255 168	0,016 614	0,004 239
7	49	−1,111 80	−1,374 31	1,527 967	13	169	0,255 168	0,016 614	0,004 239
7	49	−1,111 80	−1,374 31	1,527 967	13	169	0,255 168	0,016 614	0,004 239
8	64	−0,883 97	−0,690 75	0,610 607	13	169	0,255 168	0,016 614	0,004 239
8	64	−0,883 97	−0,690 75	0,610 607	13	169	0,255 168	0,016 614	0,004 239
8	64	−0,883 97	−0,690 75	0,610 607	13	169	0,255 168	0,016 614	0,004 239
9	81	−0,656 14	−0,282 49	0,185 355	13	169	0,255 168	0,016 614	0,004 239
9	81	−0,656 14	−0,282 49	0,185 355	14	196	0,482 997	0,112 676	0,054 422
9	81	−0,656 14	−0,282 49	0,185 355	14	196	0,482 997	0,112 676	0,054 422
9	81	−0,656 14	−0,282 49	0,185 355	14	196	0,482 997	0,112 676	0,054 422
9	81	−0,656 14	−0,282 49	0,185 355	14	196	0,482 997	0,112 676	0,054 422
9	81	−0,656 14	−0,282 49	0,185 355	14	196	0,482 997	0,112 676	0,054 422
10	100	−0,428 31	−0,078 57	0,033 656	15	225	0,710 826	0,359 161	0,255 301
10	100	−0,428 31	−0,078 57	0,033 656	15	225	0,710 826	0,359 161	0,255 301
10	100	−0,428 31	−0,078 57	0,033 656	15	225	0,710 826	0,359 161	0,255 301
10	100	−0,428 31	−0,078 57	0,033 656	15	225	0,710 826	0,359 161	0,255 301
11	121	−0,200 48	−0,008 05	0,001 615	15	225	0,710 826	0,359 161	0,255 301
11	121	−0,200 48	−0,008 05	0,001 615	15	225	0,710 826	0,359 161	0,255 301
11	121	−0,200 48	−0,008 05	0,001 615	15	225	0,710 826	0,359 161	0,255 301
11	121	−0,200 48	−0,008 05	0,001 615	15	225	0,710 826	0,359 161	0,255 301
11	121	−0,200 48	−0,008 05	0,001 615	15	225	0,710 826	0,359 161	0,255 301
11	121	−0,200 48	−0,008 05	0,001 615	16	256	0,938 654	0,827 023	0,776 289
11	121	−0,200 48	−0,008 05	0,001 615	16	256	0,938 654	0,827 023	0,776 289
11	121	−0,200 48	−0,008 05	0,001 615	16	256	0,938 654	0,827 023	0,776 289
11	121	−0,200 48	−0,008 05	0,001 615	16	256	0,938 654	0,827 023	0,776 289
11	121	−0,200 48	−0,008 05	0,001 615	16	256	0,938 654	0,827 023	0,776 289
11	121	−0,200 48	−0,008 05	0,001 615	17	289	1,166 483	1,587 216	1,851 461
11	121	−0,200 48	−0,008 05	0,001 615	17	289	1,166 483	1,587 216	1,851 461
12	144	0,027 339	0,000 020	0,000 000	18	324	1,394 312	2,710 693	3,779 554
12	144	0,027 339	0,000 020	0,000 000	18	324	1,394 312	2,710 693	3,779 554
12	144	0,027 339	0,000 020	0,000 000	18	324	1,394 312	2,710 693	3,779 554
12	144	0,027 339	0,000 020	0,000 000	18	324	1,394 312	2,710 693	3,779 554
12	144	0,027 339	0,000 020	0,000 000	18	324	1,394 312	2,710 693	3,779 554
12	144	0,027 339	0,000 020	0,000 000	18	324	1,394 312	2,710 693	3,779 554
12	144	0,027 339	0,000 020	0,000 000	18	324	1,394 312	2,710 693	3,779 554
12	144	0,027 339	0,000 020	0,000 000	18	324	1,394 312	2,710 693	3,779 554
12	144	0,027 339	0,000 020	0,000 000	18	324	1,394 312	2,710 693	3,779 554
12	144	0,027 339	0,000 020	0,000 000	23	529	2,533 456	16,260 74	41,195 90
					25	625	2,989 114	26,707 15	79,830 75
∑ 1 188	16 040							−22,590 1	370,781 7

3. a) Réponses

	FORMULE THÉORIQUE	FORMULE APPLIQUÉE	RÉSULTAT
Moyenne	$\dfrac{\Sigma x_i}{n}$	$\dfrac{1\,188}{100}$	11,88
Variance	$\dfrac{\Sigma x_i^2 - (\Sigma x_i)^2/n}{n}$	$\dfrac{16\,040 - (1\,188)^2/100}{100}$	19,265 6
Écart type	$\sqrt{s^2}$	$\sqrt{19,265\,6}$	4,389 26
Médiane	point milieu de $\dfrac{n}{2}$ et $\dfrac{n}{2}+1$	$\dfrac{100}{2} = 50^e \quad \dfrac{100}{2} + 1 = 51$	12
Mode	valeur la plus fréquente $(1\,188)^2 = 1\,411\,344$	il y a 20 valeurs 12	12
Premier quartile Q_1	valeur dont 25 % des valeurs sont inférieures	comme il y a 100 valeurs, la 26e valeur est Q_1	10
Troisième quartile Q_3	valeur dont 75 % des valeurs sont inférieures	comme il y a 100 valeurs, la 76e valeur est Q_3	15
Espace interquartile	$Q_3 - Q_1$	$15 - 10$	5
Biais	$\dfrac{\Sigma\,[(x_i - \bar{x})/s]^3}{n}$	$\dfrac{-22,590\,1}{n}$	-0,225 90
Kurtose	$\dfrac{\Sigma\,[(x_i - \bar{x})/s]^4}{n}$	$\dfrac{370,781\,7}{100}$	0,707 817

N.B. : *Les calculs ont été réalisés au moyen du logiciel Lotus.*

3. b)

Niveau de scolarité	Fréquence	Fréquence cumulée	Pourcentage	Pourcentage cumulé
1 à 7 ans	14	14	14,0	14,0
8 à 12 ans	46	60	46,0	60,0
13 à 15 ans	22	82	22,0	82,0
16 ans et plus	18	100	18,0	100,0
TOTAL	100		100,0	

3. c)

Années de scolarité	Fréquence	Fréquence cumulée	Pourcentage	Pourcentage cumulé
1 à 10 ans	27	27	27,0	27,0
11 à 12 ans	33	60	33,0	60,0
13 à 14 ans	14	74	14,0	74,0
15 ans et plus	26	100	26,0	100,0
TOTAL	100		100,0	

Il a été impossible de respecter parfaitement les bornes des quartiles. En effet, lorsque l'on construit des classes, celles-ci doivent être exclusives les unes des autres. Par exemple, le premier quartile a comme borne le deuxième 10 de la série ; on ne peut donc subdiviser la série en incluant une partie des valeurs 10 avec le premier quartile, et une autre partie avec la classe contenant la médiane. Lorsqu'on regroupe des données de sondage avec les quartiles comme critère, on arrive juste, ou presque, seulement lorsque chaque répondant obtient une réponse différente.

3.   d)

FORMULE THÉORIQUE	FORMULE APPLIQUÉE	RÉSULTAT
Moyenne $\dfrac{\Sigma f_i x_i}{n}$	$\dfrac{(3,5)(14) + (10)(46) + (14)(22) + (20,5)(18)}{100}$	11,86
Médiane entre $\dfrac{n}{2}$ et $\dfrac{n}{2} + 1$	La catégorie médiane est la deuxième 50,5 – (14) = 35,5 35,5/46 = 0,771 7	11,86
interpolation	0,771 7 × 5 = 3,86 8 + 3,86 = 11,86	

La vraie médiane est 12, on le sait. Comment se fait-il que l'on ne trouve pas la réponse avec les valeurs groupées ? La réponse est simple. D'après le modèle sous-jacent à l'interpolation, chacune des valeurs de l'intervalle est également représentée dans la distribution, ce qui n'est pas le cas. Il y a 46 répondants entre 8 et 12 ans de scolarité qui se distribuent ainsi :

8 8 8 9 9 9 9 9 9 9 10 10 10 10 11 11 11 11 11 11 11 11 11 11 11 11 11 11 11 11 12 12 12 12 12 12 12 12 <u>12</u> 12 12 12 12 12 12 12 12 12

et le modèle théorique dont on se sert est approximativement le suivant :

8 8 8 8 8 8 8 8 8 9 9 9 9 9 9 9 9 9 10 10 10 10 10 10 10 10 10 11 11 11 11 11 11 11 <u>11</u> 11 12 12 12 12 12 12 12 12 12 12

On a souligné le 35e chiffre des deux distributions, ce qui correspond à 12 dans la distribution réelle, et à 11 dans la seconde distribution. Remarquez que 86 % des 11 précèdent le 11 de la seconde distribution.

FORMULE THÉORIQUE

$$\text{Mode} \quad M_o = \begin{array}{c}\text{Borne inférieure}\\ \text{de la classe modale}\end{array} + \left[\frac{\text{Différence d'effectifs avec la classe antérieure}}{\begin{array}{c}\text{Différence d'effectifs}\\ \text{avec la classe antérieure}\end{array} + \begin{array}{c}\text{Différence d'effectifs}\\ \text{avec la classe postérieure}\end{array}} \right] \times \begin{array}{c}\text{Amplitude}\\ \text{de classe}\end{array}$$

FORMULE APPLIQUÉE   RÉSULTAT

$$8 + \left[\frac{46 - 14}{(46 - 14) + (46 - 22)}\right] \times 5 = 10,86$$

FORMULE THÉORIQUE

Variance $\dfrac{\Sigma f_i\, x_i^2 - (\Sigma f_i\, x_i)^2/n}{n}$

FORMULE APPLIQUÉE   RÉSULTAT

$$\frac{[(14)\,(4)^2 + (46)\,(10)^2 + (22)\,(14)^2 + (18)\,(20,5)^2] - [(14)\,(4) + (46)\,(10) + (22)\,(14) + (18)\,(20,5)]^2/100}{100} = 24,68$$

	FORMULE THÉORIQUE	FORMULE APPLIQUÉE	RÉSULTAT
Écart type	$\sqrt{s^2}$	$\sqrt{24,68}$	4,967 9

4.
	FORMULE THÉORIQUE	FORMULE APPLIQUÉE	RÉSULTAT
	$n = \dfrac{Nk^2}{N\,(E\hat{E}^2/pq) + k^2}$	$\dfrac{100\,(1,96)^2}{100\,(0,1^2/0,25) + 1,96^2}$	48,99

9. a)

MATIÈRE	SCORE z
Français écrit	0,78
Français oral	0,67
Mathématiques	2,87
Anglais	1,61
Géographie	0,0
Histoire	–0,62
Technologie	–1,71
Physique	0,14
Chimie	0,82

b)

MATIÈRE	NOTE
Français écrit	26,19
Français oral	27,66
Mathématiques	71,20
Anglais	16,40
Géographie	44,53
Histoire	56,14
Technologie	9,10
Physique	46,27
Chimie	117,08

Paul devrait obtenir un score z de 1,28 dans chacune des matières.

c)

MATIÈRE	NOMBRE D'ÉTUDIANTS
Français écrit 78,23 %	3 911
Géographie 50 %	2 500
Chimie 79,29 %	3 964

10. a) Aucune, toutes les cotes z sont égales.

b) Presse écrite : 391
Radio – télévision : 293
Enquête et opinion : 117

c) Entre 60,65 % et 63,35 %.

11.

p	k	p	q	n	p × q	(p × q) / n	Racine carrée	Marge d'erreur	Marge d'erreur 70	Limite supérieure	Limite inférieure
10 %	1,96	0,10	0,90	100	0,090 00	0,000 90	0,030 00	0,058 80	5,88 %	15,88 %	4,12 %
10 %	1,96	0,10	0,90	1 000	0,090 00	0,000 09	0,009 49	0,018 59	1,85 %	11,86 %	8,14 %
50 %	1,96	0,50	0,50	100	0,250 00	0,002 50	0,050 00	0,098 00	9,80 %	59,80 %	40,20 %
50 %	1,96	0,50	0,50	1 000	0,250 00	0,000 25	0,015 81	0,030 99	3,09 %	53,10 %	46,90 %
50 %	2,58	0,50	0,50	1 000	0,250 00	0,000 25	0,015 81	0,040 79	4,07 %	54,08 %	45,92 %
90 %	1,96	0,90	0,10	100	0,090 00	0,000 90	0,030 00	0,058 80	5,88 %	95,88 %	84,12 %
90 %	1,96	0,90	0,10	1 000	0,090 00	0,000 09	0,009 49	0,018 59	1,85 %	91,86 %	88,14 %

12. La première chose qui saute aux yeux est la disproportion entre les résultats des firmes de sondage indépendantes et ceux obtenus par le Parti rhinocéros. Serait-ce une autre de leurs farces ? De plus, on remarque que les rhinocéros ne livrent pas la taille de l'échantillon dont ils tirent leurs chiffres, ce qui interdit tout calcul d'intervalles de confiance.

Pour les deux autres sondages, on peut calculer l'intervalle de confiance en utilisant la formule suivante :

$$p +/- K \sqrt{(pq/n)}$$

GRAND GALOP

$$0,10 +/- 1,96 \sqrt{\frac{0,10 \times 0,90}{1\ 234}} = 0,10 +/- 0,016\ 7$$

L'intervalle de confiance va de 8,33 % à 11,67 %.

ANGOISSE ROUGE

$$0,12 +\!\!/\!\!- 1,96 \sqrt{\frac{0,12 \times 0,88}{602}} = 0,12 +\!\!/\!\!- 0,026\ 0$$

L'intervalle de confiance va de 9,40 % à 14,60 %.

On remarque que les deux intervalles de confiance sont de taille différente et, ce qui est plus important, qu'ils se superposent. Sans pouvoir en être parfaitement sûr statistiquement, il semble que les résultats obtenus dans les deux sondages ne soient pas très différents l'un de l'autre.

CORRIGÉ DES EXERCICES DU CHAPITRE 12

1. d
2. a
3. c
4. a) Non
    b) Non, $n < 50$
    c) Oui
    d) Non
    e) Oui
    f) Oui
    g) Non, $n < 50$
    h) Non, $n < 50$
    i) Oui
    j) Non ; malgré que la taille de l'échantillon soit supérieure à 50 et le khi^2 supérieur à la valeur indiquée dans la table, il est facile de déduire que le nombre de cellules du tableau (30) entraînera des valeurs attendues inférieures à 5. En effet, en répartissant également les 50 cas dans les cellules, on obtient à peine 1,67 cas par cellule.
    k) Oui
    l) Oui
5. a) Le V de Cramer.
    b) Le gamma ou le D de Somers.

c) Le V de Cramer.

d) Le gamma si on se fie strictement au niveau de mesure, ou le *r* de Pearson dans la pratique puisque l'échelle de prestige est très longue.

e) Le V de Cramer.

f) Le V de Cramer ; il faudrait toutefois regrouper la variable « scolarité ».

g) Le *r* de Pearson.

h) Le gamma ou le D de Somers.

i) Le gamma ou le D de Somers.

j) Le gamma ou le D de Somers.

k) Le V de Cramer en regroupant les deux variables, ou le gamma et le D de Somers, voire le *r* de Pearson, si la profession est ordonnée selon le revenu ou le prestige.

l) Le *r* de Pearson.

m) Le phi.

n) Le V de Cramer en regroupant le revenu et la scolarité, ou le gamma et le D de Somers si la profession est ordonnée.

o) Le V de Cramer en regroupant le revenu, ou le *r* de Pearson en dichotomisant le sexe (0, 1).

p) Le phi.

6. Une telle différence entre le êta et le *r* de Pearson indique une forte relation curvilinéaire entre l'âge et la scolarité. Le *r* de Pearson ne peut être très fort parce qu'il ne mesure que des relations linéaires. La fréquentation scolaire s'accroît de manière très linéaire entre 6 ans et 16 ans, âges où la scolarité est obligatoire ; en effet, peu d'enfants ne complètent pas les étapes des niveaux primaire et secondaire. Cependant, le nombre d'élèves qui abandonnent l'école au deuxième cycle du secondaire s'accroît, et augmente brusquement lors du passage au niveau collégial. À l'université, la relation demeure, mais elle est atténuée par la faible part de la population qui y est inscrite et par la plus grande possibilité d'étudiants adultes (si on excepte les cours aux adultes du secondaire). Après 30 ans, on atteint une sorte de plateau où l'âge et la scolarité sont à peu près sans relation. Après 45 ans, et encore plus après 55 ans, la scolarité décroît fortement avec l'âge pour atteindre un plateau plus bas après 65 ans.

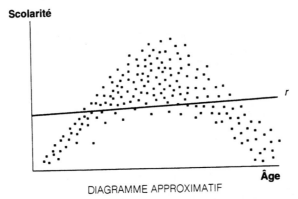

Scolarité

r

Âge

DIAGRAMME APPROXIMATIF

CORRIGÉ DES EXERCICES DU CHAPITRE 13

1. Une relation symétrique n'implique pas de lien de causalité mais une simple association. Une relation asymétrique implique une causalité, soit une variable indépendante et une variable dépendante. Une relation réciproque, ou circulaire, implique un double lien de causalité à des temps distincts (poule – œuf).

2. a) Relation symétrique.
    b) Le sexe est la variable indépendante.
    c) Le quartier de résidence est la variable indépendante.
    d) Le sexe est la variable indépendante.

3. c) Variable antérieure, variable indépendante, variable dépendante (dans l'ordre)
        ou
        Variable indépendante, variable intermédiaire, variable dépendante.
    d) Le diagnostic causal.

4. a) C
    b) A
    c) B
    d) D
    e) C
    f) A
    g) B
    h) E

5. a) Le meilleur coefficient pour ces tableaux est le V de Cramer. En effet, TYPESPEC est de niveau nominal.

b)

Relation initiale	Relations conditionnelles				Relations marginales	
TYPESPEC par SEXE	TYPESPEC par SEXE				TYPESPEC par SCOL.	SEXE par SCOL.
	0-7 ans	8-11 ans	12-15 ans	16 ans et +		
V de Cramer 0,34	0,57	0,49	0,39	0,25	0,12	0,16

c) **Diagnostic :** spécification ; en effet, la relation entre le sexe et le type de spectacle choisi demeure importante dans les relations conditionnelles. Par ailleurs, les relations marginales sont faibles mais non nulles.

Commentaire : on note, dans le tableau de la relation initiale, que les hommes préfèrent le sport et les spectacles rock alors que les femmes dominent dans tous les autres secteurs. Ce profil est plus marqué pour les niveaux inférieurs de scolarité et s'atténue au fur et à mesure que la scolarité croît. Chez les universitaires (16 ans et +), on note même une légère prédominance des hommes sur les femmes dans la catégorie musique classique, ce qui surprend étant donné le tableau initial. De plus, les catégories « rock » et « hockey » combinées ne comptent que 23 % du total des universitaires, alors que chez les moins scolarisés, on observe jusqu'à 49 % (8-11 ans) des hommes dans ces deux catégories. En somme, s'il existe indéniablement une différence de consommation culturelle en vertu du sexe, cette différence tend à s'atténuer avec l'élévation de la scolarité.

Il y aurait encore beaucoup à dire sur cette relation, mais toutes les autres interprétations nécessitent la connaissance de l'ensemble des relations de cette enquête. Un analyste perspicace notera toutefois que la proportion d'universitaires dans l'enquête est sans commune mesure avec celle qu'on observe dans la population générale (près de 3 fois plus, soit 32,8 %). L'échantillon étant constitué sur place lors de la présentation des spectacles, il semble qu'une scolarité élevée soit un incitatif à se rendre au spectacle. Par ailleurs, on peut émettre l'hypothèse que le mode de passation du questionnaire a joué un rôle : les gens ayant une scolarité élevée sont plus enclins à remplir un questionnaire écrit.

Exercice général

DONNÉES D'ENQUÊTE POUR EXERCICES

Les données qui suivent proviennent d'un sondage sur les élections municipales de Québec de 1985. L'échantillon de numéros de téléphone ayant servi pour réaliser ce sondage a été généré par ordinateur. Tous les répondants étaient âgés d'au moins 18 ans et habitaient Québec depuis au moins un an.

Ces données n'ont pas été nettoyées complètement. Il n'y a toutefois pas d'erreurs graves. Nous avons conservé 14 des variables originales. Elles sont définies sur la page suivante. Le format de la définition des variables est celui de SPSS-X, qui peut être facilement lu par SPSS-PC et adapté pour d'autres logiciels.

Les données sont réparties en colonnes de 16 chiffres correspondant à la définition des variables jointes. Il y a 511 répondants.

Ces données peuvent être facilement saisies sur un logiciel statistique ou un chiffrier. Toutefois, le lecteur pressé ou non équipé d'un lecteur optique pourra procéder par échantillonnage. Les données n'ont aucun classement séquentiel, ce qui permet d'échantillonner avec un pas de sondage.

Ces données vous permettront de réaliser tous les exercices comportant des données fictives sur la scolarité, de construire des échelles et des typologies et de faire des analyses de diagnostic causal.

```
DATA LIST FIXED
/ SEXE 1 QUARTIER 2 QUALSER 3 TAXSER 4 EFFICACE 5
  POLMUN 6 DUREE 7-8 LOCPROP 9 SCOL 10 AGE 11-12
  A_VOTE 13 MAIRE 14 REVENU 15 VOTE 16
VAR LABELS
SEXE 'sexe'
QUARTIER 'quartier de résidence'
QUALSER 'Variations de qualité services en 4 ans'
TAXSER 'rapport taxes et services'
EFFICACE 'efficacité de la gestion'
POLMUN 'importance de la politique municipale'
DUREE 'années de résidence à Québec'
LOCPROP 'statut de propriété'
SCOL 'niveau de scolarité'
AGE "classe d'âge"
A_VOTE 'a voté aux dernières élections'
MAIRE 'vote à la mairie'
REVENU 'classe de revenu'
VOTE 'aller voter aux élections'
VALUE LABELS
SEXE 1 'homme' 2 'femme'/
QUARTIER 1 'Haute-ville' 2 'Basse-ville' 3 'Limoilou-Maizerets'
4 'DSNCO' 8 'nsp' 9 'nrp'/
QUALSER 1 'a augmenté' 2 'restée la même' 3 'a diminué' 8 'nsp'
9 'nrp'/
TAXSER 1 'très' 2 'plutôt' 3 'peu' 4 'pas du tout' 8 'nsp'
9 'nrp'/
EFFICACE 1 'très' 2 'efficace' 3 'peu eff' 4 'pas du tout'
8 'nsp'  9 'nrp'/
POLMUN 1 'très imp' 2 'important' 3 'peu important'
4 'pas du tout imp' 8 'nsp' 9 'nrp'/
LOCPROP 1 'locataire' 2 'propriétaire' 3 'condo,coprop,coop'/
SCOL 1 'primaire' 2 'secondaire' 3 'collégial'
4 'universitaire'/
AGE 1 '18-20' 2 '21-24' 3 '25-29' 4 '30-34' 5 '35-39' 6 '40-44'
7 '45-49' 8 '50-54' 9 '55-59' 10 '60-64' 11 '65 et +' 98 'nsp'
99 'nrp'/
A_VOTE 1 'oui' 2 'non' 8 'nsp' 9 'nrp'/
MAIRE 1 'Pelletier' 2 'Mainguy' 4 'refuse' 5 'ne vote pas'
6 'indécis' /
REVENU 1 '0-5' 2 '5-10' 3 '10-15' 4 '15-20' 5 '20-25' 6 '25-35'
7 '35 et +' 8 'nrp' 9 'nsp'/
VOTE 1 'oui à tous prix' 2 'oui si ça adonne' 3 'non' 8 'nsp'
9 'nrp'
```

```
232882 814 41251 1288826011101131 211221 513 22132
2288141411 62692 1333341721111131 142222 214 21612
131431 623 41261 1282123014 41112 112323 414 32161
2332822522 71691 1323213314 41661 112832 212 49651
2384444421 61621 1188341013 22523 1413234812 71641
2321225412 81111 2221936021102131 1322322512 41621
2381127312111111 2113222222 91131 2123211234 22111
2381186911111691 212221 724101161 2118822014 72161
2321221512 31111 2212216722111111 231881 112 32632
233314 412 62111 2213236521111121 242122 214 32141
2412332024 32663 213442 824 32231 112222 434 42221
2388843011111621 2322212212 22122 2333425722 81611
2322224413 61111 1123321012 41262 2112225713 91551
232224 622 51651 1312222513 71171 232922 212 12811
2383337322111611 1313116523111171 1123213012 42141
2313221822 12111 1122331714 51262 1311112212 81161
2383836618111121 132383 313 12613 2182221014 22522
2288814312 62252 1122226022101171 2122888711111621
2313824022101611 2322323821112111 2112213012 91111
133221 714 41251 1213321014 42441 2222816822111611
1332321813 42573 222821 113 42241 2212223512 51221
1112213013111191 1223222012 41121 2192221112111622
1118811534 51141 1421211623 61161 212883 214 22612
2113233734 52173 2423223122 41111 1418412014 52153
2112315213 81131 1421222814 31261 218224 314 22612
2128236013101121 1121211723 12611 2214325012 81121
2122211023 51631 2118234013101111 2123113412 91191
112833 314 42263 2228823011101611 2212225022 81111
2138216929111131 2223832222101121 128122 122 51491
2124312533 32211 2221221213 12611 2283216311101131
112222 214 32151 1422221013 21651 1329433412 42672
111822 312101131 112482 233112131 2111817221111191
2112225012111631 121282 412 31631 2213243529 99499
2112327813111121 1211112312111121 221811 512 72221
212222 414 32611 2124224023 61161 122232 112 22621
2133312512 71231 1222215212 81121 112334 414 32238
1122211434 41271 2322231813101151 223883 512 51628
2112225822 91421 221233 413 21611 2122233024 52172
2128228612112692 1322223819 91121 2213224622 71191
128821 214 31141 2331116812111121 118832 414 41241
2328325812111121 2323228021111111 2312211312161121
132323 824 52661 131332 322 61241 2228834121 88548
1312214214 61151 2233323012 91122 2128843012 71163
1321821612 71161 1381426211111141 1222226022111691
218822 214 22212 1222233013 41161 1383942612 32153
2128831012112132 1294411424 41692 2388814612112191
2333324022 61241 2228184012 91191 2322142011101131
2318221123 51161 2138817514111131 218882 114 32653
2312225812 91111 1211336811111131 222332 913 31231
2323311214 62671 2222226021101131 111312 724 81642
1224411413 51241 2423211514101111 1422222812 32673
2288825711 91121 1122833814 51171 2412811512 32642
```

```
1412427231111622 1134341524 51292 2382324212 61811 1421221024 21292 1814312612 31641 2112322512 32612
1188221814 51242 2118825511 91411 222333 614 32662 1422213212 41251 142333 212 62652 221221 912101121
2112212524 91171 1121231514 51241 2332212012 91121 2431215022 81181 1422221724 62163 221221 11 92111
2423232613 32142 1121346521111233 2388317019111191 1421123123 41241 148332 512552553 2222846821111621
2322221412 22111 211432 313 32611 2222221012 62642 1423314223 51691 1422221213 31291 232332 113 32621
1288831412 22613 2121838322111411 1334112722101161 1422125422 91191 1421211523 41291 2322234522 71611
2223322723 31142 214344022 62163 2113332512 32631 2421234324 61161 148222 234 42171 231821 412 62121
2312127613111121 2222223512 51111 228823 512 32513 2422222822 41632 2428823812 52611 1211336023101231
2482826022101692 2388833212 42822 2322335211 81131 1422231224 32168 1412213323 41291 139832 912 22111
112323 224 42172 118222 314 22112 2323334211 62211 1322224522 71291 2423311822 41291 2389927511111612
2128821924 12113 132421 414 61221 142324 424 51171 2423333512 51242 142333 23 42181 132333 513 22112
1223335311 81562 1124322023 61671 2328216014102142 2412213023 81291 2423212822 71291 2288225012 81648
248223 112 22112 2123321514 31221 133331 312 52651 2421222812 31141 2482324812 71291 1288832013 72611
1224431922 11111 1123231224 62872 1423432512 31851 2421115821 91191 2422831022 62138 2382322312 22628
1421223312 41131 1312316022111131 2123321713 12413 1422224322 61651 2423312812 31191 2129824011111491
212832 114 42222 1223225012 81141 1124323324 41271 1488817212111523 1442214222 61251 232282451111121
112832 814 32262 2322213622111221 2212217011111111 2488828111112583 1421221522 41171 232231 712 42122
132282 412 52623 2284342912 32222 1123212023 22651 2488818313112483 2482233412 42131 111221 231112128
132823 612 28292 2282222112 42891 232312 111 81811 2422229011112523 2423223022 78191 1323221012 31141
2322223512 51111 2123324012 61222 2414221033 41451 2243321412 22692 143443 424 42573 1213221032 61161
2388225511 91111 2228832013 32832 1434233722 51661 2422215013111692 1423323924 41461 2213312712 32632
2323332112 21131 2122221214 31132 2412223512 51611 2422216022101691 1422324323 61261 2138224012111641
1338344514 72152 1383312412 21631 2332322512 32612 1492223012 41161 1422216621111291 2388235312 31611
2312222622 72491 141392 413 22842 1322331313 51132 1442223012991291 1421121023 51291 2433223523 51211
2323233112 41162 1112227622111241 1313323014 52261 1423321512 31291 1421222323 31151 143431 512 32152
1323111812 12241 1313321812 12111 2222826811111892 1422222022 31291 2492232523111141 221222 332 31141
2333226512111621 2224425311 81812 2212223312 41561 241382 511 71631 2423315222 41291 2422221823 61162
2323221828 71111 228881 612112423 1423232823 91271 1424222312 81171 1411211713 22231 2324324011111121
2318223232 61611 112333 414 22225 2124311523 41241 1422212524101671 1421221823 51291 212331 614 31231
2312225812111131 2312116212111121 2328823013101141 2422223924 48691 2413226332101121 1212322812101112
2112213922 51221 2311111511111111 2323837521111527 1423312924 61691 1422211122 52691 2112227512111161
231211 812 12111 122222 213 22842 2321333024 41651 143222 613 31133 1422221322 61191 2323333222 91131
133883 514 42242 1324443712 51441 2221813028111121 248322 123 22251 1411221012 61251 2111212513 91111
233323 413 31631 1211411 42111 1238122322 22113 2422231312101291 2422221513 51251 122332534 71171
2322241012 42133 1228221013 11413 2422812023101651 232111 212 31241 1422221823991291 212122 214 42613
2322211513 31251 113832 512 42611 218882 213 32651 141234 523 98148 1422212022 62652 1112217812111131
2328212413 21141 123331 312 32621 14292130121111 8 2428831013 22648 1422221122 52168 2219224521119418
2313222523 31211 2312221913 12111 2113216011101191 2428321524 31291 1422221421 91691 1313331024 51261
2313311512 61121 2322225012 81121 2123233022 41242 2423211023 71691 1422213824 61191 1422322124 22651
1323332822 32252 2212223922 51151 2182812711101212 1428931423 41291 2412312024 51261 1211221814111141
2323325922 91131 23222142 3108161 2199227311117111 1422222532 42241 241222 424 58261 2213315032 81111
2113214812 71191 128331 214 32211 2223313711 51921 142333 812 41691 1422111523 61271 2333317331111111
2122134711 71191 2383323012 41141 2129933212111541 141222 924 42661 2412214022101141 2318848023112193
2112821013 38141 1232221623 22111 2333312222 61141 1423313512351591 1434414321 61251 2218334712 71121
2281217522111541 1483211323 51451 2313121012 81111 242121 212 31291 143121 823 41242 2212214913 71111
2124325013 81491 2133212022991251 2422222622 32141 2422246022101691 2422214222 61231 1322322412 21631
2124333022 71221 1212222023 12232 1484481212 52233 1424831524 62473 1423321512 51161 2122233024 41162
212889 412 32532 2121211411111511 1322213213 42162 1422233813 52533 11424 512 42268 122333 234 32151
1224222512 31111 2488232012 21631 1422223823 51652 1428825022731521 2228322512 32121 2122224623 71131
1188332814 38643 148222 123 41471 2421136212108523 149331 512 22641 2123322832 32622 2323343212 41128
1123433212 42251 228823 113 22611 1422215212 81692 1422214523 71151 2222213212 81111 1312115322 81131
2124343012 61241 1122231522 82192 1411122613 31222 1428811122 41671 1123214813 3158 222342 812 62621
```

Annexe A

DES FAITS ET DES CHIFFRES SUR LA CONDUITE AUTOMOBILE

Nous avons fait une recherche documentaire sur le thème de la conduite automobile. Pour cela, nous avons principalement utilisé le compte rendu des recherches commanditées ou réalisées par la Régie de l'assurance automobile du Québec. Nous avons inclus des données récentes et anciennes, ce qui permettra de comprendre l'évolution des phénomènes décrits. On trouvera à la fin de cette annexe une bibliographie plus complète sur différents aspects de la conduite automobile.

A.1   LE BILAN ROUTIER

Les données que nous avons recueillies pour l'année 1989 ne sont que fragmentaires (le bilan final de 1989 n'étant pas encore disponible lors de la rédaction de cette annexe). Toutefois, il est possible de constater l'évolution du nombre d'accidents et de leurs victimes grâce au *Bilan routier* de 1989.

Il faut cependant préciser que les données pour les dommages matériels ne comprennent que les estimations supérieures à 500 $ effectuées par les policiers. Auparavant, cette limite statistique était de 250 $ (*Bilan routier*, 1989, p. 1).

LE NOMBRE D'ACCIDENTS

TABLEAU A.1
Accidents de la route

	1988	1989	1989/1988
Dommages corporels	43 840	41 379	− 5,6 %
Dommages matériels seulement	151 822	147 244	− 3,0 %
TOTAL	195 662	188 623	− 3,6 %

En 1989, on a constaté une diminution de 3,6 % des accidents par rapport à 1988, ce qui constitue le plus bas niveau depuis les cinq dernières années (*Bilan routier*, 1989, p. 5).

Dans la région de l'Estrie, on a enregistré la plus forte diminution d'accidents en 1989, soit 10 % de moins. Par contre, le taux d'accidents s'est accru de 1,7 % dans la région de la Mauricie–Bois-Francs et de 0,3 % dans la région de Québec (*Bilan routier*, 1989, p. 4).

LES VICTIMES

En 1989, on a également constaté une baisse de 4,3 % du nombre de victimes, soit 57 897 comparativement à 60 842 pour 1988. La plus forte diminution a été enregistrée chez les occupants d'un véhicule de promenade, soit 2 733 victimes de moins qu'en 1988. Le tableau A.2 fournit une liste détaillée du nombre de victimes d'accidents de la route (décédées et blessées) selon le type d'usager et le tableau A.3 indique l'évolution de ce nombre au cours des dernières années.

TABLEAU A.2
Victimes d'accidents de la route selon le type d'usager

Type	Victimes décédées/blessées			Victimes décédées		
	1988	1989	1989/1988	1988	1989	1989/1988
Occupants d'un véhicule de promenade	40 673	37 940	– 6,7 %	694	692	– 0,3 %
Occupants d'un camion	5 005	5 603	+ 11,9 %	100	124	+ 24,0 %
Motocyclistes	3 146	2 512	– 20,2 %	62	82	+ 32,3 %
Cyclistes	3 770	4 060	+ 7,7 %	34	37	+ 8,8 %
Piétons	5 142	4 810	– 6,5 %	171	144	– 15,8 %
Autres	2 746	2 972	+ 8,2 %	29	51	+ 75,9 %
TOTAL	60 482	57 897	– 4,3 %	1 090	1 130	+ 3,7 %

Cependant, le nombre de décès a augmenté de 3,7 %, passant de 1 090 en 1988 à 1 130 en 1989 (*Bilan routier*, 1989, p. 2-3).

La région du Bas-Saint-Laurent montre la plus importante diminution des victimes (décédées et blessées) avec –11,2 %, tandis que la hausse la plus forte se retrouve dans la région de la Côte-Nord—Nord du Québec avec + 6,6 % (*Bilan routier*, 1989, p. 4).

En 1989, on a enregistré une diminution de 4,3 % de l'ensemble des victimes, soit le plus bas niveau depuis les cinq dernières années (*Bilan routier*, 1989, p. 5).

TABLEAU A.3
Victimes d'accidents de la route selon la gravité, 1985-1989

Année	Mortels		Graves		Légers		Total	
1985	1 386		7 710		54 009		63 105	
1986	1 051	–24,2 %	7 106	–7,8 %	51 191	–5,2 %	59 348	–6,0 %
1987	1 116	6,2 %	7 251	2,0 %	52 797	3,1 %	61 164	3,1 %
1988	1 090	– 2,3 %	7 319	0,9 %	52 073	–1,4 %	60 482	–1,1 %
1989	1 130	3,7 %	7 188	–1,8 %	49 579	–4,8 %	57 897	–4,3 %

LES DÉTENTEURS D'UN PERMIS DE CONDUIRE

- De 1970 à 1988, le pourcentage de la population de 16 ans et plus qui détenait un permis de conduire est passé de 50 % à 75 %. Mais la plus forte augmentation a été enregistrée entre 1970 et 1981 (69 %) (*Bilan routier*, 1988, p. 20).

- De 1987 à 1988, le nombre de titulaires d'un permis de conduire a augmenté de 2,3 % (*Bilan routier*, 1988, p. 20).

- En 1988, 88 % des hommes de 16 ans et plus détenaient un permis de conduire comparativement à 63 % des femmes (*Bilan routier*, 1988, p. 20).

- L'âge auquel les citoyens obtiennent leur permis de conduire baisse de plus en plus. En 1970, 5 % des jeunes de 16-17 ans en possédaient un. En 1982, ce pourcentage est passé à 26 % (*Repère*, déc. 1984, p. 11).

- De 1987 à 1988, on note une augmentation de 3,2 % du nombre de véhicules en circulation (*Bilan routier*, 1988, p. 21).

TABLEAU A.4
Détenteurs d'un permis de conduire selon le sexe et rapport de masculinité

Année	Hommes	Femmes	Total	Rapport de masculinité
1971	1 480 383	663 036	2 143 419	2,23
1981	2 039 928	1 344 455	3 384 383	1,52
1986	2 172 430	1 602 505	3 774 935	1,36
1988	2 237 240	1 701 061	3 938 301	1,32

- Ce qui frappe le plus au cours des deux dernières décennies s'avère la progression du nombre de détentrices d'un permis de conduire. Nous avons calculé le rapport de masculinité (nombre d'hommes/nombre de femmes) des détenteurs d'un permis de conduire ; de 1971 à 1988, il est passé de 2,23 à 1,32, ce qui représente une baisse de près de 40 %.

LES TYPES D'ACCIDENTS

- On a observé que 34 % des accidents surviennent à des vitesses de 50 km/h ou moins, 37 % à 90 km/h et 8 % à 100 km/h (*Synthèse*, 1988, p. 49).
- Pour les accidents mortels, 49 % résultent d'une collision avec un autre véhicule automobile, 19 % avec un objet fixe, 13 % sans collision et 19 % avec un train, un animal ou autre (*Synthèse*, 1988, p. 49).
- De 1978 à 1981, quelle que soit l'année, 75 % des accidents impliquaient un seul véhicule. Ce taux était de 30 % en ce qui concerne les collisions entre un véhicule et un piéton, tant pour les accidents mortels que pour les non mortels (*Repère*, déc. 1984, p. 3).
- En 1981, la plupart des victimes d'accidents impliquant un seul véhicule étaient âgées entre 20 et 34 ans. Les victimes de sexe masculin avaient principalement entre 20 et 24 ans, tandis que celles de sexe féminin étaient âgées de 25 à 34 ans. De plus, près de 55 % des victimes étaient à bord d'un véhicule de promenade et étaient en majorité conducteurs plutôt que passagers (*Repère*, déc. 1984, p. 4).

LES GROUPES DE CONDUCTEURS SURREPRÉSENTÉS DANS LES ACCIDENTS

- Âge : les automobilistes et les motocyclistes âgés de 20 ans ou moins sont davantage impliqués dans les accidents que les conducteurs plus âgés. Toutefois, les automobilistes âgés de 18 à 20 ans présentent un taux d'accidents légèrement plus élevé que celui des 16-17 ans. Cette situation est cependant inversée chez les motocyclistes (*Repère*, déc. 1986, p. 6).
- Sexe : les hommes (automobilistes ou motocyclistes) ont un taux d'implication dans les accidents plus élevé que les femmes. Ceci s'explique peut-être par le fait qu'ils conduisent davantage que les femmes (*Repère*, déc. 1986, p. 7).
- Expérience des conducteurs : le facteur expérience est relativement peu important pour les automobilistes de 25 ans ou plus. Par contre, pour les 20 ans ou moins, le taux d'implication dans les accidents

semble relié à une augmentation du nombre de kilomètres parcourus à mesure que l'expérience de conduite augmente (*Repère*, déc. 1986, p. 7). Quel que soit l'âge, pendant la première année de conduite, les risques d'accidents sont plus élevés. Pour devenir un conducteur sûr, on estime qu'une personne a besoin d'au moins 5 ans d'expérience et doit avoir parcouru quelque 100 000 kilomètres (*Repère*, déc. 1984, p. 9).

TABLEAU A.5
Taux d'accidents avec dommages corporels (taux pour 10 000) selon le sexe, l'expérience et l'âge du conducteur, 1985

Sexe et âge			Sexe et expérience		
Âge	Hommes	Femmes	Expérience	Hommes	Femmes
16 ans	241	138	0 année	291	124
17 ans	261	139	1 année	302	127
18 ans	326	145	2 années	291	112
19 ans	331	137	3 années	279	103
20 ans	334	127	4 années	269	99
21 ans	307	123	5 années	246	95
22 ans	273	116	6 années	222	91
23 ans	252	106	7 années	215	84
24 ans	246	92	8 années	196	87
25-34 ans	180	88	9 années	187	87
35-44 ans	142	85	10 années	172	82

Âge	Taux	Sexe	Taux	Expérience de conduite	Taux
16 ans	202	Hommes	171	0 année	202
17 ans	213	Femmes	88	1 année	208
18 ans	253			2 années	196
19 ans	251			3 années	188
20 ans	246			4 années	179
21 ans	227			5 années	166
22 ans	204			6 années	156
23 ans	187			7 années	148
24 ans	177			8 années	139
25-34 ans	137			9 années	137
35-44 ans	116			10 années	128
45-54 ans	104			+ de 10 années	114
55-64 ans	97				
65 ans et +	106				

LES CIRCONSTANCES DES ACCIDENTS SELON LES GROUPES DE CONDUCTEURS

- Les conducteurs de 16-17 ans sont surreprésentés dans les cas d'accidents où il y a des morts ou des blessés grave. La principale raison est que dans 32 % des cas, ils sont accompagnés d'au moins deux personnes lors de leurs déplacements. Pour les autres groupes d'âge, ce taux est de 21 % (*Repère*, déc. 1986, p. 7).

- Dans 28 % des cas, les accidents impliquant des automobilistes de 16-17 ans se produisent la nuit, durant la fin de semaine. Cette proportion décroît avec l'âge : 25 % chez les 18-20 ans, 21 % chez les 21-24 ans, 15 % chez les 25-34 ans et 9 % chez les 35 ans et plus (*Repère*, déc. 1986, p. 8).

- La proportion des accidents survenant sur une autoroute où la vitesse permise est 100 km/h est plus faible chez les 20 ans ou moins, comparativement aux autres groupes de conducteurs, qu'ils soient motocyclistes ou automobilistes (*Repère*, déc. 1986, p. 8).

LA CEINTURE DE SÉCURITÉ ET LA SÉCURITÉ ROUTIÈRE

- En 1988, 77,1 % des conducteurs portaient leur ceinture de sécurité (*Synthèse*, 1988, p. 6).

- Lors d'accidents, le fait de ne pas porter la ceinture de sécurité entraîne des coûts sociaux et économiques énormes. Ce coût est 78 % plus élevé pour la victime ne portant pas la ceinture (*Repère*, déc. 1986, p. 11). Les frais d'indemnisation des non-ceinturés entraînent des pertes annuelles de l'ordre de 35 millions de dollars au Québec. Les statistiques démontrent qu'en moyenne, il en coûte deux fois plus cher à l'État pour indemniser un non-ceinturé (14 200 $) qu'une victime attachée (8 000 $) (*Synthèse*, 1988, p. 42).

- Selon une étude de Transports Canada, le port de la ceinture réduirait le risque de décès de 40 % à 50 %, le risque de blessures graves de 45 % à 55 % et le risque de blessures légères de 10 % à 20 % (*Synthèse*, 1988, p. 23). En effet, le port de la ceinture pour les occupants assis à l'avant diminue la gravité des blessures à la tête et au thorax.

- Toutes les études confirment qu'après l'entrée en vigueur de la loi obligeant le port de la ceinture de sécurité, le nombre de blessés a diminué : 22 % en France, 15 % en Ontario et 17 % au Canada (*Repère*, mai 1984, p. 3).

Une autre étude a été effectuée dans le but de déterminer si la ceinture de sécurité peut avoir nui dans les accidents mortels où un véhicule a été submergé ou a pris feu.

En 1980, à partir d'une étude des rapports d'accidents et des rapports du coroner pour une même catégorie d'accidents où 50 personnes ont été tuées, on tire les conclusions suivantes : 6 des 50 victimes portaient la ceinture au moment de l'accident. Leur décès n'est pas imputé au port de la ceinture, mais bien aux blessures graves qu'elles ont subi à cause de la violence de la collision (*Repère*, mai 1984, p. 7-8).

En 1982, on a procédé à un sondage téléphonique sur le territoire du Département de santé communautaire du centre hospitalier de Valleyfield. Au total, 1 182 enfants ont été sélectionnés et 612 mères ont accepté de participer à l'enquête.

- 20,8 % des mères n'utilisent pas régulièrement de dispositif de retenue pour leur enfant.
- 63,9 % utilisent le siège d'auto.
- 30,5 % utilisent la ceinture de sécurité.
- 5,6 % utilisent l'un ou l'autre.
- La proportion des enfants qui sont attachés varie selon l'âge :

0 à 6 mois	: 78,3 %
7 mois à 2 1/2 ans	: entre 97 % et 89,4 %
2 1/2 ans à 3 ans	: 75,5 %
3 à 5 ans	: entre 76,6 % et 51,2 %

Cette enquête démontre aussi que les mères moins scolarisées attachent leur enfant dans environ 59 % des cas. Par contre, chez les mères plus scolarisées, ce pourcentage varie en fonction de leur âge : 79,5 % pour les femmes plus jeunes et 67,3 % pour les plus âgées (*Repère*, déc. 1986, p. 2).

En 1988, le taux de port de la ceinture se distribuait de la manière suivante.

- Les femmes s'attachent plus souvent que les hommes (80,7 % contre 65,6 %).
- Les jeunes s'attachent plus souvent que leurs aînés (78,2 % chez les moins de 25 ans, 70,9 % chez les 25 à 65 ans et 65,9 % chez les plus de 65 ans).
- On note également que les gens ont tendance à s'attacher moins souvent durant les congés (66,5 %) que lorsqu'ils travaillent (71,3 %).

A.2 LES MANŒUVRES DES CONDUCTEURS QUÉBÉCOIS

Au cours de l'été 1984, Jean Henrickx a mené une enquête dans le but de déterminer le profil des bons et des mauvais conducteurs.

LA MÉTHODOLOGIE

Les observateurs étaient postés en alternance à 34 carrefours situés dans les municipalités de Québec, Sillery et Sainte-Foy entre 10 h et 12 h et entre 13 h et 15 h du lundi au vendredi. Ils prenaient note des manœuvres des conducteurs, de leur sexe, de leur âge et de leur numéro de plaque au moyen d'une enregistreuse dissimulée. Ils notaient aussi s'ils portaient la ceinture de sécurité. Le numéro de plaque permettait de faire le lien avec le fichier de la RAAQ et de joindre certains conducteurs pour leur faire passer un test de personnalité. On ne donnait pas de contraventions.

LES RÉSULTATS

• Au cours des essais préparatoires aux observations, 25 manœuvres ont été identifiées comme étant potentiellement dangereuses.

• Les manœuvres erronées qui venaient en tête de liste étaient : bifurquer au départ d'une deuxième ou troisième file (17,6 %), couper le passage aux conducteurs autorisés à passer au feu vert dans le sens opposé (12,6 %), passer à un feu rouge (10,9 %) et conduire à une vitesse supérieure à la vitesse moyenne observée (la vitesse moyenne observée pouvant être supérieure à la vitesse permise) (9,3 %) (*Repère*, mars 1986, p. 3).

• 50 % des conducteurs ayant exécuté une manœuvre erronée étaient déjà inscrits au fichier des accidents ou des points d'inaptitude. Par contre, 80,8 % des conducteurs ayant exécuté une bonne manœuvre étaient absents de ces deux fichiers (*Repère*, mars 1986, p. 3).

• Les bons conducteurs étaient plus âgés, de sexe féminin, avaient plus d'expérience, possédaient un véhicule léger, récent et équipé d'un moteur 4 cylindres, habitaient près de la ville et portaient la ceinture de sécurité (*Repère*, mars 1986, p. 3).

Les auteurs distinguent deux profils parmi les fautifs, en fonction de leur expérience comme conducteur :

« Les conducteurs qui ont moins d'expérience (7 ans et moins) sont plus sensibles aux erreurs relatives à la vitesse, à l'imbrication forcée dans une file, à l'ignorance des indications des panneaux routiers et aux changements d'allure de la conduite.

Les conducteurs qui ont plus d'expérience (8 ans et plus) occupent plus souvent la seconde file, passent sur le feu rouge, changent de voie, risquent le dépassement et coupent le passage aux autres véhicules. L'expérience en conduite automobile modifie les habitudes de conduite et certains conducteurs plus expérimentés croient pouvoir accomplir des manœuvres plus dangereuses. » (Henrickx, 1984, p. 78.)

Le test de personnalité que les auteurs ont fait passer à un échantillon de volontaires sélectionnés à partir de la liste constituée au cours de l'observation est très révélateur. Les conducteurs fautifs sont plus stressés, plus anxieux, plus agressifs et plus intolérants que les autres. De plus, les hommes comme les femmes offrent un profil de personnalité stéréotypé et plus « masculin », c'est-à-dire qu'ils privilégient des images de force, de puissance et de réussite plus que les autres (*Repère*, mars 1986, p. 3).

A.3   LA CONDUITE AUTOMOBILE AVEC LES PHARES ALLUMÉS LE JOUR

Toutes les études consultées confirment que le fait de conduire avec les phares allumés le jour constitue une mesure efficace pour réduire le nombre d'accidents impliquant plusieurs véhicules. En effet, les conducteurs tentent beaucoup moins de manœuvres de dépassement dangereuses si les phares du véhicule circulant en sens inverse sont allumés plutôt qu'éteints (*Repère*, mars 1986, p. 9).

Entre 1968 et 1974, après la promulgation de la loi obligeant tous les véhicules à circuler avec les phares allumés le jour, le taux d'accidents en milieu urbain a diminué de 20 % en Suède et de 21 % en Finlande. Au Québec, on estime que l'entrée en vigueur d'une telle loi diminuerait de 45 % le taux d'accidents survenant le jour (*Repère*, mars 1986, p. 8).

A.4   L'EFFET DE L'ÂGE

LES JEUNES

En 1979, le risque d'être victime d'un accident de la route pour une personne de 24 ans était 2,5 fois plus élevé que pour une personne de 35 ans. De plus, c'est dans les régions fortement urbanisées que se concentraient les accidents avec dommages corporels impliquant des jeunes.

Près de 75 % des accidents avec dommages corporels étaient dus à des véhicules de promenade et seulement 7,9 % à des camions (*Repère*, déc. 1984, p. 3).

Les jeunes conducteurs de 16 à 20 ans présentaient les taux les plus élevés d'accidents ayant entraîné des dommages matériels et corporels. En 1983, 15,8 % des 54 251 accidents avec dommages corporels impliquaient des jeunes de 20 ans et moins. La majorité des accidents sont survenus les vendredis, samedis et dimanches, quel que soit l'âge des conducteurs. Les accidents mortels se sont produits principalement entre 20 h et 3 h pour les conducteurs de moins de 25 ans et entre 12 h et 19 h pour ceux de 25 ans et plus (*Repère*, mars 1986, p. 9-10).

Afin de mieux orienter les programmes de sécurité routière pour les jeunes de 15 à 24 ans, la Régie a mené une enquête auprès de ces derniers pour connaître leurs attitudes et leurs opinions sur l'utilisation d'un véhicule routier, et plus particulièrement sur l'utilisation de l'automobile. Un questionnaire fut administré par téléphone à 838 jeunes de 15 à 24 ans. Voici les résultats.

- 95,5 % des jeunes aiment ou aimeraient conduire.
- 86,4 % conduisent déjà.
- 63,4 % ne pourraient se passer d'un véhicule.
- 30 % sont propriétaires d'un véhicule.

Les principales raisons de l'utilisation de la voiture sont les suivantes.

- Pendant le jour, du lundi au vendredi, les jeunes conduisent un véhicule pour aller au travail (49,6 %) et se rendre à leurs cours (27,4 %) ; le samedi, le véhicule sert pour les commissions (27,7 %) ou les activités de loisirs (23,7 %) alors que le dimanche, il est utilisé en pourcentage égal pour les loisirs et les déplacements sans but (27,3 %).
- Par contre, du lundi au vendredi soir, les jeunes n'utilisent pas de véhicule dans 45,8 % des cas et le dimanche soir dans 60,4 % des cas. La proportion de ceux qui l'utilisent pour participer aux loisirs est de 23,6 % du lundi au vendredi soir et de 25,4 % le dimanche soir. La situation pour le samedi soir est tout à fait à l'opposé puisque 76,3 % des jeunes utilisent la voiture pour les loisirs.

D'après ces mêmes jeunes, les principales qualités qu'un bon véhicule devrait posséder sont la beauté (21,4 %), l'économie (19,1 %), la durabilité (17,7 %), la sécurité (14,6 %) et une petite taille (1,3 %).

L'automobile leur apporte aussi de nombreux avantages, soit le plaisir de conduire (39 %), la liberté de se déplacer (27 %), le sentiment de posséder un véhicule (17 %), la possibilité d'aller plus loin (16,7 %) et où ils veulent (15,3 %), d'avoir des activités plus nombreuses (15,2 %), de gagner du temps (13,3 %) et, finalement, le sentiment de dominer la mécanique (10,2 %).

On remarque que le sexe, la profession, l'état civil et l'âge exercent une influence dominante sur les résultats (*Repère*, déc. 1986, p. 5-6).

LES PERSONNES ÂGÉES

Afin de connaître le taux d'implication des personnes âgées dans les accidents routiers, une étude a été faite qui porte principalement sur les accidents de 1978 à 1982.

En 1982, 5,8 % des victimes de la route étaient des personnes âgées, comparativement à 3,9 % en 1980. Leur taux d'implication dans les accidents en 1982 était de 8,1 % alors qu'elles représentaient 9,1 % de la population du Québec.

Entre 1978 et 1982, 2,6 % sont décédées, 12,2 % ont été blessées gravement et 85,2 % blessées légèrement lors d'accidents de la route. Elles étaient, dans 22,7 % des cas, des piétons. On remarque aussi que le nombre de personnes âgées détenant un permis de conduire a augmenté depuis 10 ans, passant de 4 % en 1971 à 5,3 % en 1981 (*Repère*, mars 1985, p. 7-8).

A.5   LES COURS DE CONDUITE ET LA SÉCURITÉ ROUTIÈRE

Le 1er janvier 1983, le cours de conduite automobile devenait obligatoire pour tous les futurs conducteurs. Essentiellement, cette mesure visait à réduire les risques d'accidents pour les conducteurs de 18 ans et plus puisque auparavant, seuls les candidats âgés de 16 ou 17 ans étaient tenus de suivre un tel cours.

Une étude récente a démontré que le cours de conduite, obligatoire pour tous les futurs conducteurs, n'a pas contribué à réduire les risques d'accidents chez les conducteurs de 18 ans et plus ; il a plutôt contribué à faire augmenter les taux d'accidents chez les filles de 16 et 17 ans. Ceci s'explique principalement par le fait qu'elles n'attendent plus d'avoir 18 ans pour obtenir leur permis. De plus, auparavant, le père donnait lui-même les cours de conduite, ce qui réduisait l'utilisation de l'automobile par les filles.

Puisque le nombre d'accidents n'a pas diminué, une recommandation a été faite pour le retrait de cette loi afin de retourner aux conditions d'accès à la conduite qui prévalaient avant 1983 (*Repère*, sept. 1988, p. 3).

A.6 L'ALCOOL

Afin de déterminer la proportion des gens qui conduisent avec les facultés affaiblies, une enquête a été effectuée au cours de la période s'étendant du 6 au 30 août 1986. Cette enquête a aussi permis de comparer les données de 1986 avec celles recueillies en 1981 lors d'une enquête similaire.

TABLEAU A.6
Répartition des conducteurs selon l'alcoolémie

	Alcoolémie 1981-1986			
	21 mg par 100 ml		80 mg par 100 ml	
	1981 %	1986 %	1981 %	1986 %
Ensemble des conducteurs	79,5	83,0	5,9	3,6
Sexe des conducteurs				
Masculin	78,1	82,2	6,9	3,8
Féminin	86,0	86,9	1,1	2,6
Âge des conducteurs				
16-24 ans	78,2	84,9	4,4	2,6
25-39 ans	77,3	80,9	7,4	3,9
40-59 ans	83,0	81,8	5,3	5,2
60 ans et plus	89,9	93,1	7,5	1,7
Nuit d'enquête				
Mercredi	77,5	85,0	6,3	2,1
Jeudi	82,6	85,5	5,0	3,7
Vendredi	78,9	79,4	6,3	5,2
Samedi	75,3	81,0	5,6	3,4
Heure d'enquête				
21h00 – 22h29	92,1	88,0	2,1	2,1
22h30 – 23h59	76,9	83,6	5,2	3,2
00h00 – 1h29	71,3	80,0	10,3	5,3
1h30 – 3h00	65,2	70,4	10,3	7,0
Région				
Bas-Saint-Laurent — Gaspésie	77,0	78,0	6,5	6,7
Saguenay — Lac-Saint-Jean	66,6	78,9	10,9	4,8
Québec	80,9	79,0	5,5	4,1
Trois-Rivières	79,0	80,1	7,3	3,7
Estrie	81,4	78,7	3,8	4,8
Montréal — Laurentides-Lanaudière — Montérégie	80,6	84,9	5,4	3,2
Outaouais	74,9	80,2	8,8	4,4
Abitibi—Témiscamingue	73,6	83,9	6,7	4,4
Côte-Nord — Nouveau-Québec	74,6	77,2	5,3	4,9

Pour réaliser cette enquête, on a sélectionné 160 emplacements au Québec, 16 pour chaque région, à l'exception de Montréal où l'on a choisi 32 emplacements. L'enquête a eu lieu du mercredi au samedi, entre 21 h et 3 h, de façon totalement volontaire de la part des participants.

Pour les interviews, les enquêteurs disposaient d'un formulaire à remplir ainsi que d'un alcootest (type J4 à lecture digitale) pour déterminer, au moyen d'un échantillon d'haleine, la quantité d'alcool consommée par les sujets.

Comparativement à 1981, la conduite automobile avec facultés affaiblies par l'alcool a diminué en 1986, passant de 5,9 % à 3,6 % (*Repère*, nov. 1987, p. 11). En 1981, cette proportion atteignait même 10 % après minuit (*Repère*, mars 1986, p. 10).

Les enquêtes menées en 1981 et en 1986 montrent que la plus forte proportion de conducteurs présentant un taux d'alcool supérieur à 80 mg par 100 ml se trouve :
• dans la région du Saguenay — Lac-Saint-Jean en 1981 et dans la région du Bas-Saint-Laurent — Gaspésie en 1986 ;
• les mercredis et vendredis soir en 1981 et les vendredis soir en 1986 ;
• chez les conducteurs de sexe masculin en 1981 et en 1986 ;
• chez les conducteurs de 60 ans et plus en 1981 et chez les 40-59 ans en 1986 ;
• entre minuit et 3 h en 1981 et entre 1 h 30 et 3 h en 1986 (*Repère*, nov. 1987, p. 11).

La proportion de conducteurs de 16 à 24 ans en état d'ébriété a diminué, passant de 4,4 % en 1981 à 2,6 % en 1986. Il en est de même pour ceux âgés de 60 ans et plus (7,5 % en 1981 et 1,7 % en 1986).

Une autre étude, canadienne cette fois-ci, conclut que les jeunes conducteurs ont moins tendance à consommer de l'alcool avant de conduire que les conducteurs plus âgés ; lorsqu'ils boivent, ils consomment moins que leurs aînés. Par contre, les effets de l'alcool chez les jeunes sont plus dangereux que chez les conducteurs des autres groupes d'âge. En effet, un conducteur d'âge moyen, dont l'alcoolémie varie entre 80 et 100 mg, court 5 fois plus de risques de mourir dans un accident qu'un conducteur sobre, tandis qu'un conducteur de 16 ou 17 ans court 20 fois plus de risques (*Repère*, mars 1986, p. 10).

Selon une autre étude effectuée en 1982, les principales caractéristiques des conducteurs qui consomment de l'alcool et qui présentent un haut risque sont les suivantes :
• ils roulent occasionnellement avec une alcoolémie élevée ;
• ils consomment fréquemment de la bière ;
• ils consomment d'importantes quantités de spiritueux en une seule séance ;
• ils boivent rarement du vin ou même pas du tout ;

- ils ont déjà eu un accident après avoir bu ;
- ils ont été condamnés au moins une fois pour conduite en état d'ivresse ;
- ils sont surtout de sexe masculin, sont âgés entre 30 et 40 ans et leur situation économique ainsi que leur niveau de scolarité sont faibles ;
- ils sont souvent divorcés ou séparés et sont de grands buveurs, particulièrement dans les bars (*Repère*, janv. 1984, p. 5).

A.7 LA SÉCURITÉ ROUTIÈRE DES PIÉTONS ET DES CYCLISTES

LES PIÉTONS

En 1989, les piétons représentaient la troisième catégorie en importance de victimes de la route après les occupants d'un véhicule de promenade et ceux d'un camion (*Bilan routier*, 1989, p. 2).

Une analyse des données québécoises de 1976 à 1982 montre que pendant cette période, le nombre d'accidents avec piétons a diminué de 25 %, passant de 5 798 à 4 321. On constate aussi une diminution des victimes pour cette même période, soit 6 095 en 1976 et 4 232 en 1982. Ce type d'accident représentait 17,7 % des accidents avec dommages corporels en 1982 comparativement à 18,3 % en 1976. Cinquante pour cent des victimes étaient âgées de moins de 14 ans ou de 55 ans et plus. Dans l'ensemble, il y a eu plus d'hommes que de femmes parmi les piétons tués ou blessés.

Le problème majeur relié aux accidents avec piétons serait la visibilité réciproque du piéton et du conducteur. Dans 12 % des cas, le piéton s'était engagé dans la rue alors que sa visibilité était obstruée par un véhicule stationné, ou bien le conducteur négligeait d'observer la présence du piéton qui traversait à un carrefour.

LES CYCLISTES

En 1989, 4 000 cyclistes ont été tués ou blessés sur la route (*Bilan routier*, 1989, p. 2). La plupart des victimes étaient jeunes et 73,6 % d'entre elles étaient de sexe masculin. En 1982, ce type de victimes représentait 6,5 % des accidentés de la route ; ce taux est passé à 8,3 % en 1989. En 1982, près des deux tiers des victimes étaient âgées entre 5 et 17 ans et environ le quart entre 18 et 34 ans (*Repère*, déc. 1984, p. 5). Les accidents de bicyclette surviennent principalement les jours de semaine entre midi et 20 heures, et 85,7 % de ces accidents se produisent sur des routes dont la limite permise est 50 km/h. De plus, dans 60 % des accidents de ce type, la cause est attribuable à l'attitude du cycliste (*Repère*, déc. 1984, p. 6).

Dans la plupart des pays, il y a plus d'hommes que de femmes tués ou blessés. Au Canada, en France et aux États-Unis, ces victimes sont généralement jeunes, contrairement aux pays européens où la bicyclette est plus souvent utilisée par les adultes (*Repère*, déc. 1984, p. 6).

BIBLIOGRAPHIE

HENRICKX, J., *Les manœuvres des conducteurs québécois*, Québec, mars 1984, 83 pages et annexes.

HENRICKX, J., *Enquête auprès des jeunes de 15 à 24 ans pour connaître leurs points de vue et leurs attitudes au sujet de l'utilisation des véhicules routiers*, Québec, novembre 1985, 182 pages.

RÉGIE DE L'ASSURANCE AUTOMOBILE DU QUÉBEC, *Repère*, janvier 1984, vol. 1, n° 1, 7 pages.

RÉGIE DE L'ASSURANCE AUTOMOBILE DU QUÉBEC, *Repère*, mai 1984, vol. 1, n° 2, 12 pages.

RÉGIE DE L'ASSURANCE AUTOMOBILE DU QUÉBEC, *Repère*, décembre 1984, vol. 1, n° 3, 11 pages.

RÉGIE DE L'ASSURANCE AUTOMOBILE DU QUÉBEC, *Repère*, mars 1985, vol. 2, n° 1, 11 pages.

RÉGIE DE L'ASSURANCE AUTOMOBILE DU QUÉBEC, *Repère*, mars 1986, vol. 3, n° 1, 12 pages.

RÉGIE DE L'ASSURANCE AUTOMOBILE DU QUÉBEC, *Repère*, décembre 1986, vol. 3, n° 2, 15 pages.

RÉGIE DE L'ASSURANCE AUTOMOBILE DU QUÉBEC, *Repère*, novembre 1987, vol. 4, n° 1, 12 pages.

RÉGIE DE L'ASSURANCE AUTOMOBILE DU QUÉBEC, *Repère*, septembre 1988, vol. 5, n° 1, 16 pages.

RÉGIE DE L'ASSURANCE AUTOMOBILE DU QUÉBEC, Direction de la statistique, *Bilan routier 1988*, tome I, 184 pages.

RÉGIE DE L'ASSURANCE AUTOMOBILE DU QUÉBEC, Direction de la statistique, *Bilan routier 1989*, janvier-décembre, 6 pages et annexes.

RÉGIE DE L'ASSURANCE AUTOMOBILE DU QUÉBEC, Direction de la statistique, *Bilan routier 1989*, janvier-décembre, tableau n° 6.

SIMARD, R., *Synthèse sur les accidents de la route impliquant des automobiles 1982-1986*, Régie de l'assurance automobile du Québec, 1988, 119 pages.

SIMARD, R., *Synthèse sur les accidents de la route impliquant des automobiles 1982-1986*, tableau n° 4, p. 75, tableau n° 5, p. 76, Québec, 1988, 119 pages.

Annexe B

TABLE DE LA LOI NORMALE

DISTRIBUTION NORMALE CENTRÉE RÉDUITE

$P(0 < Z \le z) = F(z) = A$

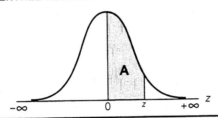

z	0,00	0,01	0,02	0,03	0,04	0,05	0,06	0,07	0,08	0,09
0,0	0,0000	0,0040	0,0080	0,0120	0,0160	0,0199	0,0239	0,0279	0,0319	0,0359
0,1	0,0398	0,0438	0,0478	0,0517	0,0557	0,0596	0,0636	0,0675	0,0714	0,0753
0,2	0,0793	0,0832	0,0871	0,0910	0,0948	0,0987	0,1026	0,1064	0,1103	0,1141
0,3	0,1179	0,1217	0,1255	0,1293	0,1331	0,1368	0,1406	0,1443	0,1480	0,1517
0,4	0,1554	0,1591	0,1628	0,1664	0,1700	0,1736	0,1772	0,1808	0,1844	0,1879
0,5	0,1915	0,1950	0,1985	0,2019	0,2054	0,2088	0,2123	0,2157	0,2190	0,2224
0,6	0,2257	0,2291	0,2324	0,2357	0,2389	0,2422	0,2454	0,2486	0,2517	0,2549
0,7	0,2580	0,2611	0,2642	0,2673	0,2704	0,2734	0,2764	0,2794	0,2823	0,2852
0,8	0,2881	0,2910	0,2939	0,2967	0,2995	0,3023	0,3051	0,3078	0,3106	0,3133
0,9	0,3159	0,3186	0,3212	0,3238	0,3264	0,3289	0,3315	0,3340	0,3365	0,3389
1,0	0,3413	0,3438	0,3461	0,3485	0,3508	0,3531	0,3554	0,3577	0,3599	0,3621
1,1	0,3643	0,3665	0,3686	0,3708	0,3729	0,3749	0,3770	0,3790	0,3810	0,3830
1,2	0,3849	0,3869	0,3888	0,3907	0,3925	0,3944	0,3962	0,3980	0,3997	0,4015
1,3	0,4032	0,4049	0,4066	0,4082	0,4099	0,4115	0,4131	0,4147	0,4162	0,4177
1,4	0,4192	0,4207	0,4222	0,4236	0,4251	0,4265	0,4279	0,4292	0,4306	0,4319
1,5	0,4332	0,4345	0,4357	0,4370	0,4382	0,4394	0,4406	0,4418	0,4429	0,4441
1,6	0,4452	0,4463	0,4474	0,4484	0,4495	0,4505	0,4515	0,4525	0,4535	0,4545
1,7	0,4554	0,4564	0,4573	0,4582	0,4591	0,4599	0,4608	0,4616	0,4625	0,4633
1,8	0,4641	0,4649	0,4656	0,4664	0,4671	0,4678	0,4686	0,4693	0,4699	0,4706
1,9	0,4713	0,4719	0,4726	0,4732	0,4738	0,4744	0,4750	0,4756	0,4761	0,4767
2,0	0,4772	0,4778	0,4783	0,4788	0,4793	0,4798	0,4803	0,4808	0,4812	0,4817
2,1	0,4821	0,4826	0,4830	0,4834	0,4838	0,4842	0,4846	0,4850	0,4854	0,4857
2,2	0,4861	0,4864	0,4868	0,4871	0,4875	0,4878	0,4881	0,4884	0,4887	0,4890
2,3	0,4893	0,4896	0,4898	0,4901	0,4904	0,4906	0,4909	0,4911	0,4913	0,4916
2,4	0,4918	0,4920	0,4922	0,4925	0,4927	0,4929	0,4931	0,4932	0,4934	0,4936
2,5	0,4938	0,4940	0,4941	0,4943	0,4945	0,4946	0,4948	0,4949	0,4951	0,4952
2,6	0,4953	0,4955	0,4956	0,4957	0,4959	0,4960	0,4961	0,4962	0,4963	0,4964
2,7	0,4965	0,4966	0,4967	0,4968	0,4969	0,4970	0,4971	0,4972	0,4973	0,4974
2,8	0,4974	0,4975	0,4976	0,4977	0,4977	0,4978	0,4979	0,4979	0,4980	0,4981
2,9	0,4981	0,4982	0,4982	0,4983	0,4984	0,4984	0,4985	0,4985	0,4986	0,4986
3,0	0,4987	0,4987	0,4987	0,4988	0,4988	0,4989	0,4989	0,4989	0,4990	0,4990

Exemple : pour z = 1,35, l'aire de la surface tramée (A) est égale à 0,4115. On a également que $P(0 \le Z \le 1,35)$ = 0,4115.

Notes : 1. Pour obtenir la surface de la courbe comprise entre $-\infty$ et z, il faut ajouter 0,5000 à la valeur trouvée dans la table.

   2. Pour obtenir la surface de la courbe entre z et $+\infty$, il faut soustraire 0,5000 à la valeur trouvée dans la table.

   3. Pour les valeurs de z négatives, les valeurs de A (la surface) ne changent pas et restent des chiffres positifs. Toutefois, on soustraira 0,5000 de A pour obtenir la surface entre $-\infty$ et z et on additionnera 0,5000 à A pour obtenir la surface entre z et $+\infty$.

TABLE DES MARGES D'ERREUR PROCENTUELLES

Taille de l'échantillon (n)	POURCENTAGES					
	5 ou 95	10 ou 90	20 ou 80	30 ou 70	40 ou 60	50
30	*	*	*	*	*	17,89
50	*	*	*	*	13,58	13,86
80	*	*	*	10,04	10,74	10,96
100	*	*	*	8,98	9,60	9,80
150	*	*	*	7,33	7,84	8,00
200	*	*	5,54	6,35	6,79	6,93
300	*	*	4,53	5,19	5,54	5,66
400	*	*	3,92	4,49	4,80	4,90
500	*	*	3,51	4,02	4,29	4,38
600	*	2,40	3,20	3,67	3,92	4,00
700	*	2,22	2,96	3,39	3,63	3,70
800	*	2,08	2,77	3,18	3,39	3,46
900	*	1,96	2,61	2,99	3,20	3,27
1 000	*	1,86	2,48	2,84	3,04	3,10
1 100	*	1,77	2,36	2,71	2,90	2,95
1 200	*	1,70	2,26	2,59	2,77	2,83
1 300	*	1,63	2,17	2,49	2,66	2,72
1 400	1,14	1,57	2,10	2,40	2,57	2,62
1 500	1,10	1,52	2,02	2,32	2,48	2,53

(*) Tailles d'échantillon trop petites pour pouvoir estimer les marges d'erreur associées à de telles proportions à partir de l'approximation normale.

TABLE DES SEUILS DU KHI²

Valeur tabulée : le nombre *x* tel que P[X > x] = α

où X : χ^2_{dl}

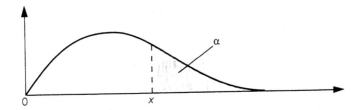

α dl	0,995	0,99	0,975	0,95	0,9	0,8	0,7	0,6	0,5	0,4	0,3	0,2	0,1	0,05	0,025	0,01	0,005
1	0,000	0,000	0,001	0,004	0,016	0,064	0,148	0,275	0,455	0,708	1,074	1,642	2,706	3,841	5,024	6,635	7,879
2	0,010	0,020	0,051	0,103	0,211	0,446	0,713	1,022	1,386	1,833	2,408	3,219	4,605	5,991	7,378	9,210	10,597
3	0,072	0,115	0,216	0,352	0,584	1,005	1,424	1,869	2,366	2,946	3,665	4,642	6,251	7,815	9,348	11,345	12,838
4	0,207	0,297	0,484	0,711	1,064	1,649	2,195	2,753	3,357	4,045	4,878	5,989	7,779	9,488	11,143	13,277	14,860
5	0,412	0,554	0,831	1,145	1,610	2,343	3,000	3,655	4,351	5,132	6,064	7,289	9,236	11,070	12,832	15,086	16,750
6	0,676	0,872	1,237	1,635	2,204	3,070	3,828	4,570	5,348	6,211	7,231	8,558	10,645	12,592	14,449	16,812	18,548
7	0,989	1,239	1,690	2,167	2,833	3,822	4,671	5,493	6,346	7,283	8,383	9,803	12,017	14,067	16,013	18,475	20,278
8	1,344	1,646	2,180	2,733	3,490	4,594	5,527	6,423	7,344	8,351	9,524	11,030	13,362	15,507	17,535	20,090	21,955
9	1,735	2,088	2,700	3,325	4,168	5,380	6,393	7,357	8,343	9,414	10,656	12,242	14,684	16,919	19,023	21,666	23,589
10	2,156	2,558	3,247	3,940	4,865	6,179	7,267	8,295	9,342	10,473	11,781	13,442	15,987	18,307	20,483	23,209	25,188
11	2,603	3,054	3,816	4,575	5,578	6,989	8,148	9,237	10,341	11,530	12,899	14,631	17,275	19,675	21,920	24,725	26,757
12	3,074	3,571	4,404	5,226	6,304	7,807	9,034	10,182	11,340	12,584	14,011	15,812	18,549	21,026	23,337	26,217	28,299
13	3,565	4,107	5,009	5,892	7,042	8,634	9,926	11,129	12,340	13,636	15,119	16,985	19,812	22,362	24,736	27,688	29,819
14	4,075	4,660	5,629	6,571	7,790	9,467	10,821	12,079	13,339	14,685	16,222	18,151	21,064	23,685	26,119	29,141	31,319
15	4,601	5,229	6,262	7,261	8,547	10,307	11,721	13,030	14,339	15,733	17,322	19,311	22,307	24,996	27,488	30,578	32,801
16	5,142	5,812	6,908	7,962	9,312	11,152	12,624	13,983	15,338	16,780	18,418	20,465	23,542	26,296	28,845	32,000	34,267
17	5,697	6,408	7,564	8,672	10,085	12,002	13,531	14,937	16,338	17,824	19,511	21,615	24,769	27,587	30,191	33,409	35,718
18	6,265	7,015	8,231	9,390	10,865	12,857	14,440	15,893	17,338	18,868	20,601	22,760	25,989	28,869	31,526	34,805	37,156
19	6,844	7,633	8,907	10,117	11,651	13,716	15,352	16,850	18,338	19,910	21,689	23,900	27,204	30,143	32,852	36,191	38,582
20	7,434	8,260	9,591	10,851	12,443	14,578	16,266	17,809	19,337	20,951	22,775	25,038	28,412	31,410	34,170	37,566	39,997
21	8,034	8,897	10,283	11,591	13,240	15,445	17,182	18,768	20,337	21,991	23,858	26,171	29,615	32,671	35,479	38,932	41,401
22	8,643	9,542	10,982	12,338	14,041	16,314	18,101	19,729	21,337	23,031	24,939	27,301	30,813	33,924	36,781	40,289	42,796
23	9,260	10,196	11,689	13,090	14,848	17,186	19,021	20,690	22,337	24,069	26,018	28,429	32,007	35,173	38,076	41,638	44,181
24	9,886	10,856	12,401	13,848	15,659	18,062	19,943	21,652	23,337	25,106	27,096	29,553	33,196	36,415	39,364	42,980	45,559
25	10,520	11,524	13,120	14,611	16,473	18,940	20,867	22,616	24,337	26,143	28,172	30,675	34,382	37,652	40,647	44,314	46,928
26	11,160	12,198	13,844	15,379	17,292	19,820	21,792	23,579	25,336	27,179	29,246	31,795	35,563	38,885	41,923	45,642	48,290
27	11,808	12,879	14,573	16,151	18,114	20,703	22,719	24,544	26,336	28,214	30,319	32,912	36,741	40,113	43,194	46,963	49,645
28	12,461	13,565	15,308	16,928	18,939	21,588	23,647	25,509	27,336	29,249	31,391	34,027	37,916	41,337	44,461	48,278	50,993
29	13,121	14,256	16,047	17,708	19,768	22,475	24,577	26,475	28,336	30,283	32,461	35,139	39,087	42,557	45,722	49,588	52,336
30	13,787	14,953	16,791	18,493	20,599	23,364	25,508	27,442	29,336	31,316	33,530	36,250	40,256	43,773	46,979	50,892	53,672

Pour *dl* > 30, $x \simeq \dfrac{1}{2}\left[z + \sqrt{2dl - 1}\right]^2$

SOURCE : LABORDE, J., *Tables statistiques et financières*, Paris, Dunod, 1971, table S4.

TABLE DE NOMBRES ALÉATOIRES

03	47	43	73	86	36	96	47	36	61	46	98	63	71	62	33	26	16	80	45	60	11	14	10	95
97	74	24	67	62	42	81	14	57	20	42	53	32	37	32	27	07	36	07	51	24	51	79	89	73
16	76	62	27	66	56	50	26	71	07	32	90	79	78	53	13	55	38	58	59	88	97	54	14	10
12	56	85	99	26	96	96	68	27	31	05	03	72	93	15	57	12	10	14	21	88	26	49	81	76
55	59	56	35	64	38	54	82	46	22	31	62	43	09	90	06	18	44	32	53	28	83	01	30	30
16	22	77	94	39	49	54	43	54	82	17	37	93	23	78	87	35	20	96	43	84	26	34	91	64
84	42	17	53	31	57	24	55	06	88	77	04	74	47	67	21	76	33	50	25	83	92	12	06	76
63	01	63	78	59	16	95	55	67	19	98	10	50	71	75	12	86	73	58	07	44	39	52	38	79
33	21	12	34	29	78	64	56	07	82	52	42	07	44	38	15	51	00	13	42	99	66	02	79	54
57	60	86	32	44	09	47	27	96	54	49	17	46	09	62	90	52	83	77	27	08	02	73	43	28
18	18	07	92	46	44	17	16	58	09	79	83	86	19	62	06	76	50	03	10	55	23	64	05	05
26	62	38	97	75	84	16	07	44	99	83	11	46	32	24	20	14	85	88	45	10	93	72	88	71
23	42	40	64	74	82	97	77	77	81	07	45	32	14	08	32	98	94	07	72	93	85	79	10	75
52	36	28	19	95	50	92	26	11	97	00	56	76	31	38	80	22	02	53	53	86	60	42	04	53
37	85	94	35	12	83	39	50	08	30	42	34	07	96	88	54	42	06	87	98	35	85	29	48	39
70	29	17	12	13	40	33	20	38	26	13	89	51	03	74	17	76	37	13	04	07	74	21	19	30
56	62	18	37	35	96	83	50	87	75	97	12	25	93	47	70	33	24	03	54	97	77	46	44	80
99	49	57	22	77	88	42	95	45	72	16	64	36	16	00	04	43	18	66	79	94	77	24	21	90
16	08	15	04	72	33	27	14	34	09	45	59	34	68	49	12	72	07	34	45	99	27	72	95	14
31	16	93	32	43	50	27	89	87	19	20	15	37	00	49	52	85	66	60	44	38	68	88	11	80
68	34	30	13	70	55	74	30	77	40	44	22	78	84	26	04	33	46	09	52	68	07	97	06	57
74	57	25	65	76	59	29	97	68	60	71	91	38	67	54	13	58	18	24	76	15	54	55	95	52
27	42	37	86	53	48	55	90	65	72	96	57	69	36	10	96	46	92	42	45	97	60	49	04	91
00	39	68	29	61	66	37	32	20	30	77	84	57	03	29	10	45	65	04	26	11	04	96	67	24
29	94	98	94	24	68	49	69	10	82	53	75	91	93	30	34	25	20	57	27	40	48	73	51	92
16	90	82	66	59	83	62	64	11	12	67	19	00	71	74	60	47	21	29	68	02	02	37	03	31
11	27	94	75	06	06	09	19	74	66	02	94	37	34	02	76	70	90	30	86	38	45	94	30	38
35	24	10	16	20	33	32	51	26	38	79	78	45	04	91	16	92	53	56	16	02	75	50	95	98
38	23	16	86	38	42	38	97	01	50	87	75	66	81	41	40	01	74	91	62	48	51	84	08	32
31	96	25	91	47	96	44	33	49	13	34	86	82	53	91	00	52	43	48	85	27	55	26	89	62
66	67	40	67	14	64	05	71	95	86	11	05	65	09	68	75	83	20	37	90	57	16	00	11	66
14	90	84	45	11	75	73	88	05	90	52	27	41	14	86	22	98	12	22	08	07	52	74	95	80
68	05	51	18	00	33	96	02	75	19	07	60	62	93	55	59	33	82	43	90	49	37	38	44	59
20	46	78	73	90	97	51	40	14	02	04	02	33	31	08	39	54	16	49	36	47	95	93	13	30
64	19	58	97	79	15	06	15	93	20	01	90	10	75	06	40	78	78	89	62	02	67	74	17	33
05	26	93	70	60	22	35	85	15	13	92	03	51	59	77	59	56	78	06	83	52	91	05	70	74
07	97	10	88	23	09	98	42	99	64	61	71	62	99	15	06	51	29	16	93	58	05	77	09	51
68	71	86	85	85	54	87	66	47	54	73	32	08	11	12	44	95	92	63	16	29	56	24	29	48
26	99	61	65	53	58	37	78	80	70	42	10	50	67	42	32	17	55	85	74	94	44	67	16	94
14	65	52	68	75	87	59	36	22	41	26	78	63	06	55	13	08	27	01	50	15	29	39	39	43
17	53	77	58	71	71	41	61	50	72	12	41	94	96	26	44	95	27	36	99	02	96	74	30	83
90	26	59	21	19	23	52	23	33	12	96	93	02	18	39	07	02	18	36	07	25	99	32	70	23
41	23	52	55	99	31	04	49	69	96	10	47	48	45	88	13	41	43	89	20	97	17	14	49	17
60	20	50	81	69	31	99	73	68	68	35	81	33	03	76	24	30	12	48	60	18	99	10	72	34
91	25	38	05	90	94	58	28	41	36	45	37	59	03	09	90	35	57	29	12	82	62	54	65	60
34	50	57	74	37	98	80	33	00	91	09	77	93	19	82	74	94	80	04	04	45	07	31	66	49
85	22	04	39	43	73	81	53	94	79	33	62	46	86	28	08	31	54	46	31	53	94	13	38	47
09	79	13	77	48	73	82	97	22	21	05	03	27	24	83	72	89	44	05	60	35	80	39	94	88
88	75	80	18	14	22	95	75	42	49	39	32	82	22	49	02	48	07	07	37	16	04	61	67	87
90	96	23	70	00	39	00	03	06	90	55	85	78	38	36	94	37	30	69	32	90	89	00	76	33

SOURCE : Tiré de la table XXXIII dans : FISHER and YATES, *Statistical Tables for Biological, Agricultural and Medical Research*, 6e édition.

Annexe C

STATISTIQUE CANADA : VOCABULAIRE ET SERVICES

C.1   LE VOCABULAIRE

Depuis le premier recensement canadien en 1871, Statistique Canada a développé un vocabulaire et des indicateurs standardisés. La maîtrise du vocabulaire est particulièrement utile pour construire des questions qui correspondent aux données officielles colligées par l'organisme fédéral. À cet effet, Statistique Canada publie un dictionnaire du recensement. Il n'est pas dans notre intention de résumer ici les 159 pages de cet ouvrage. Nous présenterons toutefois certaines distinctions lexicales essentielles.

Statistique Canada regroupe les indicateurs du recensement sous cinq rubriques : Population, Famille, Ménage, Logement et Géographie ; ces rubriques désignent en même temps les publications de Statistique Canada. Ainsi, on trouve les renseignements sur la population dans les publications qui contiennent, dans leur titre, le mot « population ». De plus, chacune des publications renvoie à une couverture géographique spécifique. Il est donc très utile de connaître les variables que regroupe chacune de ces publications et la signification des dénominations géographiques.

LA POPULATION

Les données de population regroupent bien entendu les variables démographiques fondamentales comme l'âge et le sexe, mais aussi toutes les caractéristiques strictement individuelles :

- la fécondité, l'état civil, l'âge au premier mariage et sa date ;
- l'activité sur le marché du travail et d'autres questions sur le travail ou son absence (lieu, mise à pied, profession, impossibilité de travailler, recherche d'emploi) et l'activité économique ;
- l'immigration (âge, année), la citoyenneté, l'origine ethnique ;
- la langue (maternelle, officielle, parlée à la maison) ;
- la scolarité (avec diverses ventilations, dont le plus haut niveau atteint) ;
- les revenus et leur provenance (salaire, traitement, paiement de transfert, rente de retraite, etc.) ;
- la mobilité géographique depuis cinq ans (hors pays, province, subdivision de recensement, région métropolitaine de recensement ou agglomération de recensement) ;

- la religion ;
- la population urbaine et rurale pour les unités géostatistiques pertinentes.

On note aussi quelques variables contextuelles :

- le revenu médian et le revenu moyen des habitants de la zone géographique concernée ;
- le taux d'activité et le taux de chômage dans cette même dénomination géographique ;
- le lien de l'individu avec la personne-repère (personne 1).

LA FAMILLE

La famille reçoit deux définitions principales.

- **Famille de recensement :** tous les individus, hommes et femmes, vivant sous un même toit, ayant des liens conjugaux (y compris les unions consensuelles) ou des liens de filiation entre eux ; les enfants, quel que soit leur âge, doivent n'avoir jamais été mariés. Une famille monoparentale est une famille de recensement.
- **Famille économique :** les mêmes personnes que précédemment en plus des autres vivant sous un même toit et ayant des liens par le sang, par alliance ou par adoption. Un enfant marié, puis divorcé, habitant avec ses parents fait partie de la famille économique et non de la famille de recensement ; c'est la même chose pour les beaux-frères et les belles-sœurs.

D'autres variables sur la famille sont prises en considération :

- différentes caractéristiques sociodémographiques de la famille économique et de la famille de recensement, notamment leur composition (lorsque plusieurs familles habitent sous un même toit, on distingue la famille principale de la famille secondaire) ;
- le nombre d'enfants à la maison et leur âge ;
- le revenu familial (famille économique et de recensement) ;
- la position des deux types de familles par rapport au seuil de pauvreté ;
- la situation de chacun des individus composant la famille (conjoints, enfants, parenté) ;
- la structure de la famille de recensement et de la famille économique.

LE MÉNAGE

La définition des ménages est différente de celle des familles. Un ménage privé désigne tous les habitants des logements privés occupés, quels que soient leurs liens ; les autres catégories de ménages sont les ménages collectifs occupant des loyers collectifs (voir la définition à la section « Logement ») et les ménages à l'étranger regroupant les militaires et les diplomates résidant à l'étranger.

Le ménage désigne avant tout l'occupation d'un logement par une famille ; la plupart des questions concernent cette définition :

- le mode d'occupation du logement (loué, acheté ou en copropriété) ;
- les coûts du loyer, de l'hypothèque, des impôts fonciers, de la taxe d'eau, des services municipaux, de l'électricité, de l'huile, du mazout, etc. ;
- la personne responsable des paiements ;
- le revenu du ménage ;
- la taille et la composition du ménage (familial, non familial) et le genre de ménage (composition, unifamilial ou multifamilial).

LE LOGEMENT

Les données sur le logement concernent surtout les aspects physiques de celui-ci. La définition de logement n'a aucun rapport avec l'expression « être en logement » qui désigne le mode d'occupation d'un ménage, soit la location. Les distinctions les plus importantes permettent d'établir trois types de logements.

- **Logement** : ensemble de pièces d'habitation qu'une personne ou un groupe de personnes habitent ou pourraient habiter (cat. 99-901, p. 87).
- **Logement privé** : tout logement ayant une entrée privée donnant sur l'extérieur ou l'équivalent. On ne doit pas y avoir accès en passant par un autre logement.
- **Logement collectif** : tout établissement d'hébergement temporaire, chambre et pension, résidence scolaire, établissement religieux, hôpital, orphelinat, pénitencier ou prison, etc.

Les autres variables concernent davantage les caractéristiques physiques des logements et le confort qu'ils offrent :

- l'état général du logement, la présence d'une salle de bain ;
- le mode de chauffage (combustible, chauffage central) ;
- le nombre de personnes par pièce ;
- le type de construction (maison individuelle, jumelée, duplex, en rangée, appartement dans un immeuble de cinq étages ou plus, maison mobile, etc.) ;
- la valeur du logement.

LES UNITÉS GÉOSTATISTIQUES

Le territoire du Canada a été découpé en fines parties qui se regroupent selon plusieurs niveaux déterminés d'abord par ses divisions politiques, ses provinces et ses circonscriptions électorales fédérales, puis en fonction du niveau d'urbanité et de différentes caractéristiques sociologiques. Le recensement compte 46 unités géostatistiques différentes.

Au Québec, la *division de recensement* (DR) est un terme générique désignant les circonscriptions, les districts régionaux, les municipalités régionales et cinq autres types de régions géographiques. Les municipalités, les réserves et les établissements indiens de même que les territoires non organisés sont regroupés sous le terme de *subdivision de recensement* (SDR). Statistique Canada définit la *région métropolitaine de recensement* (RMR) comme « principal marché du travail d'un noyau urbanisé (ou d'une zone bâtie en continu) comptant 100 000 habitants ou plus », plus des spécifications pour les marges. Les *agglomérations de recensement* (AR) ont les mêmes spécifications que les RMR, mais pour les municipalités de 10 à 99 000 personnes. Au Québec, les *secteurs de recensement* (SR) ont souvent des paroisses comme limites, mais cela peut varier selon les conditions sociologiques du lieu. Les *secteurs de dénombrement* (SD) sont la plus petite unité géographique du recensement canadien. Ils sont couverts par un seul recenseur, identifiable à vue, et ne comptent que 125 ménages au minimum en zone rurale et 375 au maximum en zone urbaine.

Des cartes sont publiées pour chacune de ces unités géostatistiques. La série de cartes des secteurs de dénombrement est forte de 2 656 cartes. Le Québec compte 76 DR, 1 619 SDR, 5 RMR, 26 AR et 916 SR.

Il faut faire bien attention : les mêmes statistiques ne sont pas publiées pour chacun des niveaux géostatistiques.

C.2 LES SERVICES

Statistique Canada n'est pas que le fournisseur de données des gouvernements fédéral et provinciaux. Un certain nombre de ces données, les plus standard, sont publiées ou sont présentées sur disquette ou sur bande magnétique et peuvent être consultées par le public. Les données plus spécialisées ou celles demandant un degré de précision plus élevé font augmenter les prix et ne sont disponibles que sur support informatique. De plus, il est possible de commander à Statistique Canada des *totalisations spéciales* qui sont en fait des listages par ordinateur sur des croisements de variables qui ne sont pas souvent demandés, donc pas publiés d'une manière ou d'une autre. Pour la consultation de bases de données, Statistique Canada offre le service *Cansim*. Les publications de Statistique Canada sont numérotées ; ces numéros doivent apparaître comme référence lorsqu'ils sont utilisés. Par exemple, le *Dictionnaire du recensement* de 1981 porte le numéro 99-901.

Par ailleurs, notons la très intéressante série *Profil* qui couvre les données sur la population, soit le revenu, les ménages, les familles et les logements, pour les secteurs de recensement par RMR (régions métropolitaines de recensement) et pour les régions rurales par SR (subdivisions de recensement).

Statistique Canada est soumis à une politique de confidentialité très stricte par sa loi constitutive. L'organisme doit tout mettre en œuvre pour protéger l'identité des répondants canadiens ; ses bureaux, situés à Ottawa, sont bien gardés.

Pour ses données, Statistique Canada a adopté la technique d'arrondissement aléatoire : tous les chiffres publiés se terminent par un 0 ou un 5 attribué au hasard. La règle mathématique de l'arrondissement au plus près n'est pas respectée ; l'ordinateur sélectionne soit 0, soit 5 comme dernier chiffre de tout groupe de chiffres aussi bien que pour un chiffre seul (*one digit*). Pour les grands nombres, cela ne pose pas de problèmes ; pour les petits nombres, c'est la catastrophe : 0 signifie entre 1 et 9, 10 indique de 10 à 19, etc.

Outre les publications des données de recensement, des résultats et parfois des analyses de ses principales enquêtes, Statistique Canada publie un certain nombre d'outils de référence, notamment des cartes et un dictionnaire du recensement. Au Québec, au centre Guy-Favreau à Montréal, il offre un service de consultation sur place de documents et de microfiches, ainsi que des services de consultants.

C.3   UNE DESCRIPTION SOMMAIRE DES ENQUÊTES SOCIO-DÉMO-ÉCONOMIQUES MENÉES PAR STATISTIQUE CANADA

Enquête sur la population active

ANNÉES DISPONIBLES :
Données trimestrielles de 1945 à 1952 ; données mensuelles depuis 1952.

OBJECTIFS :
Classifier la population canadienne en âge de travailler en trois catégories : travailleurs, chômeurs, inactifs ; fournir des données pour expliquer la composition, la taille, les caractéristiques et l'évolution de chacune de ces catégories.

POPULATION :
La population canadienne.

POPULATION OBSERVÉE :
La population civile, non institutionnalisée, âgée de 14 ans et plus, habitant le Canada à l'exclusion des Territoires du Nord-Ouest, du Yukon et des personnes résidant dans les réserves et sur les terres de la couronne.

ÉCHANTILLON :
Échantillon probabiliste à plusieurs degrés, stratifié par provinces et, à l'intérieur de celles-ci, par régions métropolitaines de recensement et zones rurales. L'échantillon est rotatif, chaque ménage étant interrogé pendant une période de six mois, puis remplacé par une nouvelle sélection. Un sixième de l'échantillon est remplacé à chaque mois. L'échantillon comporte 45 817 ménages à chaque mois.

UNITÉS D'ÉCHANTILLONNAGE :
Les logements occupés.

UNITÉS DE RÉFÉRENCE :
Les membres des ménages.

UNITÉS DÉCLARANTES :
Un membre adulte du ménage.

UNITÉS D'ANALYSE :
Chacun des membres du ménage.

MÉDIA :
Par téléphone ou de personne à personne par des employés à temps partiel formés à cet effet. Jusqu'à quatre questionnaires peuvent être utilisés pour une entrevue.

CARACTÉRISTIQUES DES DONNÉES :
Les données sont recueillies pour la semaine comprenant le 15e jour du mois et sont longitudinales. Elles contiennent des renseignements socio-démographiques, des informations sur l'emploi (horaire et type), sur les employeurs et sur la recherche d'emploi.

SOURCE : Statistique Canada, cat. 71-526.

Enquête sur l'histoire des familles

ANNÉES DISPONIBLES :
Enquête de 1984 ; d'autres en préparation.

OBJECTIFS :
Fournir des données plus précises que celles du recensement sur la formation, la dissolution et la reconstitution des familles et sur leurs conséquences sur les enfants. Évaluer les effets du mariage, des grossesses et des interruptions de travail sur l'emploi des femmes.

POPULATION :
La population canadienne de 18 à 64 ans.

POPULATION OBSERVÉE :
La population civile, non institutionnalisée, âgée de 18 à 64 ans, habitant le Canada à l'exclusion des Territoires du Nord-Ouest, du Yukon et des personnes résidant dans les réserves et sur les terres de la couronne.

ÉCHANTILLON :
Tiré de l'échantillon de l'Enquête sur la population active et comprenant 14 000 répondants dont 7 250 femmes. Taux de réponse de 87,3 %.

UNITÉS D'ÉCHANTILLONNAGE :
Des hommes et des femmes.

UNITÉS DE RÉFÉRENCE :
Ces personnes et leur famille.

UNITÉS DÉCLARANTES :
Les personnes sélectionnées.

UNITÉS D'ANALYSE :
Ces personnes et leur famille.

MÉDIA :
Entrevues de personne à personne.

CARACTÉRISTIQUES DES DONNÉES :
Données rétrospectives sur l'histoire des familles, données actuelles. Données à caractère personnel, donc très sensibles. Données sur les unions de fait, les enfants adoptés et les beaux-enfants, données socio-démographiques très détaillées.

SOURCE : Statistique Canada, cat. 99-955.

Enquête sur les dépenses des familles canadiennes

ANNÉES DISPONIBLES :
Menée approximativement à tous les deux ans depuis 1953 sur la population décrite plus bas ; en 1969, 1978 et 1982, la population incluait des familles des régions rurales et de villes plus petites.

OBJECTIFS :
Cette enquête poursuit plusieurs objectifs. Elle sert à corriger l'indice des prix à la consommation et à évaluer le revenu, les dépenses et les paiements en taxes de toutes sortes. Les modèles de dépenses sont fort utiles aux recherches en marketing.

POPULATION :
Les familles de 17 grandes villes canadiennes.

POPULATION OBSERVÉE :
La population civile, non institutionnalisée, âgée de 18 ans et plus et formant une famille dans l'une des 17 grandes villes canadiennes.

ÉCHANTILLON :
Tiré de l'échantillon de l'Enquête sur la population active. Échantillon multiple à plusieurs degrés. Après avoir sélectionné les ménages des 17 grandes villes présents dans certains échantillons rotatifs de l'Enquête sur la population active, on procède à un tirage aléatoire simple de familles.

UNITÉS D'ÉCHANTILLONNAGE :
Les familles.

UNITÉS DE RÉFÉRENCE :
Les familles.

UNITÉS DÉCLARANTES :
Un membre adulte de la famille.

UNITÉS D'ANALYSE :
Les dépenses des familles.

MÉDIA :
Entrevues de personne à personne.

CARACTÉRISTIQUES DES DONNÉES :
Données rétrospectives sur l'année écoulée. Données sur la taille et le type de famille et sur les dépenses suivantes : alimentation y compris les repas pris au restaurant, location, hypothèque et entretien des maisons, hébergement (voyage), appareils ménagers de toutes sortes, automobile (achat et location), soins de santé, assurances et même les cadeaux offerts. Données sur les revenus suivants : revenu brut, autres

revenus, changement dans les avoirs et les dettes, capital et intérêts, amélioration et rénovation des maisons.

<small>SOURCE</small> : Statistique Canada, cat. 62-555.

Enquête sur les finances des consommateurs

<small>ANNÉES DISPONIBLES</small> :
Depuis 1951 ; périodique de 1951 à 1971 ; annuelle depuis 1971 ; étendue aux dettes et aux avoirs en 1955, 1959, 1964, 1970 et 1977.

<small>OBJECTIFS</small> :
Principalement, donner des informations précises sur tous les revenus et leurs sources.

<small>POPULATION</small> :
La population canadienne.

<small>POPULATION OBSERVÉE</small> :
La population civile, non institutionnalisée, âgée de 14 ans et plus, habitant le Canada à l'exclusion des Territoires du Nord-Ouest, du Yukon et des personnes résidant dans les réserves et sur les terres de la couronne.

<small>ÉCHANTILLON</small> :
Sous-échantillon qui représente les deux tiers (31 478 ménages) de l'échantillon de l'Enquête sur la population active.

<small>UNITÉS D'ÉCHANTILLONNAGE</small> :
Les logements occupés.

<small>UNITÉS DE RÉFÉRENCE</small> :
Le répondant et sa famille (s'il y a lieu).

<small>UNITÉS DÉCLARANTES</small> :
Un membre adulte du ménage.

<small>UNITÉS D'ANALYSE</small> :
Les individus et les familles.

<small>MÉDIA</small> :
Entrevues de personne à personne.

<small>CARACTÉRISTIQUES DES DONNÉES</small> :
Toutes les données de l'Enquête sur la population active de même que les données sur le revenu du répondant par provenance (honoraires,

salaire, travail indépendant, paiements de transfert, pensions, investissements et autre), revenu familial.

Source : Statistique Canada, 1970, cat. 13-551.

Enquête sociale générale

ANNÉES DISPONIBLES :
Les enquêtes de 1985, 1986 et 1988 sont déjà publiées ; celles de 1989 à 1992 sont en préparation.

OBJECTIFS :
Fournir des informations précises sur des tendances sociales et sur des politiques particulières. Le contenu de l'enquête change donc d'une année à l'autre ; une partie porte sur des tendances profondes et peut être répétée dans une enquête ultérieure, une autre partie porte sur une politique précise répondant ainsi aux besoins du moment.

POPULATION :
La population canadienne.

POPULATION OBSERVÉE :
La population civile, non institutionnalisée, âgée de 14 ans et plus, habitant le Canada à l'exclusion des Territoires du Nord-Ouest, du Yukon et des personnes résidant dans les réserves et sur les terres de la couronne.

ÉCHANTILLON :
L'échantillon peut varier d'une enquête à l'autre. Il est stratifié de manière à représenter les dix provinces canadiennes et comprend environ 10 000 ménages.

UNITÉS D'ÉCHANTILLONNAGE :
Les ménages.

UNITÉS DE RÉFÉRENCE :
Varient selon les problématiques.

UNITÉS DÉCLARANTES :
Un adulte par ménage, à l'occasion davantage.

UNITÉS D'ANALYSE :
Varient selon les problématiques.

MÉDIA :
Varie selon les problématiques.

CARACTÉRISTIQUES DES DONNÉES :
Les données peuvent être ponctuelles aussi bien que rétrospectives. L'enquête de 1985 portait sur la santé (handicaps, bien-être, poids et taille, problèmes de santé, alcool, tabac, activité physique) et les personnes âgées (réseau d'aide et activités sociales). L'enquête de 1986 portait sur la mobilité sociale (mobilité inter et intragénérationnelle), l'utilisation du temps et la connaissance de la langue. Celle de 1988 portait sur les risques personnels (accidents, crimes, environnement, etc.) et sur les victimes.

SOURCE : Statistique Canada, GSS, *Features and Status Report.*

Enquête sur l'activité

ANNÉES DISPONIBLES :
Menée depuis 1987, cette enquête a été précédée par diverses autres enquêtes portant sur des sujets apparentés : Enquête sur les modèles annuels d'emploi menée de 1978 à 1981 inclusivement ; Enquête sur l'histoire en emploi menée de 1981 à 1987 ; Enquête sur l'appartenance aux syndicats menée en 1984.

OBJECTIFS :
Seule enquête longitudinale réalisée au Canada, elle permet de fournir des données dynamiques concernant le marché du travail ; elle permet aussi de fournir des données sur des segments particuliers de la population pour les programmes du ministère de l'Emploi et de l'Immigration du Canada et d'évaluer la participation aux programmes de ce même Ministère.

MÉTHODOLOGIE :
L'enquête se déroule en deux étapes distinctes où le même questionnaire est administré aux mêmes personnes. La période couverte est de 24 mois. La première vague, menée en janvier 1987, concernait l'année précédente et la deuxième vague, tenue en janvier 1988, portait sur 1987.

POPULATION :
La population canadienne.

POPULATION OBSERVÉE :
La population civile, non institutionnalisée, âgée de 14 ans et plus, habitant le Canada à l'exclusion des Territoires du Nord-Ouest, du Yukon et des personnes résidant dans les réserves et sur les terres de la couronne.

ÉCHANTILLON :
Tiré de l'Enquête sur la population active.

UNITÉS D'ÉCHANTILLONNAGE :
Les logements occupés.

UNITÉS DE RÉFÉRENCE :
Les membres des ménages.

UNITÉS DÉCLARANTES :
Un membre adulte du ménage.

UNITÉS D'ANALYSE :
Chacun des membres du ménage.

MÉDIA :
Entrevues par téléphone ou de personne à personne.

CARACTÉRISTIQUES DES DONNÉES :
Données longitudinales portant sur les années de référence. Les sujets couverts sont des informations sur les emplois occupés durant l'année (jusqu'à 5 emplois) et portent sur le travail, l'employeur, l'industrie, la classification, la durée de chaque emploi, la recherche d'emploi ainsi que l'appartenance à un syndicat et ses caractéristiques.

SOURCE : Boisjoly, 1988.

Annexe D

RÉPARTITION DE LA POPULATION SELON LA SCOLARITÉ, L'ÂGE ET LA LANGUE D'USAGE, QUÉBEC, 1981

Niveaux	15-19 ans				20-24 ans				25-34 ans				35-44 ans			
	Français	Anglais	Autre	Total	Français	Anglais	Autre	Total	Français	Anglais	Autre	Total	Français	Anglais	Autre	Total
Moins d'une 5e année	5 955 (1,16)	440 (0,56)	605 (2,59)	6 995 (1,13)	5 660 (1,04)	360 (0,49)	780 (3,47)	6 800 (1,06)	11 500 (1,21)	1 080 (0,81)	3 455 (7,69)	16 035 (1,42)	19 175 (2,81)	1 735 (1,78)	6 500 (15,19)	27 415 (3,33)
5e à 8e année	25 855 (5,03)	3 790 (4,78)	2 520 (10,78)	32 170 (5,22)	23 250 (4,27)	1 855 (2,5)	2 235 (9,95)	27 345 (4,27)	83 240 (8,73)	6 525 (4,92)	9 910 (22,06)	99 670 (8,81)	165 795 (24,25)	10 710 (10,98)	14 710 (34,38)	191 220 (23,21)
9e à 10e année	127 000 (24,7)	27 040 (34,11)	6 975 (29,85)	161 020 (26,10)	64 105 (11,78)	6 270 (8,45)	2 150 (9,57)	72 525 (11,32)	100 805 (10,57)	10 900 (8,21)	3 560 (7,92)	115 260 (10,19)	69 300 (10,14)	10 715 (10,99)	3 095 (7,23)	83 105 (10,09)
11e à 13e année, C.E.S., diplôme d'école de métier	243 770 (47,41)	27 760 (35,02)	7 870 (33,68)	279 400 (45,30)	212 520 (39,04)	21 975 (29,62)	6 015 (26,78)	240 510 (37,5)	329 095 (34,51)	34 480 (25,98)	9 720 (21,64)	373 300 (33,00)	174 475 (25,52)	20 825 (21,35)	6 835 (15,97)	202 130 (24,53)
Autres études non universitaires	103 655 (20,16)	16 575 (20,91)	4 655 (19,92)	124 885 (20,25)	161 875 (29,74)	19 690 (26,54)	5 220 (23,24)	186 790 (29,14)	255 680 (26,81)	26 440 (19,92)	6 855 (15,26)	288 975 (25,55)	142 295 (20,81)	19 735 (20,24)	5 035 (11,77)	167 060 (20,27)
Études universitaires	7 955 (1,55)	3 660 (4,62)	745 (3,19)	12 365 (2,00)	76 905 (14,13)	24 030 (32,39)	6 060 (26,98)	106 995 (16,69)	173 210 (18,17)	53 290 (40,15)	11 425 (25,43)	237 930 (21,03)	112 635 (16,47)	33 810 (34,67)	6 620 (15,47)	153 065 (18,58)
TOTAL	514 190 (100)	79 270 (100)	23 370 (100)	616 825 (100)	544 315 (100)	74 180 (100)	22 460 (100)	640 960 (100)	953 520 (100)	132 715 (100)	44 925 (100)	1 131 165 (100)	683 680 (100)	97 525 (100)	42 790 (100)	823 995 (100)

Niveaux	45-54 ans				55-64 ans				65 ans et plus				Total			
	Français	Anglais	Autre	Total	Français	Anglais	Autre	Total	Français	Anglais	Autre	Total	Français	Anglais	Autre	Total
Moins d'une 5e année	31 770 (5,81)	2 715 (3,06)	11 360 (26,17)	45 845 (6,75)	60 055 (13,59)	3 770 (4,43)	8 465 (27,87)	72 295 (12,97)	93 590 (23,33)	9 565 (10,33)	14 100 (43,37)	117 260 (22,28)	227 710 (5,57)	19 670 (3,03)	45 265 (18,87)	292 645 (5,88)
5e à 8e année	208 540 (38,13)	16 410 (18,49)	15 890 (36,61)	240 840 (35,47)	189 740 (42,93)	20 505 (24,09)	10 710 (35,26)	220 950 (39,63)	172 015 (42,88)	29 245 (31,58)	9 425 (28,99)	210 680 (40,03)	868 430 (21,25)	89 045 (13,7)	65 395 (27,27)	1 022 875 (20,56)
9e à 10e année	61 540 (11,25)	11 580 (13,05)	2 585 (5,96)	75 700 (11,15)	42 115 (9,53)	11 665 (13,7)	1 685 (5,55)	55 465 (9,95)	32 910 (8,20)	11 460 (12,37)	1 555 (4,78)	45 925 (8,73)	497 760 (12,18)	89 630 (17,79)	21 610 (9,01)	609 000 (12,24)
11e à 13e année, C.E.S., diplôme d'école de métier	114 415 (20,92)	19 415 (21,88)	6 085 (14,02)	139 915 (20,6)	77 365 (17,5)	19 365 (22,75)	4 290 (14,12)	101 500 (18,21)	56 950 (14,2)	19 240 (20,77)	3 585 (11,03)	79 715 (15,15)	1 209 070 (29,59)	163 050 (25,08)	44 400 (18,51)	1 416 525 (28,47)
Autres études non universitaires	77 965 (14,26)	17 290 (19,49)	3 950 (9,10)	99 205 (14,61)	42 060 (9,52)	14 185 (16,67)	2 435 (8,02)	58 675 (10,52)	25 095 (6,26)	11 545 (12,47)	1 610 (4,95)	38 250 (7,27)	808 625 (19,79)	125 460 (19,3)	29 755 (12,41)	963 850 (19,37)
Études universitaires	52 720 (9,64)	21 325 (24,03)	3 525 (8,12)	77 570 (11,42)	30 195 (6,83)	15 615 (18,35)	2 795 (9,20)	48 610 (8,72)	20 595 (5,13)	11 570 (12,49)	2 240 (6,89)	34 405 (6,54)	474 220 (11,61)	163 300 (25,12)	33 410 (13,93)	670 935 (13,48)
TOTAL	546 940 (100)	88 735 (100)	43 405 (100)	679 075 (100)	442 015 (100)	85 115 (100)	30 375 (100)	557 500 (100)	401 160 (100)	92 620 (100)	32 515 (100)	525 295 (100)	4 085 815 (100)	650 165 (100)	239 840 (100)	4 975 825 (100)

Source : Statistique Canada, 1984, totalisation spéciale.

RÉPARTITION DE LA POPULATION MASCULINE SELON LA SCOLARITÉ, L'ÂGE ET LA LANGUE D'USAGE, QUÉBEC, 1981

Niveaux	15-19 ans				20-24 ans				25-34 ans				35-44 ans			
	Français	Anglais	Autre	Total	Français	Anglais	Autre	Total	Français	Anglais	Autre	Total	Français	Anglais	Autre	Total
Moins d'une 5e année	3 300 (1,26)	225 (0,56)	305 (2,42)	3 830 (1,22)	3 155 (1,16)	200 (0,55)	320 (2,71)	3 675 (1,15)	6 065 (1,27)	515 (0,79)	1 465 (6,62)	8 050 (1,43)	10 570 (3,09)	930 (1,93)	2 260 (10,69)	13 760 (3,35)
5e à 8e année	15 230 (5,82)	2 215 (5,5)	1 435 (11,41)	18 880 (6,01)	12 730 (4,68)	1 105 (3,02)	1 005 (8,5)	14 845 (4,64)	37 485 (7,87)	2 910 (4,49)	3 965 (17,9)	44 360 (7,87)	73 190 (21,41)	5 080 (10,54)	6 420 (30,35)	84 695 (20,6)
9e à 10e année	70 020 (26,77)	14 265 (35,41)	3 880 (30,84)	88 165 (28,04)	34 235 (12,6)	3 600 (9,83)	1 160 (9,81)	38 990 (12,18)	48 460 (10,17)	5 125 (7,90)	1 765 (7,97)	55 350 (9,82)	30 330 (8,87)	4 550 (9,44)	1 610 (7,61)	36 495 (8,88)
11e à 13e année, C.E.S., diplôme d'école de métier	120 275 (45,99)	14 020 (34,81)	4 155 (33,03)	138 450 (44,04)	102 120 (37,58)	10 295 (28,12)	2 980 (25,2)	115 395 (36,04)	148 610 (31,19)	14 885 (22,95)	4 510 (20,37)	168 015 (29,82)	83 070 (24,30)	9 180 (19,06)	3 630 (17,16)	95 880 (23,32)
Autres études non universitaires	48 935 (18,71)	7 795 (19,35)	2 430 (19,32)	59 160 (18,82)	79 190 (29,14)	8 770 (23,96)	2 795 (23,64)	90 755 (28,35)	134 065 (28,13)	11 925 (18,39)	3 690 (16,66)	149 675 (26,56)	75 740 (22,16)	8 405 (17,45)	2 905 (13,74)	87 045 (21,17)
Études universitaires	3 770 (1,44)	1 755 (4,36)	375 (2,98)	5 905 (1,88)	40 310 (14,83)	12 635 (34,51)	3 560 (30,11)	56 500 (17,65)	101 815 (21,37)	29 495 (45,48)	6 755 (30,5)	138 070 (24,5)	68 900 (20,16)	20 030 (41,58)	4 315 (20,4)	93 245 (22,68)
TOTAL	261 530 (100)	40 280 (100)	12 580 (100)	314 385 (100)	271 745 (100)	36 610 (100)	11 825 (100)	320 170 (100)	476 510 (100)	64 850 (100)	22 145 (100)	563 510 (100)	341 795 (100)	48 175 (100)	21 150 (100)	411 120 (100)

Niveaux	45-54 ans				55-64 ans				65 ans et plus				Total			
	Français	Anglais	Autre	Total	Français	Anglais	Autre	Total	Français	Anglais	Autre	Total	Français	Anglais	Autre	Total
Moins d'une 5e année	17 585 (6,56)	1 490 (3,41)	4 540 (20,46)	23 610 (7,07)	31 315 (15,11)	2 025 (5,06)	3 425 (23,03)	36 760 (14,02)	47 250 (28,01)	4 490 (11,4)	5 360 (37,55)	57 095 (25,68)	119 245 (5,98)	9 865 (3,15)	17 675 (14,85)	146 785 (6,05)
5e à 8e année	94 025 (35,09)	7 715 (17,68)	8 190 (36,91)	109 935 (32,94)	80 750 (38,96)	9 190 (22,97)	5 375 (36,13)	95 315 (36,36)	66 380 (39,35)	12 120 (30,78)	4 240 (29,7)	82 745 (37,21)	379 795 (19,03)	40 335 (12,89)	30 645 (25,74)	450 775 (18,57)
9e à 10e année	26 480 (9,88)	5 110 (11,71)	1 295 (5,84)	32 885 (9,85)	17 650 (8,52)	4 920 (12,3)	845 (5,68)	23 410 (8,93)	10 955 (6,49)	4 335 (11,01)	635 (4,45)	15 930 (7,16)	238 130 (11,93)	41 910 (13,39)	11 185 (9,4)	291 220 (12)
11e à 13e année, C.E.S., diplôme d'école de métier	56 740 (21,18)	8 705 (19,95)	3 435 (15,48)	68 885 (20,64)	37 165 (17,93)	8 630 (21,57)	2 155 (14,49)	47 950 (18,29)	21 280 (12,61)	7 940 (20,17)	1 620 (11,35)	30 835 (13,87)	569 260 (28,53)	73 655 (23,54)	22 490 (18,89)	665 410 (27,41)
Autres études non universitaires	29 170 (10,89)	5 855 (13,42)	1 900 (8,56)	36 925 (11,06)	21 880 (10,56)	5 780 (14,45)	1 385 (9,31)	29 050 (11,08)	11 130 (6,6)	4 190 (10,64)	920 (6,44)	16 235 (7,3)	411 780 (20,64)	54 420 (17,39)	16 560 (13,91)	482 760 (19,89)
Études universitaires	32 255 (12,04)	13 075 (29,96)	2 285 (10,3)	47 615 (14,27)	18 495 (8,92)	9 460 (23,65)	1 690 (11,36)	29 640 (11,31)	11 710 (6,94)	6 300 (16)	1 505 (10,54)	19 520 (8,78)	227 255 (13,89)	92 755 (29,64)	20 485 (17,21)	390 495 (16,09)
TOTAL	267 935 (100)	43 645 (100)	22 190 (100)	333 765 (100)	207 245 (100)	40 005 (100)	14 875 (100)	262 125 (100)	168 710 (100)	39 375 (100)	14 275 (100)	222 365 (100)	1 995 465 (100)	312 940 (100)	119 040 (100)	2 427 445 (100)

Source : Statistique Canada, 1984, totalisation spéciale.

RÉPARTITION DE LA POPULATION FÉMININE SELON LA SCOLARITÉ, L'ÂGE ET LA LANGUE D'USAGE, QUÉBEC, 1981

Niveaux	15-19 ans				20-24 ans				25-34 ans				35-44 ans			
	Français	Anglais	Autre	Total	Français	Anglais	Autre	Total	Français	Anglais	Autre	Total	Français	Anglais	Autre	Total
Moins d'une 5e année	2 655 (1,05)	220 (0,56)	300 (2,78)	3 170 (1,05)	2 500 (0,92)	160 (0,43)	460 (4,32)	3 120 (0,97)	5 430 (1,14)	565 (0,83)	1 990 (8,74)	7 985 (1,41)	8 610 (2,52)	800 (1,62)	4 235 (19,57)	13 650 (3,31)
5e à 8e année	10 630 (4,21)	1 580 (4,05)	1 085 (10,05)	13 290 (4,39)	10 510 (3,86)	755 (2,01)	1 230 (11,55)	12 495 (3,90)	45 750 (9,59)	3 620 (5,33)	5 950 (26,12)	55 310 (9,74)	92 610 (27,09)	5 630 (11,41)	8 285 (38,29)	106 525 (25,8)
9e à 10e année	56 980 (22,55)	12 775 (32,76)	3 100 (28,72)	72 855 (24,09)	29 870 (10,96)	2 670 (7,11)	995 (9,35)	33 535 (10,45)	52 340 (10,97)	5 775 (8,51)	1 795 (7,88)	59 910 (10,55)	38 970 (11,4)	6 165 (12,49)	1 485 (6,86)	46 615 (11,29)
11e à 13e année, C.E.S., diplôme d'école de métier	123 500 (48,88)	13 740 (35,24)	3 715 (34,41)	140 945 (46,6)	110 400 (40,5)	11 680 (31,08)	3 035 (28,51)	125 115 (39)	180 480 (37,84)	19 595 (28,87)	5 210 (22,87)	205 285 (36,16)	91 400 (26,73)	11 645 (23,59)	3 200 (14,79)	106 250 (25,73)
Autres études non universitaires	54 725 (21,66)	8 780 (22,52)	2 225 (20,6)	65 720 (21,73)	82 690 (30,34)	10 920 (29,06)	2 425 (22,78)	96 030 (29,94)	121 610 (25,49)	14 520 (21,39)	3 170 (13,92)	139 305 (24,54)	66 560 (19,47)	11 330 (22,96)	2 125 (9,82)	80 020 (19,38)
Études universitaires	4 185 (1,66)	1 900 (4,87)	370 (3,43)	6 455 (2,13)	36 595 (13,43)	11 390 (30,31)	2 505 (23,53)	50 490 (15,74)	71 395 (14,97)	23 795 (35,06)	4 670 (20,5)	99 860 (17,59)	43 735 (12,79)	13 785 (27,93)	2 300 (10,63)	59 825 (14,49)
TOTAL	252 665 (100)	38 990 (100)	10 795 (100)	302 440 (100)	272 570 (100)	37 575 (100)	10 645 (100)	320 785 (100)	477 010 (100)	67 870 (100)	22 780 (100)	567 660 (100)	341 880 (100)	49 355 (100)	21 640 (100)	412 875 (100)

Niveaux	45-54 ans				55-64 ans				65 ans et plus				Total			
	Français	Anglais	Autre	Total	Français	Anglais	Autre	Total	Français	Anglais	Autre	Total	Français	Anglais	Autre	Total
Moins d'une 5e année	14 185 (5,08)	1 230 (2,73)	6 825 (32,17)	22 240 (6,44)	28 745 (12,24)	1 750 (3,88)	5 040 (32,53)	35 535 (12,03)	46 340 (19,94)	5 075 (9,53)	8 740 (47,9)	60 160 (19,79)	108 465 (5,19)	9 805 (2,91)	27 590 (22,84)	145 855 (5,72)
5e à 8e année	114 515 (41,04)	8 695 (19,28)	7 700 (36,3)	130 905 (37,91)	108 990 (46,42)	11 315 (25,08)	5 330 (34,4)	125 635 (42,53)	105 635 (45,45)	17 125 (32,16)	5 180 (23,4)	127 940 (42,1)	488 635 (23,38)	48 710 (14,44)	34 755 (28,77)	572 105 (22,45)
9e à 10e année	35 060 (12,57)	6 470 (14,35)	1 295 (6,1)	42 820 (12,4)	24 465 (10,42)	6 745 (14,95)	840 (5,42)	32 050 (10,85)	21 950 (9,44)	7 120 (13,37)	925 (5,07)	29 995 (9,87)	259 630 (12,42)	47 725 (14,15)	10 425 (8,63)	317 780 (12,47)
11e à 13e année, C.E.S., diplôme d'école de métier	57 670 (20,67)	10 710 (23,75)	2 650 (12,49)	71 030 (20,57)	40 690 (17,33)	10 735 (23,79)	2 130 (13,75)	53 555 (18,13)	35 670 (15,35)	11 300 (21,22)	1 965 (10,77)	48 940 (16,1)	639 815 (30,61)	89 400 (26,51)	21 910 (18,14)	751 115 (29,47)
Autres études non universitaires	37 115 (13,3)	9 740 (21,6)	1 510 (7,12)	48 365 (14,01)	20 180 (8,6)	8 405 (18,63)	1 045 (6,74)	29 635 (10,03)	13 965 (6,01)	7 350 (13,8)	695 (3,81)	22 015 (7,24)	396 840 (18,98)	71 045 (21,07)	13 200 (10,93)	481 085 (18,87)
Études universitaires	20 460 (7,33)	8 250 (18,3)	1 240 (5,84)	29 950 (8,67)	11 705 (4,99)	6 160 (13,65)	1 105 (7,13)	18 970 (6,42)	8 885 (3,82)	5 270 (9,9)	730 (4,0)	14 885 (4,9)	196 965 (9,42)	70 550 (20,92)	12 925 (10,7)	280 440 (11,0)
TOTAL	279 005 (100)	45 090 (100)	21 215 (100)	345 310 (100)	234 770 (100)	45 115 (100)	15 495 (100)	295 380 (100)	232 445 (100)	53 245 (100)	18 240 (100)	303 930 (100)	2 090 350 (100)	337 225 (100)	120 805 (100)	2 548 380 (100)

SOURCE : Statistique Canada, 1984, totalisation spéciale.

Bibliographie

ALLISON, P. D., *Event History Analysis*, Beverly Hills, Sage Publications, 1985, 87 pages.

ANGERS, C., *Les statistiques ? oui mais... : le bon et le mauvais usage des statistiques*, Montréal, Agence D'arc inc., 1988, 151 pages.

BACKSTROM, C.H., *Survey Research*, Northwestern University Press, 1963.

BAILAR, B. A., *Information Needs, Surveys, and Measurement Errors*, U.S. Bureau of the Census, 1986.

BAILLARGEON, G. et RAINVILLE, J., *Statistiques appliquées*, tome 2, Trois-Rivières, Éditions SMG, 1977, 594 pages.

BAILLARGEON, G. et RAINVILLE, J., *Statistiques appliquées*, tome 3, Trois-Rivières, Éditions SMG, 1979, 983 pages.

BERNARD, P., BEACH, C., CURTIS, J., DAVIES, J., FOX, B., LAPIERRE-ADAMCYK, E., ORNSTEIN, M. et ROBB, R., *A Proposal for a National Panel Study of How Canadians Go About Making a Living*, Ronéo, soumis au Conseil de recherche en sciences sociales du Canada, 1988, 148 pages.

BERTHIER, N. et BERTHIER, F., *Le sondage d'opinion*, Bordas, 1971.

BERTIN, J., *Sémiologie graphique : les diagrammes, les réseaux, les cartes*, Paris, Mouton, Paris-LaHaye et Gauthier-Villars, 1973, 431 pages.

BERTIN, J., *Graphics and Graphic Information Processing*, Berlin–New York, Walter de Gruyter, 1981, 273 pages.

BIALÈS, C., *Analyse statistique des données*, Paris, Chotard et Associés, 1988, 300 pages.

BLAIS, A., « Le sondage », *Recherche sociale*, Sillery, PUQ, 1984.

BLALOCK, H.M., *Introduction à la recherche sociale*, Duculot, 1973.

BOISJOLY, J., *Existing National Socio-Demo-Economic Data Bases in Canada*, Ronéo, septembre 1988.

BORUCH, R. F. et PEARSON, R. W., « Assessing the quality of longitudinal surveys », *Evaluation Reviews*, février 1988, vol. 12, p. 3-58.

BOUDON, R. et LAZARSFELD, P., *Le vocabulaire des sciences sociales*, Paris, Mouton, 1965.

BOUDON, R., BOURRICAUD, F. et GIRARD, A. éd., *Science et théorie de l'opinion publique*, Actualité des sciences humaines, Paris, Retz, 1981, 316 pages.

BOURDIEU, P., « Remarques à propos de la valeur scientifique et des effets politiques des enquêtes d'opinion », *Pouvoirs*, 1985, vol. 33, p. 131-139.

BRADBURN, N. M. *et al.*, *Improving Interview Method and Questionnaire Design*, Jossey Bass, 1981.

BROWN, F. G., *Principles of Educational and Psychological Testing*, Illinois, Dryden Press Inc., 1970, 468 pages.

BUREAU DE LA STATISTIQUE DU QUÉBEC, *Perspectives démographiques régionales, 1981-2006*, Québec, 1984, 436 pages.

CANTIN, M., *Examen de doctorat*, Ronéo, Dép. de sociologie, Université de Montréal, 1988, 122 pages.

CANTRILL, H., *Public Opinion,. 1935-1946*, Princeton, N.J., Princeton University Press, 1951, 1191 pages.

CAPLOW, T., *L'enquête sociologique*, Coll. U, 1970.

CHAUCHAT, H., *L'enquête en psychosociologie*, Paris, PUF, 1985, 253 pages.

CHEIN, I., « Une introduction à l'échantillonnage », dans SELLTIZ, C., WRIGHTSMAN, I. S. et COOK, S. W., *Méthode de recherche en sciences sociales*, Montréal, Les éditions HRW, 1977, p. 501-531.

CHENEY, F.N. et WILLIAMS, W.J., *Fundamental Reference Sources*, Chicago, American Library Association, 1980, 351 pages.

CHEVRIER, J., « La spécification de la problématique », dans GAUTHIER, B. éd., *Recherche sociale*, Sillery, PUQ, 1984, p. 51-77.

DALTON, M., « Preconceptions and methods », *Men Who Manage*, dans HAMMOND, P. E. éd., *Sociologists at Work*, New York, Basic Books, 1964, p. 50-95.

DEBATY, P., *La mesure des attitudes*, Paris, PUF, 1967, 200 pages.

DE SÈVE, M., *Premiers éléments d'analyse des données*, cahier 9, Laboratoire de recherches sociologiques, 1987.

DEVILLE, J.-C., « Les sondages complexes », dans DROESBEKE, J.-J., FICHET, B. et TASSI, P. éd., *Les sondages*, Paris, Économica, Association pour la statistique et ses utilisations, 1987a, p. 89-136.

DEVILLE, J.-C., « Réplications d'échantillons : demi-échantillons, jacknife et bootstrap », dans DROESBEKE, J.-J., FICHET, B. et TASSI, P. éd., *Les sondages*, Paris, Économica, Association pour la statistique et ses utilisations, 1987b, p. 147-172.

DROESBEKE, J.-J., FICHET, B. et TASSI, P. éd., « La place des sondages en statistique », *Les sondages*, Paris, Économica, Association pour la statistique et ses utilisations, 1987, p. 3-28.

DUNCAN, G. J. et HILL, D. H., « An investigation of the extent and consequences of measurement error in labor-economic survey data », *Journal of Labor Economics*, University of Chicago, 1985, vol. 3, n° 4.

DUNCAN, G. J. et HILL, D.H., *Assessing the Quality of Household Panel Data : The Case of the PSID*, Survey Research Center, University of Michigan, 1987.

DUNCAN, G. J., HILL, M. et LOUP, T., « Establishing comparable demographic information across household panel surveys », 1987, texte non publié.

DUNCAN, G. J. et KALTON, G., « Issues of design and analysis of surveys across time », *International Statistical Review*, 1987, vol. 55, p. 97-117.

EFRON, B. et TIBSHIRAMI, R., « Bootstrap methods for standard errors, confidence intervals, and their measures of statistical accuracy », *Statistical Science*, 1986, vol. 1, n° 1, p. 54-77.

FEYERABEND, P., *Contre la méthode : esquisse d'une théorie anarchiste de la connaissance*, Paris, Seuil, 1979, 350 pages.

FINK, A. et KOSECOFF, J., *How to Conduct Surveys*, Beverly Hills, Sage Publications, 1985, 119 pages.

FOX, R. J., CRASK, M. R. et KIM, J., « Mail survey response rate », *Public Opinion Quarterly*, 1988, vol. 52, p. 467-491.

FREEMAN, D., THORNTON, A.D., CAMBURN, D., ALWIN, D.F. et YOUNG-DEMARCO, L., « The life history calendar : a technique for collecting retrospective data », *Sociological Methodology*, Washington, D.C., American Sociological Association, 1988.

GAGNON, N., *Les typologies*, Ronéo, Dép. de sociologie, Université Laval, 1974.

GALLUP, G. H., « Coopération internationale dans le domaine des études d'opinion », dans BOUDON, R., BOURRICAUD, F. et GIRARD, A. éd., *Science et théorie de l'opinion publique*, Actualité des sciences humaines, Paris, Retz, 1981.

GAUTHIER, B., *Recherche sociale*, Sillery, PUQ, 1984.

GAUTHIER, M.J., *Cartographie dans les médias*, Sillery, PUQ, 1988.

GHIGLIONE, R. et MATALON, B., *Les enquêtes sociologiques*, Coll. U, 1978.

GOURIÉGOUX, C., « Effets d'un sondage : cas du khi carré et de la régression », dans DROESBEKE, J.-J., FICHET, B. et TASSI, P. éd., *Les sondages*, Paris, Économica, Association pour la statistique et ses utilisations, 1987, p. 137-146.

GRAWITZ, M. et PINTO, R., *Méthodes des sciences sociales*, Dalloz, 1967.

GRAY, D. B., *Ecological Beliefs and Behaviors*, Westport, Conn., Greenwood Press, 1985.

GROSBRAS, J.-M., *Méthodes statistiques des sondages*, Paris, Économica, 1987a, 331 pages.

GROSBRAS, J.-M., « Les réponses manquantes », dans DROESBEKE, J.-J., FICHET, B. et TASSI, P. éd., *Les sondages*, Paris, Économica, Association pour la statistique et ses utilisations, 1987b, p. 173-196.

GROSBRAS, J.-M. et DEVILLE, J.-C., « Algorithmes de tirage », dans DROESBEKE, J.-J., FICHET, B. et TASSI, P. éd., *Les sondages*, Paris, Économica, Association pour la statistique et ses utilisations, 1987, p. 209-234.

GROVES, R. M. et KAHN, R. L., *Surveys by Telephone : A National Comparison with Personal Interviews*, New York, Academic Press, 1979.

HAMMOND, P. E. éd., *Sociologists at Work*, New York, Basic Books, 1964, 401 pages.

HANUSHEK, E.A. et JACKSON, J.E., *Statistical Methods for Social Scientists*, Massachusetts, Academic Press, 1977, 325 pages.

HERBERG, W. éd., *Graphis Diagrams*, Zurich, Graphis Press, 1981, 207 pages.

HERMAN, J., FITZ-GIBBON, C.T. et MORRIS, L.L., *How to Design a Program Evaluation* (Program Evaluation Kit), 2e édition, Beverly Hills, Sage Publications, 1987, 168 pages.

HOFFMANN, M., « Les sondages d'opinion et les études de marché en Afrique », dans BOUDON, R., BOURRICAUD, F. et GIRARD, A. éd., *Science et théorie de l'opinion publique*, Actualité des sciences humaines, Paris, Retz, 1981, p. 297-306.

JAVEAU, C. et LEGROS-BAWIN, B., *Les sondages en question*, Bruxelles, Coll. Univers des sciences humaines, Éditions A. De Boek, 1977, 95 pages.

JEAN, A. C. et McARTHUR, E. K., *Tracking Persons Over Time, Survey of Income and Program Participation*, Working paper series no. 8701, Washington, D.C., U.S. Bureau of the Census.

KALTON, G. et LEPKOWSKI, J., « Following rules in SIPP », *Journal of Economic and Social Measurement*, 1985, vol. 13, p. 319-329.

KISH, L., « Some statistical problems in research design », dans TUFTE, E. R. éd., *The Quantitative Analysis of Social Problems*, Reading, Mass., Addison-Wesley Publications, 1970, p. 391-406.

KOHN, M. L. et SCHOOLER, C., « Jobs conditions and personnality : a longitudinal assessment », *American Journal of Sociology*, 1982, vol. 87, n° 6, p. 1257-1286.

LABAW, P., *Advanced Questionnaire Design*, ABT Books, 1980.

LE BOURDAIS, C., HAMEL, P.J. et BERNARD, P., « Le travail et l'ouvrage. Charge et partage des tâches domestiques chez les couples québécois », *Sociologie et sociétés*, 1987, vol. 19, n° 1, p. 37-55.

LÉCUYER, B.-P., « Une quasi-expérimentation sur les rumeurs au XVIIIe siècle : l'enquête proto-scientifique du contrôleur général Orry (1745) », dans BOUDON, R., BOURRICAUD, F. et GIRARD, A. éd., *Science et théorie de l'opinion publique*, Actualité des sciences humaines, Paris, Retz, 1981, p. 170-187.

LEMIEUX, V., *Les sondages et la démocratie*, Québec, IQRC, 1988.

LEWIS-BECK, M.S., *Applied Regression an Introduction*, Beverly Hills, Sage University Paper, 1980, 77 pages.

LIPSET, S.M., « The biography of a research project : union democracy », dans HAMMOND, P.E. éd., *Sociologists at Work*, New York, Basic Books, 1964, p. 96-120.

LOETHER, H.J. et McTAVISH, D.G., *Descriptive Statistics for Sociologist*, Allyn and Bacon, 1974.

LYMAN, H. B., *Test Scores and What They Mean*, New Jersey, Prentice-Hall, 1971, 200 pages.

MAX, A., *La république des sondages*, Paris, Gallimard, 1981.

McMILLEN, D. B., KALTON, G. et KASPRZYK, D., « Nonsampling error and design issues in panel surveys », Survey Research Center, University of Michigan, texte non publié, s.d.

MERTON, R. K., *Éléments de théorie et de méthode sociologique*, Paris, Plon, 1965, 514 pages.

MEYNAUD, H. et DUCLOS, D., *Les sondages d'opinion*, Éditions La découverte, 1985.

MICHELAT, G. et SIMON, M., « Sondage et analyse sociologique du vote », *Science et théorie de l'opinion*, Paris, Retz, 1981.

MORGAN, D.L., *Focus Groups as Qualitative Research*, Beverly Hills, Sage University Paper, série 16, 1988, 83 pages.

MORGAN, G., *Images of Organization*, Beverly Hills, Sage Publications, 1986, 423 pages.

MOSER, C.A. et KALTON, G., *Survey Methods in Social Investigation*, New York, Basic Books, 1972.

MUCCHIELLI, R., *Opinions et changement d'opinion, connaissance du problème*, Entreprise moderne d'édition, Libraries techniques et Éditions sociales françaises, 1969.

NIE, N.H., HULL, C.H., JENKINS, J.G. et BENT, D.H., *Statistical Package for Social Science*, New York, McGraw-Hill, 1975, 675 pages.

NOELLE-NEUMAN, E., *Les sondages d'opinion*, Éditions de Minuit, 1966, 393 pages.

NORUSIS, M.J., *SPSS-X Advanced Statistics Guide*, Chicago, SPSS Inc., 1988, 527 pages.

O'NEIL, P. et BENJAMIN, J., *Les mandarins du pouvoir : l'exercice du pouvoir au Québec de Jean Lesage à René Lévesque*, Montréal, Éditions Québec/Amérique, 1978, 255 pages.

ORNSTEIN, M.D., « Class, gender, and job income in Canada », *Research in Social Stratification and Mobility*, 1983, vol. 2, p. 41-75.

OSKAMP, S., *Attitudes and Opinions*, Englewood Cliffs, N.J., Prentice Hall, 1977, 466 pages.

PADIOLEAU, J., *L'opinion publique : examen critique, nouvelles directions*, Paris, Mouton, 1981.

PLATEK, P., PIERRE-PIERRE, F. et STEVENS, P., *Élaboration et conception des questionnaires d'enquêtes*, Statistique Canada, 1985.

POPLAB STAFF (coll.), *A Basic Demographic Questionnaire Data Collection and Analysis in Sample Surveys*, Laboratories for Population Statistics, manuel 7, janvier 1978, The University of North Carolina at Chapel Hill, Chapel Hill, N. C., 1978, 34 pages.

QUALTER, T.H., *Opinion Control in the Democracies*, New York, St. Martin's Press, 1985, 308 pages.

RIFFAULT, H., « L'Institut français d'opinion publique, 1938-1978 », dans BOUDON, R., BOURRICAUD, F. et GIRARD, A. éd., *Science et théorie de l'opinion publique*, Actualité des sciences humaines, Paris, Retz, 1981, p. 231-246.

ROLL, C. W. et CANTRILL, H., *Polls : Their Uses and Misuse in Politics*, New York, Basic Books, 1972, 177 pages.

ROSENBERG, M., *The Logic of Survey Analysis*, New York, Basic Books, 1968, 283 pages.

SATIN, A. et SHASTRY, W., *L'échantillonnage : un guide non mathématique*, Statistique Canada, n° 12-X-504F, 1983.

SCHMID, C. F., *Statistical Graphics*, New York, Wiley-Interscience Publications, John Wiley and Sons, 1983, 212 pages.

SELLIER, J.L., *Les tests, les comprendre et y répondre*, Paris, Bibliothèque du Centre d'étude et de promotion de la lecture, 1973, 252 pages.

SELLTIZ, C., WRIGHTSMAN, I. S. et COOK, S. W., *Méthode de recherche en sciences sociales*, Montréal, Éditions HRW, 1977, 606 pages.

SIMARD, G., *Animer, planifier et évaluer l'action : la méthode du focus groupe*, Montréal, Mondia, 1989, 102 pages.

SOCIÉTÉ RADIO-CANADA, *Les sondages d'opinion politique et leur utilisation par les mass medias*, 1975.

SQUIRE, P., « Why the 1936 literary digest poll failed », *Public Opinion Quarterly*, vol. 52, p. 125-133.

STATISTIQUE CANADA, *Répertoire des concepts sociaux : un guide de normes pour enquêtes statistiques*, n° 12-560, 1980.

STATISTIQUE CANADA, *Population, Canada et provinces*, n° 93-115, 1986.

STATISTIQUE CANADA, *Dimensions, Régions métropolitaines de recensement*, n° 93-156, 1986.

STATISTIQUE CANADA, *Profils, Divisions et subdivisions de recensement*, n° 94-109, 1986.

STATISTIQUE CANADA, *Profils, Secteurs de recensement*, n° 94-142, 1986.

STOETZEL, J. et GIRARD, A., *Les sondages d'opinion publique*, Paris, PUF, 1973.

SUDMAN, S. et BRADBURN, N.M., *Asking Questions, a Pratical Guide to Questionnaire Design*, Jossey Bass, 1982.

SUTHERLAND, E. H., *Principles of Criminology*, Chicago, Lippincott, 1939, 651 pages.

SZCZEPANSKI, J., « Possibilités et limites des sciences sociales appliquées », dans BOUDON, R., BOURRICAUD, F. et GIRARD, A. éd., *Science et théorie de l'opinion publique*, Actualité des sciences humaines, Paris, Retz, 1981.

THIBAULT, N., *Tables de mortalité, Québec, régions administratives et sous-régions de Montréal, 1980-1982*, Québec, Bureau de la statistique du Québec, juin 1985, 61 pages.

TREMBLAY, M.-A., *Initiation à la recherche empirique*, Montréal, McGraw-Hill, 1968.

TUFTE, E. R. éd., *The Quantitative Analysis of Social Problems*, Reading, Mass., Addison-Wesley Publications, 1970, 449 pages.

TUKEY, J. W. et WILK, M. B., « Data analysis and statistics : techniques and approaches », dans TUFTE, E. R. éd., *The Quantitative Analysis of Social Problems*, Reading, Mass., Addison-Wesley Publications, 1970, p. 370-390.

TURRITIN, A. H., ANISEF, P. et MacKINNON, N. J., « Gender differences in educational achievement : a study of social inequality », *Cahier canadien de sociologie*, vol. 8, n° 4, p. 395-419.

VACHON, J., « Qu'advient-il des enfants placés en soins d'accueil ? », *Sauvegarde de l'enfance*, mars/avril 1984, n° 2, p. 119-133.

WHITE, J. V., *Using Charts and Graphs*, New York, R. R. Bowker Co., 1984, 202 pages.

WRIGHT, E. O. et PERRONE, L., « Marxist class categories and income inequality », *American Sociological Review*, 1977, vol. 42, n° 1, p. 32-55.

YOUNG, P., *Scientific Social Survey and Research*, 3ᵉ édition, Englewood Cliffs, N.J., Prentice-Hall, 1956, 540 pages.

Index

N

S

U

Scabrini
Numérique

Achevé d'imprimer en janvier 1999
Montréal, Québec